Wel vergeven, niet vergeten

Geschiedenis van Nederland gedurende de Tweede Wereldoorlog.

ADRIAAN HAKKERT

Wel vergeven, niet vergeten

Geschiedenis van Nederland
gedurende de Tweede Wereldoorlog

2004 Uitgeverij Aspekt

Bilderdijk,
'In het verleden ligt het heden, in het nu wat worden zal'

Wel vergeven, niet vergeten

2de herziene druk, 2004
Amersfoortsestraat 27, 3769 AD Soesterberg
aspekt@knoware.nl
www.uitgeverijaspekt.nl
Ontwerp omslag: Peter Koch
Binnenwerk: Van Swieten & Partner, Nieuwegein

ISBN: 90-5911-146X

Voor in het boek gepubliceerd fotomateriaal, geldt een bijzonder woord van dank aan:
Beeldarchief Nederlands Instituut voor Oorlogs Documentatie (NIOD) te Amsterdam
Beeldarchief Instituut voor Militaire Geschiedenis van de Landmachtstaf te Den Haag
Fotoarchief van Gemeente Rotterdam te Rotterdam
Voor in het boek gepubliceerde kaarten, geldt een bijzonder woord van dank aan de *Vereniging Mars & Mercurius*, in verband met het door hen voor leden uitgegeven kleine boekwerk *Chronologie van de Tweede Wereldoorlog*

Gegevens auteur:

Adriaan Hakkert volgde onder meer studies en opleidingen aan het Koninklijk Instituut voor de Marine te Den Helder en bij militaire stafscholen in Den Haag. Tijdens zijn militaire loopbaan verbleef hij ruim elf jaar in het buitenland in Noord- en Zuid-Amerika, Midden- en Verre Oosten en Engeland. Na dienstverlating als kolonel der mariniers, volgde een loopbaan in het bedrijfsleven. Daarin is hij tot op heden actief in de personeelssector. Ruim tien jaar geleden begon hij een nevenactiviteit als (maritiem) publicist-journalist. Sindsdien publiceerde hij ruim tweehonderd artikelen in maand-, dagbladen en periodieken over maritieme, economische en historische onderwerpen.

Met dank aan:
Maria, Yvonne, Daan-Jeroen, Emmy, Carolien en Ben

INHOUD

VOORWOORD

Burgemeester van Rotterdam

'Wel vergeven, niet vergeten'

Rotterdam, 10 februari 2003

Vrede en vrijheid. Twee woorden die zo gemakkelijk zijn gezegd, maar op sommige plaatsen zo moeilijk te realiseren. De wereld wordt steeds kleiner en wij kunnen dagelijks zien wat oorlog voor verschrikkelijke gevolgen heeft. Ook al is het in andere landen dan het onze, het raakt je diep als je de vernietigingen en het leed ziet. De prijs die voor onze vrede moet worden betaald is nog steeds veel te hoog.

Dat is ook het beeld dat spreekt na het lezen van deze korte geschiedenis van Nederland gedurende de Tweede Wereldoorlog. Evenals toen het geval was, kunnen ook nu – aan het begin van de 21ste eeuw – vrijheid en democratie helaas niet als vanzelfsprekend worden beschouwd.

Daarom blijft de 4de mei een belangrijke herdenkingsdag. Dat geldt in het bijzonder voor een stad als Rotterdam die in de Tweede Wereldoorlog zwaar getroffen werd. In deze stad zijn meer dan dertig plaatsen, gemarkeerd met plaquettes, monumenten of slechts een bescheiden naambordje, waar herdenkingen plaatsvinden. Vaak zijn dit plaatsen waar een dramatische gebeurtenis heeft plaatsgevonden. Waar slachtoffers vielen die gefusilleerd zijn of waar mensen op een andere manier het leven lieten. Op 4 mei liggen op al die plaatsen bloemen omdat wij met elkaar het gedachtegoed levend willen houden aan de periode van verlies, maar ook van verzet.

Het is van groot belang om met een zekere regelmaat stil te staan bij wat in het verleden gebeurd is. Veel mensen die in de oorlogen zijn omgekomen waren nog jong. Soms kwamen zij juist in de oorlog terecht omdat zij vochten voor een ideaal: voor vrijheid, voor zelfbeschikkingsrecht. Degenen die hun leven hebben gegeven, hebben dat gedaan om het anderen mogelijk te maken in vrijheid en vrede verder te leven.

Jana Beranová, de Rotterdamse dichteres die ooit als vluchtelinge uit Tsjechoslowakije naar het vrije Nederland kwam, maakte in het volgende gedicht duidelijk wat de pijn kan zijn van oorlogsgeweld.

Gedicht
Mijn geheugen scheurt
de aarde doormidden.
Ik wil dat het stopt.
Laten we een gedicht leggen
over de kloof,

laten we op alle plekken
de hemel verdelen onder elkaar.

Kom, al is het huiverend.
Heb je naaste lief
als je eigen vrijheid.

Dit gedicht gaat over verschrikkingen en over naastenliefde. Laat deze geschiedschrijving een aansporing zijn om die naastenliefde, de vrede en de vrijheid te blijven koesteren.

Mr. I.W. Opstelten
Burgemeester van Rotterdam

INLEIDING

De Tweede Wereldoorlog (1939-1945) ligt ver achter ons. Van de nog levende ooggetuigen en slachtoffers, blijven er ieder jaar minder over. Het aantal boeken dat wereldwijd over dit onderwerp is verschenen, bedraagt meer dan honderdduizend, waarvan omstreeks zesduizend in de Nederlandse taal. Veel van deze boeken betreffen deelonderwerpen. Ze gaan over speciale facetten, lokale gebeurtenissen of bepaalde specifieke periodes. *Alle* aspecten van de Tweede Wereldoorlog werden zeer uitgebreid door dr. Lou de Jong met zijn staf van medewerkers in de lijvige publicatie *Het Koninkrijk der Nederlanden in de Tweede Wereldoorlog* te boek gesteld.

Thans hebben maar weinig lezers interesse en tijd, om zich door die dertigdelige boekenreeks heen te werken. De Jong geeft in zijn monumentale werk, overigens een enigszins geprononceerd oordeel over de 'goeden en de kwaden'. Wellicht hebben zijn jaren in Londen tijdens de bezetting, hier op de achtergrond een rol in meegespeeld. Aan de overkant van Het Kanaal had de Londense regering te weinig gedetailleerde informatie over de rauwe realiteit van de terreur en een neiging om de verzetshouding en acties van de bevolking te idealiseren.

Historicus Chris van der Heijden publiceerde in 2001 het boek *Grijs verleden*, dat een heel ander licht laat schijnen over die oorlogsjaren. Hij schetst te overduidelijk de houding van de grote groep Nederlanders die zich nogal op de vlakte hielden en zich probeerden aan te passen aan het autoritaire regime van de bezetters. In zijn relativering schiet hij nogal door naar de andere kant. Hij marginaliseert, zowel degenen die zich verzetten, als de massa die in meerdere of mindere mate passief bleef. Hij benadrukt in te hoge mate het 'grijze' van hen die probeerden zo normaal mogelijk te leven. In zijn beschrijvingen van die 'grijsheid' doet hij zelfs historistische feiten over verzet, illegaliteit en repressie geweld aan.

Publicist Dick Verkijk gaat in een pamflet in boekvorm (*Die slappe Nederlanders*, 2000) hier fel tegenin. Hier en daar schiet hij over de anti-nazi-houding van de bevolking en de illegaliteit enigszins door naar de andere kant.

Historica Nanda van der Zee geeft in haar boek uit 1997 *Om erger te voorkomen*, over bepaalde aspecten een vrij subjectief 'gekleurd' en eenzijdig beeld over de passieve houding van de bevolking ten opzichte van de joodse landgenoten. Zij hekelt op wat naïeve wijze het vertrek van koningin en ministers naar Engeland en doet daarbij zelfs historisch feiten geweld aan. In haar ijver over de 'schuldvraag' ten aanzien van het extreem hoge aantal joodse Nederlanders dat in vernietigingskampen is omgekomen, gaat zij achteloos voorbij aan de fysieke onmogelijkheid om (indien ze dat zelf gewild zouden hebben) ruim honderdduizend mensen binnen een korte tijd te laten onderduiken. In haar beweringen is zij her en der vaak inconsequent en tegenstrijdig.

De discussies over 'goed' en 'fout', hebben decennia lang Nederland beroerd. In dit boek heb ik als *verslaggever*, zoveel mogelijk getracht *de feiten neutraal en zo objectief mogelijk, voor zich te laten spreken*. Het boek heeft dan ook zeker niet de pretentie allerlei nieuwe aspecten voor te leggen, maar in een *korte* beschrijving een beeld te geven over de dikwijls onplezierige feitelijkheden gedurende die vijf moeilijke oorlogsjaren.

Sommige neo-historici hebben eind vorige eeuw een neiging om terreur en willekeur die Nederland in de greep had, te beschrijven als 'het viel toch wel mee en we moeten niet overdrijven'. Dit soort 'studeerkamer'-historici lijkt weinig te begrijpen wat leven onder een autoritair terreurregime met zich meebrengt. Ten aanzien hiervan, kunnen de gebeurtenissen in dit boek aantonen dat het helemaal niet meeviel en in het bijzonder de bevolking in veel steden het vaak zwaar te verduren kreeg.

Voor het schrijven van dit boek heb ik slechts voor een klein deel geput uit mijn eigen herinneringen en ervaringen. In veel grotere mate is gebruikgemaakt van veel bronnen, die in de Nederlandse taal zijn verschenen. Daarnaast is ruimschoots gebruikgemaakt van talrijke Engelstalige, maar ook Duitse en Franse bronnen. Deze buitenlandse bronnen vermelden meestal slechts enkele bladzijden, of nog summierder informatie over de gebeurtenissen in Nederland. Ze geven her en der zelfs een niet geheel juiste weergave van feiten. Zelfs in de lijvige Macmillan *Dictionary of The Second World War* (1989) en Oxford University Press *Companion to World War II* (1995), komen cijfermatige onjuistheden voor. De auteurs Warmbrunn, Maass, Lou de Jong en Henri van der Zee behoren tot de enkelen die over die periode uitgebreider in de Engelse taal hebben gepubliceerd. De realiteit is ook, dat in het *totale* oorlogsverloop in West-Europa, de militaire operaties en het dagelijks leven in Nederland, doorgaans van gering belang zijn geweest voor de strijd van de geallieerden tegen nazi-Duitsland.

Zelf was ik een kind van ruim zeven jaar bij het begin van de oorlog. Ik was mij zeer wel bewust wat om mij heen gebeurde. Daarom hebben die vijf jaren een onuitwisbare indruk gemaakt. Ongetwijfeld speelde daarbij een rol, dat een deel van mijn familie ten gevolge van de nazi-terreur, in vernietigingskampen om het leven is gebracht.

In de bezette landen in West-Europa kwam heroïsch verzet en opofferingsgezindheid voor, naast verraad en collaboratie. Het grootste deel van de mensen in de bezette landen, probeerde zo gewoon mogelijk te leven en te overleven. Men vermeed daarbij zo veel mogelijk, de confrontatie met de meedogenloze Duitse geheime politie of nazi-gezinde politieke partijen. Heldhaftigheid is van nature slechts enkelen gegeven. Door zijn geografie en dichte bevolking, was trouwens grootschalig gewapend verzet in ons land nauwelijks mogelijk, noch efficiënt, noch wenselijk.

Misschien waren het de oorlogsjaren, die mijn loopbaankeuze mede beïnvloedden. In ruim dertig jaar van mijn militaire loopbaan, kreeg ik in Zuidoost-Azië in een laatste koloniale oorlog en als VN militair waarnemer in het Midden Oosten, de gelegenheid beperkte militaire conflicten persoonlijk te ervaren en te observeren. Mijn tweede loopbaan in het bedrijfsleven, heeft de belangstelling voor geschiedenis – in het bijzonder de jaren 1935-1945 – niet doen verflauwen. Integendeel, de vaak onzichtbare verbanden tussen ideologie, politiek, economie, grondbezit en grondstoffen, macht, racisme, fundamentalisme, terreur et cetera, zijn mij daardoor zelfs een stuk duidelijker geworden.

Sinds 1945 zijn (burger)oorlogen, gelijksoortige gewelddadige botsingen en terreur op kleine en grotere schaal, gewoon doorgegaan. Tot op de dag van vandaag, komen ze nog steeds voor. In 1945 dachten we idealistisch 'dit kan en mag nooit meer gebeuren'. Gewelddadige conflicten en terreur hebben in de duizenden jaren van de beschreven geschiedenis altijd onnoemelijk leed en ellende aan grote aantallen burgers en militairen veroorzaakt. Zolang mensen in staat zijn tot het meest edele en het meest duivelse, zullen botsingen meestal gewelddadig uitgevochten worden.

Ontwapening, internationale verdragen, internationale en humanitaire organisaties, kunnen de schaalgrootte van conflicten en de hoeveelheid gebruikt geweld hooguit beperken. Geheel uitbannen kan alleen slagen, als het bewustzijn van mensen mondiaal zich op een hoger niveau ontwikkelt. Daarvoor is het inzicht nodig, dat conflicten niet met wapens, maar met overleg en een dosis redelijkheid moeten en kunnen worden opgelost. Daarbij moeten heftige emoties als haat, wraak, woede et cetera, worden gecontroleerd door verstand, inzicht en begrip.

In de oorlogsjaren kwam veel passiviteit en aanpassing, maar ook veel indirect protest en actief verzet voor. Men probeerde zoveel mogelijk het normale leven te continueren. Deze houding kwam niet alleen in Nederland, maar in de meeste bezette landen voor. Bij sommigen bracht dit uit het oogpunt van opportunisme of idealisme, collaboratie en actief heulen met de vijand met zich mee.

In de uitgebreide internationale militaire en historische literatuur over de Tweede Wereldoorlog, worden geallieerde en Duitse gevechtsoperaties op het Nederlandse grondgebied, meestal alleen vrij beperkt vermeld. De beschrijving betreft alleen de aspecten die van direct belang waren voor de totale strategische blauwdruk van de weg naar onvoorwaardelijke overgave van de nazi's en het einde van die wereldoorlog in Europa. Ondanks dat, zijn er toch nog *omstreeks vijftigduizend geallieerde militairen* voor de bevrijding bij gevechten op Nederlands grondgebied gesneuveld! Velen van hen liggen begraven op de grote begraafplaatsen voor gesneuvelden, zoals onder meer op de Grebbeberg bij Rhenen, Loenen op de Veluwe, Oosterbeek en Margraten in Zuid-Limburg.

Tijdens de bezetting waren er voor wat betreft de directe invloed op het dagelijkse leven, grote verschillen tussen de steden en het platteland. Dit beïnvloedde in hoge mate hoe men de bezetting persoonlijk emotioneel en rationeel beleefde. Uit Amerikaans onderzoek is gebleken dat van door de nazi's bezette landen in West-Europa, het dichtbevolkte Nederland in *materiële* opzichten en aantallen slachtoffers, procentueel het meest heeft geleden van *alle West-Europese* landen.

Nu we aan het begin staan van een nieuw millennium, is een terugblik op de vorige eeuw iets gemakkelijker en overzichtelijker. Met meer afstand en daardoor doorgaans meer objectiviteit, kan de periode van dictatuur, racisme, onvrijheid, terreur, onderdrukking en verzet, nuchterder bekeken worden. Voor mensen van nu, is het belangrijk *om te vergeven, maar vooral niet te vergeten.* Het blijft essentieel om vrijheid en democratie altijd als waardevol te beschouwen. Er moet niet van worden uitgegaan, dat het vanzelfsprekend is.

Twee Wereldoorlogen waren kennelijk nodig om in de westerse landen politici, militairen en burgers, te laten inzien dat dit soort grootschalige gewapende conflicten uiteindelijk zou leiden tot uitroeiing van een groot deel van de mensheid. De koude oorlog daarna, schiep de technische mogelijkheid om met nucleaire vernietigingsmiddelen de halve aardbol enige malen van de kaart te vegen. Daarbij zouden er zelfs geen overwinnaars of verliezers overblijven. De koude oorlog duurde bijna veertig jaren. De drang naar meer vrijheid van mensen achter het ijzeren gordijn en de technologierace tussen Oost en West, dwong het communisme als zogenaamd 'superieure' ideologie uiteindelijk op de knieën.

In de euforie van 1989, dook het idealisme weer op van een betere wereld zonder gewelddadige conflicten. Overleg moest het alternatief zijn om conflicten te beheersen en op te lossen. Maar wat in circa zesduizend jaar geschreven geschiedenis niet was gelukt, lukte ook toen niet. Ook thans leven we nog steeds op een aardbol vol gewelddadige botsingen. Daar komt terreur, martelingen, onderdrukking en veelsoortig negeren van fundamentele mensenrechten nog altijd voor. Maar ondanks dat, is enige vooruitgang te bespeuren. De voortdurend sneller voortschrijdende communicatie- en informatietechnologie zorgen ervoor, dat we als wereldburgers elkaar eerder en meer op de vingers kunnen kijken. Daardoor worden misstanden sneller voor het voetlicht gebracht en aan de kaak gesteld. Vrije pers en media, spelen hierbij een belangrijke rol. Het Joegoslavië Tribunaal in Den Haag is een voorbeeld van landenoverstijgende rechtsspraak. Ook de Verenigde Naties met zijn Veiligheidsraad, kreeg na 1989 vaker de gelegenheid, om geweldescalaties beter binnen de perken te houden.

De Tweede Wereldoorlog was in het proces van mondialisering een keerpunt, dat ook deze eeuw doorwerkt. De kans op een nieuwe wereldoorlog, lijkt thans aanmerkelijk kleiner dan in vorige eeuw. 'Vrede op aarde' zal voorlopig ook nu een niet haalbaar ideaal zijn. De afschuwelijke terreuraanslagen in New York en Washington in september 2001, tonen wederom aan dat er voortdurend groeperingen zijn die er niet voor terugdeinzen om doelbewust grote aantallen mensen te doden, om te trachten hun duistere of vage idealen te bereiken.

Beschrijving van periodes in de geschiedenis, blijft altijd keuzes maken uit vele gebeurtenissen en bronnen. Iedere auteur doet dat vanuit zijn eigen kennis, inzicht, ervaring, persoonlijke observatie, selectie van bronnen/getuigen enzovoort. Uiteraard heb ik mij bij de beschrijving van die oorlogsjaren, in hoge mate moeten beperken. Voor degenen die meer willen weten over de talloze deelaspecten, is een uitgebreid overzicht van geraadpleegde literatuur en bronnen in dit boek opgenomen. Volledig objectief zal geschiedschrijving nooit zijn en ook niet worden.

Dit boek heeft zeker niet de pretentie wetenschappelijk te zijn. Voor Nederlanders van nu, wordt de interesse voor de geschiedenis van de bezettingsjaren vaak gevoed door verhalen van grootouders, die zelf die periode nog hebben meegemaakt. Helaas moet geconstateerd worden dat Nederlanders over het algemeen 'weinig trek hebben' in geschiedenis van hun eigen land. In onze buurlanden is men veel meer op geschiedenis van eigen land georiënteerd dan de meerderheid van 'Jan de Hollander'.

De Tweede Wereldoorlog veroorzaakte in ons land een begin van ontzuiling. Het was het einde van afzijdigheid en neutraliteit. De jaren 1940-1945 waren een grote stap naar voltooiing van de lange periode van moeizame groei naar meer eenheid in ons rivieren deltaland. De grotere onderlinge samenwerking en begin van eenheid, was begonnen met de strijd voor onafhankelijkheid in de Tachtigjarige Oorlog in de zeventiende eeuw. Nederland ontwikkelde zich na 1945 volledig tot de huidige volwassen natiestaat. In die vierhonderd jaar, werden de toenmalige zeven provinciën, bestaande uit een losser samenwerkingsverband, samengesmeed tot de welvarende natie van thans.

De periode van bezetting door buurland Duitsland, heeft ruimschoots bijgedragen aan de laatste fase van deze ontwikkeling. Veel trekjes en eigenaardigheden in de sociale structuren en politiek, bleven na de bezettingsjaren enige tijd nog gewoon overeind. Na 1945 werd het toch niet meer helemaal zoals het vóór 1940 was geweest. De luiken naar de wereld buiten Nederland, waren na die vijf jaar definitief opengegaan.

Bij beschrijvingen over oorlogen en conflicten in het verleden, krijgen we ontzettend veel feiten, data, gebeurtenissen en acties voorgeschoteld. Hierbij moeten we ons voortdurend realiseren, dat het in *al* die verhalen gaat om het wel en wee van *mensen van vlees en bloed.* Die mensen hadden toen – net als nu in tijden van welvaart in ons deel van de wereld – hun hoop, angsten, woede, haat en alle emotionele gevoelens die mensen eigen zijn.

In het bijzonder tijdens oorlog en bij grote rampen, komt een van de meest elementaire driften van de mens bovendrijven. Dat is de drang tot overleven. Deze instinctieve drang, leidt vaak tot egoïstische, passieve, maar ook tot heroïsche daden en grote solidariteit en opofferingsgezindheid. In dit boek is getracht, al deze facetten zo nuchter mogelijk te schetsen.

HOOFDSTUK 1

Neutraliteit, recessie en opkomend fascisme

1-1 Neutraliteit

De nacht van 9 op 10 mei 1940 was een zwoele, vrij warme voorjaarsnacht. Het beloofde een mooie zonnige dag te worden. Nog voor de zon opkwam, werd de vredige stilte op diverse plaatsen ruw verstoord door fluitende bommen, doffe explosies en het geratel van machinegeweren. Verschrikt en verward stoven her en der burgers uit hun bed en probeerden te begrijpen wat er aan de hand was. Nederland was toch neutraal en oorlog kwam toch alleen maar voor in andere landen! Die illusie werd een paar uur later aan flarden gescheurd toen de eerste nieuwsberichten in de lucht kwamen. Het was inderdaad echt oorlog! Meer dan 120 jaar neutraliteit was plotseling voorbij en de rauwe werkelijkheid drong ook buiten de frontgebieden, langzaam door tot de mensen.

Vóór 10 mei koesterde Nederland zich al sinds 1814 in zijn neutraliteit en een flinke mate van afzijdigheid op het Europese toneel. Als handels- en transitoland was het belangrijk om met alle buren op goede voet te verkeren. Deze neutraliteit had een lange geschiedenis. Die geschiedenis ging terug tot de tijd dat Napoleon in het begin van de negentiende eeuw een groot deel van Europa in zijn greep had.

Na die napoleontische tijd werd de zoon van de overleden stadhouder Willem V, als koning Willem I, de eerste koning van het nieuwe Koninkrijk der Nederlanden. Dit koninkrijk was een van de vele eindresultaten van het Wener Congres, dat in 1814-1815 aan het einde van de napoleontische periode werd gehouden. Als handelsnatie handhaafde ons land uit wijsheid, maar vooral uit eigenbelang, een strikt neutrale buitenlandse politiek. Deze koers hield het land met de nodige moeite, buiten de grote wereldbrand in de jaren 1914-1918.

Toen die brand geblust was na het ineenstorten van het Duitse keizerrijk, koesterde Europa zich jarenlang in vrede. Onder die ogenschijnlijk rustige periode, broeide er onder de oppervlakte meer dan genoeg politieke en sociale onrust. De betrekkelijke rust werd ruw verstoord door een diepe economische crisis, die in 1929 in de Verenigde Staten met een schok zichtbaar en merkbaar werd. De koersen van de beurs in Wall Street te New York, stortten catastrofaal ineen. Als een veenbrand verspreidde de recessie zich over de meeste geïndustrialiseerde landen. Bijzonder snel veroorzaakte de crises een gigantisch aantal werklozen, vele faillissementen en grootschalige inkrimping van economische activiteiten Vooral de minderdraagkrachtigen in Noord Amerika en Europa, werden zwaar getroffen door de zich overal verspreidende recessie.

De algemene malaise stopte niet aan de grens. Door onze open economie met veel import, export en doorvoer van goederen, sloeg de recessie hard toe. De economische crisis, slokte veel aandacht op van ministers en parlement. Minister president gedurende de periode 1933-1939, was Hendrik Colijn. Hij was een typische *selfmade* man. De jonge Colijn startte zijn loopbaan met een militaire carrière als beroepsofficier bij het koloniale leger in het voormalig Nederlands Oost-Indië. Na zijn militaire jaren, ging Colijn met behoorlijk succes, op het bestuurlijke en politieke pad wandelen. Hij was enige jaren werkzaam op een verantwoordelijke functie in de Indische koloniën. Daarna werd hij lid van het parlement in Nederland voor een christen democratische politieke partij en directeur van een werkmaatschappij van de Koninklijke Shell Groep. In de politiek was hij in ettelijke kabinetten minister van Oorlog, minister van Financiën en vijfmaal minister-president. Colijn was een wat vormelijke en steile man van weinig woorden, met een duidelijke voorkeur voor *law and order.* Een Calvinistisch sobere mentaliteit zat hem als het ware 'in de genen'. Hij was gewend knopen door te hakken en pijnlijke beslissingen te nemen en duldde weinig tegenspraak. Met veel moeite trachtte hij de 'gouden standaard' voor de Nederlandse gulden te handhaven. Daarbij voerde hij noodzakelijke, maar harde en voor vele burgers gevoelige bezuinigingen op de staatsuitgaven door. In 1936 werd hij door de devaluatie van de Franse en Zwitserse franc en met de nodige tegenzin, toch gedwongen de Nederlandse gulden te devalueren. Deze devaluatie kwam feitelijk neer op circa 20 procent en dat hakte er behoorlijk in.

Tijdens zijn veeljarige ministerschap drukte hij onder meer stevige salarisbezuinigingen voor ambtenaren en militairen en flinke kortingen op de sociale bijstandsregelingen er door. Het leger van geregistreerde werklozen liep van 3,4 procent in 1930, op tot 17,5 procent in 1936. In die tijd was de bevolkingsgrootte in Nederland ongeveer 8,5 miljoen.

Colijns basisvisie op de landseconomie in de crisisjaren, werd over het algemeen gevoed door de wijze waarop men een privé huishouding in de hand moet houden (niet meer uitgeven dan wat verdiend wordt). Hij was buiten de landsgrenzen een pleiter voor vrijere handel in internationale conferenties. Onder invloed van de economische crisis, kwam van die vrijere handel weinig terecht en stak in veel Europese landen nationaal protectionisme de kop op. Monetaire devaluatie stuitte Colijn aanvankelijk tegen de borst. De uiteindelijke devaluatie van de gulden in 1936, liet gelukkig na enige tijd toch positieve economische effecten zien. Daardoor klom in de jaren 1936-1939 de nationale economie en werkloosheid heel langzaam uit het diepste dal.

Het dieptepunt van de werkloosheid werd bereikt in 1935. Dat jaar was circa 30 procent van de arbeidsbevolking zonder betaald werk. Het grote leger werklozen moest daardoor van de zeer karige sociale uitkeringen zien rond te komen. Gedurende de crisisjaren had de massa van werklozen een grauw en uitzichtloos bestaan. Hun troosteloze bestaan kwam nauwelijks boven de armoedegrens uit.

| *Dagelijkse stempel ophalen voor WW- of bijstandsuitkering.*

Om misbruik van sociale voorzieningen en 'zwartwerken' tegen te gaan, moesten de werklozen dagelijks een stempel halen bij controle organen. Dit 'stempelen' was nodig om zeker te stellen dat ze niet ergens stiekem toch werk hadden. Alleen voor dit noodzakelijke stempeltje, moesten de werklozen iedere werkdag in hitte, koude en regen, uren in de rij staan om een paar gulden 'steun' in ontvangst te nemen.

Geplaagd door eigen interne problemen, maakte de fascistische machtsovername in Duitsland door Hitler in 1933 niet veel indruk bij de meeste Nederlanders. Weinig mensen maakten zich in die moeilijke jaren druk over wat in het buitenland gebeurde. Men had in eigen land al genoeg zorgen aan het hoofd. Televisie bestond niet; lang niet iedereen had een radio en een dagelijkse krant was een luxe die velen zich niet konden permitteren. Het viel wel op dat al in datzelfde jaar Duitsland de Volkenbond verliet en zich (ondanks opgelegde beperkende bepalingen van het verdrag van Versailles uit 1919) begon te herbewapenen. Hitler voerde in Duitsland in 1935 de algemene dienstplicht in. Het aanvankelijke Nederlandse vertrouwen in de Volkenbond had ondertussen een flinke deuk opgelopen. Dit teruglopende vertrouwen werd vooral veroorzaakt door de gebleken passiviteit van de volkerenorgani-

| *Europa in 1936.*

satie. Die passiviteit manifesteerde zich in krachteloze reacties van de Volkenbond bij grotere conflicten. Deze conflicten waren onder meer de Japanse agressie in Mantsjoerije (1931), de bezetting door Duitse troepen van het gedemilitariseerde Rijnland (1936), Italiaanse agressie in Ethiopië (1935-1936) en Duitse militaire hulp bij de Spaanse Burgeroorlog (1936-1939).

Bij de meeste van deze conflicten bleven de toenmalig belangrijkste Europese grote mogendheden Engeland en Frankrijk, werkeloos toezien. Die twee landen likten nog steeds hun wonden uit de Eerste Wereldoorlog . Beide landen gingen evenals in forse mate Duitsland, stevig gebukt onder de economische crises. In Duitsland had ettelijke jaren zelfs een gierende inflatie ernstig huisgehouden. Engeland en Frankrijk probeerden internationale confrontaties zoveel mogelijk uit de weg te gaan. Met het tanen van de invloed van de Volkenbond, waren de kleinere en neutrale landen in West-Europa, zoals Noorwegen, Zweden, Denemarken, Nederland, België, Luxemburg en Zwitserland, geneigd om wat meer contact met elkaar te houden. Ze hoopten dat het veranderende machtsevenwicht in Europa door de groei van nieuwe fascistische regimes in Italië, Duitsland en later Spanje, geen directe invloed op hen zou hebben. De kleine landen verkozen tijdens de periode van het opkomend fascisme zoveel mogelijk met Duitsland, Frankrijk en Engeland op een neutrale en vriendschappelijke basis goede betrekkingen te blijven onderhouden.

Het duidelijke en officiële standpunt van de Nederlandse regering ten aanzien van de fascistische landen, was en bleef neutraliteit, zoals dat al zo lang consequent was aangehouden. Deze afzijdigheidpolitiek genoot grote steun bij de bevolking. In de praktijk manifesteerde zich dit door vooral aan de Duitse buurman met Hitler als nieuw staatshoofd, geen aanleiding te geven om aan onze afzijdigheid te twijfelen. In regering en parlement leefde het wat naïeve idee, dat Duitsland er zélf belang bij had dat Nederland bij een conflict neutraal zou blijven. Men dacht dat – net zoals in de Eerste Wereldoorlog – de Rotterdamse haven als belangrijke doorvoerhaven naar het Duitse Roergebied, voor hen vrij toegankelijk zou moeten blijven. In de jaren 1933-1937, had men in Nederland nog nauwelijks in de gaten, dat het Hitler-regime van een heel ander gehalte was dan het bewind tijdens de autoritaire Duits/Pruisische keizer Wilhelm II von Hohenzollern. Eveneens had men weinig idee, dat het nieuwe nazi-regime agressiever was, dan tijdens de vrij zwakke democratische regeringen gedurende de Weimar-republiek (1919-1933) gebruikelijk was.

Het gebrek aan inzicht in de nieuwe Europese verhoudingen en een zekere naïviteit, gingen gepaard met complete onderschatting van de gewetenloosheid, het racisme en het zoeken naar 'levensruimte', dat ten grondslag lag aan de internationale politiek van Hitlers Duitsland. Steeds indringender signalen werden zichtbaar in het fascistische buurland. Deze signalen waren wel zichtbaar, maar werden niet als zodanig voldoende onderkend. Daaruit had men de werkelijke aard van het nieuwe Duitse bewind kunnen afleiden. De meeste Nederlandse politici bagatelliseerden dit of onderkenden niet of nauwelijks de feiten van dit groeiende racisme en de expansiedrang van het buurland.

De militaire staven en hun bevelhebbers waren geleidelijk aan wat minder gerust over de groeiende militaire macht in het oostelijke buurland. Zij begonnen twijfels te krijgen of de absolute neutraliteit Nederland in de toekomst buiten een conflict zou kunnen houden. Aangezien in iedere gevestigde democratie militairen ondergeschikt zijn aan de politiek, waren de beroepsmilitairen gedwongen in hun defensieplannen zich strikt te houden aan neutraliteit en volledige afzijdigheid. De defensievoorbereidingen moesten zich vanwege onze absolute neutraliteit, uitsluitend bezighouden met bescherming van de landsgrenzen in het westen, oosten, noorden en formeel zelfs ook naar het zuiden.

1-2 Politiek

Vanaf het begin van de parlementaire democratie in de negentiende eeuw, was het zoeken naar en het bereiken van compromissen in Nederland de normale gang van zaken geweest. Waarschijnlijk heeft dat alles te maken met de volksaard van vooral de Hollanders, Zeeuwen en Friezen. Het leven en werken in een deltagebied omringd door het water van de zee en bovendien in een territoir doorsneden door grote rivieren, heeft waarschijnlijk in tienduizenden jaren de volksaard beïnvloed. Met elkaar leven te midden van het water, heeft de inwoners vele eeuwen lang doen inzien dat het sluiten van compromissen en het bereiken van een zekere consensus, betere kansen geeft om te overleven. Te vuur en te zwaard – omwille van geloof of andere overtuigingen – elkaar bestrijden, paste niet bij de mentaliteit van de meeste Nederlanders. Daarnaast was ons land sterk verzuild. Protestanten en katholieken verkeerden en huwden vooral in eigen sociale en religieuze kring. Die verzuiling was ruimschoots terug te vinden in het onderwijs en de talrijke confessionele politieke partijen.

Al honderden jaren was Nederland met zijn gemengde, zowel protestantse, rooms-katholieke en kleine joodse bevolking, vrij tolerant op het gebied van religie en andersdenkenden. In de parlementaire democratie vertaalde dit zich in parlementen waarin liberalen, christen-democraten en in de twintigste eeuw ook socialisten (en zelfs enige communisten) zitting hadden. Er waren intern van tijd tot tijd flink oplopende conflicten, maar de scherpe kanten daarvan werden na langdurig overleg uiteindelijk opgelost. Zelden werd dit 'op de barricaden' uitgevochten. Bovendien was Nederland een land dat naast landbouw sterk op handel en transport gericht was. Het land was eerste helft van de negentiende eeuw minder sterk industrieel georiënteerd dan de buurlanden. Handel en transport vereisen een flexibele en klantgerichte mentaliteit en niet te veel scherpslijperij. Men kan het schetsen als een land waar beurtelings de koopman en de dominee het overwegend voor het zeggen hadden. In het verlengde van dit gedachtegoed, gaven ook de meeste kiezers de voorkeur aan neutraliteit en afzijdigheid. Uiteindelijk krijgt ieder land de regering die het verdient en zo was dat ook in Nederland.

Het bestuur had een uitgesproken burgerlijk karakter en deze structuur continueerde van de negentiende naar de twintigste eeuw. Deze structuren domineerden nog steeds in de jaren 1930-1940. Minister-president Colijn regeerde als een prominent, onverstoorbaar en krachtig bestuurder van christelijke signatuur. Deze confessionele richting had in de jaren dertig doorgaans meer dan de helft van de toentertijd honderd zetels in de Tweede Kamer.

Toch waren er dat decennium hier en daar indringende stemmen die om vernieuwing en verandering riepen in de wat verstarde, maar wel stabiele politieke constellatie. De economische crisis overheerste in de dertiger jaren grotendeels het politieke leven. Wel kwamen er bij sommige kritische burgers twijfels over de waarden van de bestaande parlementaire democratie. Enige kleinere groeperingen toonden zich niet geheel afkerig van het idee van 'een sterke man' aan het roer. Dit verklaart waarschijnlijk de populariteit van Colijn in die jaren van economische malaise. Die bestuurder bleef zelfs zonder dat zijn eigen christen-democratische partij de meerderheid in het parlement had, toch vele jaren aan het hoofd van de regering.

Diverse kiezers en groeperingen keken wel over de grenzen. Zij zagen daar de fascistische Mussolini in Italië opereren. Deze fascist had toch maar kans gezien in het chaotisch geregeerde Italië, vanaf 1925 grotere macht te krijgen. Door middel van een steeds meer autoritair regeersysteem, had hij vooruitgang kunnen boeken in het scheppen van meer orde en regelmaat in zijn land. Er was ook een aantal kiezers en groeperingen, die met enige bewondering na 1933 keken naar de positieve prestaties van het nazi-regime onder Hitler in Duitsland. Wat hen opviel was het terugdringen van de werkloosheid, de aanleg van moderne wegen en een groeiend Duits zelfbewustzijn. Die groeperingen waren over het algemeen klein in aantal en omvang en bleven grotendeels blind voor de eerste negatieve aspecten van het nazi-regime. Die negatieve aspecten bestonden onder meer uit het arresteren en opsluiten van politieke tegenstanders en de eerste anti-joodse maatregelen. Deze maatregelen isoleerden de Duits-joodse bevolking stap voor stap van deelname aan het maatschappelijke en culturele leven in hun eigen land.

Sommige lieden, die in de jaren dertig bewondering hadden voor een fascistoïde aanpak in de politiek, gingen zelfs zo ver daarvoor een politieke partij op te richten. Veel verder dan een aantal kleine rechtsautoritaire, fascistische of nationaal-socialistische splinterpartijen kwam het nauwelijks. De enige partij die in het parlementaire systeem aanvankelijk enig succes had, was de NSB (Nationaal Socialistische Beweging). Die partij werd in 1931 opgericht door civiel ingenieur A.A. Mussert (hoofdingenieur bij Rijkswaterstaat) en C. van Geelkerken (ambtenaar bij de provinciale griffie). In het begin was het een van de vele kleine rechts-autoritaire partijen met weinig volgelingen. Er waren zelfs enige Nederlandse joden lid van de NSB. Vanaf het aan de macht komen van Hitler, groeide het aantal volgelingen gestaag en ging die partij steeds meer de nationaal-socialistische ideologie aanhangen. Bij de Provinciale Statenverkiezingen in 1935 kreeg de NSB zelfs 8 procent van de stemmen. Op dat moment had de NSB nog steeds geen direct uitgesproken pro-Duits en antisemitisch karakter.

De oorzaken van dit electorale succes lagen voornamelijk in de economische crises, algemene ontevredenheid, de grote werkloosheid, twijfels over het functioneren van de bestaande democratie en een zeker geloof in het succes van 'sterke mannen'. Toen in 1936 mr. Rost van Tonningen (financieel specialist en van 1931 tot 1936 gedelegeerde van de Volkenbond om toezicht te houden op de Oostenrijkse staatsfinanciën) toetrad tot de NSB, radicaliseerde de politieke koers van die partij duidelijk richting pro-Duitsland. Bovendien ging de NSB onder Rost van Tonningens invloed zich sterker en uitgesprokener keren tegen joden, de kerken en hun clerus. In de NSB stak na de verkiezingen in 1935 een euforische stemming de kop op. Men hoopte en verwachtte min of meer bij de landelijke parlementsverkiezingen in 1937, dat omstreeks een kwart van de kiezers op hun partij zou stemmen. Des te groter was de teleurstelling, toen – als resultaat van de verkiezingen – slechts vier van de honderd parlementszetels werden veroverd.

Meer politiek bewuste Nederlandse kiezers waren langzaam wakker geworden. Zij zagen met groeiende argwaan de negatieve ontwikkelingen van de dictatuur in het buurland. De werkloosheid begon in eigen land terug te lopen en de Duitse militaire macht werd zichtbaar groter. Ettelijke politieke en joodse vervolgden waren naar Nederland gevlucht en deden in kleine kring hun verhaal over de negatieve veranderingen in hun thuisland. Daar waren politieke en culturele onderdrukking (openbare boekverbrandingen en de eerste jodenboycotmaatregelen) al gestart in

1933. De algemene Nederlandse pers schonk daar doorgaans weinig aandacht aan. De intensivering van jodenvervolgingen werd visueel zichtbaarder en merkbaarder door de *Kristallnacht* in 1938. Daarbij werden vele synagogen en duizenden joodse winkels in brand gestoken. Tijdens de door de nazi's goed georganiseerde Kristallnacht, werden circa honderd joden gedood en vele duizenden stevig afgeranseld.

Met het groeiende gevaar van rechtse autoritaire radicalisering, ontstonden in Nederland enige tegenkrachten tegen fascisme en nazisme. Er was onder meer de in 1935 opgerichte Eenheid Door Democratie (EDD) beweging. Het ledental van deze richting steeg in de loop der jaren tot meer dan dertigduizend mensen in 1940. De beweging verwierf veel actieve steun onder politiek bewuste intellectuelen en vele anderen van liberale, vrijzinnig-democratische en sociaal-democratische signatuur. Men keerde zich in principe tegen iedere antidemocratische stroming. De resultaten van de parlementsverkiezingen in 1937 maakten duidelijk, dat er weinig kiezerssteun was voor fascistische en pro-Duitse richtingen. De NSB was op zijn retour en werd een min of meer marginaal verschijnsel in de Nederlandse politiek. Zij zouden dan ook na de Duitse inval en bezetting in 1940, zich alleen kunnen handhaven door directe Duitse steun. Andere antifascistische denkbeelden waren te zien bij actieve socialisten en communisten. De socialisten waren met vallen en opstaan en soms gepaard gaande met conflicten en stakingen, nieuwe deelnemers geworden in het politieke spel. Door eigen keuze, gevoed door gebrek aan vertrouwen in de 'gevestigde' politieke partijen, verkozen ze in de politieke arena vele jaren de oppositiebanken.

Het socialistische ideaal eind negentiende eeuw, was onder meer gericht op grotere sociale rechtvaardigheid in de kapitalistische maatschappijen en ontwikkeling en verheffing van de onderdrukte arbeidersklasse. Zij zetten zich in het begin sterk af tegen de machtsstructuren van de oude politieke partijen, kerken, monarchie en de nationale staatsstructuren met hun 'kapitalistische' belangen. Het idee was aanvankelijk dat arbeiders uit alle landen zich zouden verenigen voor het vestigen van een rechtvaardiger en socialer maatschappij. Daarbij zouden vele productiefactoren en instituties genationaliseerd moeten worden. Vanuit dit gedachtegoed wilden ze aanvankelijk niet meewerken in het parlement en zeker niet meeregeren. In 1894 werd de SDAP (Sociaal Democratische Arbeiders Partij) opgericht. In 1905 brak bij de SDAP meer redelijkheid door. Hierdoor zag het NVV (Nederlands Verbond van Vakverenigingen) het levenslicht. Na felle interne strijd en discussies, verloren de anarchistische elementen bij de socialisten geleidelijk aan steeds meer terrein. Dit resulteerde eind negentiende en begin twintigste eeuw, in een enkel verkozen lid van de SDAP die zitting nam in het parlement.

De Eerste Wereldoorlog had de meerderheid van de Nederlandse socialisten laten inzien dat de nationale staten nog lang niet rijp waren voor het internationale socialistische ideaal van arbeiderssolidariteit over de grenzen. Ook na deze oorlog bleef de SDAP aanvankelijk afwijzend staan tegenover het voortbestaan van de monarchie, de krijgsmacht en vele andere gevestigde instituties. Ondanks dat, namen in sommige steden en provincies steeds meer socialisten zitting in lokale en regionale besturen. In het parlement bleef hun visie (en ook van menig parlementslid van andere politieke partijen) duidelijk pacifistisch en antifascistisch gericht. Het neutralistische kabinetsstandpunt werd door de socialisten ondersteund. Al snel (1934) onderkenden de socialisten het gevaar van het antidemocratische nazi-regime in het buurland. Daar waren immers – naast de joodse bevolking – hun socialistische politieke vrienden in Duitsland het eerste het slachtoffer van arrestaties en opsluiting. In woord en geschrift zetten de Nederlandse socialisten zich af tegen het opkomende fascisme in West-Europa.

Dezelfde houding gold voor de Nederlandse communisten. Deze kleine, maar bijzonder militante politieke richting die de klassenstrijd hoog in het vaandel voerde, oriënteerde zich na de oktoberrevolutie van 1917 in Rusland, sterk op de nieuwe Sovjet-Unie. In hun afwijzing van de gevestigde instituties, waren ze extremer dan de socialisten. Hun aanvankelijke hoop dat het kapitalisme snel in elkaar zou storten bleek ijdel te zijn. Ook bij hen brak geleidelijk meer realisme en pragmatisme door. Dit hield in dat ze zich na geruime tijd gingen voegen in het democratische parlementaire systeem. In 1918 hadden ze twee zetels in het parlement. In de loop van de volgende jaren en mede onder invloed van het opkomende en dreigende fascisme in Europa, gingen ze de waarden van de Nederlandse democratie en neutraliteit zelfs duidelijker appreciëren. Deze visie werd versterkt, doordat in buurland Duitsland, behalve de socialisten ook de Duitse communisten het eerst opgepakt en opgesloten werden. Bij de parlementsverkiezingen in 1933 behaalden de communisten vier zetels en vormden met de socialisten en enige kleinere confessionele partijen de oppositie. De oppositiebanken bleef na 1933 hun deel. De communisten konden het wantrouwen ten opzichte van de meer rechtse en confessionele politieke partijen niet helemaal loslaten. Tussen beide Wereldoorlogen behoorden ze tot de kleinste partijen in de Tweede Kamer. Toch waren zij – ondanks hun ideologische verbondenheid met de communistische Sovjet-Unie – in de oorlogsjaren zodanig aan hun eigen land verknocht, en bezield van haat tegen de nazi's, dat zij zeer actief aan het Nederlandse verzet zouden deelnemen.

In de crisisjaren was bij het grootste deel van de kiezers weinig sympathie voor de ondemocratische regering van Hitler in Duitsland. Het in die moeilijke jaren heuglijke huwelijk van kroonprinses Juliana in 1937, bracht even een glimpje vreugde in de grauwe crisisjaren. De echtgenoot van prinses Juliana was de Duitse prins Bernhard von Lippe Biesterfeld. Sommige Nederlanders hadden door de gebeurtenissen in het buurland zelfs enige bedenkingen tegen een Duitse prins. Bij een soort antecedentenonderzoek vóór het huwelijk, was echter gebleken dat de nieuwe prins-gemaal geen actieve banden, noch directe sympathie had voor de nazi's in zijn geboorteland. In en door de oorlog wist prins Bernhard door zijn houding en daden, ieder nog wellicht resterend wantrouwen, weg te nemen. Hij zag kans door zijn optreden steeds meer bewondering op te wekken bij de Nederlanders. Het prille koninklijke huwelijk werd het volgende jaar al gezegend met de geboorte van een dochter, prinses Beatrix. Hiermee was in ieder geval de troonopvolging verzekerd en was er voor de bevolking in die wat onzekere jaren een gelegenheid een nationaal feest te vieren.

De Nederlandse regering moest door de bewuste keuze van strikte neutraliteit 'op eieren lopen', om met de belangrijke handelspartner Duitsland voorzichtig om te gaan. Zij moest al haar inventiviteit en diplomatieke talenten inzetten om politiek zowel als militair, geen aanleiding te geven over twijfels ten aanzien van onze neutraliteit. De grootse massa van de kiezers had genoeg aan zijn eigen problemen in het dagelijks leven en was nog steeds over het algemeen weinig geïnteresseerd in buitenlandse politiek.

1-3 Defensie

Als waterrijk land had Nederland een oude, defensieve traditie. Al in de Tachtigjarige Oorlog (1568-1648), werd bij de strijd te land het water te hulp geroepen. Veel zelfstandige steden van toen, waren omgeven door stadsmuren en andersoortige versterkingen. Die stadsmuren werden meestal omringd door brede slotgrachten. Deze grachten stonden weer in verbinding met vaarten en kanalen. Dankzij vernuftige waterstand regulatiesystemen, konden al in die zestiende eeuw inundaties de verdedigers helpen om aanvallende vijanden te vertragen of een halt toe te roepen. In de loop van de zeventiende tot en met halfweg de twintigste eeuw werd dit defensieliniesysteem vooral in de provincies Noord-Holland, Zuid-Holland en Utrecht verder uitgebouwd en verbeterd. De oudste grote verdedigingslinie was de Hollandse Waterlinie. Deze beschermde het westen van Nederland met de grotere steden Amsterdam, Rotterdam, Den Haag en Utrecht tegen aanvallen uit het oosten en zuiden.

Na de napoleontische tijd werd de waterlinie enigszins gemoderniseerd en uitgebreid. Door de grotere dracht van kanonnen, ging men over op de meer oostwaarts gelegen *Nieuwe* Hollandse Waterlinie. Die nieuwe linie moest in de Eerste Wereldoorlog en daarna, de allerlaatste statische verdedigingslijn tegen buitenlandse aanvallers bieden. De Noordzee bood in het westen en noorden bescherming. In de verdedigingsplannen werd westelijk Nederland 'Vesting Holland' genoemd. Binnen dat gebied lag in het bijzonder de hoofdstad, het regeringscentrum, de parlementsgebouwen, het hof, centrale defensiehoofdkwartier, strategische reserves en logistieke landmachteenheden, centrale bank, belangrijkste spoorwegknooppunt, grootste havens met toegang naar de Noordzee Rotterdam en Amsterdam. De waterlinieverdediging beschermde kortweg het zenuwcentrum van geheel Nederland.

De overwegend pacifistische mentaliteit van bevolking en parlement, was de nationale defensie niet ten goede gekomen. In het burgerlijke Nederland, had het militaire beroep vrij weinig aanzien. Onderhoud aan forten en andere verdedigingslinies, vervanging en vernieuwing van militair materieel, was door bezuinigingen jaren op een uiterst laag peil blijven steken. In 1927 bedroeg de totale defensiebegroting 95 miljoen gulden. In 1933 was het percentage van het defensiebudget slechts 8,7 procent van het nationaal product. Het was daarmee het laagste in geheel West-Europa. In de crisisjaren 1929-1935 was de defensiebegroting bij bezuinigingen meestal als eerste het kind van de rekening. Die gang van zaken kwam het moreel van de kleine kern van beroepsofficieren en onderofficieren bij de krijgsmacht niet ten goede. Het onderhouden van de geoefendheid van de grote contingenten dienstplichtigen bij de landmacht, leed ernstig onder de druk van de forse bezuinigingen.

De salariskortingen die door bezuinigingen werden doorgevoerd bij het beroepspersoneel, kwamen gevoelig aan op de toch al vrij magere financiële beloning bij de krijgsmacht. In de Indische koloniën kwam het mede hierdoor, zelfs in 1933 tot een daadwerkelijke muiterij aan boord van het oorlogsschip *Hr. Ms De Zeven Provinciën*. De regering reageerde hierop vrij snel. Een door het Indische gouvernement uitgestuurd marinevliegtuig wierp op zee een bom op het muitende schip. Die bom was min of meer per ongeluk raak, aangezien het eigenlijk de bedoeling was de bom voor de boeg te gooien. Door de exploderende bom werden 23 bemanningsleden gedood. De verontwaardiging hierover, was bij het merendeel van de Nederlandse bevolking groot.

Heel langzaam groeide na het aan de macht komen van Hitler, het besef dat de afbraak van de nationale defensie niet langer zo kon doorgaan. De geweldloze Duitse bezetting van het Rijnland in maart 1936, droeg bij aan de mentaliteitsverandering. Bij stafoefeningen op de hogere krijgsschool van de landmacht, was in de jaren 1934-1935 naar voren gekomen dat bij een onverhoedse aanval de oostgrens van het land, nagenoeg weerloos was. Aan de hand van deze studies, diende de chef van de generale staf generaal-majoor Reynders, in 1935 plannen in voor verbeteringen van de verdediging. Die plannen werden wegens geldgebrek afgewezen. In 1936 kwamen er verontrustende geluiden van enkele opperofficieren en enige hoogleraren. Daarin werd onderkend dat er gevaren vanuit het oosten dreigden. De stafoefeningen en hun conclusies, toonden aan dat de krijgsmacht van het land niet in staat was bij grotere conflicten adequaat te reageren. Die signalen bereikten ook koningin Wilhelmina. Zij had weinig sympathie voor kibbelende en verdeelde politici, maar wel veel belangstelling voor militaire aangelegenheden. Er werd nu onder meer besloten dat er enige zware kazematten zouden worden gebouwd bij de IJssel- en Maasbruggen. Er kwamen langzaamaan meer fondsen ter versterking van de defensie. In 1937 werd overgegaan tot aanwijzing van zeventien mobilisabele bataljons infanterie (sterkte per bataljon officieel achthonderd man, maar dikwijls niet volledig op sterkte). Door het pakket maatregelen werden tevens in 1936 de gezantschappen in Berlijn, Londen en Parijs versterkt met een militair attaché.

Helaas bleef het grote publiek in het land toch nog steeds vrij lauw en weinig geïnteresseerd in defensieaangelegenheden. Men was nog niet genoeg wakker geworden voor de donderwolken die zich in het oosten opstapelden. Het parlement keurde wel de verhoogde defensiebegroting voor 1938 goed. Daarin waren substantiële uitbreidingen van de defensie opgenomen. De lichtingssterkte voor dienstplichtigen, werd opgevoerd tot 32 duizend man. De periode van eerste oefening ging in 1938 van vijfenhalf naar elf maanden. Er werd 157 miljoen gulden beschikbaar gesteld voor aankoop van nieuw materieel voor landmacht en marine. Met deze uitbreidingen, konden eindelijk de zo noodzakelijke aanvullende eenheden met parate troepen worden gevormd. De meeste van deze eenheden waren bedoeld voor (grens)bataljons in Oost-Nederland. De materiële aankopen moesten voor het grootste deel in het buitenland geplaatst worden. Nederland beschikte nauwelijks over enige defensie-industrie. Nieuw materieel betrof onder meer luchtdoelartillerie, licht antitankgeschut, vliegtuigen en onderdelen daarvoor.

Met het oog op de groeiende spanningen in Europa en de snelle Duitse herbewapening, werd de regering (helaas te laat) met haar neus gedrukt op het feit dat ze 'achter in de rij' kwamen te staan. Het praktische probleem was dat modern materieel wel besteld, maar op korte termijn niet geleverd kon worden. Bezuinigen op en inkrimpen van defensie kunnen vrij snel gerealiseerd worden. Verbeteren en uitbreiden van een krijgsmacht zijn processen die jaren in beslag nemen. Deze standaardregel gold toen, maar ook nu. Al circa tweeduizend jaar geleden, poneerden de Romeinen de stelling: 'Si vis pacem, para bellum' ('wie de vrede wil, bereidt zich voor op de oorlog'). Naast materiële problemen, moest ook getracht worden de defaitistische mentaliteit bij het leger om te buigen. Nodig was een defensieapparaat met een betere discipline en grotere geoefendheid. Al spoedig bleek dat het 'neutraliteitsvirus' en daardoor het politieke getreuzel, uiteindelijk leidde tot 'te laat en te weinig'. Helaas is het in democratieën zo, dat waar de *politieke keuze en besluitvaardigheid faalt, de militair bij conflicten in mensenlevens betaalt.*

De regeringsbeslissing en de aanvullende personele en materiële maatregelen hadden wel tot resultaat dat het moreel van het leger geleidelijk op een iets hoger peil kwam. Aan verdere afbraak van de defensie werd nu echt een halt toegeroepen. Door de late bestellingen en soms het niet verkrijgen van de noodzakelijke uitvoervergunningen in het buitenland, kwam maar weinig nieuw materieel uiteindelijk vóór 1940 Nederland binnen.

Daardoor waren er bij het uitbreken van de oorlog nog steeds tekorten aan vooral vliegtuigen, moderne luchtdoelartillerie, zware mitrailleurs, moderne artilleriestukken, pantserwagens en diverse soorten oorlogsschepen. Bovendien was het in de korte tijd nauwelijks mogelijk een veel hogere graad van geoefendheid voor de dienstplichtigen te bereiken. Het was ook niet haalbaar de grote tekorten aan beroepsofficieren snel in te lopen. Dat het met de infrastructuur voor legering van al die extra en grotere lichtingen dienstplichtigen niet al te best gesteld was, kwam ook doordat deze opgelopen achterstanden niet in ruim anderhalf jaar waren weg te werken. Veel dienstplichtigen moesten het doen met een matras gevuld met stro in een weinig comfortabele of provisorische huisvesting. Daarbij moet opgemerkt worden, dat de normale huisvesting van veel Nederlanders in die dertigerjaren vrij pover was. Een gang naar het badhuis één keer per maand was meer regel dan uitzondering voor het gros van de arbeidsbevolking. Op het platteland was er bij boerderijen zelden stromend water (wel een pomp waarmee grondwater werd opgepompt) en elektriciteit. De 'behoeften' werden bij veel boerderijen meestal gedaan in een 'huuske' naast de boerderij. De mest die zo 'geproduceerd' werd, vond zijn weg voor bemesting van weilanden of landbouwgronden.

De Duitse inlichtingendienst was goed op de hoogte van de langdurige verwaarlozing van de Nederlandse defensie. Eind 1938, zond de Duitse militaire attaché in Den Haag een geheim rapport aan Hitler. Hij rapporteerde daarin dat het Nederlandse leger niet tot enigerlei offensieve actie in staat was. Naar zijn mening kon het leger zich defensief hooguit slechts een week handhaven. Hitler ging in zijn optimisme later nog een stap verder. Hij dacht het militaire karwei in Nederland *binnen twee dagen* succesvol te kunnen afronden.

1-4 Mobilisatie

De politieke toestand in Europa veranderde in 1938 snel en vooral in ongunstige zin. Hitlers inval in Oostenrijk in maart van dat jaar, leverde hem de *Anschluss* op. Hierdoor werd het mensenpotentieel van Duitsland met enige miljoenen Oostenrijkers versterkt. Velen van hen waren nazi-gezind en antisemitisme was dat land zeker niet vreemd. Niet helemaal verwonderlijk, aangezien in Oost-Europa antisemitisme vrij algemeen voorkwam. Manipulaties, politieke intriges, steun van de omvangrijke Oostenrijkse nazi-partij, moord op de autoritair regerende premier Dolfuss in 1934 en enige mislukte coups, gingen aan die *Anschluss* vooraf. Op deze manier was dat politieke verdeelde en verscheurde land in de jaren 1932-1938 stap voor stap bewerkt om zich in 1938 bij Duitsland te kunnen aansluiten.

De politieke spanning in Europa liep vervolgens nog verder op. Hitler had op vele manieren geprobeerd duidelijk te maken, dat de al honderden jaren in dat land wonende Sudeten-Duitsers, door de Tsjechen onderdrukt zouden worden. De waarheid was geheel anders. Via vele kanalen ventileerde Hitler in krachtige taal dat die Duitssprekende Tsjechen onder 'bescherming' van Duitsland behoorden te staan. Hij zette vooral via de door de nazi-Duitsland gesteunde Sudeten-Duitse Partij (SDP) de Tsjechische regering in Praag onder grote druk. De tegen Oostenrijk gebruikte succesvolle politieke intimidatiemethodieken, zoals dreiging met geweld en nog veel meer, werden uit de kast gehaald. De democratische regering van Tsjechoslowakije hoopte onder deze druk op morele en fysieke steun uit het westen, in het bijzonder van de grote mogendheden. Die hoop bleek al gauw ijdel. Frankrijk, dat met Tsjechoslowakije een verbond had, noch Engeland was bereid fysieke steun aan de Tsjechen te verlenen. Voor een handjevol Tsjechen in een Midden-Europees land, wilde men zich niet in een oorlog storten. Hier ging het gezegde weer op: 'In tijd van nood leert men zijn vrienden kennen!'

De toenmalige conservatieve Engelse regering onder leiding van Chamberlain oefende zelfs zware druk uit op Frankrijk en Tsjechoslowakije. Chamberlain adviseerde om aan de verlangens van de Sudeten-Duitsers voor territoriaal zelfbestuur, toe te geven. Hitler liet de SDP steeds verdergaande eisen stellen. Hij zag in 1938 kans het te doen voorkomen dat de Tsjechoslowaakse zaak een internationale kwestie was. Hij insinueerde dat die kwestie zelfs de vrede in Europa bedreigde. Zowel Frankrijk als Engeland liep in deze demonische hitleriaanse val. Na zenuwachtig diplomatiek overleg, werd in september 1938 door Frankrijk en Engeland toegegeven aan de buitensporige Duitse eisen. In München werd met veel moeite een akkoord bereikt. Aan de onredelijke Duitse eisen kwam men grotendeels tegemoet. Hitler toonde zich slechts bereid op ondergeschikte punten enige concessies te doen. Daarbij was de wat vage toezegging, dat hij *geen* verdere territoriale aanspraken op andere delen van Europa zou maken!

De grensgebieden van Tsjechië, waar de meerderheid van de bevolking bestond uit Tsjechische Sudeten-Duitsers, vielen zonder dat een schot was gelost, als een rijpe appel in Hitlers mand. Daarbij behoorden ook de meeste Tsjechische wapenfabrieken (onder meer de Skoda-fabrieken die zeer goede tanks produceerden). Met Oostenrijk mee werden in 1938 9 miljoen Duitssprekenden en een gebied van totaal 110 duizend vierkante kilometer aan het Duitse rijk toegevoegd! In het Sudeten-gebied lagen bovendien de noordelijke Tsjechische verdedigingslinies. Tsjechoslowakije was nu grotendeels weerloos aan Hitlers genade overgeleverd! Hitler kende helemaal geen genade. Door verdere intimidatie, chantage en politiek gemanipuleer, gepaard gaande met militaire dreiging van het steeds groter en sterker wordende Duitse leger, zwichtte de Tsjechische president dr. Hácha. De resten van Tsjechië, de gebieden Bohemen en Moravië, werden als 'protectoraat' een autonoom onderdeel van het Duitse Rijk. Hongarije had zich in november 1938 en maart 1939 met Duitse toestemming al meester gemaakt van delen van Slowakije. Het restant Slowakije werd zogenaamd 'onafhankelijk'.

Toen president Hácha op 15 maart 1939 in Praag terugkeerde, waren de Duitse troepen ondertussen al het geamputeerde Tsjechië binnengerukt. De hakenkruisvlag woei inmiddels op zijn presidentiële paleis. Tsjechoslowakije bestond niet meer en het nazi-regime had ook dat land nu in zijn ijzeren greep. Nu kwam de steeds perfecter opererende nazi-terreurmachine met de SD (*Sicherheitsdienst*) van de SS (*Schutzstaffeln*) en Gestapo (*Geheime Staats Polizei*) onmiddellijk in actie. Veel prominente Tsjechen die actief waren in de socialistische en communistische partij, oppositionele intellectuelen, joden, (hogere) militairen en nog vele anderen die een dictatuur niet zagen zitten, ontvluchten hun land. Sommige mensen van de bedreigde categorieën pleegden zelfmoord. Anderen werden door de nazi's direct gearresteerd en ettelijken van hen zonder proces vervolgens geëxecuteerd.

De staatslieden van Frankrijk en Engeland dachten aanvankelijk dat ze de vrede in Europa voorlopig hadden gered. Premier Chamberlain kwam triomfantelijk in Londen terug met de München-overeenkomst en sprak de legendarische woorden 'Peace for our time'. Het was ijdele hoop en de vrede bleek spoedig een schijnvrede te zijn. Chamberlain wist toen nog niet (of wilde niet weten) dat Hitler het document met deze overeenkomst in eigen kring 'een vodje papier' had genoemd. In veel andere West-Europese landen werd de München-overeenkomst met veel instemming begroet. Het democratisch deel van Europa had nog steeds niet in de gaten dat dit beruchte akkoord de oorlog alleen maar sneller dichterbij had gebracht. Sommige – tot oppositie geneigde – Duitse generaals, die in 1938 nog ergens aan een staatsgreep tegen de nazi's hadden gedacht, gaven zich gewonnen en schaarden zich met enige argwaan, toch achter Hitler. De massa van het Duitse volk ging door deze buitenlandse successen nagenoeg blindelings in het leiderschap van Hitler en het nazi-regime geloven.

Ook in Nederland werd het akkoord van München met grote vreugde begroet. Er was wat meer hoop dat het land neutraal zou kunnen blijven. Men geloofde over het algemeen, dat de loop van de gebeurtenissen zoals in de Eerste Wereldoorlog zich zou herhalen. Maar toch nam geleidelijk bezorgdheid en waakzaamheid verder toe, in het bijzonder bij de defensietop. Door de Duitse bezetting van Moravië en Bohemen in maart 1939 en de Italiaanse inval in Albanië begin april, voelde Nederland zich genoodzaakt de defensieve capaciteit op te voeren. Hierdoor werd telegram A uitgegeven. In verband met deze maatregel werden 28 mobilisabele bataljons voor de landmacht opgeroepen in werkelijke dienst. In feite betekende telegram A een waarschuwing voor een beperkte voormobilisatie. Met eerdere veiligheidsmaatregelen erbij, was het resultaat dat in korte tijd circa honderdduizend extra mannen onder de wapenen waren geroepen. Een deel van de opgeroepenen werd even later weer naar huis gestuurd.

De politieke rust in Europa keerde na München niet echt terug. Het bleek spoedig dat Hitler – ondanks eerdere beloftes – nog andere en veel meer territoriale aspiraties had in Oost-Europa. Deze aspiraties gingen nu richting Danzig en Polen. Hitler had in zijn boek *Mein Kampf* al duidelijk gemaakt, dat Duitsland *Lebensraum* moest zoeken in oostelijke richting. De loop der historie bij de Eerste Wereldoorlog, had Hitler en zijn generaals geleerd dat een tweefrontenoorlog een hachelijke zaak was. Hitler wilde dit zoveel mogelijk voorkomen. 1939 liet daarom koortsachtige diplomatieke activiteiten zien, in het bijzonder richting Stalins Sovjet-Unie. Die activiteiten werden niet alleen door de Duitsers ontplooid. Engeland en Frankrijk hadden al eerder een verdrag met Polen gesloten. Door de oplopende spanningen vanwege de Duitse expansie richting Oostenrijk en Tsjechoslowakije, probeerden Engeland en Frankrijk nu bij hun verdrag met Polen voor militaire bijstand, ook de Sovjet-Unie te betrekken.

Beide landen hadden weinig op met het dictatoriale bewind van Stalin, maar nood breekt wet. In de diplomatieke race om een oorlog te voorkomen, was het voor Engeland en Frankrijk noodzakelijk de gunst van de Sovjet-Unie te winnen. Zij wilden dat grote land betrekken in een pact tegen nazi-Duitsland. Stalin had in eigen land in 1937-1938, juist rigoureuze zuiveringen doorgevoerd. Daarbij waren veel ervaren topofficieren van het sovjetleger geliquideerd. De sluwe en meedogenloze dictator, voelde zich thans in een positie van een aanstaande bruid, die door diverse partijen het hof wordt gemaakt. Tot grote verbazing, verrassing en schrik van de meeste Europese landen, wonnen de Duitsers de slag om een verbond met de sovjets. In juli en augustus 1939 waren in het diepste geheim serieuze onderhandelingen tussen Duitsland en de Sovjet-Unie gestart. De onderhandelingen tussen Engeland, Frankrijk en de sovjets maakten inmiddels, vooral door de grote argwaan ten opzichte van Stalin, weinig vorderingen.

Stalin had zorgvuldig gewikt en gewogen waar hij zijn grootste voordelen kon binnenhalen. Voor hem was dat het op korte termijn de controle hebben over een deel van buurland Polen en de Baltische staten. Zijn wantrouwen tegenover de kapitalistische wereld was minstens even groot als ten opzichte van nazi-Duitsland. Vermoedelijk meende hij door een verbond met Duitsland buiten een waarschijnlijke oorlog tussen Engeland, Frankrijk en Duitsland te kunnen blijven. Op zijn minst won hij tijd, indien een conflict niet zou uitblijven. Binnen twee jaar zou hij die illusie op ruwe wijze verliezen. Op 19 augustus sloten Duitsland en de Sovjet-Unie een handels- en kredietovereenkomst. Op 23 augustus vloog de Duitse minister van Buitenlandse Zaken Von Ribbentrop naar Moskou en de volgende dag werd in het Kremlin volledige overeenstemming bereikt over een non-agressie pact. Die overeenkomst werd diezelfde dag ondertekend door beide ministers van Buitenlandse Zaken. Het Molotov-Ribbentrop-pact verzekerde Hitler, dat hij zijn handen in het oosten vrij

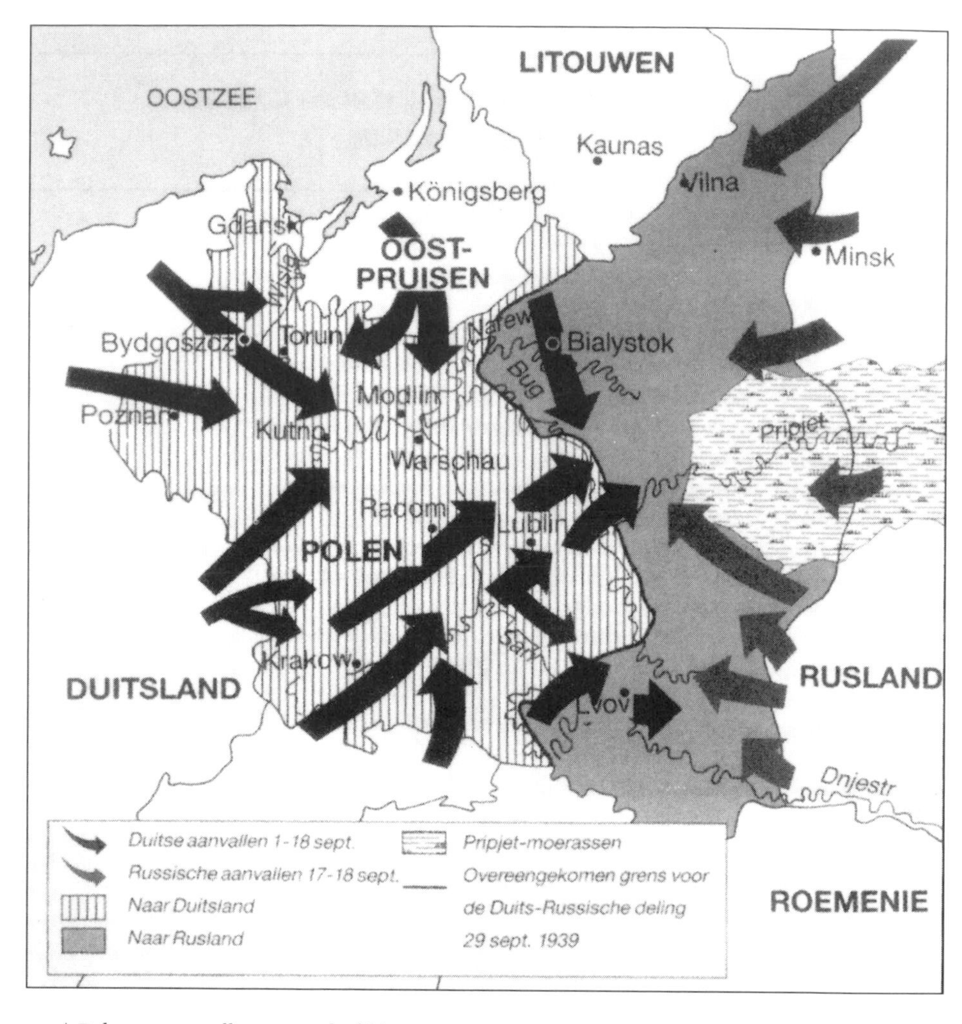

| *Polen aangevallen en verdeeld in 1939.*

had voor de uitvoering van de al geplande aanval op Polen. De consternatie in vooral Londen en Parijs, was groot. Men wist toen nog niet dat aan het Molotov-Ribbentrop-pact een geheim protocol was toegevoegd. Dat protocol verdeelde de invloedssferen in Oost-Europa tussen Duitsland en de Sovjet-Unie. Twee maanden later bleek dat Polen volledig werd opgeslokt en opgedeeld tussen Duitsland en de Sovjet-Unie.

Ook in Nederland veroorzaakte de Duits-Russische overeenkomst nogal wat ongerustheid. Telegram A ging weer uit. Een dag later volgde telegram B. Dit telegram betekende uitvoering van de voormobilisatie. Bij telegram B werden omstreeks vijftigduizend man onder de wapenen geroepen, oorlogsstellingen bemand en afzettingen bij wegen en bruggen voorbereid. De regering achtte de situatie ernstig. Gezien de Duitse neutraliteitsgarantie aan Nederland op 26 augustus, achtte de regering de politieke situatie echter nog niet hopeloos. Voor alle zekerheid werd op 28 augustus telegram C uitgegeven. Dit telegram hield algemene mobilisatie in voor de gehele krijgsmacht. Door deze volledige mobilisatie, waren nu ruim een kwart miljoen dienstplichtigen onder de wapenen. Op een bevolking van 8,8 miljoen Nederlanders, was begin september een percentage van 3,4 procent gemobiliseerd.

Op 1 september vielen de Duitse troepen Polen binnen. Zoals inmiddels routine in Hitlers aanpak, geschiedde de inval in Polen zonder voorafgaande oorlogsverklaring. In korte tijd was door middel de verrassende nieuwe en snelle techniek van de *Blitzkrieg*, het westelijk deel van Polen in achttien dagen onder de voet gelopen. Die snelle aanval werd gecombineerd met meedogenloze lucht- en artilleriebombardementen op vooral de hoofdstad Warschau. Op 17 september rukten onverhoeds sovjettroepen het oostelijk deel van Polen binnen. Tot Hitlers verbazing en grote schrik, verklaarden op 3 september Engeland en Frankrijk aan Duitsland officieel de oorlog. Op grond van het bondgenootschap van beide landen met Polen en een garantieverklaring op 31 maart 1939, waren zij dat in feite verplicht. Hitlers schrik werd veroorzaakt door het feit dat hij na München onvoldoende onderkend had dat de Engelse politiek van *Appeasement*, door zijn eigen arrogantie en blufpoker, door de Britten was verlaten. Engeland en Frankrijk zetten nu eindelijk de hakken in het zand door officieel de oorlog te verklaren. De Engelse bevolking was nu 'om' en de mentaliteit werd 'liever schade dan schande'. Vooral de Engelsen (inclusief de toenmalige premier Chamberlain) hadden zij het wat laat ingezien dat ieder beroep op redelijkheid met Hitler aan het Duitse stuurwiel onmogelijk was. Beide landen kregen eindelijk steeds meer in de gaten dat Hitlers territoriale ambities in Europa nog lang niet bevredigd waren.

De door de Polen verwachte materiële hulp door Engeland en Frankrijk bleef uit. Zij hadden daar in goed vertrouwen tevergeefs op gehoopt. Heroïsch strijdend en verbeten tegenstand biedend, dolf het moedige Poolse leger het onderspit tegen de Duitse overmacht. Daarbij kwamen hun uitgebreide cavalerie-eenheden met paarden en lansiers, te staan tegenover de vele (en deels door de Duitsers buitgemaakte Tsjechische) tanks en de angstaanjagende *Stuka* precisie duikbommenwerpers.

1-5 Nederlands verdedigingsplan

De nieuwe toestand van staat van oorlog tussen Engeland, Frankrijk en Duitsland, had ook voor Nederland ingrijpende consequenties. Economisch was het een zware last. De kosten voor een zo groot gemobiliseerd leger waren hoog en veel extra miljoenen vloeiden in snel tempo naar defensie. Men probeerde alsnog om talrijke verdedigingswerken te verbeteren. Naast deze hoge kosten, nam de traditionele en omvangrijke doorvoerhandel naar Duitsland in sterke mate af. De Britse *Royal Navy* (RN) controleerde de Noordzee en voerde een strakke blokkade uit. Door de oorlogstoestand werd het steeds moeilijker om aan grondstoffen voor de industrie te komen. In een paar maanden tijd liepen tientallen Nederlandse koopvaardij- en vissersschepen op mijnen. Die mijnen waren zowel door Engelsen als Duitsers in de Noordzee en Het Kanaal gelegd. De totale omzet van handel en industrie ging gevoelig teruglopen. De sterk gedaalde werkloosheid begon door de blokkade weer te groeien, ondanks de honderdduizenden dienstplichtige mannen die onder de wapens waren geroepen. De dagelijkse kosten voor levensonderhoud stegen in het halfjaar voorafgaand aan de Duitse inval, met circa 40 procent.

De vijfde regering onder Colijn had in 1939 zijn ontslag ingediend in verband met meningsverschillen ten aanzien van de rijksbegroting over bepaalde bezuinigingen. Na vele en moeizame formatiepogingen, kreeg met enige tegenzin de 69-jarige jhr. mr. De Geer in augustus de leiding over een nieuw kabinet. De Geer was een bekwaam en wat eenzelvig bestuurder van de oude stempel. Hij had een langdurige parlementaire en ministeriële ervaring. Uit christelijk plichtsbesef en weinig van harte, kreeg hij nu de leiding over deze stroef totstandgekomen coalitieregering. Hij was een expert en zeer ervaren op het gebied van binnenlandse zaken en staatsfinanciën. Van buitenlandse zaken wist hij weinig en van militaire strategie helemaal niets.

Buitenlandse politiek interesseerde hem nauwelijks. Van huis uit hing hij een soort christelijk pacifisme aan en het regime van Hitler oogstte daardoor bij hem weinig sympathie. Zijn nationale coalitiekabinet was onder invloed van de gespannen buitenlandse toestand breed opgezet. Voor het eerst in de parlementaire geschiedenis, werden ook sociaal-democraten als minister in de regering opgenomen. Gelukkig zaten er enige krachtige vakministers in dit kabinet.

Regeren met een politieke toestand van een dreigende oorlog, was een uiterst moeilijke zaak. Afzijdigheid en neutraliteit bleven de koers waarop men bleef varen. Omzichtig omgaan met Engeland, buurland Duitsland en meer samenwerking met het kleine en eveneens neutrale België en andere West-Europese landen, was de externe doelstelling van de nieuwe regering. Leger en marine waren nu op volledige mobilisatiesterkte. Zij moesten de neutraliteit geloofwaardig handhaven en in het ergste geval met de wapens verdedigen. Dat het zover zou kunnen komen, leefde wel bij de top van de krijgsmacht, maar nog steeds nauwelijks bij de grote massa dienstplichtigen en de burgers.

De bestellingen voor nieuwe wapens en andere defensie-uitrustingen kwamen traag of niet binnen. De opgelopen achterstand in noodzakelijk nieuw materieel, viel nauwelijks meer in te lopen. De krijgsmacht moest het grotendeels doen met de uitrusting die men bezat. Die was wel degelijk, maar sterk verouderd (de meeste geweren waren van een type uit 1895). De uitrusting was niet toereikend voor het snel uitgedijde leger en marine. Voor oefeningen en training waren de fondsen, ondanks het ruimere budget voor de krijgsmacht, nog steeds aan de krappe kant. Algemene geoefendheid en militaire vaardigheden bleven op een matig peil. Het dagelijks leven van de honderdduizenden dienstplichtigen was saai en eentonig. Men probeerde er het beste van te maken. Ondanks de vele internationale spanningen, hadden de meeste dienstplichtigen het idee dat Nederland buiten het conflict zou blijven. Aanwezig zijn, ja. Dat begrepen zij, maar zij dachten nauwelijks dat ze echt ooit zouden moeten vechten. De strenge winter 1939-1940, beperkte sterk de oefenmogelijkheden. De diverse inundaties bevroren en men trachtte met zagen en hakken het ijs te breken. Ondanks de mobilisatiesterkte van totaal bijna driehonderdduizend man (inclusief militaire luchtvaart), was het nauwelijks mogelijk om het gehele grondgebied te verdedigen.

Na veel wikken en wegen was besloten alleen het westelijk deel van het land ('Vesting Holland') *hardnekkig* te verdedigen. Vanaf 1935 had zowel de politiek als de defensieleiding onderkend dat de grootste dreiging uit het oosten kon komen. De nu geplande verdediging van 'Vesting Holland', betekende niet dat het oosten en zuiden van het land zonder slag of stoot in handen van een eventuele agressor mochten vallen. Voor een lichtere vorm van verdediging van die gebieden, waren troepeneenheden voorbestemd voor waarschuwen en vertragen.

Helaas kwam, voordat deze plannen in hun definitieve vorm waren uitgevoerd, een ernstig en slepend conflict tot uitbarsting. Generaal Reynders was in augustus 1939 benoemd tot opperbevelhebber van land- en zeemacht. Tussen hem, de minister van Oorlog en sommige andere ministers in de regering, waren er vanaf het begin voortdurend wrijvingen. Bovendien kon Reynders niet goed overweg met de minister van Defensie, de ex-beroepsofficier Dyxhoorn. Tot overmaat van ramp waren er tussen generaal Reynders, de minister van Defensie en de commandant veldleger, ook nog verschillen van inzicht. Deze verschillen gingen vooral over sommige accenten in de verdedigingsstrategie en het gebruik van financiële middelen. De geschillen bleken onoverbrugbaar. Generaal Reynders diende zijn ontslag in. Het werd hem op 6 februari 1940 eervol verleend. Reynders was verbitterd over de gang van zaken en de manier waarop hij op dit kritieke moment was 'weggejaagd'. Die gram zat zo diep, dat hij tijdens de bezetting – in zowel 1943 als 1944 – weigerde op het verzoek in te gaan van het georganiseerde verzet om de leiding over het verzet op zich te nemen.

Onmiddellijk na het ontslag van Reynders werd de al enige jaren gepensioneerde 64-jarige luitenant-generaal Winkelman benoemd tot opperbevelhebber. Winkelman was vóór deze aanstelling gepolst over een eventuele benoeming. Na zijn pensionering in 1934, had hij voor het Philips-concern evacuatieplannen ontworpen en daarbij door zijn organisatorische talenten, veel respect afgedwongen. De grote internationale concerns hadden minder vertrouwen dan de regering in onze neutraliteit. Die concerns (waaronder Unilever en Philips), hadden serieuze planning uitgevoerd om in geval van oorlog buiten Nederland hun activiteiten te kunnen voortzetten. Winkelman liet er geen gras over groeien. In nauwe samenwerking met de chef-staf van de landmacht, generaal-majoor baron Van Voorst tot Voorst, stelde hij een nieuw verdedigingsplan op. Daarbij werd grotendeels uitgegaan van het oorspronkelijke plan. Er werd wel een aantal veranderingen aangebracht. Het nieuwe plan ging er van uit dat *niet* de Nieuwe Hollandse Waterlinie, maar de meer oostwaarts gelegen en meer geschikte Grebbelinie de lijn zou worden voor de hardnekkige verdediging. De regering ging akkoord met het gewijzigde plan. Winkelman kreeg grotere bevoegdheden en meer medewerking dan zijn voorganger. Dat was hard nodig, want de signalen van het dreigende gevaar waren in februari 1940 nog duidelijker geworden. Door het conflict met Reynders, was helaas kostbare tijd verloren gegaan. Het nieuwe verdedigingsplan kwam kortweg op het volgende neer.

Langs de gehele oostgrens werden vijftien (grens)bataljons opgesteld. Zij moesten in eerste instantie de van wegversperringen voorziene grensovergangen controleren en bewaken. Hun taak was waarschuwend en vertragend en die troepen waren slechts licht bewapend. Zij moesten vele vernielingen uitvoeren en een flink aantal bruggen opblazen. In feite kwam het er op neer dat de provincies Groningen, Friesland en Drenthe alleen zeer licht verdedigd werden. Hetzelfde plan gold ook voor de provincie Overijssel, waar vijf bataljons soortgelijke taken moesten uitvoeren.

Een substantiëler weerstandslijn liep van het IJsselmeer westelijk van de IJssel, naar het zuiden en sloot aan op de rivieren Rijn en Maas tot aan de Belgische grens. Deze IJssellinie werd bemand door vijf bataljons en zou versterkt worden met vijf terugtrekkende bataljons uit Overijssel. Bij deze verdedigingslijn, waren grotere en kleinere bunkers aanwezig met enige artillerie en licht antitankgeschut. Tussen de IJssellinie en de Maaslinie lagen de Betuwe en Maas-Waalstelling, met twee brigades. Iedere brigade had twee bataljons en de stellingen waren van de nodige bunkers en andere veldversterkingen voorzien. De talrijke grote bruggen in dit gebied, werden voorzien van springladingen en moesten op bevel opgeblazen worden.

Het noorden en zuiden van Limburg werd totaal twaalf bataljons toebedeeld. De troepen werden opgesteld voor en achter de rivier de Maas en moesten uiteindelijk vertragend terugvallen op een linie die in Limburg westelijk van de Maas liep. Ook hier waren veldversterkingen, versperringen en vernieling van bruggen voorbereid. Circa 15 tot 25 kilometer westelijk van de Maaslinie lag in Noord-Brabant de Peel-Raamstelling. Aan deze linie waren kanalen met versterkte bunkers en delen van de linie hadden terrein voor zich dat geïnundeerd werd. Achter de linie was een legerkorps, bestaande uit twee divisies en als reserve een lichte divisie. Winkelman bepaalde dat Peel-Raamstelling alleen moest dienen om de vijand te vertragen. Onder dekking van een aantal bataljons, moest het overige deel van de troepen op bevel terugtrekken, de zuidoostflank van 'Vesting Holland' (de Waal-Lingestelling) bemannen en daar standhouden.

Voor de zuidflank van 'Vesting Holland' werden in eerste lijn negen bataljons gepositioneerd. Zij lagen achter rivier de Waal, de zeearmen Haringvliet en het Hollands Diep. Het grootste aantal troepen werd geconcentreerd in de Grebbelinie. Deze voor verdediging gunstig gelegen frontlijn, liep vanaf het IJsselmeer, langs Amersfoort, Scherpenzeel, Veenendaal naar Rhenen en de Rijn. De stellingen in deze Gelderse Vallei, lagen gedeeltelijk achter geïnundeerd gebied en een defensiekanaal. Op diverse belangrijke plaatsen waren kleinere bunkers gebouwd. Vrij veel benodigde stellingen moesten meestal door de infanterie eenheden zelf worden gegraven. Geld en tijd ontbraken om zwaardere stellingen en bunkers te bouwen. Dit zelf moeten graven van loopgraven en andere versterkingen, voorkwam in het halfjaar voor mei 1940 dat de gemobiliseerde troepen aan de Grebbelinie zich in de koude winter nog meer verveelden. De fysiek zware graaf- en constructiewerkzaamheden gingen vaak wel ten koste van de tijd benodigd om andere militaire vaardigheden op peil te houden. Aan de noordzijde van de Gelderse Vallei lag een legerkorps met twee divisies en een lichte divisie. Aan de zuidzijde lag een legerkorps met twee divisies. Totaal was de sterkte in het Grebbegebied 44 bataljons (circa 26 duizend man). Enige

| *Loopgraven spitten door Nederlandse soldaten bij verdedigingslinie.*

veldartillerie-eenheden, konden de hoofdweerstandslinies vuursteun geven.

In het achtergebied van 'Vesting Holland' was als strategische reserve tussen Haarlem en Den Haag een legerkorps gelegerd met negentien bataljons (omstreeks twaalfduizend man). Deze reserve zou versterkt worden met de lichte divisie uit Brabant. Bij IJmuiden, Amsterdam, Den Haag en Hoek van Holland waren vijf aparte bataljons gepland voor lokale taken. Voor de verdediging van de provincie Zeeland waren acht bataljons van de landmacht en een marinebataljon beschikbaar. Hoewel buiten het gebied van de 'Vesting Holland' gelegen, had men toch doelbewust aan de verdediging van Zeeland gedacht. Daarvoor werden twee verdedigingsstellingen gepland. Vanwege de gunstige ligging moest de Zanddijkstelling in principe hardnekkig verdedigd worden. Beide stellingen waren in mei 1940 nog lang niet genoeg voorbereid om langere tijd te kunnen standhouden. Artilleriesteun was er in Zeeland nauwelijks.

In het noorden van de 'Vesting Holland' waren voor de stellingen van de belangrijke marinehaven Den Helder drie bataljons ingedeeld. Enkele stukken kustartillerie

| *Luchtfoto Kornwerderzand 1938.*

waren alleen naar de zee gericht. De enige wegverbinding tussen Friesland en het noorden van de 'Vesting Holland' was de in 1933 in gebruik genomen 32 kilometer lange Afsluitdijk. Aan de Friese zijde van de dijk was westelijk van het sluizencomplex een modern, solide en gewapend beton bunkercomplex Kornwerderzand gebouwd. Van daaruit kon iedere nadering over de dijk vanuit Friesland waargenomen en onder vuur worden gehouden. Eén compagnie was in de zestien bunkers van het complex opgesteld. Zij hadden de beschikking over zware mitrailleurs en antitankgeschut. Vóór dit bunkercomplex lag op enige kilometers afstand in westelijk Friesland een klein bruggenhoofd (Wonsstelling). Deze stelling moest bescherming geven aan de terugtrekkende troepen uit Friesland, Groningen en Drenthe. De Wonsstelling werd gedeeltelijk beschermd door inundaties en was bemand met één infanteriebataljon dat werd ondersteund door enige zware mitrailleurs, lichte veldartillerie en wat antitankgeschut.

Strategisch gezien was het op het oog een indrukwekkende verdediging met tien divisies en een totaal van circa 250 duizend man aan operationele troepen. In een statisch type oorlogvoering, zouden er redelijke kansen zijn om de 'Vesting Holland' enige tijd te verdedigen tegen aanvallers uit het oosten.

In het plan waren wel diverse zwakke punten. Het plan ging er min of meer van uit dat er bij een Duitse aanval hulp uit het buitenland zou komen. Dat zou dan van Engelse en Franse zijde moeten zijn. De Peel-Raamstelling in Brabant sloot niet aan op de Belgische verdediging en kon eenvoudig worden omtrokken. De Nederlandse legerleiding was enigszins op de hoogte van de moderne mogelijkheden van het luchtwapen en gebruik van luchtlandingstroepen. Men vertrouwde echter sterk op de statische defensieve kracht van inundaties, rivieren, forten, bunkers, bemande stellingen en het opblazen van vitale bruggen. In april 1940 was er nog steeds een tekort aan oorlogsmunitie en antitankgeschut; er waren te weinig beroepsofficieren, geen tanks, verouderde geweren, weinig handgranaten, artillerie, vliegtuigen, verbindingsmiddelen en nog diverse andere materiele zaken die nodig waren voor een moderne oorlogvoering. De geoefendheid van het enorm uitgedijde leger van dienstplichtigen lag op een vrij laag peil. Veel noodzakelijke kazematten, bunkers, mijnenvelden en andersoortige veldversterkingen waren nog niet aangelegd of gereed. De meeste stellingen in het verdedigingsplan hadden weinig diepte en meestal geen reserves. Sommige voorbereidingen voor vernielingen waren nog niet uitgevoerd, noodzakelijke schootsvelden mochten dikwijls (om financiële redenen) niet gekapt worden. Inundatieverbeteringen waren nog niet uitgevoerd. Dit waren genoeg redenen voor regering en de opperbevelhebber, om voorjaar 1940 met grote zorg in te gaan.

Politiek gezien zat de neutraliteit de defensieleiding behoorlijk dwars. Hoewel de vele voortekenen duidelijk leken, kon officieel de regering geen directe stappen nemen voor defensiecoördinatie met Belgen, Engelsen en Fransen. Het zou Hitler een geldig excuus geven om Nederland te beschuldigen van partijdigheid. Hij zou dan een mooi motief hebben om het land desnoods preventief binnen te vallen. Om de impasse te doorbreken, nam met medeweten van de minister van Buitenlandse Zaken (maar *zonder* voorkennis van de minister van Defensie, de overige leden van het kabinet en het parlement), de opperbevelhebber *officieus* contact op met het buitenland. Via de militair attachés in Brussel en Parijs waren er besprekingen met de Belgische en Franse militaire autoriteiten. Op dezelfde wijze nam de Bevelhebber der Zeestrijdkrachten vice-admiraal Fürstner, in Londen contact op met de Engelsen. Hij maakte met de Britse admiraliteit enkele belangrijke officieuze werkafspraken. Deze gingen onder meer over het gebruik van radioverbindingen en het in noodgeval in veiligheid brengen van de goudvoorraad van De Nederlandsche Bank. De diverse contacten waren nuttig, maar de Belgen waren niet bereid hun verdediging aan te sluiten op de Nederlandse linies. Het Franse Opperbevel weigerde in geval van oorlog, vooraf troepenversterkingen naar Nederland te sturen.

Generaal Gamelin deed wel de toezegging, indien de Duitsers binnenvielen, een strategische reserve van een Frans leger naar het noorden te zenden. Deze Franse troepen met twee infanteriedivisies en een lichte pantserdivisie, zouden dan door België noordwaarts oprukken tot in Brabant en Zeeland. De Engelsen waren helemaal niet bereid om met troepen of vliegtuigen bij een Duitse aanval te hulp te schieten. Zij hadden weinig vertrouwen in de defensieve capaciteit van het Nederlandse leger. Door deze officieuze contacten, realiseerde generaal Winkelman zich dat de kans groot was dat de Nederlanders bij aanvang van een Duitse aanval, in eerste instantie er geheel alleen voor stonden. Door de neutraliteit beperkt en vanuit een zekere mate van argeloosheid, had men aan spionage of andersoortige verzameling van inlichtingen niet veel kunnen doen. Een helder inzicht verkrijgen van de Duitse aanvalsplannen, was daardoor niet mogelijk. Veel meer dan officieuze inlichtingencontacten met buurland België en Engeland waren er niet. Via de bij de ambassade in Berlijn gedetacheerde militaire attaché majoor Sas, had de Nederlandse generale staf enige informatie verzameld over de Duitse plannen. Dat de Duitsers over een complete operationele luchtlandingsdivisie én een paradivisie beschikten, was een zorgvuldig bewaard geheim gebleven en buiten Duitsland nauwelijks bekend.

1-6 Duitse aanvalsplan

De Britse en Franse oorlogsverklaring was een lelijke streep door Hitlers rekening. Hij had door zijn successen met eerdere blufpolitiek daar nauwelijks op gerekend. Ondanks de oorlogsverklaring, gingen zowel Engelsen als Fransen te land en in de lucht niet tot directe militaire acties over. Op zee ging de machtige Britse marine wel tot actieve daden over. Er werden mijnen gelegd op zeewegen die toegang gaven naar Duitsland. Engeland en Frankrijk waren eind 1939 nog niet klaar voor een landoorlog en druk bezig hun defensie te versterken. Hitler trachtte op alle manieren te voorkomen dat hij op twee fronten tegelijk moest oorlogvoeren. Het Molotov-Ribbentrop-pact nam tijdelijk zijn zorgen weg. Hij kreeg hierdoor in het westen meer zijn handen vrij. Al kort na de verovering van Polen eind september 1939, gaf hij zijn generaals opdracht een plan uit te werken voor het veroveren van een belangrijk deel van het vasteland van West-Europa. Dit plan kreeg de codenaam *Fall Gelb*. Het plan betrof in principe, dat al in najaar 1939 de verovering van een stuk van Nederland en geheel België zou moeten plaatsvinden. Daarna konden die troepen naar Frankrijk doorstoten. De generaals van zijn legerstaf, stonden daar zeer sceptisch tegenover. Zij meenden dat het Duitse leger en de luchtmacht voor een zo grootschalige operatie nog niet klaar waren.

Hitler drukte zijn wil toch door en besliste dat de aanval per november 1939 zou worden ingezet. Het vrij haastig in elkaar gezette conceptplan, vond Hitler te conservatief en getuigen van weinig fantasie. Mede door het slechte weer in het najaar, werd de uitvoering van de aanval naar 12 november verschoven. Het aanvalsplan werd uiteindelijk op het laatste moment afgelast. De generaals kregen nu gelegenheid het plan verder aan te passen. De uitvoering zou nu in principe in januari 1940 beginnen. Diezelfde maand vielen delen van een eerste versie van het plan, door een noodlanding van twee Duitse luchtmachtofficieren bij Mechelen, in handen van de Belgen. Deze gaven de belangrijke informatie door aan Fransen en Nederlanders. Dit was reden genoeg voor Hitler, om in januari de uitvoering van het plan opnieuw uit te stellen. Het plan Geel werd voortdurend bijgesteld met grotere nadruk op verrassing en snelheid.

In januari 1940 besloot Hitler definitief *geheel* Nederland te bezetten. Hij vreesde dat Engelsen en Fransen vanuit Nederland zouden kunnen doorstoten naar de uiterst belangrijke Duitse wapensmidse in het Roergebied. De bezetting van Nederland voorkwam ook het gevaar, dat de Engelse luchtmacht Nederlandse militaire vliegvelden zou kunnen gebruiken. Aan de neutraliteit van Nederland, eerdere toezeggingen over het respecteren daarvan en het Duitse belang van de doorvoerhaven Rotterdam, had Hitler geen enkele boodschap. Om de snelheid van de verovering te bespoedigen en Nederland direct in het hart te raken, werd besloten op grote schaal luchtlandings- en parachutisten troepen in te zetten. Deze troepen zouden proberen in een verrassende actie vitale bruggen te bezetten. Die troepen moesten bovendien koningin, regering en de opperbevelhebber met zijn staf, gevangen nemen. Deze gevangenneming zou de wil tot weerstand breken en dus het land snel doen capituleren. In dit scenario veronderstelde Hitler, dat de verovering van Nederland *ongeveer twee dagen* in beslag zou nemen. De aanval op Nederland was voor hem in feite een minder belangrijke nevenoperatie op de flanken.

Hoofddoel was erfvijand Frankrijk. Via België zou Frankrijk vanuit het noorden worden aangevallen. De geduchte Franse verdediging in de Maginotlinie, kon in het nieuwste plan helemaal omtrokken en vervolgens vanuit de achterzijde opgerold worden. Argeloos genoeg dachten veel Franse politici, burgers en militairen veilig te zijn achter de formidabele Maginotlinie. Die linie was bij een frontale aanval inderdaad bijna onneembaar. De linie was in de dertiger jaren aangelegd en had omstreeks 100 miljard Franse francs gekost. Na het verslaan van de Fransen, dacht Hitler dat Engeland de hegemonie van Duitsland over West-Europa wel zou erkennen. Mocht dit niet zo zijn, dan meende Hitler met de Engelsen te kunnen onderhandelen en tot overeenstemming te kunnen komen. Wellicht viel er vanuit een dergelijke sterke positie zelfs met de Britten vrede te sluiten!

Na in een periode van een halfjaar herhaaldelijk gewijzigd, aangepast en uitgebreid te zijn, zag de definitieve vorm van *Fall Gelb* er in april 1940 als volgt uit. Het 18de leger (omstreeks 130 duizend man) zou aanvallen in het gebied van de provincies Groningen, Drenthe, Overijssel, Gelderland en Noord-Limburg. Dit leger zou bestaan uit cavalerie-, pantser- en een aantal infanteriedivisies. Bovendien werden twee Waffen SS regimenten aan dit leger toegevoegd. Een deel van dit leger moest in Groningen oprukken en via de Afsluitdijk het noorden van 'Vesting Holland' binnendringen. Het andere deel van dit leger zou de IJssellinie en de Peel-Raamstelling aanvallen. Daarna kon de aanval en vernietiging van de Grebbelinie uitgevoerd worden. Met een aantal andere divisies, zou de zuidflank van 'Vesting Holland' doorbroken worden. Dan restte nog het oprukken naar de grote steden Utrecht, Den Haag en Rotterdam. Daar zouden inmiddels luchtvloot 2 onder bevel van generaal Kesselring, met een paradivisie en een luchtlandingsdivisie met drie regimenten infanterie en een artillerieregiment, hun doelen hebben bezet. Zij moesten dan rendez-vous maken met de grondtroepen en pantsereenheden van het 18de leger. In het plan was inzet van enige pantsertreinen opgenomen. Die treinen met troepen, moesten zorgdragen voor het in bezit nemen van vitale bruggen, voordat ze vernield konden worden. De pantsertreinen moesten bovendien bijdragen aan penetratie van de diverse Nederlandse verdedigingslinies. In het zuiden zou een ander leger doorstoten. Hun hoofdtaak bestond uit het over een breed front aanvallen in het gebied Zuid-Limburg en Noord-België. Vervolgens moesten zij oprukken richting Belgische Noordzeekust en daarna afbuigen richting Noord-Frankrijk. Zuid van het 18de leger, werd voor de hoofdaanval op Frankrijk, het 6de leger ingezet. Dit leger bestond in principe uit twee pantserdivisies en omstreeks dertien andere (grotendeels infanterie) divisies. Op de aanvalsroute van dit 6de leger, lag de Maas- en een deel van de Peel-Raamstelling. De Duitse luchtmacht moest volgens *Plan Gelb* de Nederlandse militaire vliegtuigen op de grond en in de lucht vernietigen. Bovendien moest de *Luftwaffe* op uitgebreide schaal eigen grondtroepen ondersteunen met tactische jachtvliegtuigen en bommenwerpers.

Het Duitse plan bevatte ruimschoots de modernste strategische en tactische principes van de *Blitzkrieg*. De reeds in Polen met veel succes gebruikte principes van de snelle *Blitzkrieg*, zouden ook bij de aanval op Nederland, België en Frankrijk worden gebruikt. Ter verzekering van maximaal succes, hadden de Duitsers op ruime schaal gespioneerd. Vaak tot in detail waren inlichtingen verzameld door middel van diverse soorten spionage en verkenningen ter plaatse door officieren in burgerkleding. Helaas was deze belangstelling van Duitse 'toeristen' vooral in het gebied bij de Grebbeberg, door Nederlandse burgers en militairen niet opgemerkt. Uit ruimschoots voorhanden open bronnen, hadden de Duitse inlichtingendiensten eveneens veel gegevens verzameld over de Nederlandse krijgsmacht, de verdedigingsplannen en andere defensieve maatregelen.

1-7 Morgen bij het aanbreken van de dag

De periode van de Britse en Franse oorlogsverklaring op 3 september 1939 tot aan de aanval op Noorwegen, Denemarken, Nederland, België en Frankrijk in april en mei 1940, wordt schertsend *Sitzkrieg* of *Phoney War* genoemd. Dit slaat op het feit dat aan de grens tussen Frankrijk en Duitsland geen directe vijandelijkheden met grondtroepen uitbraken. Wel stond men aan de oostelijke grens van Frankrijk paraat op volledige oorlogssterkte. Daar lag de zich tot de Zwitserse grens uitstrekkende Maginot-verdedigingslinie. De 21 Franse divisies die deze statische en kostbare linie bemanden, waren geheel voorbereid op eventuele vijandelijke acties.

In Europa kwam stap voor stap het moment van de 'hete' oorlog dichterbij. Hoewel de Duitse generaals druk bezig waren om *Fall Gelb* te kunnen uitvoeren, suste de sluwe Hitler de Duitse burgers met allerlei uitspraken dat een oorlog met de westelijke landen niet voor de deur stond. Hij trachtte in september 1939 zelfs de Fransen en Engelsen te paaien voor vrede. In een eventuele vredesovereenkomst, moesten die landen de consolidatie erkennen van de gebieden die hij al veroverd had. Engeland en Frankrijk gingen hier niet op in. Chamberlain tastte af of er nog mogelijkheden waren een oorlog binnen beperkte kaders te houden. In zijn eigen parlement wilde inmiddels de meerderheid zich niet meer neerleggen bij Hitlers agressie en veroveringen. Door de gespannen toestand, waren de meeste West-Europese landen ondertussen gedeeltelijk of helemaal gemobiliseerd. De bewapeningsindustrieën gingen meer en meer op volle toeren draaien. De regeringen en een deel van de bevolking in West-Europa buiten Duitsland, begonnen zich te realiseren dat de grote confrontatie met Hitler mogelijk, of zelfs onafwendbaar was. Alleen de kleinere landen bleven zich vastklampen aan de hoop en het idee, dat neutraliteit en absolute afzijdigheid hen misschien buiten een groot Europees conflict zouden kunnen houden.

Toch gebeurde er buiten Nederland genoeg om te knagen aan die illusie. Zo werd op 3 september 1939 het Engelse passagiersschip *Athenia* met 1102 passagiers aan boord, voor de Ierse kust door een Duitse onderzeeboot tot zinken gebracht. De volgende dag bombardeerde de Engelse luchtmacht Duitse oorlogsschepen in de buurt van Kiel. Op 26 september viel de Duitse luchtmacht de Engelse vloot in de belangrijke marinehaven Scapa Flow aan. Drie weken later werd het Engelse oorlogsschip *Royal Oak* door een Duitse onderzeeboot in diezelfde haven getorpedeerd. De Britse marine zint op revanche. Na een felle jacht in de Atlantische Oceaan, werd het in het nauw gebrachte imposante Duitse vestzakslagschip *Admiral Graf von Spee* bij de Rio del Plata, door eigen bemanning tot zinken gebracht. Dit kleinere type slagschip had als '*raider*' ettelijke Engelse koopvaardijschepen tot zinken gebracht. Ter versterking van de defensie in Frankrijk, werd het Britse expeditieleger (BEF = *British Expeditionary Force*) met een sterkte van vier divisies en enige squadrons van de luchtmacht (totaal uiteindelijk circa 394 duizend man) vanaf september 1939 overgebracht naar Frankrijk. Door de gespannen toestand werd begin 1940 voor enige artikelen in Engeland distributie ingevoerd. In april 1940 legde de Britse marine mijnen in de Noorse territoriale wateren. Doel hiervan was de aanvoer van ijzererts naar Duitsland ernstig te bemoeilijken. In Oost-Europa was medio september 1939 Rusland Oost-Polen binnengevallen. Tweeënhalve maand later attaqueerde ditzelfde Rode Leger het dunbevolkte Finland. De Finnen verdedigden zich dapper en verbeten. Zij wisten de Russische aanvallen op knappe wijze geruime tijd af te slaan. Uiteindelijk moesten ze na ruim drie maanden felle strijd, ingaan op de sovjetvredesvoorstellen. De Finnen verloren daardoor het zuidelijke grensgebied (de Karelische landengte) aan de Russen.

In Engeland was inmiddels Winston Churchill in het kabinet opgenomen. Churchill probeerde in vlammende redes op persoonlijke titel, de neutrale landen te bewegen hun afzijdigheid vaarwel te zeggen en de zijde van Frankrijk en Engeland te kiezen. Het hielp niet en de 'neutralen' bleven zich angstvallig afzijdig houden. Hitler had aan de hand van de passieve houding aan de Frans-Duitse grens van Engeland en Frankrijk en aan de neutrale houding van de kleine landen afgeleid, dat zijn kansen in een landoorlog in het westen gunstig waren. De sterkte en bewapening van de Duitse krijgsmacht werd meer en meer opgevoerd. De tijd werd rijp geacht om de vergevorderde plannen in daden om te zetten. Hitler wist de meeste nog resterende weifelaars onder zijn generaals te overtuigen, dat het tij nu gunstig was om tot actie over te gaan.

Aan de hand van de adviezen van de bevelhebber van de Duitse marine (*Kriegsmarine*), admiraal Raeder, raakte Hitler ervan doorgedrongen dat bij een landoorlog met Frankrijk en Engeland, het voor Noorwegen en Denemarken strategisch te belangrijk was om zich geheel afzijdig te houden. Uit Noorwegen en Zweden kwam een groot deel van het voor de Duitse industrie vitale ijzererts. Bovendien had de Britse marine door hun grote overmacht op zee, nagenoeg de vrije hand in de Noordzee en het noordelijk deel van de Atlantische Oceaan. Als Engeland de Noorse neutraliteit terzijde zou schuiven of de Noren op andere wijze voortijdig de Britten te hulp zouden roepen, was dat een groot gevaar voor Duitsland. De Engelsen konden dan vanuit Noorwegen de ertsaanvoer naar Duitsland afknijpen.

Admiraal Raeder had al in oktober 1939 Hitler gewaarschuwd dat de geheime inlichtingendienst van de staf van het Duitse leger (*Abwehr*), belangrijke informatie had verzameld. Daaruit bleek dat de Britten erg veel belangstelling toonden voor Noorwegen. Al met al had Hitler in december 1939 opdracht gegeven om een studie te maken ten behoeve van een invasie in Noorwegen en Denemarken. Deze studie werd door Hitler in maart 1940 omgezet in een bevel voor de invasie van Noorwegen en Denemarken. Het Britse besluit om mijnen te leggen in de Noorse territoriale wateren, was *de facto* een schending van de Noorse neutraliteit. Dit verhaastte Hitlers plannen. Hij bepaalde nu de aanval op 9 april 1940. De Noren hadden vanaf 1814 geen oorlog gekend en waren grotendeels onvoorbereidheid. Zij vertrouwden helemaal op hun neutraliteit. In het allerergste geval hoopten zij tenminste dat Engeland te hulp zou snellen. Met een bevolking van 3,5 miljoen inwoners en het voor de verdediging gunstige zeer uitgestrekte en bergachtige land, hadden de Noren hun leger nauwelijks gemobiliseerd. Het kleine Denemarken verkeerde in een soortgelijke situatie. Helemaal onvoorbereid waren beide landen niet. De Nederlandse militair attaché in Berlijn majoor Sas had hen begin april in het geheim ingelicht over de aanstaande Duitse aanval.

Deze operatie met de naam *Weserübung*, was een staaltje van gedurfde, fantasierijke, risicovolle snelle planning en uitvoering. Door goed gecoördineerde detailplanning en strakke bevelvoering, werd Denemarken binnen 24 uur onder de voet gelopen. In de vroege morgen begon op 9 april de overrompelende aanval. Om 06.45 uur kwam het Deense kabinet onder voorzitterschap van koning Christiaan in Kopenhagen bijeen. Ondanks enige oppositie binnen het kabinet, besloot de koning de kortstondige strijd onder scherp protest te staken. Denemarken capituleerde en aan Deense zijde waren er 36 gesneuvelde en gewonde militairen. De verovering van Denemarken kostte de Duitsers slechts circa twintig doden en gewonden.

Noorwegen was een veel hardere noot om te kraken. Ook op 9 april in de late nacht, startte de gecombineerde marine-land-luchtmacht operatie. De verraste Noren boden onmiddellijk fel verzet. Enkele Duitse oorlogsschepen werden door Noorse artillerie tot zinken gebracht. Dit vertraagde de Duitse aanval op Oslo. Op veel plaatsen hielden de Noren enige uren of dagen stand. Dit kon niet voorkomen, dat aan het einde van 9 april de aanvallers al de meeste Noorse kuststeden en een groot vliegveld in handen hadden. Op 30 april maakten Duitse troepen vanuit de omgeving bij Oslo, contact met troepen die geland waren in het gebied van Trondheim. De Engelsen hadden lucht gekregen van de Duitse aanval op Noorwegen en hun oorlogsschepen zochten de Duitse aanvallers op. Op zee vonden ettelijke keiharde treffen plaats. Bij dit treffen gingen aan beide zijden schepen verloren. Engelsen troepenversterkingen landden medio april nabij Narvik. Op 28 mei werd die plaats op de Duitsers

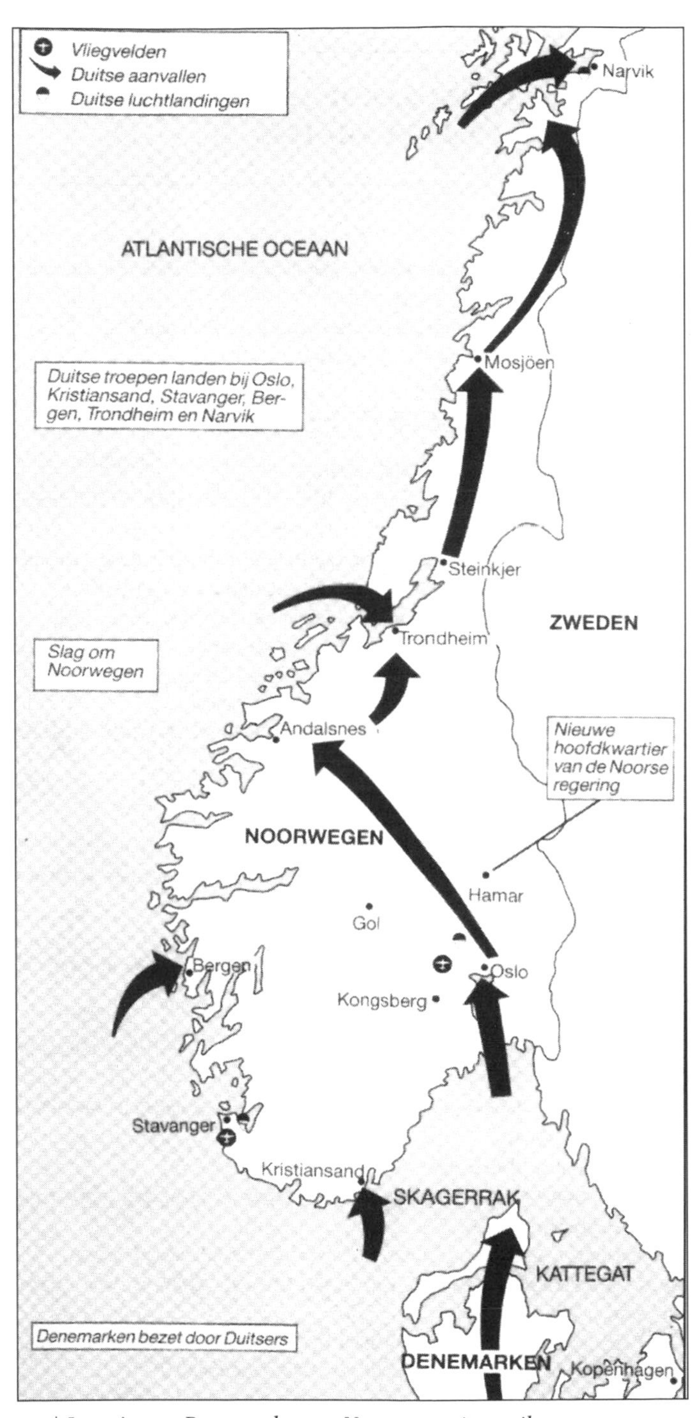

| *Invasie van Denemarken en Noorwegen in april 1940.*

heroverd. Toen op 10 mei 1940 Nederland aangevallen werd, was de strijd in het noorden van Noorwegen nog in alle hevigheid aan de gang.

In Nederland werden de gevechten in Scandinavië en op zee, met steeds grotere bezorgdheid gevolgd. Voortdurend werd men heen en weer geslingerd tussen hoop en vrees dat het anders zou kunnen lopen dan 1914-1918. In 1936-1937 was majoor Sas militair attaché in Berlijn geweest. Hij was daarna teruggeplaatst naar Nederland. In 1938 werd Sas weer naar Berlijn gezonden. Hij beschikte in Berlijn over uitstekende contacten. Een uiterst belangrijke relatie was de Duitse kolonel Oster, die onder admiraal Canaris bij de Duitse *Abwehr* (= contraspionagedienst) werkte. Zowel Canaris als Oster was zijn vaderland trouw, maar hadden een grote aversie tegen Hitler, zijn nazi-top en regime. Voor die aversie openlijk uitkomen, was in het door de Gestapo gecontroleerde Duitsland, levensgevaarlijk. Beiden probeerden binnen dit beperkte kader, zo omzichtig mogelijk te balanceren en te redden wat te redden viel. Door deze houding en de goede vriendschap tussen beide officieren, lekte belangrijke informatie naar majoor Sas. Sas gaf die informatie zo snel mogelijk door aan zijn Nederlandse superieuren. Helaas hechtte men in Den Haag niet erg veel belang aan deze waardevolle informatie. Begrijpelijkerwijs kon en wilde majoor Sas zijn informatiebron in Berlijn niet aan zijn eigen superieuren prijsgeven.

Doordat Hitler in een halfjaar tijd totaal *achttienmaal* de datum van de aanval op Nederland, België en Frankrijk uitstelde, geloofde men in Den Haag steeds minder de waarschuwingen van Sas. Geleidelijk aan dacht men dat hij zwaar overspannen was. Men nam hem steeds minder serieus. De zowel van Britse zijde als van majoor Sas ontvangen waarschuwing dat de Duitse aanval medio november 1939 zou plaatsvinden, leidde wel tot het kabinetsbesluit om in bepaalde gebieden de Staat van Beleg af te kondigen.

Begin november 1939 werd bij de grenspost Denekamp een auto aangehouden, waarin Nederlandse legeruniformen werden aangetroffen. De inzittenden van de auto (nazi-gezinde Nederlanders), probeerden uniformen naar Duitsland te smokkelen. Jammer genoeg stelde de Nederlandse militaire inlichtingendienst geen diepgaand onderzoek in waarvoor die uniformen gebruikt zouden kunnen gaan worden. Een paar dagen later werden in een grenscafé nabij Venlo, twee Engelse geheime agenten en een Nederlandse luitenant van de militaire inlichtingendienst, met zijn chauffeur in een val gelokt. Door een Duitse infiltrant waren zij in dit café uitgenodigd om zogenaamd met vertegenwoordigers van het Duitse verzet te overleggen. De Duitsers zouden quasi een coup tegen Hitler beramen. Beide Engelsen, de luitenant en zijn chauffeur, werden door in burger geklede vanuit een auto schietende SS'ers overvallen. Er ontstond een vuurgevecht. Met de Duitse overvalwagen werden de vier mannen ontvoerd en meegesleurd over de grens. De Nederlandse luitenant had een hoofdschot gekregen en was zwaar gewond. Hij overleed onderweg. Beide Engelse agenten en de chauffeur, werden in het Gestapo-hoofdkwartier in Düsseldorf en daarna in Berlijn, uitgebreid ondervraagd en gevangen gehouden. Eén van hen sloeg door, de ander bleef hardnekkig zwijgen. De chauffeur werd vrijgelaten en keerde ongedeerd terug naar Nederland. Er gebeurde nog veel meer wat er op wees dat Hitler geen rekening wenste te houden met de neutraliteit van de kleinere West-Europese landen.

Al deze feiten hadden een indicatie kunnen zijn dat het neutraliteitsbeleid gedoemd was te falen. Veel meer gebeurtenissen waren voortekenen van het naderende onheil. Op 6 januari 1940 werd het Nederlandse motorschip *Arendskerk* op weg naar Zuid-Amerika, door een Duitse onderzeeboot getorpedeerd. Dit was het elfde schip dat door oorlogshandelingen verloren ging. Begin maart werden elf andere Nederlandse niet-militaire schepen op de Noordzee bestookt door vliegtuigen van vermoedelijk Duitse nationaliteit.

In totaal ging er door mijnen, onderzeeboot- en vliegtuigaanvallen van de Nederlandse koopvaardijvloot in de maanden voorafgaand aan 10 mei 1940, 105 077 bruto register ton aan scheepsruimte verloren! Daarbij kwamen 251 zeelieden en passagiers om het leven. Zoals hiervoor beschreven, waren begin april de Duitse troepen zonder oorlogsverklaring Denemarken en Noorwegen binnengevallen. Voor België en Nederland had dit na alle gebeurtenissen in het afgelopen halfjaar, een signaal kunnen zijn dat er weinig aan illusie overbleef. Op 19 april maakte premier De Geer in een radiorede bekend dat de Staat van Beleg voor het gehele land van kracht was. De opperbevelhebber van de krijgsmacht bepaalde op 27 april dat een persverordening in werking trad. Dit hield in dat alle publicaties werden verboden, die de neutraliteit van Nederland konden schaden, informatie gaven over militaire zaken en het zelfvertrouwen van de krijgsmacht konden ondermijden. Als gevolg hiervan werd de gehele oplage van het NSB-weekblad *Volk en Vaderland* in beslag genomen. Op 4 mei werden 21 prominente NSB'ers, fascisten en communisten gearresteerd en opgesloten. In het land ging, ondanks de steeds meer voelbare spanningen, het leven van alledag zo gewoon mogelijk door. Iedereen probeerde normaal zijn dagelijkse werk te doen, al nam de onzekerheid voortdurend toe. Op 9 mei had het kabinet de nodige signalen gekregen dat er ieder moment wat kon gebeuren. De krijgsmacht was al enige tijd in hoge staat van paraatheid gebracht. Verloven werden alleen in bijzondere gevallen toegestaan. Ondanks die sterk oplopende spanningen, bleven de meeste ministers aan hun normale alledaagse verplichtingen voldoen, zoals het openen van tentoonstellingen en dergelijke. Diezelfde avond dineerde majoor Sas met kolonel Oster in Berlijn. Na het diner liep Oster nog even langs het OKW (*Ober Kommando der Wehrmacht*). Sas wachtte buiten onopvallend in een taxi op zijn terugkeer. Kolonel Oster kwam na circa twintig minuten terug en bevestigde dat *Fall Gelb* de volgende ochtend *nu echt* zou worden uitgevoerd. Deze keer was de kans op uitstel praktisch nihil. De teerling was geworpen!

Majoor Sas liet geen tijd verloren gaan en belde via een openbare telefoon met Den Haag. Hij formuleerde zijn waarschuwing in de legendarische bewoording *'morgen bij het aanbreken van de dag, hou je taai'*. Omstreeks 21.15 uur kreeg de minister van Defensie dit bericht door van de dienstdoende officier op zijn departement. Ongeveer een halfuur daarvoor had het Algemeen Hoofdkwartier op grond van zijn informatie aan een deel van het leger al doorgegeven: 'Van de grens komen zeer verontrustende berichten, grote waakzaamheid is daarom geboden.' Opperbevelhebber Winkelman was inmiddels gewaarschuwd. Bevelhebber der Zeestrijdkrachten Fürstner, had op eigen initiatief die dag al noodzakelijke voorzorgsmaatregelen in gang gezet. Hij had opgedragen dat de meeste marineschepen hun kwetsbare posities in

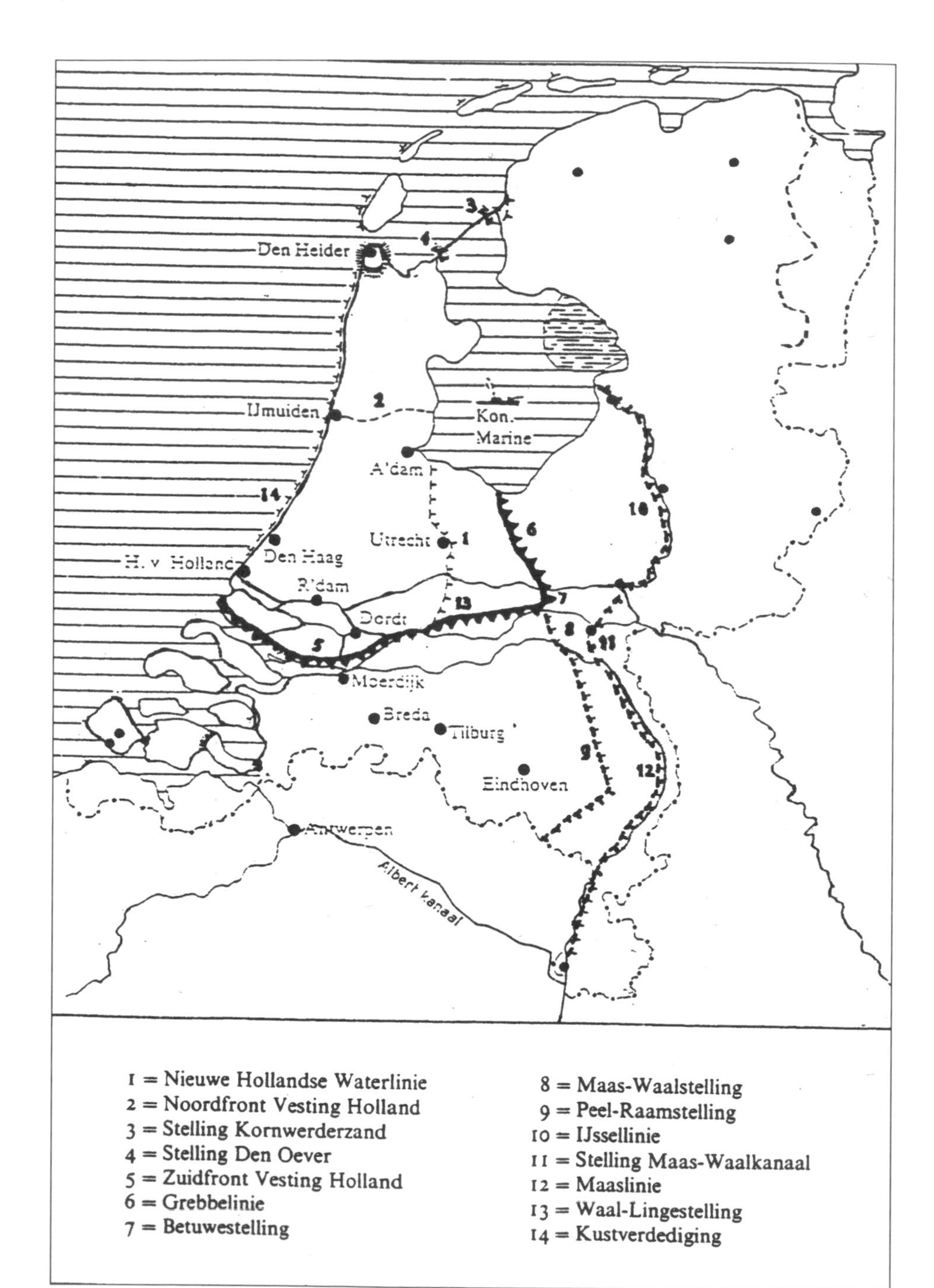

| *Opstelling verdediging in Nederland op 10 mei 1940.*

de havens moesten verlaten. Ook de commandant van het veldleger had naar aanleiding van waarschuwingen, maatregelen genomen. Hij had de troepen opgedragen de hoogste staat van paraatheid in acht te nemen. Een aantal bruggen werd onmiddellijk opgeblazen. De grote bruggen over de rivieren Maas en IJssel, werden nog niet opgeblazen. Men had het idee daar nog genoeg tijd voor te hebben!

Helaas werd verzuimd het bericht inzake vernielingen door te geven naar Zuid-Limburg. In de zwoele nacht van 9 op 10 mei werd de stilte van de nacht regelmatig verscheurd door de explosies van ladingen aan bruggen en velerlei soorten versperringen. Diezelfde nacht slopen al vanaf 03.55 uur de eerste vijandelijke groepen het land binnen. Duitse bommenwerpers waren inmiddels al op weg naar hun aanvalsdoelen in Nederland. Ook deze keer was er geen oorlogsverklaring en werden neutrale landen, onverhoeds door de Duitse agressor massaal aangevallen. Die nacht kwam op bruuske wijze een einde aan meer dan 150 jaar Nederlandse neutraliteit.

Nederland onderging de verschrikkingen van een oorlog en daarmee viel als een donkere deken onvrijheid en terreur over het land en zijn burgers. Achteraf lijkt het onbegrijpelijk en zelfs naïef, dat de kleine neutrale West Europese landen zo lang bleven vasthouden aan de illusie van afzijdigheid en buiten schot blijven. Daarbij moet bedacht worden dat tot en met de Eerste Wereldoorlog bepaalde vormen van internationaal recht en diplomatie door de meeste ontwikkelde landen in acht werden genomen. De opkomst van fascisten, het racistische Hitler-bewind en Stalins regime in Rusland, bracht met zich mee dat sommige gevestigde regels in het internationale diplomatieke verkeer stap voor stap opzij werden geschoven. De meeste kleine West-Europese landen konden – ondanks waarneembare signalen – dit niet bevatten en voor mogelijk houden. Denemarken en Noorwegen in april en Nederland, België en Luxemburg in mei 1940, werden met deze mentaliteits-veranderingen op ruwe wijze geconfronteerd. Al die kleine landen werden, slecht voorbereid, onder de voet gelopen en ondergingen jaren van onderdrukking onder de nazi-vlag.

HOOFDSTUK 2

Vijf dagen oorlog in mei 1940

2-1 Duitse aanval in het oosten

Na achttien keer afstel of uitstel van Plan Geel, was het haastige telefonische bericht van majoor Sas nu maar al te waar. De overval op Nederland, België, Luxemburg en Frankrijk, was door middel van het codewoord 'Danzig' met minutieuze precisie in gang gezet. De gehele Duitse oorlogsmachine was er mentaal en fysiek klaar voor. De weerberichten voor de tweede week in mei waren gunstig. Al hun staven en onderdelen waren goed geoefend, volledig uitgerust en in de uitgangsposities opgesteld. Het offensief startte op tijdstip X (03.55 uur Nederlandse tijd). Sommige eenheden gingen al eerder van start. Tussen 00.55 uur en 03.45 uur slopen als dieven in de nacht tussen Noord-Groningen en Maastricht, de eerste speciale groepen over de grens. De meeste van hen droegen Nederlandse leger- of militaire politieuniformen óf hadden burgerkleding. Hun opdrachten waren om de militairen die in Oost-Nederland bepaalde bruggen bewaakten, te overvallen en indien noodzakelijk te elimineren. Wanneer het lukte, moesten deze *Einsatzgruppen* aangebrachte explosieven verwijderen om opblazen te voorkomen. Op de meeste plaatsen waren de Nederlanders op hun hoede en boden tijdig weerstand. Diverse Duitse overvallers werden na vuurgevechten overmeesterd en gevangengenomen. Sommige overvallers konden ontvluchten. Op enkele plaatsen lukte deze onverhoedse Duitse overval wel. Triest genoeg lukte de overval ook daar waar een heel belangrijke brug lag. Door list en misleiding, zagen de Duitsers bij de spoorbrug nabij Gennep kans de bewakers te overmeesteren Die brug over de Maas was nog net niet opgeblazen. De vijand verwijderde de ladingen en versperringen en maakte de weg vrij voor een pantser- en goederentrein. Met die pantsertrein werd een infanteriebataljon (circa zevenhonderd man) vervoerd. Deze slinkse doorbraak zou later een grote ramp blijken te zijn.

In de provincie Groningen passeerden Duitsers al vóór X uur de grens bij Nieuweschans. Ze overmeesterden de Nederlandse militaire bewaking en namen de spoorbrug in bezit. Na dit snelle succes, kon de wachtende pantsertrein met veel troepen aan boord, richting Groningen-stad doorrijden. Dit succes was spoedig voorbij. Nederlandse bewakingstroepen zagen kans tijdig een volgende spoorbrug op te bla-

| *Opstelling van zware mitrailleur nabij Borger in Drenthe.*

zen. De pantsertrein kwam nabij Winschoten knarsend en piepend tot een gedwongen stilstand. Vijf Nederlandse bataljons in het noorden, moesten met omstreeks tweeduizend man de grensposten langs circa 75 kilometer grenslijn in de gaten houden, waarschuwen en daarna vertragend terugtrekken. Er moesten bovendien meer dan tweehonderd kleinere bruggen opgeblazen worden en een paar honderd wegversperringen gerealiseerd worden. Het was een nauwelijks uitvoerbare opdracht. Al om 10.00 uur had de commanderende officier van het noordelijke gebied in de gaten dat er geen schijn van kans was om de oprukkende Duitse cavaleriedivisie lang te vertragen.

Hij gaf het bevel om zo vlug mogelijk terug te trekken op de Wons verdedigingslinie in Friesland. Met fietsen, gevorderde vrachtwagens en bussen en deels te voet, gingen de mannen van de grensbataljons soms wel, soms niet geordend op weg naar Wons. Ondercommandanten boden hier en daar pittige weerstand. Tijdens diverse confrontaties sneuvelden acht mannen en velen werden krijgsgevangen gemaakt. Ondanks de vrij chaotische terugtocht, bereikte het grootste deel van deze bataljons vermoeid en wat gedesillusioneerd vanwege de snelle terugtocht, de Afsluitdijk. Twee compagnieën (ruim driehonderd man) bleven oostelijk van de Afsluitdijk achter, om de Wonsstelling te versterken. De andere grenstroepen, gingen met geïmproviseerd transport of te voet over de Afsluitdijk naar de Stelling Den Helder. De snelle terugtocht verbaasde en verheugde de Duitse commandant van de 1ste cavaleriedivisie. Hij had duidelijk meer tegenstand verwacht. Zijn verbazing zou spoedig voorbij zijn en veranderen in ergernis. Op 11 mei bereikte namelijk de voorhoede van de Duitse cavaleriedivisie, het gebied van het dorp Wons. Ze stuiten daar wel op forsere tegenstand en konden niet verder oprukken.

Soortgelijk aan de orders voor de noordelijke Nederlandse troepencommandant, was de opdracht van de regionale commandant in de provincie Overijssel. Hij moest met vijf bataljons omstreeks tachtig kilometer grenslijn in de gaten houden. Zijn opdracht was nagenoeg gelijk aan die van de noordelijke provincies. In dit gebied moesten ongeveer tweehonderd vernielingen (kleine bruggen en wegversperringen) worden uitgevoerd. De Duitse tegenstanders overtroffen ook hier in aantal en bewapening, verre de Nederlandse grensbataljons. De aan de grens gelegerde bataljons, werden voor het grootste deel volledig verrast. Veel van de overblufte soldaten werden gevangengenomen. Sommigen ontsnapten aan gevangenneming door snel burgerkleding aan te trekken en geruisloos te verdwijnen naar het platteland. Ongeveer driehonderd man van de grenstroepen bereikten uiteindelijk de IJssel verdedigingslinie. Gedurende de schermutselingen in Overijssel, sneuvelden vijf man. De Duitse opmars in Overijssel was zo snel gegaan, dat een groot deel van de burgers in diverse dorpen eerst totaal niet in de gaten hadden, dat de langstrekkende militairen geen Nederlanders, maar Duitsers waren!

Ondanks alle chaos en verwarring in de ochtend, slaagden de verdedigers er toch in de belangrijke bruggen over de IJssel tussen Kampen en Arnhem, te vernielen. De snel opgerukte vijand bereikte de zwak verdedigde IJssellinie al in de loop van deze eerste dag. De tijdig opgeblazen bruggen maakten voor hen een gemakkelijke rivierovergang onmogelijk. De vernielde bruggen blokkeerden de geplande pantsertrein zijn verdere opmars. Aan de westzijde van de IJssellinie probeerden vijf bataljons die verspreid waren over een gebied van circa 120 kilometer, de Duitsers zo lang mogelijk tegen te houden. Er waren aan de linie kleinere bunkers, geen artilleriesteun, wel een redelijk aantal mitrailleurs. Op ettelijke plaatsen probeerden de Duitsers met rubberboten de rivier over te steken. Een regen van mitrailleur en geweervuur, rekende af met deze pogingen. In het moordende vuur sneuvelde of verdronk menig Duitser. Hierna probeerden de vijand met speerpuntaanvallen, ondersteund door veel kanonnen, luchtsteun en brugslag genie-eenheden, door te stoten bij Zutphen, Doesburg en Westervoort. Ondanks stevige tegenstand, slaagden zij er uiteindelijk in een aantal kleinere bruggenhoofden te vestigen op de andere oever van de IJssel. Van hieruit vielen ze de resterende kernen van de verdediging aan. Inmiddels waren Duitse genietroepen bezig om nood(ponton)bruggen aan te leggen over de IJssel. Om omsingeling te voorkomen, gaf de Nederlandse commandant van de IJssellinie, nu opdracht om terug te trekken. In het zuidelijk deel, vond de terugtrekking weinig georganiseerd plaats. Van de vijf bataljons, bereikten uiteindelijk op 10 en 11 mei omstreeks twaalfhonderd man de Grebbelinie. Gedurende de gevechten bij de IJssellinie, waren circa 54 Nederlanders gesneuveld. Een veel groter aantal werd gewond, gevangengenomen of verdween in het niet.

Na de gevechten en oversteek bij de IJssel, bereikten de Duitse voorhoedes in de vroege avond Arnhem. Ze hadden eerst de tegenstand in en nabij fort Westervoort met massaal artillerievuur moeten uitschakelen. De voorste eenheid bij de Duitse infanteriedivisie, was het Waffen SS regiment *Der Führer*. Bij de opmars richting

| *Bewaking bij wegversperring nabij Arnhem/Huissen.*

Wageningen, moesten ze ettelijke wegversperringen opruimen en raakten hier en daar in gevecht met vertragend terugtrekkende huzaren. Via Renkum bereikte het Waffen SS regiment, in de avond van 10 mei het geëvacueerde en spookachtig verlaten stadje Wageningen.

De Duitsers was er veel aan gelegen om snel door de Maas- en Peel-Raamlinie te penetreren. Ze hadden daarvoor zes infanteriedivisies van ieder circa zeventienduizend man, plus een Waffen SS divisie geconcentreerd. Bovendien had dit leger nog een pantserdivisie van ruim dertienduizend man en 160 tanks ter beschikking. Noordelijk van dit leger stond voor de doorbraak nog een leger met zeven infanteriedivisies en twee pantserdivisies gereed. Een deel van hun troepenmacht moest na de Peel-Raamstelling door Brabant oprukken en contact maken met de *Luftwaffe* parachutisten en luchtlandingsdivisie, die binnen 'Vesting Holland' waren geland. Het zuidelijker leger moest na doorbraak over de Maas, zo snel mogelijk via de noordelijke helft van België oprukken naar het Pas de Calais-gebied. Ze dienden bovendien zoveel mogelijk af te rekenen met een deel van het Belgische leger en een deel van de

| *Kazemat langs de weg Valkenburg-Maastricht.*

noordelijke Franse legers. De Duitse overmacht in het Noord-Limburgse Maasgebied, was ongeveer 8 op 1. Daarbij kwam nog massale artillerie- en tanksteun. De verdedigingslinie aan de Maas bestond uit ongeveer driehonderd kleinere bunkers met de nodige mitrailleurs. Het noordelijk deel van de linie, had negen bataljons (circa 6500 man) en een frontlengte van ongeveer zestig kilometer. De meeste bruggen over de Maas werden door de verdedigers tijdig opgeblazen. Helaas waren door spionage de Duitsers goed op de hoogte waar zich de zwakste plekken in de verdediging bevonden. Bij het eerste daglicht op 10 mei, zette de aanval in Limburg in met een enorm artilleriebombardement. Veel van de Duitse kanonnen konden hun dodelijke granaten afvuren vanaf Duits grondgebied.

Onder de paraplu van deze artilleriebarrage, viel de Duitse infanterie aan. Nederlandse troepen die het moordende bombardement overleefd hadden, kwamen bij uit de verdoving en openden met mitrailleurs en geweren het vuur op de aanvallers. De Duitsers probeerden met hun rubberboten de rivier over te steken. Ettelijken sneuvelden en verdronken onder een regen van kogels. Toch slaagde een aantal aanvallers er in, de westoever te bereiken. Op diverse plaatsen wisten de verdedigers enige uren verbeten stand te houden. Uiteindelijk konden in de middag

| *Ontspoorde Duitse pantsertrein bij Mill.*

nabij Gennep, tussen Venlo en Roermond en bij Maastricht, de beide Duitse legers de Maaslinie doorbreken. Ondanks hopeloze en vaak dappere tegenstand op diverse plaatsen, moesten de overlevende tegenstanders van de Maaslinie terugtrekken naar het westen. Bij de verdedigers sneuvelden velen door de artilleriebombardementen en lokale felle gevechten. De volle kracht van de aanvallers, beukte nu op de Peel-Raamlinie.

De penetratie door de pantsertrein westelijk van Gennep, had een bijzonder gevaarlijke situatie opgeleverd. Na het passeren van de spoorbrug bij Gennep, reed de pantsertrein ongehinderd door richting Mill. Bij het gehucht Zeeland werd gestopt. Dit gehucht lag ongeveer drie kilometer *achter* de Peel-Raamlinie. In de vroege ochtend debarkeerden de Duitse infanteristen en overvielen de verraste verdedigers. Ze werden uit hun stellingen verdreven. Een ander deel van de Duitsers rukte op naar een Nederlands artillerieonderdeel. Deze artilleristen hadden bijna archaïsche kanonnen '8 staal'. Die kanonnen waren van een ontwerp dat dateerde uit het jaar 1878. Hoewel de kanonnen erg oud waren, konden geoefende artilleristen daar toch behoorlijk mee overweg. Zij namen na de schok van aanvallende vijand op hun flank, snel het initiatief en draaiden met veel moeite hun kanonnen omstreeks 90

| *Vernielde Wilhelminabrug in Maastricht.*

graden. Er werd zo accuraat mogelijk gericht en vuur geopend. Door deze snelle reactie, leden de Duitse infanteristen aardig wat verliezen en werd hun aanval ter plaatse gestopt. Nederlandse tegenaanvallen op de Duitse doorbraak bij Mill, mislukten door gebrek aan coördinatie en veel misverstanden. Het gat in de Peel-Raamlinie werd daardoor niet gedicht. De Duitse troepenversterkingen wonnen voortdurend meer terrein. De commandant van de Peelverdediging, gaf vanwege de hopeloze situatie, omstreeks 20.30 uur opdracht om terug te trekken tot achter de Zuid-Willemsvaart. Deze order bereikte lang niet alle eenheden en maakte de situatie nog verwarder en onoverzichtelijker. Sommige pelotons die nog geen enkele vijand hadden gezien, waren woedend dat ze nu al moesten terugtrekken. Het moreel had inmiddels een flinke deuk opgelopen en de terugtocht in de nacht verliep vrij chaotisch. Duizenden soldaten, gingen geordend of ongeordend in die nacht te voet, met fietsen, gevorderde bussen en vrachtwagens, op weg naar de Zuid-Willemsvaart.

In Zuid Limburg slaagden de verdedigers er in om circa 50 procent van de bruggen over de Maas en het Julianakanaal, tijdig op te blazen. Een speciale eenheid van de *Abwehr*, zag ook hier met list en misleiding kans om in de nacht vijf bruggen ongeschonden in handen te krijgen. Sommige verraste brugdetachementen verdedigden 'hun brug' zo lang mogelijk. De Duitse poging om de belangrijke grote brug bij Maastricht in handen te krijgen, mislukte jammerlijk. Het tijdig opblazen van deze brug, vertraagde de opmars van een Duitse infanteriedivisie en twee pantserdivisies richting België. Deze divisies, moesten noodgedwongen wachten tot twee nood(ponton)bruggen over de Maas waren aangelegd. De vermetele Duitse aanval op het belangrijke strategisch gelegen Belgische fort Eben-Emael, moest daardoor 24 uur worden uitgesteld. Ondanks kleine successen, zag de territoriaal bevelhebber van Zuid-Limburg in de ochtend om 09.00 uur, dat de toestand hopeloos was. Na aan generaal Winkelman per postduif en radio, de trieste situatie te hebben gerapporteerd, gaf hij zich met zijn resterende mannen over. Bij de strijd om de bruggen, waren 44 van zijn mensen gesneuveld en vele anderen gewond geraakt.

2-2 Duitse aanval in het westen

Het was een weinig opwekkend beeld dat in deze eerste oorlogsdag opdoemde. In de nacht was de oostgrens massaal overschreden. Ondanks her en der enige tegenstand, was een groot deel van oostelijk Nederland stevig in vijandelijke handen. Niettegenstaande de verrassing en overmacht aan troepen, hadden de aanvallers toch op enige plaatsen het nodig gevonden de regels van de internationale verdragen van de Haagse Vredesconferenties van 1899 en 1907, te schenden. Deze schending bestond in de meeste gevallen uit het gebruiken van krijgsgevangenen als menselijk schild. Het zou in de volgende vier dagen op andere plaatsen nog vaker voorkomen.

Hoe was de toestand in de civiele en militaire 'zenuwcentra' van het westen na deze rake klappen in het oosten? Het haastige telefonische waarschuwingsbericht van Sas uit Berlijn, bereikte het ministerie van Oorlog in Den Haag in de loop van de avond op 9 mei. De bevelhebbers van leger en marine waren geïnstrueerd om hun strijdkrachten in hoge staat van paraatheid te brengen. Hun alarmbericht bereikte triest genoeg niet alle ondercommandanten. In de nacht van 9 op 10 mei kwamen steeds meer berichten bij het Algemeen Hoofdkwartier in Den Haag binnen over troepenbewegingen en grensoverschrijdingen. Het commando luchtverdediging gaf meldingen door over ongeïdentificeerde grote vliegbewegingen. Vanaf 03.55 uur was de onzekerheid voorbij. Bommen explodeerden op Nederlandse vliegvelden, militaire installaties en andere doelen. Twijfel was nauwelijks meer mogelijk, het was nu echt oorlog! De illusie van burgers, ministers, generaals en soldaten, dat Duitsland de Nederlandse neutraliteit zou respecteren, was ruw aan flarden gescheurd.

Circa zeshonderd Duitse bommenwerpers en transportvliegtuigen, waren ruim vóór X uur vanuit Duitsland opgestegen. Meer dan 180 bommenwerpers vlogen hoog over Nederlands gebied en keerden om boven de Noordzee. Zij vlogen nu oostwaarts en wierpen scherp om X uur hun bommen af boven de opgegeven doelen. Hun jachtvliegtuigen, duikbommenwerpers en transportvliegtuigen, starten wat later van hun thuisbasis en vlogen rechtstreeks van oost naar west over Nederlands grondgebied. Ook deze vliegtuigen bereikten hun doelen precies op tijd. Door de grondige Duitse planning en uitvoering van de aanval, werd Nederland in strategische zin – ondanks de wanhopige telefonische waarschuwing uit Berlijn – toch nog volledig verrast. Zoals voorheen in Polen, Noorwegen en Denemarken was er ook deze maal geen oorlogsverklaring. De *Luftwaffe* bombardeerde tegelijkertijd 13 militaire vliegvelden. De meeste lagen binnen 'Vesting Holland'. Ze werden gebruikt door de kleine Nederlandse (leger)luchtmacht. Luchtdoelgeschut beschermde de vliegvelden. De diverse types van Nederlandse militaire vliegtuigen waren verouderd en vrij langzaam. Er waren maar zestien bommenwerpers. De enige moderne toestellen waren elf Douglas jagerbommenwerpers en veertig snelle Fokker G-1 jachtvliegtuigen. Het totale aantal operationeel bruikbare toestellen was slechts 125 stuks. De vliegtuigen waren tijdig verspreid opgesteld op vliegvelden in De Kooy (nabij Den Helder), Bergen, Schiphol, Hilversum, Ruigenhoek (bij Noordwijkerhout), Ypenburg en Ockenburgh, Waalhaven en Gilze-Rijen.

De commandant luchtbeveiliging had tijdig opgedragen om de vliegtuigen afgetankt en bewapend gereed te zetten voor eventueel opstijgen bij eerste daglicht op 10 mei. Helaas begon de Duitse verrassingsaanval ongeveer tien minuten vóór het eerste daglicht. De Duitse jagers en bommenwerpers behaalden daardoor een maximaal effect van schade en vernieling. Bij het eerste daglicht was het op de vliegvelden een chaos van fluitende en exploderende bommen, hangars en grondinstallaties die in vlammen opgingen, onderhoudspersoneel en luchtafweerbemanningen die renden naar hun posten, piloten die probeerden hun vliegtuigen te bereiken om op te stijgen. Daar tussendoor renden soldaten van de vliegveldverdediging, lagen her en der kreunende gewonden en ettelijke gesneuvelden. Overal waren rook en vlammen, en ratelden mitrailleurs, luchtafweergeschut en boordkanonnen. Het was compleet hel, dood en vernieling. Ondanks deze chaotische situatie, bleven diverse soldaten koelbloedig en schoten met hun luchtafweergeschut verscheidene Duitse Junker bommenwerpers, Messerschmitt jachtvliegtuigen en Junker transporttoestellen uit de lucht.

In deze complete chaos bereikten diverse Nederlandse piloten toch op tijd hun toestellen, stegen op en gingen het gevecht aan. De ongelijke strijd, duurde ruim een uur. Toen de slag voorbij was waren zeven Duitse jagers en drie transporttoestellen neergeschoten. In die paar uur op deze eerste dag, gingen negentig Nederlandse vliegtuigen op de grond en in de lucht verloren. De overblijvende vliegtuigen konden nauwelijks nog bijdragen aan de strijd op de grond. Al gauw na de grondaanvallen van de *Luftwaffe*, arriveerden de langzame driemotorige transportvliegtuigen boven hun doelen. Ze waren een deel van luchtmachtgeneraal Kesselrings luchtlandingkorps met de naam 'Vliegerdivisie'. Dit pseudoniem diende om het bestaan van de parachutistendivisie geheim te houden. De tweede eenheid, was een luchtlandingsdivisie. Het luchtlandingkorps was een soort Duits 'geheim wapen', aangezien het bestaan van een dergelijk grote gevechtsgerede luchtlandingeenheid buiten Duitsland nauwelijks bekend was. De soldaten van beide divisies, waren allen vrijwilligers. Ze waren speciaal geselecteerd en grondig opgeleid voor luchtlandingoperaties. Training, conditie en bewapening van hen was goed en modern. De luchtlandingstroepen moesten verreweg de moeilijkste opdrachten uitvoeren. Hun opdracht was achter de Nederlandse verdedigingslinies belangrijke bruggen en vliegvelden te veroveren, plus de regering, de opperbevelhebber met zijn staf en de koningin gevangen te nemen. Vooral hun verrassingsaanval, zou het mogelijk maken om Nederland in twee dagen op de knieën te krijgen. Daarna zouden een deel van de pantsereenheden en grondtroepen die Nederland veroverden, ingezet kunnen worden voor de versterking van de Duitse aanvallers in België en Frankrijk.

De Duitse luchtlandingseenheden waren grondig voorbereid voor hun belangrijke missie. Via spionage van mannen in burgerkleding, had men de doelen van tevoren verkend. Men had hiervoor de benodigde foto's en kaarten in handen gekregen. De parachutisten werden rondom Den Haag gedropt boven de vliegvelden Ockenburgh, Ypenburg en Valkenburg. Voor hen was het allerbelangrijkste vliegveld Ypenburg. Een bataljon Grenadiers – versterkt met enige pantserwagens – bewaakte dit vliegveld en directe omgeving. Ondanks de chaos, doden en gewonden door het Duitse bombardement en de landing van ruim vijfhonderd Duitse parachutisten, herstelden groepjes verdedigers zich vrij snel. Ze openden het vuur op de parachutisten en de landende transportvliegtuigen. Het directe resultaat was dat omstreeks zeventien transporttoestellen met troepenversterkingen geraakt werden. Ettelijke vijandelijke vliegtuigen vlogen met hun inhoud in brand, andere toestellen werden zodanig beschadigd dat ze niet meer konden opstijgen. Hoewel sommige verdedigers volledig het hoofd kwijt waren en vluchtten, gaven andere soldaten blijk van grote persoonlijke moed en koelbloedigheid.

De Duitse para's waren verrast door de stevige tegenstand. Toch kwam omstreeks 07.20 uur het vliegveld in Duitse handen. Ze hadden ondanks dit succes een flinke tegenvaller. Geen nieuwe transporttoestellen met versterkingen konden meer landen. Het hele vliegveld was geblokkeerd door beschadigde en vernielde toestellen! Alsnog naderende en rondcirkelende Duitse transporttoestellen, waren uitstekende doelen voor het Nederlandse luchtdoelafweer. De vliegtuigen kwamen zonder brandstof te zitten en werden óf neergeschoten óf moesten ergens in de omgeving een noodlanding maken. In de wijde omgeving van Ypenburg maakten de Nederlanders uiteindelijk meer dan honderd para's krijgsgevangen. Na het verlies van het vliegveld, werden tegenaanvallen ingezet door ruim driehonderd man. Door kordate en moedige initiatieven op groeps- en pelotonsniveau, werden de Duitsers op den duur teruggedrongen en velen van hen gevangengenomen. Eén van de diverse resolute tegenaanvallen, werd geleid door de dappere reserveluitenant Maduro. Na de capitulatie in mei 1940 raakte hij betrokken bij het verzet en werd uiteindelijk gearresteerd. Hij stierf in een Duits concentratiekamp. Het bekende Madurodam in Den Haag, is naar hem vernoemd. De meeste tegenaanvallen werden ondersteund door Nederlandse artillerie in de omgeving van Den Haag. Die artillerie nam vliegveld Ypenburg ruimschoots onder vuur. De doortastende tegenaanvallen, maakten het mogelijk tegen de avond vliegveld Ypenburg te heroveren. Veel para's werden bij de gevechten gewond, sneuvelden of werden krijgsgevangen genomen. Het vliegveld zag er uit als een sloperij. Bijna twintig Duitse transporttoestellen waren in brand geschoten of zwaar beschadigd. Ten minste één van de belangrijke dreigingen voor het zenuwcentrum Den Haag was binnen een dag opgeruimd.

Ockenburgh was een klein vliegveld nabij Kijkduin en Den Haag. Veel meer dan

| *Noodlanding van Junker transportvliegtuig nabij vliegveld Ypenburg.*

een grasstip ter grootte van ruim een voetbalveld was het niet. Op 8 mei was een bewakingscompagnie van bijna honderd man met enige mitrailleurs aangekomen voor de vliegveldverdediging. In de vroege morgen van 10 mei mitrailleerden jachtvliegtuigen het vliegveld. Kort daarna daalden in een aantal golven meer dan tweehonderd Duitse para's neer en landden enige tientallen transporttoestellen. Groepen verdedigers boden een paar uur krachtige tegenstand, maar de overmacht was te groot. Om 07.30 uur was het vliegveld in Duitse handen. Tijdens de gevechten waren meer dan twintig Nederlanders gesneuveld en tientallen gewond geraakt. Door de felle tegenstand was het verliespercentage van de verdedigers hoog (38 procent). Nederlandse ondercommandanten in de omgeving, namen initiatieven om de Duitsers te verdrijven. Een artillerie regiment, steunde de tegenaanvallen met hun geschut. Na verspreide gevechten, werden uiteindelijk meer dan honderd para's gevangengenomen. De Nederlandse troepen heroverden in de vroege middag het vliegveld. De overlevende Duitsers trokken zich nu onder deze zware druk terug in de bossen nabij het vliegveld.

De Duitse transporttoestellen (sommige met luchtlandingstroepen aan boord) die niet konden landen of niet bij hun doelen arriveerden, maakten her en der noodlandingen in de omgeving van Hoek van Holland. Het gros van deze groepjes Duitsers (totaal circa 250 man) verborg zich in de Staelduinse bossen (oostelijk van Hoek van Holland). Kustgeschut van fort Hoek van Holland, nam het bosgebied onder vuur. Ettelijke Duitsers sneuvelden of werden gevangen genomen. Hoop vlamde in Hoek van Holland en Den Haag op toen op 11 en 12 mei groepen Engelse mariniers in de haven van Hoek van Holland debarkeerden. De volgende dag werden deze Engelsen versterkt met een bataljon *Irish Guards* en *Welsh Guards*. De hoop verdween spoedig, toen de Engelsen meedeelden, dat hun troepen slechts voor verdedigende acties rondom Hoek van Holland mochten worden ingezet.

Bij het dorp Valkenburg, dat grenst aan Katwijk, was een nieuw en nog niet helemaal operationeel vliegveld. Duitse spionage had *niet* opgemerkt dat het vliegveld ongeschikt was voor zwaardere vliegtuigen. Ruim driehonderd man Nederlandse troepen met enige mitrailleurs, waren opgesteld om het vliegveld te verdedigen. Kort na een fors Duits bombardement in de vroege ochtend, landden circa zevenhonderd para's rondom het vliegveld. Vrij snel na de eerste golf, landden vijftig Duitse transporttoestellen met verse luchtlandingstroepen. Ondanks enige tegenstand was het pleit spoedig beslecht. Rond 06.00 uur was het vliegveld in Duitse handen. Een forse tegenslag voor de aanvallers was, dat de Junker vliegtuigen tot hun assen in de slappe grond wegzakten. Valkenburg was als vliegveld voor de Duitsers hierdoor volledig geblokkeerd! Groepen para's rukten spoedig op naar Katwijk, het dorp Valkenburg en de brug bij de Haagse Schouw nabij Wassenaar. Door een tegenaanval van huzaren en mannen van een depotcompagnie, kon in de morgen deze belangrijke brug bij Wassenaar heroverd worden.

Een aanval van een deel van een infanterieregiment richting vliegveld liep helaas vast. Twee bataljons van ditzelfde regiment, trokken op richting Katwijk. In de middag zag een bataljon kans de Duitsers bij Katwijk aan de Rijn te verdrijven. Echte oorlog is een merkwaardige en griezelige zaak. De werkelijkheid is meestal anders dan in veel oorlogsfilms te zien is. Er gebeuren tijdens gevechten soms heel vreemde dingen. Zo gebeurde het tijdens vuurgevechten tussen de Duitse para's en mannen van een Nederlandse troepeneenheid in Katwijk aan de Rijn, dat de blauwe spoortram luid bellend het dorp kwam binnenrijden. Terwijl de tram tussen de fluitende kogels door reed, keken de inzittenden van de tram voor de ramen vol belangstelling toe. Ze wilden niets van het levensgevaarlijke schouwspel missen!

Bij het dorp Valkenburg werden de Duitsers eveneens teruggedrongen. De Nederlandse tegenaanval kon verder oprukken naar het vliegveld en kreeg steun van eigen artillerie. Onder al het geweld van artillerievuur en aanvallende infanterie, konden de Duitsers het vliegveld niet behouden en trokken ze terug. Einde van de middag was ook vliegveld Valkenburg weer in Nederlandse handen. Veel Duitsers waren op en rond het vliegveld gesneuveld en gevangengenomen. Para's die ontsnapten, voegden zich bij hun landgenoten in het duingebied. De Duitsers gebruikten namelijk het strand tussen Katwijk aan Zee en Scheveningen als noodlandinggebied voor ronddwalende transporttoestellen. Nederlandse tegenaanvallen om deze Duitse troepen te overmeesteren, mislukten. Daardoor konden omstreeks vierhonderd Duitse para's en luchtlandingstroepen zich handhaven in het uitgestrekte duingebied.

De commandant van de 22ste luchtlandingsdivisie generaal-majoor graaf Von Sponeck, had op 10 mei een slechte dag. Hij had op vliegveld Ypenburg moeten landen. In alle verwarring en chaos, kwam hij met zijn toestel terecht op het strand ten zuidwesten van Den Haag. Zijn verbindingseenheid was in Ockenburg geland. Von Sponeck had snel in de gaten dat er een hoop was misgegaan. Hij had geen radiocontact meer met generaal Student en Kesselring. Toch zag de initiatiefrijke Von Sponeck kans te voet terecht te komen bij de resterende Duitse troepen die zich verscholen hadden in de bossen nabij vliegveld Ockenburg.

Vliegveld Waalhaven lag ten zuidwesten van het centrum van Rotterdam. Het was in 1940 een vrij belangrijk operationeel vliegveld. De Duitse divisiecommandant generaal Student met een deel van zijn staf, moest daar landen. Eén bataljon Jagers verdedigde het vliegveld en werd daarbij gesteund door circa twintig mitrailleurs en enige luchtdoelkanonnen. Elf moderne Fokker G-1 jachtvliegtuigen waren op het vliegveld gestationeerd. Rond 04.00 uur begonnen ettelijke golven Duitse bommenwerpers met een verwoestend bombardement. Een aantal hangars en vliegtuigen werd direct geraakt. Er ontstonden felle branden. In de ontstane chaos zagen toch nog acht Nederlandse jachtvliegtuigen kans om op te stijgen. Zij bonden onmiddellijk de strijd aan. In deze luchtslag schoten ze in totaal dertien Duitse vliegtuigen neer. Midden in de verwarring landden rondom het vliegveld circa 650 Duitse parachutisten. Er volgden onmiddellijk verspreide gevechten. Sommige verdedigers hielden stand, anderen trokken zich ijlings terug richting Rotterdam. De aanvallers hadden eigenlijk minder tegenstand verwacht. Tijdens de gevechten landden al de eerste Junker transporttoestellen met troepenversterkingen. De overmacht was te groot en na enige tijd was het vliegveld stevig in Duitse handen. Tientallen Nederlanders sneuvelden bij de gevechten en een paar honderd werden gevangengenomen. De Duitse parachutisten likten ook hun wonden. Zij hadden tientallen doden en gewonden. Ettelijken van hen landden rechtstreeks in de brandende hangars en vonden een afschuwelijke dood. Sommige para's verdronken in het water van de nabije haven. Tijdens en na de gevechten, ging de stroom van landende en startende transporttoestellen door. Er kwamen op die eerste dag steeds meer Duitse versterkingen op Waalhaven aan.

Tegelijk met de paradropping op Waalhaven, daalden nabij het Feijenoord voetbalstadion ook tientallen para's neer. Zij rukten door de op zondagmorgen lege straten snel op naar de Maasbruggen. In die vroege morgen waren eveneens twaalf Duitse watervliegtuigen bij de bruggen op de Maas geland. Hieruit debarkeerde 120 man van een luchtlandingcompagnie. Ze peddelden naar de wal en bezetten snel de noordelijk en zuidelijke opritten van de spoor- en de verkeersbrug. De verrassing was volkomen en ze ontmoetten geen tegenstand. De bruggen waren onbewaakt en niet klaargemaakt om op te opblazen, omdat ze ver in het achterland van 'Vesting Holland' lagen. De Duitse 'watervliegtuig'-aanvallers, kregen spoedig versterking van de 'Feijenoord'-para's en een Duits bataljon dat vanaf Waalhaven was opgerukt.

Op de noordelijke Maasoever herstelden de Nederlanders zich snel van de ver-

| *Gelande Duitse parachutisten komen in stelling bij vliegveld Waalhaven.*

rassing en de schrik. Door lagere commandanten werden op eigen initiatief tegenaanvallen ondernomen. Er arriveerden versterkingen van de Rotterdamse mariniers die in de kazerne aan het Oostplein gelegerd waren. Een mitrailleurcompagnie van een infanterieregiment verdreef met zijn mitrailleurvuur de Duitsers die zich aan de noordelijke Maasoever genesteld hadden. Stap voor stap werd het Duitse noordelijke bruggenhoofd door tegenaanvallen in felle gevechten teruggedrongen. Wat van de Duitsers overbleef, was één positie in het verzekeringsgebouw bij de noordelijke brugoprit. De noordelijke oever was door de gevechten spoedig weer stevig in Nederlandse handen. Iedere Duitse poging om de rivier en de bruggen over te steken, werd met goed gericht geweer- en mitrailleurvuur gesmoord. Bij de verbeten gevechten in de morgen, vielen aan beide zijden veel doden en gewonden. Op de noordoever werd bij de gevechten een aantal Duitsers krijgsgevangen gemaakt. De ontwakende en nog slaperige stad Rotterdam was plotseling frontgebied geworden.

In de vroege morgen werd aan beide zijden van de spoor- en verkeersbrug te Dordrecht, eveneens een Duits parabataljon gedropt. Deze bruggen waren niet voorbereid om opgeblazen te worden. Noordelijk van de bruggen ontmoetten de Duitsers nauwelijks tegenstand. Zuidelijk van de brug namen ze ettelijke verraste soldaten gevangen. Even later liepen de para's op tegen een kordate luitenant met een peloton en enige mitrailleurs. Door krachtdadig en moedig optreden, wisten deze mannen de aanvallers de nodige doden en gewonden te bezorgen en maakten zij ook enige krijgsgevangenen. Met mitrailleurvuur maakte dit peloton geruime tijd het leven van para's bij de bruggen behoorlijk zuur.

Bij Moerdijk lagen twee uiterst belangrijke lange bruggen over het Hollands Diep. Deze bruggen waren grotendeels wel voorbereid om opgeblazen te worden. De verdediging aan deze zuidzijde van 'Vesting Holland', bestond uit circa één bataljon. Zij hadden voor de verdediging verder nog veldgeschut, lichte en zware mitrailleurs en luchtafweergeschut en -mitrailleurs. Voor de verdediging waren enige betonnen bunkers aangelegd. Bij het eerste daglicht werden Nederlanders verrast door een zwaar luchtbombardement. Direct hierna landdden ten noorden en zuiden van de bruggen de Duitse para's. Er vielen bij de verdediging meteen meer dan tien doden. Na chaotische gevechten slaagden de para's erin de zuidelijke brugopritten in handen te krijgen. Aan de noordzijde waren de gevechten soortgelijk. Hier zagen verdedigers kans langer stand te houden. Op diverse plaatsen boden ze hevige tegenstand, waarbij aan beide zijden veel doden en gewonden vielen. Uiteindelijk was de overmacht te groot en moesten de resterende verdedigers zich overgeven. Ook de noordelijke oprit van de bruggen was daardoor nu in Duitse handen.

Na de verrassing van de Duitse luchtlandingen, was het voor generaal Winkelman en zijn staf uiterst moeilijk om een behoorlijk overzicht te krijgen. Gelukkig hadden diverse regiments- en bataljonscommandanten op eigen initiatief tegenaanvallen ingezet. Door deze doortastende initiatieven, werden de vliegvelden Ockenburg, Valkenburg en Ypenburg de eerste dag vóór het invallen van de duisternis, heroverd. De directe bedreiging voor Den Haag was die eerste dag afgewend. De Duitse luchtlandingaanvallen op Den Haag en omgeving, waren een mislukking geworden. Het beeld dat opperbevelhebber Winkelman op de overzichtskaarten zag, was ondanks dit succes bepaald niet rooskleurig. Twee Duitse legers hadden de oostelijke provincies en Limburg verovert. De IJssel- en Peel-Raamlinies waren doorbroken. Vele duizenden verdedigers waren óf gesneuveld, tijdens de gevechten en bombardementen gewond geraakt, krijgsgevangen genomen, óf geheel verdwenen. Tientallen bataljons, compagnieën en pelotons (of wat daar nog van over was) waren georganiseerd of ongeorganiseerd aan het terugtrekken, richting 'Vesting Holland'. Voorhoedes van Duitse divisies waren de Grebbelinie, de Afsluitdijk en de zuidzijde van 'Vesting Holland', genaderd. Duitse luchtlandingstroepen waren nu in het bezit van de vitale bruggen bij Moerdijk en Dordrecht. Ze bedreigenden verder de Maasbruggen in Rotterdam. Vliegveld Waalhaven was nog in Duitse handen en versterkingen werden daar onverminderd ingevlogen. Door tegenaanvallen en met behulp van Franse en misschien Engelse steun, dacht generaal Winkelman wellicht nog een week tegen de overweldigende overmacht stand te kunnen houden.

2-3 Verrassing, schok en reacties

Het kernkabinet was in de avond van 9 mei in een spoedzitting bijeengekomen. Ze verwachtten ieder moment een Duits ultimatum. Dat kwam niet en de ministers gingen uiteindelijk vrij laat naar bed. Al voor eerste daglicht, werden de bewindslieden wakker van het geluid van vliegtuigen, bomexplosies en vliegtuigmitrailleurgeratel. Ze hoorden al gauw schokkende berichten over de inval aan de oostgrens en even later van de parachutistenlandingen rondom Den Haag. Omstreeks 05.00 uur werd opnieuw een spoedzitting in het huis van De Geer belegd. De oorlogsgeluiden waren zelfs daar direct hoorbaar. De oorlog was nu daadwerkelijk op eigen grondgebied aan de gang. De gemoedstoestand van de ministers varieerde van neerslachtigheid tot woede en boosheid. Zij besloten om codetelegrammen te zenden naar de Nederlandse ambassades in Brussel, Parijs en Londen. Daarin werden de nieuwe bondgenoten geïnformeerd over de actuele toestand. In deze codetelegrammen werd om samenwerking en directe militaire assistentie gevraagd. Een volgende actie was, om een concept te maken voor een regeringsverklaring. Koningin Wilhelmina werd in haar Haagse paleis telefonisch ingelicht en ging akkoord met de inhoud van deze verklaring. In de radio-uitzending om 08.00 uur, werd door de nieuwslezer van het ANP (Algemeen Nederlands Persbureau) de regeringsverklaring voorgelezen. De letterlijke tekst luidde:

> *'Nadat ons land met angstvallige nauwgezetheid al deze maanden een stipte neutraliteit had in acht genomen en terwijl het geen andere voornemens had dan deze houding streng en consequent vol te houden, is de afgelopen nacht door de Duitse weermacht zonder de minste waarschuwing een plotselinge aanval op ons gebied gedaan. Dit, niettegenstaande de plechtige toezegging dat de neutraliteit van ons land zou worden ontzien zo lang wij haar zelf handhaafden. Ik richt hierbij een vlammend protest tegen deze voorbeeldloze schending van de goede trouw en aantasting van wat tussen beschaafde staten behoorlijk is. Ik en mijn regering zullen ook thans onze plicht doen. Doet gij de uwe, overal en in alle omstandigheden, ieder op zijn plaats waarop hij gesteld is, met uiterste waakzaamheid en met die innerlijke rust en overgave waartoe een rein geweten u in staat stelt.*
>
> *Was getekend: Wilhelmina'*

Nog diverse andere beslissingen werden genomen. Een van de meer belangrijke beslissingen was een regeringsinstructie aan de schepen van de toentertijd grote Nederlandse koopvaardijvloot. De meeste schepen bevonden zich op de wereldzeeen. Deze instructie werd als telegram vanaf 05.46 uur (Nederlandse tijd) continu vier dagen lang uitgezonden. De letterlijke tekst was:

> *'Nederland is in staat van oorlog met Duitsland. De hieronder volgende, als raadgeving gestelde zinnen, moet als bevel van de regering worden gelezen. Aan alle Nederlandse schepen, bestemd voor het gehele rijk. Aangeraden wordt, langs de kortste route een haven aan te lopen in de volgende landen: Argentinië, Chili, Brazilië, Engeland (het Britse rijk in alle werelddelen),*

Egypte, Panama, Spanje, Frankrijk, Portugal (plus hun koloniën), Verenigde Staten van Noord-Amerika. Aangeraden wordt, tijdens de reis volstrekte radiostilte in acht te nemen, doch zoveel mogelijk de normale scheepvaartroutes te mijden en knooppunten bij nacht te passeren. Stel u bij aankomst in vreemde haven in verbinding met de Nederlandse consul.'

De instructie had als doel te voorkomen dat Nederlandse schepen in Duitse handen zouden vallen en werd gelukkig effectief opgevolgd.

Gedurende de vroege ochtendbespreking, werd de minister van Buitenlandse Zaken van Kleffens weggeroepen. Hij moest dringend een bezoeker op zijn ministerie persoonlijk ontmoeten. Ondanks veel obstakels in de belegerde stad Den Haag, bereikte hij zijn ministerie. Zijn bezoeker zat daar al zenuwachtig te wachten. Het was de Duitse ambassadeur, graaf Zech von Burkersroda. Twee Nederlandse officieren hadden hem begeleid en bewaakten de hypernerveuze ambassadeur. De trillende man van oude adel was al twaalf jaar ambassadeur in Den Haag. Hij kon geen woord uitbrengen. In zijn bevende handen had hij een gedecodeerd bericht uit Berlijn. Aangezien de ambassadeur nog steeds sprakeloos was, vroeg van Kleffens hem het bericht te overhandigen. Van Kleffens las nu het bericht met de volgende inhoud:

'Mededeling doen van inzetten van geweldige Duitse troepenmacht. Elk verzet volledig zinloos. Duitsland garandeert Europese en buiten-Europese bezittingen en de dynastie, indien elk verzet achterwege blijft. Anders gevaar van volledige vernietiging van het land en het staatsbestel. Daarom dringend eisen oproep volk en strijdkrachten en eisen opnemen contact met Duitse militaire commandanten. Motivering: wij hebben onweerlegbare bewijzen van een onmiddellijk dreigende inval van Frankrijk en Engeland in België, Nederland en Luxemburg, die met medeweten van Nederland en België lange tijd is voorbereid. Doel: oprukken naar het Roergebied.'

De ambassadeur zelf wist maar al te goed dat het bericht een mengeling was van leugens en sprookjes. Hij was nooit nazi geweest en moest nu persoonlijk dit ongeloofwaardige bericht overhandigen. Von Zech voelde zich diep beschaamd over zijn eigen vaderland en begon zachtjes te huilen. Van Kleffens reageerde door weloverwogen officieel op een papier te schrijven:

'Met verontwaardiging wijst Hare Majesteits regering de aantijging der Duitse regering van de hand dat zij op enigerlei wijze of met enige mogendheid geheime en tegen Duitsland gerichte afspraken heeft gemaakt. Gezien de ongehoorde Duitse aanval op Nederland, een aanval begonnen zonder enige voorafgaande waarschuwing, is de Nederlandse regering van oordeel dat thans een Staat van Oorlog is ontstaan tussen het Koninkrijk en Duitsland.'

Van Kleffens overhandigde dit antwoord aan de huilende ambassadeur en gaf hem een hand. De ambassadeur werd hierna onder bewaking weggevoerd en met zijn personeel geïnterneerd, bewaakt en gehuisvest in het comfortabele vijfsterrenhotel *Des Indes* aan het Lange Voorhout in Den Haag. Na deze wat clowneske ontmoeting, haastte van Kleffens zich naar een stevig ministeriegebouw in de buurt van het stadscentrum. Het kabinet was daar naartoe verhuisd, omdat dat gebouw wat meer bescherming bood tegen bombardementen. De nieuwe locatie had ook betere telefoonverbindingen dan de vorige vergaderplaats. Nieuwe binnenkomende berichten waren uiterst verontrustend. Een enkele minister begon wat depressief te worden. Van Kleffens kwam bij zijn collega's met het voorstel om zelf naar Londen te gaan, voor direct overleg met de Britten en het verzoek voor militaire assistentie. De andere ministers gingen hiermee akkoord, maar vonden het beter als ook de minister van Koloniën Welter, met hem mee zou gaan. Voor deze reis werden watervliegtuigen van de KM geregeld. Die vliegtuigen zouden hen ophalen aan het Scheveningse strand. Eén van de watervliegtuigen werd al snel geraakt in zijn benzineleiding en werd kort daarna door aanvallende Duitse jachtvliegtuigen in brand geschoten. Het andere toestel was ook geraakt en wel in een van de drijvers. Door zijn bijzonder behendige vliegtuigcommandant, kon het vliegtuig met zijn passagiers omstreeks 09.00 uur toch nog opstijgen.

Het toestel bereikte na een gevaarvolle landing het strand nabij Brighton. Een ijverige lokale Engelse *bobby* arresteerde onmiddellijk van Kleffens. Na enige moeite kon die zijn bedoelingen duidelijk maken en alsnog afreizen naar Londen. Daar kon hij een paar uur later zijn Britse collega Lord Halifax ontmoeten. Hij schetste hem de sombere toestand in Nederland en vroeg dringend om militaire assistentie. Van Kleffens maakte ook duidelijk, dat zonder Franse en Engelse assistentie Nederland het nog maar een paar dagen kon uithouden.

Dezelfde dag bracht hij nog een kort bezoek aan de Engelse minister van Marine, Winston Churchill. Van Kleffens wist toen nog niet dat Churchill een paar uur later door de Engelse koning verzocht zou worden om een oorlogskabinet te formeren. Chamberlain had juist die dag zijn ontslag ingediend. Het was die 10de mei een heel drukke dag voor Van Kleffens. In de avond bezocht hij nog snel de Britse *War Room* en sprak met de Engelse chef-staf. Iedereen was heel vriendelijk, maar allen maakten hem duidelijk dat van substantiële, nog spoedige militaire steun, geen sprake kon zijn.

In Den Haag werden de ministers regelmatig door de minister van Defensie Dyxhoorn en generaal Winkelman op de hoogte gehouden van de situatie. Eén van de belangrijkste punten die de ministers bespraken, was hoe te voorkomen dat de Koninklijke familie gearresteerd zou worden door de Duitsers. Een ander besprekingsonderwerp was óf, en zo ja wanneer, het beter was om het land te verlaten.

Maar hoe was de stemming deze eerste oorlogsdag onder 'de man in de straat' buiten de vergaderkamer en Den Haag? Om een beter idee te krijgen hoe het er voor stond en hoe de omstandigheden waren, moet eerst kort geschetst worden hoe het dagelijks leven Nederland in 1940 er uitzag. Televisie bestond niet. Ongeveer 30 procent van de Nederlanders was thuis in het gelukkige bezit van een telefoon. Voor een nieuwe telefoonaansluiting kwam men doorgaans eerst langdurig op een wachtlijst te staan. Radio was populair en circa 60 procent van de mensen was in staat een radiotoestel aan te schaffen. Veel minderdraagkrachtigen, maakten gebruik van een aansluiting op de centrale radiodistributie. Een abonnement op een dagelijkse courant was een luxe die voornamelijk de meer draagkrachtigen zich konden permitteren. Voor mobiliteit beschikten velen over een fiets of werd gebruikgemaakt van paard, paard en wagen, trams, bussen en de trein. Bedrijven hadden wel vaak vrachtauto's, maar particulier autobezit was een grote luxe, die slechts weinigen zich konden veroorloven. Centrale verwarming en douches, waren maar in weinig huizen aanwezig. Voor verwarming was men meestal aangewezen op één kamer (en de keuken), waar een kachel gestookt werd. Meer draagkrachtigen lieten de was buiten de deur in een wasserij doen. De meeste mensen deden de was in een kookketel op het fornuis in de keuken. Voor een uitgebreide persoonlijke schoonmaakbeurt, gingen veel mensen regelmatig naar het badhuis in de buurt. Lang niet alle huizen hadden een badkamer. Particuliere ijskasten waren er nauwelijks en een minderheid van de huizen had een (koel)kelder.

Op het platteland waren lang niet alle boerderijen aangesloten op het elektriciteitsnet of de waterleiding. Veel boerderijen hadden voor drinkwater een handpomp en zaaien, oogsten, melken van het vee en dergelijke waren grotendeels handwerk. De meeste lokale wegen op het platteland waren half- of onverhard. Moderne autosnelwegen waren er nauwelijks. In deze fysieke en mentale omgeving, was de bevolking totaal niet voorbereid op een echte oorlog. En nu rolde plotseling een echte, bloedige oorlog als een stoomwals over het platteland, de dorpen en de steden.

In 1939 had men wat ongemakken te verduren gehad en was men gewend geraakt aan de volledige mobilisatie van een groot leger met veel dienstplichtigen. Het grootste deel van de mensen, had de ongemakken voor lief genomen. Men begreep dat de mobilisatie nodig was om juist *buiten* de oorlog te blijven. Door dit alles was de meest algemene reactie in de ochtend van 10 mei er een van een mengeling van verbazing, ongeloof, nieuwsgierigheid, verdoving, angst, paniek en woede. Daarbij komt dan ook nog dat geconfronteerd worden met oorlog en frontlijngevechten, van plaats tot plaats sterk kunnen verschillen. Op de ene plaats floten kogels en granaten rond boerderijen en huizen. Op andere plaatsen – en soms niet eens zo ver daar vandaan – zag en hoorde men niets van oorlogsgeweld. Men zag daar dan geen soldaat, noch tank, kanon of militaire vrachtwagen. Men hoorde of zag daar dan meestal geen overvliegende bommenwerpers of jachtvliegtuigen en alles leek ongerept en vredig of oorlog totaal niet bestond.

Op andere plaatsen waren burgers plotseling in het midden van het front en de hevige gevechten verzeild geraakt. Daarbij vielen links en rechts doden en gewonden en werden huizen in puin geschoten. Eén ding was zeker en wel dat – ondanks radio-uitzendingen met officiële nieuwsberichten – in oorlogstijd als een lopend vuur geruchten zich overal als een bosbrand verspreidden. Omdat op enkele plaatsen inderdaad de Duitsers Nederlandse politie- en militaire uniformen of burgerkleding hadden gebruikt, meende men overal sluipschutters, spionnen of verraders te zien. Vooral in de steden gingen snel de wildste geruchten rond. Dit werd extra gevoed door het feit dat zoveel Duitse para's waren geland nabij de grote steden in 'Vesting Holland'. Men meende overal en nergens Duitse parachutisten te hebben gezien. Wantrouwen en verwarring ontstonden vooral in Zuid-Holland, omdat de Duitse en de Nederlandse velduniformen en helmen enigszins op elkaar leken. In het bijzonder binnen 'Vesting Holland' en in Zeeland, beheersten gedurende de vijf oorlogsdagen geruchten, wantrouwen en angst de geest van de mensen. Door het snelle verloop van de oorlogshandelingen was het voor bijna iedereen onmogelijk een juist beeld te krijgen hoe de situatie werkelijk was. Gerucht of werkelijkheid, het was nauwelijks uit elkaar te houden. Onder dit soort omstandigheden gingen vele (valse) geruchten al snel de boventoon voeren.

2-4 De race naar 'Vesting Holland'

De provincies Drenthe en Groningen waren de eerste dag voor het grootste deel door de vijand onder de voet gelopen. Door het zien van de terugtrekkende troepen uit Groningen, was het moreel van mannen van het bataljon bij Wons er bepaald niet op vooruitgegaan. De Duitse voorhoede bereikte de omgeving van Wons op 11 mei. Omstreeks het middaguur op 12 mei vuurde Duits geschut ongeveer een halfuur zijn granaten op de verdedigers. Kort hierna vielen zij aan. Na aanvankelijke tegenstand brokkelde de verdediging af en begon een compagnie zich terug te trekken, richting Afsluitdijk. In het middenvak hielden de verdedigers langere tijd stand. Achter in de middag konden ze het niet langer houden en trokken eveneens terug. Uiteindelijk had de Wonsstelling grotendeels kunnen voldoen aan de opdracht om de terugtocht van de troepen uit Groningen en Drenthe te dekken. Bij de gevechten aan de Wonsstelling sneuvelden dertien Nederlandse militairen en werden een paar honderd verdedigers krijgsgevangen gemaakt.

De volgende dag probeerden de Duitsers met geconcentreerde luchtaanvallen de verdediging op de Afsluitdijk plat te bombarderen. Duitse artillerie die schoot op de kop van de Afsluitdijk, liet zich niet onbetuigd en vuurde vele granaten af op de bunkers. Al deze bombardementen veroorzaakten betrekkelijk weinig schade aan de moderne en stevige bunkers. Het moreel van de circa 230 Kornwerderzand-verdedigers was hoog. Opgetopt met proviand, water en munitie konden ze het in hun vrij comfortabele stellingen lang volhouden. Diezelfde dag probeerden circa zeventig Duitsers met een gewelddadige verkenning over de dijk, de verdediging te beproeven. Ze werden door infanterievuur bloedig teruggeslagen, onder achterlating van drie gesneuvelden. Wellicht kreeg hierdoor bij de Duitsers de Afsluitdijk de bijnaam *Totendam*. De Duitse aanvallers zouden het nog veel moeilijker krijgen! Het marineschip *Hr. Ms. Johan Maurits van Nassau* koos positie in de Waddenzee. Deze kanonneerboot met zwaardere kanonnen, opende op negentien kilometer afstand het vuur op de Duitse artilleriepositie. Na enige tientallen salvo's goed gericht vuur, zweeg de Duitse artillerie voorgoed en was uitgeschakeld. Na al die tegenstand en beschietingen, zag de Duitse divisiecommandant in dat het bunkercomplex niet op korte termijn was te veroveren. De vijandelijke opmars naar Noord-Holland was definitief gestopt. Het was dan ook voor de commandant met zijn vasthoudende bemanning in de bunkers onbegrijpelijk en tragisch, dat hij op 14 mei bevel kreeg om te capituleren. De complete verdediging was nog geheel intact. Verbitterd en woedend overhandigden de commandant van het complex en zijn mannen op 15 mei hun wapens aan de Duitse tegenstanders.

Verder naar het zuiden was de verdediging minder succesvol. De Duitse infanteriedivisie was door de vernielde IJsselbruggen gedwongen gebruik te maken van een noodbrug nabij Zutphen. De Nederlandse tegenstand aan de IJssellinie had enige vertraging opgeleverd, maar de aanvallers hadden na de nodige verliezen, zich toch op de westoever kunnen nestelen. De bulk van de aanvallende divisie moest ongeveer een dag wachten voor ze over de nood (ponton)brug aan de andere oever konden komen. Met het Waffen SS regiment voorop, had de zuidelijker Duitse infanteriedivisie meer geluk. Bij Doesburg kon ze vrij snel de vernielde schipbrug met eigen pontons weer gebruiksklaar maken. De Waffen SS troepen rukten snel op en trokken door de niet verdedigde stad Arnhem. Bij Oosterbeek en Renkum werd hun opmars vertraagd door Nederlandse huzaren. Hun opdracht was om bruggen te vernielen, wegversperringen te activeren en de vijand zoveel mogelijke te vertragen. Ze deden dit zo zorgvuldig mogelijk en wisten de oprukkende vijand enige vertraging te bezorgen. De voorhoede van de Duitse 207de divisie (totaal omstreeks zeventienduizend man) bereikte in de avond van 10 mei, het geëvacueerde stadje Wageningen. De noordelijker Duitse 227ste infanteriedivisie moest het gebied zuiveren noord van de lijn Zutphen-Scherpenzeel. Zij arriveerden in de omgeving van Barneveld pas in de avond van 11 mei. De verdedigers aldaar dwongen hen de aanval te stoppen.

De Grebbelinie was de oostelijke hoofdweerstandslijn van 'Vesting Holland'. De uitdrukkelijke order aan de verdedigers was: 'hardnekkige tegenstand bieden tot de laatste kogel en granaat'. De totale lengte van de linie was ruim vijftig kilometer. De verdedigingswerken bij de Grebbe waren op 10 mei nog niet helemaal gereed. Vanaf Scherpenzeel, bemande het noordelijke (IVe) legerkorps met totaal circa 25 duizend man, deze frontlijn. Er lagen flinke inundaties voor hun stellingen. Van Scherpenzeel tot aan de Rijn lag achter het riviertje de Grebbe (Grift) het zuidelijke (IIe) legerkorps. Beide legerkorpsen hadden ieder twee divisies (circa tienduizend man) en legerkorps ondersteuningstroepen (circa vijfduizend man). De divisies bestonden ieder uit drie infanterieregimenten (per regiment circa 2500 man). Aan zwaardere bewapening waren er lichte antipantserkanonnen, lichte en zware mitrailleurs, mortieren 80 mm, lichte kanonnen 6 cm, een artillerieregiment (circa 25 kanonnen), twee zware mitrailleurscompagnieën en een antipantsercompagnie met zes kanonnen van 4,7 cm. De Grebbelinie had wel de noodzakelijke tactische diepte. Duitse spionage en verkenningen, hadden vastgesteld dat nabij het dorp Rhenen de linie het beste kon worden doorbroken.

In de nacht van 11 mei openden de Duitsers de aanval met een moordend artilleriebombardement. Bij Wageningen hadden ze daarvoor 65 kanonnen en houwitsers opgesteld. Twee infanterieregimenten aan de Grebbe-frontlijn (zes bataljons van ieder circa zeshonderd man, aan een frontlijn van circa tien kilometer) waren toen het nachtelijk Duitse bombardement begon, al in de hoogste staat van paraatheid. Het bombardement had een demoraliserend effect op de verdedigers. Zij hadden nog nooit eerder onder daadwerkelijk vuur gelegen. De exploderende granaten vernielden ettelijke vitale telefoonlijnen. Het bombardement hield voortdurend de mannen in het lager gelegen gebied van de voorposten wakker. Door de boerderijen, boom-

| *Voorpostengebied stellingen aan de Grebbe.*

gaarden en andere gebouwtjes was het voorpostenterrein oostelijk van het riviertje de Grebbe en de Grift nogal onoverzichtelijk en sterk in het voordeel voor aanvallers. Uit bezuinigingsoverwegingen was het vóór 10 mei niet toegestaan de boomgaarden en gebouwtjes omver te halen!

Het eerste bataljon van het Waffen SS regiment opende in het vroege morgenlicht het vuur en viel om 07.30 uur aan. Sommige pelotons hielden de Duitsers geruime tijd tegen, andere pelotons bezweken onder de grote druk en trokken zich grotendeels terug. De felle strijd woedde voort. Door omsingeling, moest uiteindelijk de compagniescommandant bij de voorposten met zijn mannen, zich in de middag overgeven. Meer zuidelijk had in de morgen de Waffen SS, ook de aanval ingezet. De meeste pelotonsopstellingen boden ook daar stevige tegenstand. Bij een enkel steunpunt trok men zich (te snel) terug. De felle strijd woedde de hele dag door en aan beide zijden vielen veel doden en gewonden. Na uren van tegenstand werden de verdedigers uiteindelijk omsingeld en gaven zich in de middag over. In de achtermiddag omstreeks 17.30 uur was het hele voorpostengebied van het 8ste Regiment Infanterie (8 RI) in vijandelijke handen gevallen. Tegen de avond van 11 mei, stond het Waffen SS regiment nu direct voor het hoge gebied met de hoofdweerstandslijn van 8 RI.

Na de Duitse doorbraak bij Mill in Noord-Brabant, was er geen sprake meer van een aaneengesloten Peel-Raamlinie. De commandant van de gehele linie, had de bataljons terug laten trekken tot achter de Zuid-Willemsvaart. De terugtocht in de duistere nacht, was nogal ongecoördineerd en hier en daar chaotisch. Zware uitrusting werd op ettelijke plaatsen achtergelaten. De opmars van de Duitse hoofdmacht ondervond de nodige vertraging door verkeerscongesties bij de brug te Gennep en op sommige plaatsen door Nederlandse tegenstand. Toen de Duitse voorhoedetroepen, bestaande uit twee Waffen SS regimenten, verkenningseenheden van een infanteriedivisie en de 9de pantserdivisie (totaal circa twintigduizend man) het noordelijk deel van de 65 kilometer lange Peel-Raamlinie bereikten, was er niet veel tegenstand overgebleven. Drie andere Duitse infanteriedivisies bereikten ook die dag het zuidelijker gebied van de Peel-Raamstelling.

De Zuid-Willemsvaart linie was bepaald niet erg geschikt voor een hardnekkige verdediging. Doordat niet alle bataljons het terugtochtbericht hadden ontvangen, bleef een deel van de nieuwe verdedigingslinie onbezet. Het grootste deel van de bruggen over de Zuid-Willemsvaart was opgeblazen, maar helaas niet allemaal. De oprukkende Duitsers kregen al gauw een ongeschonden brug in handen. Op sommige plaatsen, boden energieke lagere commandanten nog stevig weerstand. Van centrale leiding en coördinatie was toen geen sprake meer. De verdediging aan de Zuid-Willemsvaart begon steeds meer af te brokkelen. Sommige eenheden gingen in groepjes op eigen initiatief westwaarts terugtrekken. De lotgevallen van de restanten van de 'Peeldivisie', zijn nauwelijks helder te beschrijven. De militaire toestand in Noord-Brabant was die paar dagen dermate chaotisch en onoverzichtelijk, dat reconstructie amper mogelijk is.

De commandant van de Peeldivisie, moest al terugtrekkend herhaaldelijk zijn commandopost verplaatsten. Daardoor was hij meestal onvindbaar. Hij probeerde in alle hectiek in Breda te coördineren met de commandant van de beloofde Franse pantsereenheden. Toen de Fransen in de gaten kregen dat de georganiseerde Nederlandse verdediging in Noord-Brabant grotendeels 'opgelost' was, zagen ze die hulp niet meer zitten. Kort na dit onderhoud nabij Breda met de Fransen, verloor de commandant Peeldivisie alle contact met zijn her en der verspreidde ondercommandanten. Op weg naar de locatie van zijn nieuwe commandopost, kwam hij per ongeluk terecht in een oprukkende Duitse pantsereenheid tussen Breda en Den Bosch. Zij namen hem onmiddellijk krijgsgevangen. Groepen en groepjes vermoeide en deels gedemoraliseerde soldaten, verplaatsten zich inmiddels in groten getale te voet, met fietsen en gevorderde auto's op eigen initiatief westwaarts, richting Breda en Roosendaal. Sommige van deze eenheden kwamen via diverse omwegen uiteindelijk toch nog terecht binnen het 'Vesting Holland'-gebied.

De Duitsers van de versterkte pantserdivisie hadden haast. Hier en daar werden ze in de opmars vertraagd door wegversperringen en andere barricades. Hun rappe assistentie was noodzakelijk om doorbraken te forceren aan de zuidzijde van 'Vesting Holland'. Ondertussen rukte de voorhoede op van Franse pantsereenheden die uit België te hulp snelden. Hier en daar vonden gevechten plaats tussen de Franse pantsers en Duitsers. Toen hun hoogste Franse commandant berichten kreeg over snelle Duitse vorderingen in België, gaf hij zijn troepen opdracht georganiseerd terug te trekken richting Breda-Antwerpen. Om de al verwarrende toestand nog onoverzichtelijker te maken, moet vermeld worden, dat de *Luftwaffe* effectieve luchtsteun verleende en regelmatig Nederlandse en Franse troepen op de wegen mitrailleerde en bombardeerde.

Nog meer Franse troepen waren in de avond van 10 op 11 mei de Belgisch-Nederlandse grens overgetrokken. Hun belangrijkste opdracht was, om zo noordelijk mogelijk de Duitse aanvallers te stoppen en Antwerpen en de Zeeuwse eilanden te beschermen. Ze mochten in Noord-Brabant in principe niet verder oprukken dan Breda. Een eenheid Franse pantservoertuigen probeerde op de avond van 11 mei – in samenwerking met een Nederlands grensbataljon – een aanval uit te voeren op de parachutisten bij het dorp Moerdijk. De actieve *Luftwaffe* kreeg hen bij Zevenbergschen Hoek te pakken. Een groot aantal Stuka's stortte zich met angstaanjagend gegier op de Fransen. Gedurende meer dan een uur werd die pantsereenheid door de Duitse duikbommenwerpers intensief gebombardeerd en gemitrailleerd. De Fransen braken door dit geweld hun aanval af en keerden om. Ze verdwenen na deze moedige poging om Moerdijk te bereiken, richting Breda. Een goede kans om Moerdijkbruggen weer in eigen handen te krijgen vóór de vijandelijke 9de pantserdivisie arriveerde, was door het energieke ingrijpen van de *Luftwaffe* hardhandig verijdeld.

De Franse troepen bij Breda kregen van hun generaal opdracht niet verder op te rukken dan het riviertje de Mark (vier kilometer ten noorden van Breda). Nieuwe Franse troepen marcheerden op richting Zeeland. Door de snelle Duitse vorderingen in België, besloot de Franse generaal zijn troepen georganiseerd te laten terugtrekken naar het gebied bij Antwerpen en in Zeeland.

Op 12 mei was het generaal Winkelman duidelijk geworden dat de hoop om met assistentie van de Fransen de Moerdijkbruggen te heroveren, in rook was opgegaan. De verdediging van Noord-Brabant was mede daardoor een verloren zaak. De Duitsers hadden in twee dagen Limburg én Noord-Brabant veroverd. Bij de gevechten in beide provincies, waren circa 190 Nederlandse officieren, onderofficieren en soldaten gesneuveld. Een veel groter aantal was gewond geraakt of krijgsgevangen genomen. Na die twee dagen strijd beukten de Duitsers met hun overmachtige legers nog veel harder op de deuren aan de oost- en zuidzijde van 'Vesting Holland'.

2-5 Barsten in de 'Vesting Holland' verdediging

In de avond van 12 mei waren Winkelman en zijn overwerkte staf niet meer erg optimistisch. De verdediging bij Kornwerderzand stond solide overeind. Aan de Grebbelinie nabij Rhenen, stond de vijand direct voor de hoofdweerstandslijn. De bruggen bij Moerdijk, Dordrecht en aan de zuidzijde van de Maas in Rotterdam, waren nog steeds in Duitse handen. Op vliegveld Waalhaven voerden de Duitsers steeds meer versterkingen aan. Voor een groot deel waren de verdedigers inmiddels meer en meer uitgeput door gebrek aan slaap, voeding en het ontbreken van voldoende reserves. De bevolking in de steden van het westen, ging continu gebukt onder allerlei geruchten over verraad en veronderstelde activiteiten van de 'vijfde colonne'. De bombardementen en mitrailleurbeschietingen van de overmachtige *Luftwaffe* eisten hun tol van de zenuwen van veel militairen. De hoop op Franse of Engelse militaire steun, was bij de opperbevelhebber en het kabinet grotendeels vervlogen

Al op 10 mei had het kabinet onderkend dat de veiligheid van de leden van het koninklijk huis direct in gevaar kon komen. Daarom werd contact opgenomen met Engeland. Voor de Britse marine was het door mijnengevaar en het Duitse luchtoverwicht niet eenvoudig 'om even over te steken'. Uiteindelijk lukte het op 12 mei, een Britse torpedobootjager om IJmuiden te bereiken. Onder scherpe militaire beveiliging waren prinses Juliana, prins Bernhard en hun twee dochters vanuit Den Haag naar IJmuiden gebracht. Zij konden daar snel inschepen. Zo gauw mogelijk werd uitgevaren. Het schip bereikte die dag veilig de havenplaats Harwich aan de Engelse oostkust. Prins Bernhard keerde direct terug naar Zeeland. Hij hoopte daar de strijd met de Nederlandse troepen te kunnen voortzetten.

Na langdurige en soms chaotische gedachtewisselingen, begrepen de ministers inmiddels dat voortzetting van de oorlog tegen Duitsland belangrijker was, dan het in Den Haag blijven. In de Haagse regeringszetel zouden ze na een eventuele capitulatie, zeer waarschijnlijk door de Duitsers worden gearresteerd. Koningin Wilhelmina had ondertussen rechtstreeks met koning George in Londen getelefoneerd. Zij deed op hem een persoonlijk en dringend beroep voor militaire hulp. Ondanks de goede persoonlijke contacten tussen beide hoven, was zijn antwoord niet bijster hoopvol. Uiteindelijk stonden de Engelsen begin mei 1940, ook behoorlijk met hun rug tegen de muur. Na moeizame en langdurige gesprekken tussen de ministers, generaal Winkelman en enige andere hoge autoriteiten, werd koningin Wilhelmina duidelijk geadviseerd zelf ook het land te verlaten. Aanvankelijk weigerde zij dit advies. Zij was behoorlijk geëmotioneerd. Onder druk en overreding van de minister van Defensie, haar militaire adjudant en ook de opperbevelhebber, stemde ze in met dit advies. Door de snel verslechterende militaire situatie begreep ze dat in Den Haag blijven weinig zinvol zou zijn. Zij opperde aanvankelijk naar Zeeland te gaan, om vandaar militairen en bevolking verder te steunen. Op 13 mei scheepte ze te Hoek van Holland in op de Britse torpedobootjager *HMS Hereward*. Het schip zette koers richting Zeeland. Via radioberichten werd duidelijk dat in dat gebied de *Luftwaffe* zeer actief was. Haar staf overtuigde haar bovendien dat het toch maar beter was rechtstreeks naar Harwich door te varen. Bovendien had de Britse jagercommandant waarschijnlijk instructies haar zo snel mogelijk naar Engeland te brengen. Op 13 mei in de achtermiddag werd ze met haar begeleiders in Harwich aan de wal afgezet. Ze bereikte kort daarna veilig Londen. Om militairen en burgerbevolking in dit kritische stadium van de gevechten niet te demoraliseren, werd haar vertrek één dag geheimgehouden. De aarzelende ministers waren het met elkaar nog steeds niet eens of ze zelf wel of niet het land moesten verlaten. Die dag verslechterde de militaire situatie voor 'Vesting Holland' dramatisch. De ministers zagen nu toch wel in dat leidinggeven vanuit Engeland een betere propositie was, dan in Den Haag gevangengenomen te worden. De wereld van minister-president De Geer was toen al zover ingestort, dat van hem totaal geen leiding meer uitging. De meerderheid van de ministers besloot nu naar Hoek van Holland te vertrekken. Vanuit Hoek van Holland, werden de bevoegdheden voor het civiele bestuur over Nederland vrij haastig en provisorisch overgedragen aan opperbevelhebber Winkelman. Op de vooravond konden de ministers inschepen op de Britse torpedobootjager *HMS Windsor*. Het oorlogsschip was nauwelijks de haven uit, toen het werd aangevallen door een Duits vliegtuig. De commandant van het schip wist door behendig manoeuvreren de bommen te ontwijken. In de vroege ochtend van 14 mei, werd het gezelschap veilig afgezet bij Tilbury. Het wat aangeslagen kabinet, reisde daarna snel door naar Londen. Daar begon voor hen, de moeizame vijfjarige periode van 'regering in ballingschap'. Alle politieke en militaire verantwoordelijkheden en beslissingen over het lot van het land, lagen nu geheel in handen van generaal Winkelman.

Op 12 mei lag de Grebbelinie bij Rhenen onder voortdurende druk van de Duitse aanvallers. De hoofdweerstandslijn van 8 RI in het heuvelachtige bosgebied, lag regelmatig onder Duits artillerievuur. Gelukkig was de bevolking van het vriendelijke dorp tijdig geëvacueerd. De omgeving was nu echt frontgebied geworden. Het sinistere geluid van ratelende granaten en geweer- en mitrailleurvuur, werd nog meer macaber, door het geschreeuw van de ontsnapte dieren van het nabije Ouwehands dierenpark. De meeste dieren waren tijdig geëvacueerd. Enkele beesten en ettelijke vogels, hadden vanwege de chaos kunnen ontsnappen en dwaalden of vlogen, hongerig en angstig in de bossen rond. De twee voorste bataljons van het 8ste regiment, moesten aan een frontlijn van ruim drie kilometer in een hardnekkige verdediging proberen de resolute aanvallers tegen te houden. De legerkorpscommandant generaal-majoor Harberts, kreeg in zijn commandopost te Doorn, de berichten door dat het voorpostengebied in Duitse handen was gevallen. Hij dacht in zijn onnozelheid en door gebrekkige informatie, dat dit verlies te danken zou zijn aan lafheid van de soldaten aan de frontlijn. Vreemd genoeg, verkeerde deze generaal Harberts in de veronderstelling dat slechts circa honderd Duitsers zich vóór de Grebbe bevonden. Hij beval de divisiecommandant kolonel Van Loon, die nacht van 11 op 12 mei met een reservebataljon een tegenaanval te doen. Helaas waren de onderdelen van 8 RI niet ingelicht over deze tegenaanval. Toen het aanvalsbataljon een paar honderd meter gevorderd was, kregen ze hevig geweer- en mitrailleurvuur. Dit vuur bleek triest genoeg van eigen troepen te zijn. Er ging al met al veel kostbare tijd verloren. Toen de tegenaanval vervolgd zou worden, begon het al licht te worden en kon van verrassing daardoor geen sprake meer zijn. Mismoedig besloot de bataljonscommandant majoor van Apeldoorn, om tactisch valide redenen de aanval *niet* verder door te zetten.

Op 12 mei rond het middaguur, uur stopte het Duitse artillerievuur. Twee bataljons van de Waffen SS zetten krachtig de aanval in met als as de hoofdweg Wageningen-Rhenen. Ondanks tegenstand, wankelde na enige tijd de verdediging

| *Soldaten van het Waffen SS regiment in de aanval aan de Grebbe bij Rhenen.*

langs de weg vóór de Grebbeberg. De Duitsers zagen kans een bruggenhoofd van ruim vijfhonderd meter te vestigen in het zuidelijk deel van de weerstandslijn van 8 RI. Ze wisten ook de vernielde brug over het riviertje de Grebbe te herstellen. Met een extra bataljon slaagden de Duitsers er ondanks de tegenstand in, vóór het invallen van de avond het bruggenhoofd nog verder uit te breiden. Er werden verschillende Nederlandse weinig gecoördineerde en verspreide tegenaanvallen uitgevoerd. Ze waren te zwak en te weinig op elkaar afgestemd om succes te hebben. Bij sommige tegenaanvallen was de coördinatie zo mager, dat eigen troepen op elkaar vuurden in het op zich weinig overzichtelijke terrein. Men viel soms aan zonder een duidelijk beeld te hebben waar de vijand zich ongeveer bevond. De toestand werd nog dreigender, toen de commandant van het 3de Waffen SS bataljon in de avond, kans zag met circa driehonderd man door te dringen tot de omgeving van de enige brug over de spoorlijn. Die brug lag *achter* de stoplijn van 8 RI. De gewonde Duitse bataljonscommandant wist zich met een flinke troep te verschansen in een timmerfabriek, dicht bij deze belangrijke brug.

De verwarde gevechten, het gebrek aan informatie, slaap, munitie, voeding, water en het mislukken van de tegenaanvallen, vrat zodanig aan het moreel, dat sommige groepjes soldaten van de Grebbeverdediging op de vlucht begonnen te slaan. De kapitein van de marechaussee Gelderman bij deze brug, probeerde in de richting van de bebouwde kom van Rhenen vluchtenden tegen te houden. In de ontstane paniek luisterde men nauwelijks meer. Uiteindelijk opende de kapitein het vuur. Het kostte aan omstreeks tien soldaten het leven. Alleen de stoplijn van 8 RI was deze derde nacht nog in eigen handen. De volgende dag was uiterst kritiek voor de verdediging. De meeste mannen waren geheel uitgeput. Er was gebrek aan munitie en tekort aan slaap. Men had voortdurend onder hevig Duits artillerievuur gelegen. De aanvallen van de Waffen SS met hun camouflagekleding, moderne mitrailleurs en pistoolmitrailleurs, handgranaten en vechtlust, hadden de geestkracht en het uithoudingsvermogen van de verdediging flink aangetast. Ze konden het niet lang meer volhouden.

Op Nederlands legerkorps- en veldlegerniveau werden inmiddels grote tegenaanvallen voorbereid. Door povere coördinatie en gebrek aan goed verbindingsmateriaal ging ook nu weer kostbare tijd verloren. De bedoeling was om op 13 mei in de vroege ochtend de Duitsers in oostelijke richting terug te slaan en de hoofdweerstandslijn te herstellen. Er werden vier bataljons bij elkaar getrommeld. De aanval zou gesteund worden door een luchtbombardement. In alle haast werden vrijwilligers hiervoor uit de gedecimeerde eigen legerluchtmacht bij elkaar gezocht. Met negen nog resterende oude Fokker bommenwerpers en jachtvliegtuigen, bombardeerden en mitrailleerden de dodelijk vermoeide vliegers moedig de Duitse posities tussen Wageningen en Rhenen.

De tegenaanval was te haastig en met veel te weinig coördinatie voorbereidt. Met twee bataljons vóór en gesteund door twee bataljons achter, zou in de morgen worden aangevallen vanuit het gebied bij het gehucht Achterberg. De verdedigers van 8 RI waren niet ingelicht over deze tegenaanval. De mannen van de tegenaanval hadden de laatste 24 uur nauwelijks slaap, eten en drinken gehad. Hun opmars verliep traag. Toen de Nederlandse aanval op mars was, waren twee Duitse bataljons van de Waffen SS nagenoeg op hetzelfde moment bezig met een aanval in noordwestelijke richting. Eenheden van de Duitse infanteriedivisie rukten die dag op met twee andere bataljons langs de weg Wageningen-Rhenen. In het hele gebied ten noorden en zuiden van de weg, vonden plaatselijke felle en verwarde gevechten plaats. Al deze onoverzichtelijke gevechten, resulteerden uiteindelijk in de omsingeling van de meeste eenheden. Die eenheden probeerden wanhopig op de Grebbeberg de Duitsers tegen te houden bij de stoplijn. De voorste twee bataljons van de Nederlandse tegenaanval, liepen tegen de Duitse Waffen SS aanval op. Allerlei onderdelen raakten volledig door elkaar. Het werd een chaos van mensen van diverse compagnieën, bataljons en regimenten. Om de tegenstand verder en sneller te breken, riepen de Duitsers rond 13.30 uur de hulp in van de *Luftwaffe*. 27 Stuka duikbommenwerpers zaaiden met hun bommen en mitrailleurs dood en verderf bij de resterende verdedigers en de oprukkende soldaten van de grote tegenaanval. Steeds meer begon de weerstand tussen Rhenen en Achterberg af te brokkelen. Van een gecoördineerde verdediging was nauwelijks meer sprake. De tegenaanval liep tegen de Waffen SS troepen volledig vast. Nederlandse onderdelen begonnen rond het middaguur in groepjes terug te trekken. Op diverse plaatsen liep de terugtocht uit op een wilde vlucht.

Eén van de langst standhoudende verdedigingsstellingen achter de stoplijn, was de commandopost van één van de infanteriebataljons van het 8ste regiment. In die stelling zat bataljonscommandant majoor Landzaat, met enige officieren, onderofficieren en soldaten. Onder hevig vuur van mitrailleurs en een stuk veldgeschut, hielden zij hardnekkig stand. Toen de munitie opraakte, gaf Landzaat zijn mensen toestemming te vertrekken. Hijzelf bleef achter met wat resterende munitie. Het gebouwtje waarin hij zich ophield, werd door de vijand volledig in puin geschoten en hij sneuvelde op die plaats. Hij werd later postuum onderscheiden met de hoogste Nederlandse militaire dapperheidonderscheiding.

In de ruglijn van de verdediging (verdiepte spoorlijn naar Rhenen) hielden troepeneenheden van de 4de divisie bij deze allerlaatste verdediging, nog even stand. Een nieuwe aanval van Stuka duikbommenwerpers, deed ook hier zijn moordend werk. De verdediging stortte daarna ineen. Alle restanten van de Nederlandse divisie in dit gebied, stroomden in groepjes, uitgeput en gedemoraliseerd westwaarts. Het Duitse 322ste infanterieregiment trok dezelfde avond het verlaten en grotendeels in puin geschoten Rhenen binnen. Er was bij dit platgeschoten dorp een definitief gat in het zuidelijk deel van de Grebbelinie geslagen.

De verliezen aan beide zijden, waren hoog. 8 RI had het grootste aantal gesneuvelden. (circa 165 man en twintig vermisten). Totaal waren bij de strijd om de Grebbe aan Nederlandse zijde meer dan twintig officieren, 380 onderofficieren en manschappen omgekomen en circa 25 man werden vermist (totaal zeer waarschijnlijk 426 man). De Duitse troepen aan de Grebbe-regio, hadden sinds 10 mei circa 270 gesneuvelden, 45 vermisten en 270 gewonden. Het Waffen SS regiment had tot en met de strijd aan de Grebbelinie, de hoogste verliezen. Zij hadden omstreeks 120 man aan gesneuvelden en ruim twintig vermisten. De Duitse doorbraak bij Rhenen was des te tragischer, omdat de noordelijker divisie van het Nederlandse legerkorps aan de verdedigingslinie, wél succesvol was. Hun deel van het front in de omgeving van Veenendaal-Scherpenzeel was voorzien van uitgebreide inundaties en mijnenvelden De opmars van twee regimenten van de Duitse 227ste infanteriedivisie in dit gebied, werd vertraagd door nauwkeurig Nederlands artillerievuur. Uiteindelijk slaagde één Duits regiment er in Scherpenzeel te bereiken. Verdere pogingen van het andere Duitse regiment om die dag een doorbraak te forceren, werden door de Nederlandse verdedigers afgeslagen.

Ondanks deze lokale successen, had de doorbraak van de Duitse 207de divisie bij Rhenen strategisch een desastreus effect op de samenhang van de hele Grebbelinie. De commandant veldleger gaf daarom bevel de complete IIe en IVe divisie en brigade A in de avond onder dekking van het duister, terug te trekken naar het westen. Deze troepen zouden nieuwe posities moeten kiezen achter de niet voorbereide stellingen van de Nieuwe Hollandse Waterlinie, oostelijk van de stad Utrecht. Voor de terugtocht van meer dan tienduizend man, had men gelukkig het weer mee. In de vroege morgen van 14 mei was er een ochtendnevel die de terugtocht onttrok aan waarneming door de *Luftwaffe*. De terugtocht van beide divisies verliep voor een deel vrij ordelijk, maar voor de mannen van het front nabij Rhenen en uit de Betuwe, nogal chaotisch.

2-6 Tegenaanvallen op de luchtlandingsdivisies

Het optimisme van het begin van de oorlog was bij Winkelman en zijn staf snel verdampt. De vierde oorlogsdag was een dag met een beetje hoop, maar ook heel veel bange voorgevoelens. De hoop was gevoed door de succesvolle heroveringen van de vliegvelden rond Den Haag. Kornwerderzand hield nog steeds stand en voorkwam een Duitse opmars in het noorden. Bij Rotterdam werd een verdere vijandelijke opmars nog altijd tegengehouden. De hoop op herovering van de Moerdijk was geheel verdwenen. De totale Grebbelinie hield nog steeds stand, zij het met veel moeite. Bijzonder zorgelijk was het Duitse bezit van vliegveld Waalhaven. Ondanks een enkel luchtbombardement door de RAF en Nederlandse artilleriebeschietingen, konden de luchtlandingstroepen daar continu versterkingen invliegen. Uitermate verontrustend, was de gestage opmars van de versterkte Duitse 9de pantserdivisie. Ze werden in hun opmars naar de Moerdijkbruggen alleen nog vertraagd door diverse wegversperringen. Op 12 mei in de achtermiddag, bereikte hun voorhoede de bruggen bij Moerdijk.

Winkelman zag in dat de verdediging van 'Vesting Holland' het hooguit nog een paar dagen kon volhouden. Britse en Franse militaire assistentie was niet meer waarschijnlijk. Dit sombere beeld was reden genoeg voor Winkelman, de koningin en even later het kabinet, het advies te geven, 'Vesting Holland' zo spoedig mogelijk te verlaten. Het enige wat nog resultaat zou kunnen hebben, was om diverse commandanten opdracht te geven tegenaanvallen uit te voeren op de meest gevaarlijke posities van de Duitse luchtlandingtroepen. In Noord-Brabant waren twee grensbataljons volgens plan teruggetrokken. Het 3de bataljon zag kans de Hoeksche Waard in de late avond van 10 mei te bereiken. Zij kregen opdracht nu op te rukken richting vliegveld Waalhaven. Op 11 mei in de ochtend liep een groot deel van dit bataljon stuk bij Heinenoord en Puttershoek. Zij kregen daar hevig Duits mitrailleurvuur en trokken vrij ongeordend terug. Het andere deel van dit bataljon zette nog een aanval in om de brug bij Barendrecht te heroveren. Goed gericht vijandelijk vuur op de vijfhonderd meter lange brug, smoorde ieder poging. De aanval van het grensbataljon in de richting van Waalhaven was nu volledig mislukt.

Een van de belangrijkste eenheden van de strategische reserve van het Nederlandse leger, was de lichte divisie. Deze minidivisie (sterkte van omstreeks 2500 man) stond op 9 mei aanvankelijk in Noord-Brabant opgesteld als flexibele reserve, achter de Peel-Raamlinie. Al in de vroege morgen van de eerste oorlogsdag, kreeg de divisiecommandant kolonel Van der Bijl, opdracht zijn divisie snel te verplaatsen naar het Merwedefront tussen Dordrecht en Gorkum. Na aankomst aldaar, kreeg hij in de middag een nieuwe opdracht. Die opdracht was in principe om de Duitsers bij vliegveld Waalhaven aan te vallen. Voor de uitvoering van de aanval moest eerst de brug over de rivier de Noord bij Alblasserdam veroverd worden. De aanval op de brug

| *Opgeblazen brug bij Keizersveer.*

begon pas in de vroege ochtend van 11 mei. Er ging veel mis en een uiteindelijke poging om brug te bestormen, liep vast in hevig Duits geweer- en mitrailleurvuur. Er waren nog acties door andere groepen, om de aanval te ondersteunen. Ook deze pogingen liepen vast, doordat de Duitsers aan de westelijke oever van de rivier de Noord snel hun troepen hadden versterkt. Bovendien zette de *Luftwaffe* een bombardement in op Alblasserdam, waardoor het moreel van de Nederlandse aanvallers een ernstige knauw kreeg. Na spoedoverleg werd besloten te stoppen met aanvallen bij de rivier de Noord. Hierna kwam een nieuwe opdracht voor tegenaanvallen. Die opdracht kwam op 12 mei en hield in het eiland van Dordrecht van Duitse troepen te zuiveren. Daarna moesten troepen van de lichte divisie, met een wijde boog zuidoost van Dordrecht en via 's-Gravendeel en Barendrecht, vliegveld Waalhaven proberen te heroveren.

Generaal Student had in zijn nieuwe commandopost in het dorp Rijsoord, zich de kwetsbare positie van de Duitsers op het eiland van Dordrecht, duidelijk gerealiseerd. Hij gaf luchtlandingstroepen ter sterkte van omstreeks een bataljon de order om aan te vallen, teneinde zuidelijk van de stad Dordrecht de Nederlandse troepen daar te isoleren. Dit lukte en de Duitsers controleerden hierdoor het zuidoostelijke deel van de stad. Eén bataljon van de lichte divisie, kreeg contact met de Duitsers en raakte in gevecht. De andere twee bataljons waren zó goed opgeschoten in zuidelijke richting, dat zij achter in de middag halt hielden (oostelijk van de autoweg Dordrecht-Moerdijkbruggen) om te wachten op het bataljon bij Dordrecht. Toen zij opdracht kregen de opmars voort te zetten, liepen ze vast in een moordend Duits artillerievuur. De Moerdijkbruggen bleven hierdoor buiten bereik van de lichte divisie. Bovendien waren inmiddels de eerste Duits tanks van de 9de pantserdivisie al over de brug gereden met als eerste doel Dordrecht. Kolonel Van der Bijl probeerde nu een deel van zijn divisie te laten oprukken richting Wieldrecht. De ene groep aanvallers liep vast op hevig vuur van Duitse tanks en een bombardement van vliegtuigen. De andere groep kwam terecht in uitzichtloze straatgevechten in de stad Dordrecht. De kansen voor een aanval naar Waalhaven, waren door al deze gevechten de aankomst van Duitse tanks en pantserwagens en felle Duitse bombardementen, voorgoed verkeken.

De commandant van de 'tegenaanval' divisie beval zijn oververmoeide en aangeslagen troepen, in de nacht van 13 op 14 mei het eiland van Dordrecht te verlaten. Vermoeid, afgemat en met een inzakkend moreel, trokken zij zich terug en namen stelling achter de rivier de Noord en de Merwede. Bij de verbeten gevechten in Dordrecht, werden barricades opgericht en enige Duitse tanks uitgeschakeld door Nederlands geschut. De felle gevechten in de stad en aan de zuidzijde van de brug, gingen door tot en met 13 mei. Toen waren de weinige resterende verdedigers volledig uitgeput. Men vreesde een luchtbombardement. De stad gaf zich in de morgen van 14 mei over. Toen in de nu stille stad, de burgers uit hun schuilkelders en andere schuilplaatsen kropen, konden ze blauwe lucht en de vernielingen van de strijd zien. Ze zagen ook de witte vlag van kerktoren waaien. De verschrikkingen voor de bevolking van die paar oorlogsdagen, was voorbij. Bij de Moerdijkbruggen probeerden op 13 mei Nederlandse artillerie en even later één resterende Fokker bommenwerper, de bruggen te bombarderen en te vernielen. Ondanks een heldhaftige poging, lukte dit niet. De dappere bemanning van de bommenwerper sneuvelde.

In het gebied rond Den Haag waren veel Duitse para's en luchtlandingtroepen gesneuveld, uit elkaar geslagen of gevangengenomen. Een paar honderd Duitsers hadden zich op 11 mei teruggetrokken in de duinen tussen Katwijk en Scheveningen. Ondanks enkele verwoede pogingen, werd de zuivering van de duinen bij de Wassenaarse Slag een fiasco. Bij die aanvallen werden nogal wat verliezen geleden. Het uitkammen van een uitgestrekt en onoverzichtelijk duingebied van circa twintig vierkante kilometer, was ondoenlijk. Bovendien vormden deze Duitsers in de duinen, die afgesneden waren van bevoorrading en versterkingen, geen directe bedreiging meer voor Den Haag.

Von Sponeck had in de avond van 10 mei via radioverbinding van generaal Kesselring gehoord dat de aanval op Den Haag door de luchtlandingstroepen niet verder werd voortgezet. Kesselring had al snel ingezien dat door de blokkades van de landingsbanen en de Nederlandse heroveringen, dit deel van de missie volledig was mislukt. Von Sponeck had als nieuwe opdracht gekregen om met zoveel mogelijk luchtlandingtroepen uit te wijken naar Overschie. Hij hield zich overdag gedekt en wist in de late avond van 11 mei met zijn mannen geruisloos en ongezien te ontsnappen vanuit de bossen bij Ockenburg. In de nacht van 11 op 12 mei dook hij met zijn troepen op in Wateringen. Na een korte schermutseling, konden de Duitsers met buitgemaakte bussen in de donkere nacht ontsnappen. Via het dorp Schipluiden bereikten ze Overschie. Daar richtten ze zich in ter hardnekkige verdediging. Dit was alleszins zinvol, omdat Von Sponeck per radioverbinding was ingelicht dat hij en zijn mannen op 14 mei ontzet zouden worden.

De kantonnementscommandant van Rotterdam, kolonel Scharroo, realiseerde zich het gevaar van een vijand in zijn rug. Hij gelaste een aanval op de Duitsers in Overschie. Er werd vervolgens een weinig krachtige aanval ingezet. Bij die aanval sneuvelden aan beide zijden enige mannen en de aanval werd hierna afgebroken. Op 14 mei werd toch weer een nieuwe en veel omvangrijker aanval ondernomen. De uitvoering hiervan lag in handen van drie versterkte infanteriebataljons. Vrij langzaam vorderde deze opmars vanuit Delft. Voordat de daadwerkelijke aanval van deze substantiële Nederlandse troepeneenheid ingezet kon worden, had het bombardement op Rotterdam plaatsgevonden. Rotterdam en daarna Nederland, capituleerden die achtermiddag en in de vroege avond. Von Sponeck en zijn mannen werd het lot van sneuvelen of krijgsgevangen gemaakt worden, op het laatste moment bespaard. Göring had mede door het bombardement op Rotterdam, zijn landgenoot Von Sponeck kunnen redden.

De verdediging van 'Vesting Holland', was op 14 mei nogal uitzichtloos geworden. Toch stond generaal Winkelmans beslistheid om de strijd voort te zetten, nog steeds overeind. De afgelopen hectische oorlogsdagen, waren officiële nieuwscommuniqués vrij schaars geweest. Heel weinig was aan de burgers meegedeeld hoe de gevechten er werkelijk voor stonden. Vrij vaag was aangegeven hoe ver de Duitse opmarsen gevorderd waren. Toen op 14 mei een officieel nieuwsbulletin de bevolking informeerde over het vertrek van de koningin en het kabinet, was het effect op 'de man in de straat' enorm.

In de gebieden waar daadwerkelijke gevechten hadden plaatsgevonden, was het blikveld van de mensen in het gebied beperkt. Geruchten waren dagenlang overal doorgegeven en vaak aangedikt. De informatie via officiële berichten en de pers, liep ver achter bij de werkelijkheid van de gebeurtenissen. Voor veel mensen die niet in gevechtsgebieden zaten, was het dagelijkse leven normaal doorgegaan. Het officiële bericht van het vertrek van Wilhelmina en de ministers, sloeg in als een bom. Het nog aanwezige optimisme van de militairen en de bevolking werd hierdoor zwaar aangetast. Men realiseerde zich plotseling hoe ernstig de feitelijke situatie was. Het officiële bulletin probeerde duidelijk te maken dat het vertrek van de koningin en het kabinet geen vlucht was, maar een noodzaak om de regering elders, buiten 'Vesting Holland' voort te zetten. Het communiqué gaf een korte uitleg van de militaire situatie. Het maakte duidelijk dat de opperbevelhebber alle bevoegdheden van de eerste minister had gekregen, om de strijd voort te zetten. Het nieuwsbulletin riep militairen en bevolking op om kalm te blijven en bereid te zijn om de strijd tegen de vijand te continueren.

De reactie van de meeste mensen was een mengeling van verbazing, teleurstelling, woede en angst. Men zag plotsklaps in dat er geen hoop meer was op buitenlandse hulp. Men zag in dat Nederland er helemaal alleen voor stond. Duizenden Nederlanders, die wisten wat in Duitsland, Oostenrijk en Tsjechië was gebeurd met de joden, socialisten, communisten en andere tegenstanders van een nazi-regime, pakten hun koffers en stonden klaar om het land uit te vluchten.

De Koninklijke Marine had ten behoeve van de oorlog in de meidagen niet veel gevechtstaken uit te voeren. Kustverdediging, mijnenvegen en voor een aantal kleinere rivierkanonneerboten het leger artilleriesteun geven, waren hun belangrijkste opdrachten. Verreweg het grootste deel van de marine was op zee en in het bijzonder in de Nederlandse koloniën. Wat in Nederland van de marine aanwezig was, waren vooral schepen in aanbouw, schepen in langdurig onderhoud en reparaties en schepen voor opleidingen. De vierde oorlogsdag was de situatie snel verslechterd. Stelling en stad Den Helder waren een paar keer hevig gebombardeerd. De Bevelhebber der Zeestrijdkrachten vice-admiraal Fürstner, had generaal Winkelman geïnformeerd, dat alle marinemensen die niet bij de gevechten betrokken waren, naar elders zouden worden gezonden. Winkelman was het daar beslist niet mee eens. Hij was gezien de militaire situatie wel zo wijs, om de plannen van Fürstner niet te verbieden. Fürstner had al enige maanden vóór mei 1940 onofficieel initiatieven ondernomen om de banden met de Engels *Royal Navy* nauwer aan te halen. De Nederlandse marinetop had ruimschoots van tevoren plannen besproken en ontwikkeld, wat te doen stond in het geval van een Duitse aanval. Er waren in verband hiermee in Engeland enige Nederlandse marineofficieren voor liaison gestationeerd, die diverse zaken hiervoor moesten regelen. In 1940 behoorde de Nederlandse koopvaardij – qua tonnage – tot de top tien in de wereld. De meeste van deze schepen waren ergens op de wereld op zee, toen de oorlog op 10 mei daadwerkelijk uitbrak. Toen de Duitsers steeds verder oprukten, bereidden de weinige koopvaardijschepen in Nederlandse havens zich snel voor op hun onmiddellijke vertrek.

2-7 Een bommenregen op Rotterdam

De Duitse verrassingsaanval om beide bruggen in het centrum van Rotterdam te veroveren, was grotendeels mislukt. Na de eerste schok hadden de snel reagerende kolonel Scharroo en een aantal van zijn lagere commandanten, energieke tegenaanvallen in gang gezet. In verwarde, maar felle gevechten, waren de meeste Duitsers op de noordelijke Maasoever gedood of gevangengenomen. Alleen een groep van circa vijftig man had kans gezien een klein bruggenhoofd vast te houden in het stevige gebouw van de Nationale Levensverzekeringsbank. Dit gebouw lag direct aan de noordelijke kop van de Willemsbrug. Hoewel de Duitsers op vliegveld Waalhaven voortdurend versterkingen aanvoerden, hadden ze de eerste dag alleen Rotterdam-Zuid geheel in handen. Op het Noordereiland hadden ze zich aan de Maasoever ter verdediging ingericht. De Duitse para's hadden een goed zicht op beide bruggen. Zij konden die onder gericht mitrailleurvuur houden. De torpedoboot Z-5 en een motortorpedoboot, kwamen al gauw bij de bruggen in actie en openden het vuur op de vijandelijke mitrailleurs en de gelande watervliegtuigen. Hun munitie raakte vrij snel op. Een Duits vliegtuigbombardement dwong deze beide marineschepen uiteindelijk om zich met enige gewonde bemanningsleden aan boord, terug te trekken.

Admiraal Fürstner was spoedig op de hoogte gebracht van de kritieke toestand in Rotterdam. Hij besloot in te grijpen en liet twee grotere marineschepen naar Rotterdam opstomen. De torpedobootjager *Hr. Ms Van Galen*, bereikte als eerste de Nieuwe Waterweg. Dit schip met onder meer 12 cm-kanonnen, kreeg bij Vlaardingen een aanval van de *Luftwaffe* te verduren. De bommen vielen niet op, maar vlakbij het schip en veroorzaakte enige gewonden aan boord. Helaas veroorzaakte dit bombardement grote materiële schade aan boord. Met enige moeite werd de Merwehaven bereikt en het schip zo vlug mogelijk afgemeerd. Het maakte veel water. De bemanning kon nog maar net van boord komen en zag aan de kade hun schip langzaam zinken. De bemanning werd onmiddellijk ter beschikking gesteld van de plaatselijke marinecommandant. Na dit verlies van de *Van Galen*, besloot Admiraal Fürstner vanwege het gebrek aan manoeuvremogelijkheden in het nauwe vaarwater, geen nieuwe schepen meer in te zetten om de Duitsers bij de Maasbruggen onder vuur te nemen. Door de verdedigers op de noordoever, werden alle pogingen van de Duitsers op 10 en 11 mei om over de bruggen te komen, met goedgericht geweer- en mitrailleurvuurvuur tegengehouden.

Generaal Winkelman begreep het vitale belang van een hardnekkige verdediging. Hij begreep ook dat verdediging door de troepen, die grotendeels uit depoteenheden en marinemensen bestonden, het niet eindeloos kon volhouden. Winkelman zond op 12 mei een luitenant-kolonel van zijn eigen staf naar Rotterdam, om hem te adviseren over de situatie ter plaatse. Deze stafofficier constateerde dat de al twee dagen achter elkaar in de weer zijnde verdedigers, niet in staat waren een krachtige tegenaanval over de bruggen in te zetten. Een nieuw bataljon van het regiment Jagers, zou daarom ter versterking en een eventuele tegenaanval aangetrokken moeten worden. Toen dit bataljon vanuit Hoek van Holland en Rozenburg na een nachtelijke verplaatsing op 13 mei arriveerde, kon het vanwege grote vermoeidheid niet direct worden ingezet.

Generaal Winkelman had inmiddels vernomen dat de 9de pantserdivisie en een Waffen SS regiment, snel Rotterdam zouden gaan bereiken. Hij gaf kolonel Scharroo bevel om het Duitse bruggenhoofd aan de noordoever op te ruimen en het opblazen van de bruggen voor te bereiden. Scharroo moest weer een beroep doen op circa driehonderd man van de afdeling mariniers in Rotterdam. Deze mariniers waren overigens al twee dagen bij de gevechten betrokken en betreurden ettelijke gesneuvelde kameraden. Met twee pelotons in voorste lijn, zetten de mariniers de aanval in. Eén peloton naderde vanaf de richting Witte Huis en liep vast in een moordend mitrailleurvuur van de overkant. Het andere peloton slaagde erin via De Boompjes, de oprit van de Willemsbrug ongezien te bereiken. Daar werden ze geconfronteerd met hevig Duits geweer- en mitrailleurvuur, van zowel de zuidelijke Maasoever als het bruggenhoofd in de bank. Verder oprukken was onmogelijk. De tegenaanval was triest genoeg op het laatste nippertje mislukt en de mariniers moesten zich met achterlating van enige gesneuvelden van de oprit terugtrekken.

Wat na deze niet gelukte tegenaanval voor de verdediging nog ferm overeind stond, waren omstreeks zeven compagnieën van de landmacht en een aantal marinedetachementen. Met hun wapens en rustige vastberadenheid, hielden zij de verdediging van de noordoever vast in handen. Zij werden ondersteund door een artillerie-eenheid, die in de omgeving van Rotterdam was opgesteld. Ook hier vertoonde zich soms een merkwaardig beeld. Terwijl over en weer de kogels over de rivier vlogen, was een enkele huisvrouw op het Noordereiland doodgemoedereerd bezig haar wasgoed op te hangen!

Generaal Student zag in dat met een hechte Nederlandse verdediging, een frontale aanval over de bruggen een bijzonder moeilijke zaak zou zijn. Hitler raakte door het oponthoud in Rotterdam geïrriteerd. Hij had verondersteld 'Vesting Holland' in circa twee dagen veroverd te kunnen hebben. De pantserdivisie en het Waffen SS regiment, konden dan vrijgemaakt worden voor inzet aan de Belgische en Franse zeekust. Göring had grote zorgen over zijn adellijke landgenoot Von Sponeck. Die stond bij Schiebroek op het punt gevangengenomen te worden. Een snelle doorbraak bij de bruggen, was voor hem mede een noodzaak om Von Sponeck te ontzetten. Göring had nog een andere reden om 'zijn' *Luftwaffe* spierballen te laten maken voor een snelle en meedogenloze oplossing. Hij had gepocht over de inzet van 'zijn' parachutisten voor de gedurfde aanval op Den Haag en dit plan krachtig ondersteund. Tot nu toe had de *Luftwaffe* zeer succesvol geopereerd in de *Blitzkrieg*. Het neerschieten van het grote aantal transportvliegtuigen en het mislukken van de parachutistenaanval op Den Haag, kon zijn aanzien binnen de nazi-top flink schaden.

Op 14 mei gaf Hitler 'Aanwijzing 11' uit. Hierin stond: 'Politieke en militaire redenen vereisen een snelle beslissing om de Nederlandse weerstand te breken.'

Voor Göring en generaal Waldau (chef van de operationele staf van de *Luftwaffe*) was deze wenk van Hitler duidelijk. Een massief strategisch bombardement van de verdedigde stad Rotterdam, zou de tegenstand in één klap breken. Ondertussen had de commandant van het 18de leger de Duitse troepen voor de finale aanval in de Rotterdamse regio herschikt. Generaal Schmidt was benoemd tot commandant van dit nieuwe legerkorps. Hierin waren gegroepeerd de overblijfselen van beide luchtlandingdivisies, de 9de pantserdivisie en het Waffen SS regiment. Schmidt had de niet mis te verstane order ontvangen: 'Tegenstand in Rotterdam *met alle middelen* breken. Indien noodzakelijk met *vernietiging* van de stad *dreigen en uitvoeren.*' Schmidts idee was om met een krachtig tactisch bombardement bij de bruggen, de weg vrij te maken voor een doorbraak van zijn pantsertroepen. Hij wilde een beperkt precisiebombardement. De halve stad platgooien zag hij niet zitten, omdat alle bomkraters, vernielde huizen en straten vol met puin, de opmars van zijn pantsereenheden zouden kunnen hinderen. Het precisiebombardement moest op 14 mei omstreeks 13.20 uur beginnen. Aan de commandant van de Rotterdamse verdediging Scharroo werd een ultimatum gesteld. In dit ultimatum stond dat 'als de tegenstand doorging, de volledige vernietiging van de stad het gevolg zou kunnen zijn'. Rond 10.30 uur werd het ultimatum overhandigd. Scharroo zag nog geen noodzaak om te capituleren en hechtte aan dit ultimatum geen grote waarde. Na ruggespraak met het Algemeen Hoofdkwartier in Den Haag, besloot Scharroo tijd te winnen. Hij vroeg aan de Duitsers een nieuw voorstel, maar dat moest dan wel ondertekend zijn. Voor het in ontvangst nemen van dit nieuwe voorstel, werd de Nederlandse parlementair kapitein Backer naar het Noordereiland gezonden. Generaal Schmidt had per radio omstreeks 12.00 uur aan de 2de luchtvloot van de *Luftwaffe* doorgegeven: 'Bomaanval Rotterdam wegens overgave onderhandelingen uitgesteld. Nieuwe startgereedheid (vliegtuigen) melden.' Schmidt wist toen niet dat vanwege de verborgen 'strategische' agenda van de hoogste bazen in Duitland, de vliegtuigen al ruimschoots onderweg waren naar Rotterdam.

Kapitein Backer ontving omstreeks 13.20 uur het nieuwe en nu ondertekende ultimatum en wilde daarmee weer op weg naar Scharroo. Enige minuten hierna hoorde zowel Backer als Schmidt het massieve gebrom van tientallen Heinkel bommenwerpers. Schmidt begreep onmiddellijk dat zijn laatste radiobericht niet bij de aanvallende Heinkels was doorgekomen. Hij begreep ook direct, dat de bommenwerpers niet aanvielen voor een tactisch bombardement, maar voor een grootschalig strategisch bombardement op het noordelijk deel van de stad. De ter plaatse aanwezige bataljonscommandant Choltitz, gaf onmiddellijk order om een afgesproken bevel voor het eventueel afschieten van rode lichtkogels, uit te voeren. Na dit afschieten van een paar lichtkogels, draaiden drie van de in twee gescheiden golven aanvliegende bommenwerpers, af van hun oorspronkelijke koers. Verreweg het grootste deel van de langs twee assen aanvliegende Heinkels vervolgde zijn koers. De bommenwerpers lieten omstreeks 13.30 uur met een korte interval tussen de twee groepen aanvallende bommenwerpers, hun bommenlast van totaal circa 1300 bommen, in een breed patroon vanaf circa 750 meter hoogte, op de stad noordelijk van de Maas vallen. De bommen vielen vanaf Kralingen tot westelijk van het stadscentrum en van noordwestelijk van de bruggen tot noordelijk van de NS-stations Rotterdam Centraal en Hofplein.

De gevolgen van het bombardement op het dichtbebouwde stadscentrum, waren schokkend en desastreus. Het stadshart van Rotterdam werd bijna volledig verwoest. Binnen een halfuur was het centrum één laaiende vuurzee. De vlammen en rook waren zichtbaar tot circa zeventig kilometer van de stad. Woonhuizen, kerken, kan-

| *Vernield Rotterdam.*

toorgebouwen, ziekenhuizen en winkels, waren in één klap puinhopen of stonden in brand. Waterleidingen waren opengebarsten, telefoonkabels waren gebroken, gewonden en doden lagen her en der in het stadscentrum. Kapitein Backer bereikte na een aangrijpende en moeilijke tocht, de commandopost van Scharroo op de Statenweg. Scharroo was diep geschokt en pleegde spoedoverleg met de bij hem gedetacheerde hoofdofficier van de staf van de opperbevelhebber en de burgemeester van de stad Rotterdam. Scharroo nam één van de moeilijkste en meest dramatische beslissingen in zijn hele leven en dat was 'capituleren'. Generaal Winkelman werd zo snel mogelijk ingelicht en accordeerde deze beslissing. In de middag accepteerde Scharroo het laatste Duitse ultimatum. Circa een uur later gaf Scharroo de troepen onder zijn bevel de order om de wapens neer te leggen en nadere bevelen af te wachten. Al omstreeks 16.15 uur ratelden de eerste Duitse tanks over de bruggen. Zij trachtten hun weg te vinden in noordelijke richting. Die weg vinden tussen de smeulende puinhopen in het centrum en de ontredderde en verdwaasde burgers in de stad, was voor hen geen eenvoudige zaak.

In de vroege avond vond er in de gehavende stad een incident plaats dat op een grootschalig bloedbad had kunnen uitlopen. Generaal Student was met enige officieren van zijn eigen en van Scharroo's staf, aan het beraadslagen over details van de overgave. Op het plein nabij Scharroo's commandopost, was een Duits Waffen SS bataljon aanwezig. Ook een Nederlandse compagnie die inmiddels de wapens had neergelegd en zich gereedmaakte voor krijgsgevangenschap, was daar in de buurt aanwezig.

Plotseling vielen enkele schoten vanuit een der huizen. Het Duitse bataljon dacht dat ze beschoten werden en begonnen in wanorde fel te schieten richting huizen. Student hoorde het schieten, herkende het geluid als afkomstig van Duitse infanteriewapens en keek geïrriteerd uit het raam naar buiten. Een rondvliegende kogel raakte hem in het hoofd. Hij stortte bloedend neer en mompelde nog: 'Keine Repressailies, keine Repressailies, die Holländer sind verrückt.' De Duitsers dachten dat de Nederlanders 'hun generaal' hadden willen vermoorden en pakten uit wraak alle plaatselijke aanwezige militairen, plus een aantal burgers op. Deze tientallen gijzelaars werden met de handen omhoog tegen de huizen op een rij gezet. Er werden achter hen enige mitrailleurs in stelling gebracht om sommige van de gijzelaars als represaille standrechtelijk ter plaatse te executeren. De Duitse bataljonscommandant van de luchtlandingtroepen overste Von Choltitz (die bij de besprekingen aanwezig was), greep direct resoluut in. Dankzij zijn krachtige en moedige optreden, wist hij de verhitte gemoederen te kalmeren en kon daardoor een verschrikkelijk bloedbad voorkomen. Deze bekwame en dappere officier negeerde in 1944 in de rang van generaal, de order van Hitler om de stad Parijs te vernietigen. Door zijn ook toen dappere optreden, voorkwam hij de vernietiging van de prachtige Franse hoofdstad.

Veel onderzoeken en discussies hebben plaatsgevonden of het bombardement op Rotterdam wel of niet een terreurbombardement is geweest. Onder meer bij de processen tegen de nazi-top in 1945-1946 te Neurenberg, was gebleken dat het *niet alleen* een terreurbombardement was geweest. Rotterdam was geen open stad, maar een stad waar de strijd in volle gang was en de verdedigers onder dreiging van veel meer geweld, aanvankelijk niet wilden wijken. Het zowel strategische als tactische bombardement diende voornamelijk een militair doel. Dat doel was het snel en rigoureus afdwingen van de Nederlandse capitulatie. Dat daarbij ook vele burgers zouden worden getroffen, namen de Duitsers zonder blikken of blozen op de koop toe. Ook zonder dit luchtbombardement, zouden bij de reeds geplande Duitse grote aanval de volgende dag (met steun van hun artillerie en tactische bombardementen) grote vernielingen in de stad worden aangericht. Daarbij zouden ongetwijfeld ook veel burgers de dood hebben gevonden, aangezien het noorden van Rotterdam frontgebied was.

Het is wel zo dat 'Wie wind zaait, zal storm oogsten'. Geallieerden kopieerden het Duitse gebruik van geweld uit de lucht tegen burgerdoelen. Tijdens de 'Slag om Engeland' in 1940, ging de *Luftwaffe* over van militaire doelen naar grootschalige bombardementen van Londen en andere Engelse steden. De geallieerden bombardeerden op grote schaal in de periode 1942-1945 de Duitse steden. Het doel daarvan was, om de Duitse burgerbevolking murw te maken en de nazi's daarmee tot onvoorwaardelijke overgave te dwingen. Het is nog steeds de vraag of deze bombardementen op burgers de oorlog hebben verkort of juist hebben verlengd. Na zoveel jaren en

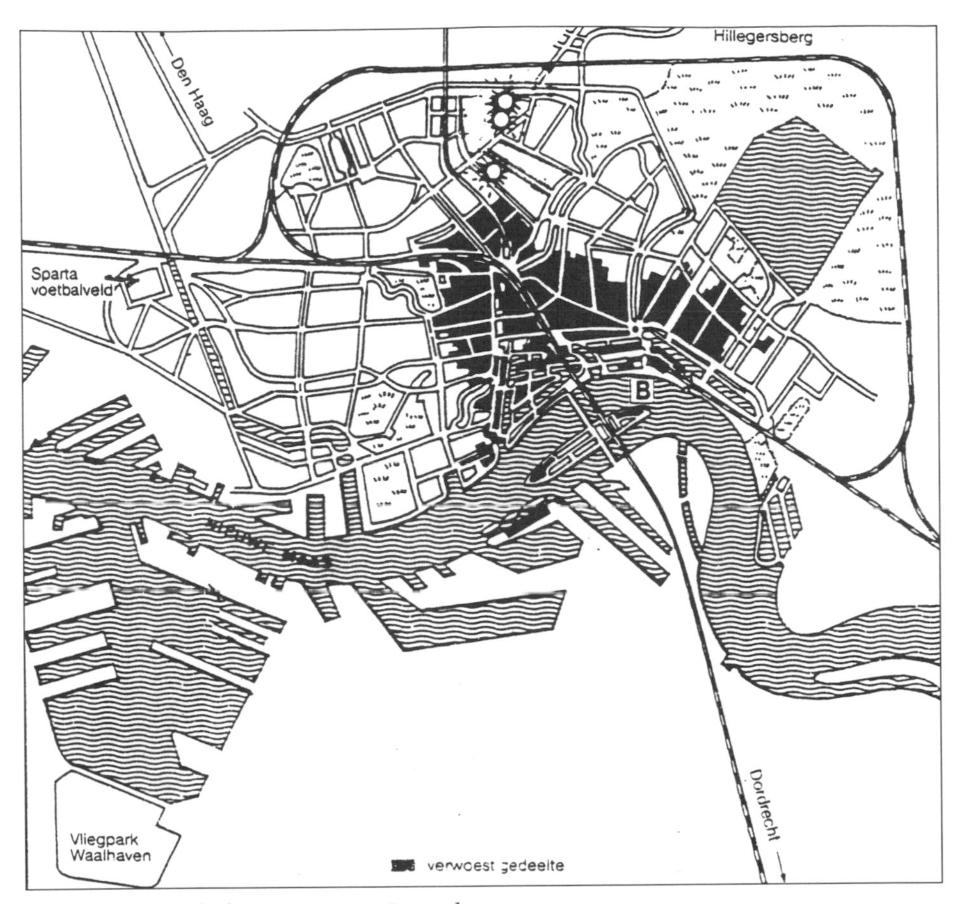

| *Verwoest gedeelte centrum van Rotterdam.*

grootschalige luchtbombardementen op de bevolking in Noord-Vietnam, is gebleken dat luchtbombardementen op de bevolking in dichter bewoonde gebieden, een *weinig effectief* middel is voor inzet van een luchtmacht. Het gebruik van gerichte luchtbombardementen op militaire doelen en vitale infrastructuur, is gebleken een *veel doelmatiger* middel te zijn om een vijand militair sneller op de knieën te dwingen

Het prijskaartje van de Duitsers om de zuidelijke poort naar 'Vesting Holland' te openen, was veel hoger dan bij de gevechten aan het Grebbefront. De vijand had tussen de Moerdijkbruggen en Rotterdam ruim 7200 man geland. Tijdens de gevechten, hadden zij ruim twaalfhonderd man verloren aan gesneuvelden, gewonden en krijgsgevangenen. Ook aan Nederlandse zijde waren de verliezen hoog. In dit hele gebied, sneuvelden totaal 258 man, onder wie 185 man bij de gevechten in en bij Rotterdam. De stad Rotterdam betaalde een hoge tol. Ruim 850 burgers werden door het bombardement gedood. Enige duizenden werden gewond. De schade aan infrastructuur, was immens en wel circa 25 duizend huizen, 2390 winkels, 1200 fabrieken en werkplaatsen, 1480 kantoren, 550 hotels en cafés, 65 scholen, twintig kerken en bovendien vele ziekenhuizen, bioscopen, liefdadigheidsinstellingen, dagbladbedrijven, schouwburgen en stations. Al deze huizen en gebouwen, waren binnen een halfuur ernstig beschadigd, of verworden tot een grote puinhoop.

2-8 Capitulatie en laatste gevechten

Generaal Winkelman was zelfs na de capitulatie van Rotterdam, nog steeds niet van plan de strijd te staken. De toestand was uiterst hachelijk, maar leek nog niet helemaal verloren. Zijn staf en ondercommandanten, planden een pantserafweerfront rondom Delft en Den Haag. Kornwerderzand hield nog stand en er was flauwe hoop dat bij de Nieuwe Hollandsche Waterlinie oostelijk van de stad Utrecht, de vijand nog tegengehouden kon worden.

Op de middag van de capitulatie van Rotterdam, strooiden Duitse vliegtuigen boven de stad Utrecht pamfletten uit. Daarin stond te lezen, dat als de verdedigers in de Waterlinieforten rond de stad, niet onmiddellijk bereid waren zich onvoorwaardelijk over te geven, de stad een luchtbombardement kon verwachten. Dit bericht bereikte vrij snel de opperbevelhebber in Den Haag. Winkelman realiseerde zich met zijn verantwoordelijkheden ten opzichte van én de militairen én de bevolking, dat de strijd voortzetten onder deze dreiging, niet meer verantwoord was. Bij het vertrek van de regering was afgesproken dat verder bloedvergieten zinloos zou zijn als de strijd doelloos en nutteloos zou worden. Met de dreiging van grote aantallen slachtoffers bij de burgerij door luchtbombardementen, vermoeide en uitgeputte soldaten en de onmogelijkheid van buitenlandse hulp, was dit moment nu gekomen. Na consultaties met zijn staf en ondercommandanten, nam hij het moeilijke besluit om te capituleren.

De Duitse vijand werd ingelicht. Die avond van 14 mei om 19.00 uur informeerde Winkelman in een emotionele toespraak over de radio, de bevolking over zijn zware beslissing van de overgave. Enkele citaten uit de beslissing van Winkelman luidden:

> *'Wij hebben de wapens moeten neerleggen omdat het niet anders kon. Onze soldaten hebben gestreden met een moed die onvergetelijk zal blijven, maar de strijd was te ongelijk. Onze troepen stonden bloot aan vernietigende bombardementen van het Duitse luchtwapen. En niet alleen zij. Onder de burgerbevolking, onder vrouwen en kinderen, maakte de luchtoorlog talloze slachtoffers. Rotterdam, dat vanmiddag door de Duitse luchtmacht werd gebombardeerd, heeft het droeve lot van de totale oorlog ondergaan. Utrecht en andere grote bevolkingscentra zouden binnen zeer korte tijd dit lot van Rotterdam moeten delen. Vrijwel geheel aangewezen op eigen kracht, waren wij niet in staat, ons land, onze burgerbevolking, voor dit geweld te behoeden. Het waren deze harde feiten die mij noopten, mijn hoogst ernstig besluit te nemen: wij hebben de strijd gestaakt. Wie mijn verantwoordelijkheid kan peilen, beseft hoe zwaar mij dit besluit moet zijn gevallen.*
>
> *Leve Hare Majesteit de Koningin. Leve het vaderland.'*

In het tijdelijke hoofdkwartier van de generaals Schmidt en Student in de school van het dorp Rijsoord, werden de volgende dag de capitulatievoorwaarden besproken en getekend. Ook hier gaf Winkelman zich niet direct gewonnen. Hij maakte de overwinnaars duidelijk dat de krijgsmacht in Zeeland en elders in de wereld, *niet* onder de capitulatievoorwaarden zouden vallen. Hij maakte de Duitsers bovendien duidelijk dat Nederland zich nog steeds in Staat van Oorlog met Duitsland beschouwde. De overgave gold alleen maar voor de krijgsmacht in Nederland (dus exclusief Zeeland). De wat verbaasde Duitsers gingen uiteindelijk met deze voorwaarden akkoord en Winkelman tekende hierna de overgavebepalingen.

De officiële aankondiging van de capitulatie kwam hard aan bij zowel de bevolking als de krijgsmacht. Men begreep niet dat het land in vijf dagen onder de voet was gelopen. Buiten de gebieden waar directe gevechten hadden plaatsgevonden, had men geen enkel idee over de vernielingen, de schade en het bloedvergieten, op de plaatsen van de feitelijke strijd. Al gauw deden er geruchten de ronde dat spionage de oorzaak was van het verliezen van de strijd. Ongeloof over de korte duur van de gevechten en het negatieve eindresultaat, was de algemene mening bij veel Nederlanders. De laatste twee dagen hadden de meeste mensen op de toppen van hun zenuwen geleefd. Koningin en regering waren verdwenen. Een vreemde en vijandige bezettingsmacht was nu in het land zichtbaar. Aan de onzekere horizon doemden allerlei beelden op, zoals het beeld dat het oude overzichtelijke leven aangetast zou worden en nu helemaal voorbij was. In die paar oorlogsdagen had men als het ware in een snelkookpan geleefd en waren er veel initiatieven ontsprongen en snelle geïmproviseerde acties geweest. Op het laatste moment waren een flink deel van het goud van de Nederlandse Bank en veel industriële diamanten uit het land afgevoerd naar Engeland. Op 15 mei waren in alle haast ruim twaalfhonderd Duitse krijgsgevangenen van de luchtlandingstroepen, via IJmuiden per schip naar Engeland overgebracht. Her en der waren strategische voorraden munitie en veel wapens bij lokale acties vernietigd. Een flink aantal politiek zeer actieve en ook rijkere burgers, joodse landgenoten, intellectuelen en anderen die van de nazi's niet veel goeds te verwachten hadden, pakten fluks hun koffers en probeerden per schip alsnog het land te ontvluchten.

In de havens van IJmuiden, Hoek van Holland en elders aan de kust, speelden zich wilde taferelen af. Men trachtte ergens een plekje op een boot of schip te bemachtigen. Omdat er duidelijk meer liefhebbers dan plaatsen waren, ontstonden in de Noordzeehavens chaotische en soms schrijnende situaties. Een kleinere groep mensen, die de komst van de Gestapo vreesde, pleegde zelfmoord om niet in handen van de nazi's te vallen. Niet geheel exacte cijfers geven aan dat rond 15 mei 250 zelfmoorden plaatsvonden. Tussen 10 en 15 mei verlieten honderden marine-, koopvaardij-, vissers- en andersoortige schepen Nederlandse havens op weg naar Frankrijk en Engeland. Veel van deze schepen waren afgeladen met allerlei soorten vluchtelingen.

De Bevelhebber der Zeestrijdkrachten had met een aantal ondercommandanten in de maanden voor mei 1940, diverse evacuatieplannen uitgebreid voorbereid. Het ging daarbij vooral om waardevolle uitrusting en bewapening, personeel in opleidingen en gedeeltelijk afgebouwde schepen. Met veel improvisatie en lokale initiatieven verlieten tussen 10 en 15 mei twee kruisers, een torpedobootjager, zeven onderzeeboten, twee kanonneerboten, zes torpedoboten, zeven mijnenleggers, achttien hulpschepen en 24 marine(water)vliegtuigen de Nederlandse havens. Met de schepen gingen circa drieduizend marineofficieren, adelborsten, onderofficieren, matrozen en een aantal mariniers mee.

De meeste van deze schepen hadden op dat moment geen enkele taak in de strijd op het land. Zowel de marinemilitairen als de schepen, bereikten veilig Engeland. Zij zetten vanaf Engeland en vanaf 1942 ook in Azië, de strijd tegen Duitsland en Japan voort. Dit was des te meer waardevol, omdat door deze ontsnappingen omstreeks 65 procent van de oorlogsschepen en 2,5 miljoen bruto register ton van de Nederlandse koopvaardijschepen met hun bemanningen, aan de greep van de Duitsers ontkwamen. Met al deze schepen hebben ze in de jaren 1940-1945 op de wereldzeeën een substantiële bijdrage kunnen leveren aan de geallieerde strijd tegen Duitsland en Japan.

De gevechten op het land waren op 15 mei nog niet helemaal voorbij. Het buiten de capitulatie houden van Zeeland door generaal Winkelman, had gefundeerde redenen. De belangrijkste reden waren de troepen van het Franse leger op Nederlands grondgebied. Onderdelen van een Franse infanteriedivisie, arriveerden vóór 15 mei per schip in Vlissingen. Zij debarkeerden om de troepen in Zeeland te kunnen versterken. Een Frans infanterieregiment en een afdeling artillerie bleven achter op Walcheren. In de nacht van 13 op 14 mei waren een Franse verkenningseenheid, een infanterieregiment en een artillerie afdeling, opgemarcheerd tot aan het Kanaal door Zuid-Beveland. Tussen 11 en 14 mei hadden de Duitse troepen geen enkele moeite gedaan om Zeeland binnen te dringen. De situatie veranderde drastisch toen generaal Winkelman de capitulatie van 'Vesting Holland' bekendmaakte. Het bericht van de capitulatie was het moreel van de Nederlandse troepen in Zeeland beslist niet ten goede gekomen. Men vroeg zich af wat voor zin het had om de strijd nog voort te zetten. Het kostte de officieren de nodige moeite om de gemoederen van hun soldaten te kalmeren. De eerste verdedigingslinie van Zeeland was de Bathstelling. Deze lag omstreeks zes kilometer westelijk van Woensdrecht. Op 14 mei in de middag verkenden de voorste eenheden van het Waffen SS regiment *Deutschland* de Bathstelling. Deze stelling had weinig diepte en werd verdedigd door een grensbataljon. Om 18.00 uur begonnen de Duitsers met een hevig artilleriebombardement op de stelling. Het effect van het bombardement was groot. Twee compagnieën begonnen zich ongeordend in groepjes terug te trekken. De bataljonscommandant gaf om 20.00 uur, na overleg met zijn superieuren, noodgedwongen opdracht aan de resterende mannen om terug te trekken.

De Duitse troepen rukten hierna snel op naar de volgende hindernis, de Zanddijkstelling. Deze lag tussen Yerseke en Kruiningen, direct westelijk van het Kanaal door Zuid-Beveland. Ook die stelling had weinig diepte. De verdedigers werden beschermd door enige inundaties. Franse troepen hadden zich opgesteld achter het Kanaal door Zuid-Beveland. Bij de nadering van de Duitsers, openden de verdedigers het vuur met mortieren en mitrailleurs. De Duitsers zetten direct de *Luftwaffe* in,

| *Evacuatie van Nederlandse soldaten na de gevechten in Zeeland.*

die de stellingen hevig bombardeerde. Het bombardement had ook hier weer een desastreus effect op een deel van de verdedigers. Zonder opdracht hiertoe, begonnen soldaten gedemoraliseerd en in paniek, terug te trekken. De verdedigers die wel standhielden, bemerkten dat hun kameraden in het noordelijke en middenvak van de verdediging, inmiddels bezig waren zich terug te trekken. Het zuidelijk deel van de stelling kwam – ondanks artillerievuur dat de Fransen ter ondersteuning afgaven – 'in de lucht te hangen'. In de voormiddag werd goedgekeurd dat alle Nederlandse troepen zich achter het Kanaal door Zuid-Beveland mochten terugtrekken. Na een hernieuwd bombardement van de *Luftwaffe* op de resterende Franse verdedigers achter het kanaal, begonnen ook de Fransen zich nu terug te trekken. Door al die terugtrekkingen kwam het nu volledig aan op de laatste verdedigingslinie in Zeeland, de Sloedam.

Anders dan in het heden, waar er een brede landverbinding is tussen Zuid-

| *Kerk in Middelburg na het bombardement.*

Beveland en Walcheren, was in 1940 de Sloedam slechts veertig meter breed en achthonderd meter lang. Een prachtige locatie voor een solide verdediging. Dat zag ook de daadkrachtige Franse brigadegeneraal Deslaurens in. Voor de Sloedamstelling had hij op 16 mei een bijna compleet Frans infanterieregiment, een afdeling artillerie en enige kleinere eenheden Nederlandse troepen ter beschikking. De eerste aanval van de Waffen SS op de dam in de avond van 16 mei, werd door artillerievuur met succes afgeslagen. In de nacht van 17 mei zetten de Duitsers opnieuw een aanval in. Twee Duitse artillerie afdelingen brachten een duchtig vuur uit op de westzijde van de Sloedam. Een halfuur later viel een Waffen SS compagnie aan. Door krachtig Frans mitrailleur- en artillerievuur, liep de Waffen SS-aanval ook deze keer weer vast. De verbeten Duitsers trokken nu alles uit de kast. Een vernietigend Duits artillerievuur kwam te liggen op de westzijde van de Sloedam en op Arnemuiden. De *Luftwaffe* werd weer ingezet en bombardeerde met brisantbommen Arnemuiden, Middelburg en Vlissingen. Deze luchtbombardementen hadden een verschrikkelijk effect. Het oude centrum van Middelburg werd zwaar geraakt en stond in vlammen. Gelukkig waren de meeste burgers in de stad geëvacueerd en vielen er slechts 25 doden. De Franse verdediging wankelde onder de mokerslagen van de bombardementen en ze begonnen zich terug te trekken.

Generaal Deslaurens probeerde persoonlijk dit tij te keren door zijn soldaten aan te moedigen om stand te blijven houden. Toen rond 12.00 uur het Waffen SS bataljon aanviel, waren de verdedigers versuft of vluchtten in paniek weg. In Arnemuiden werd nog even enige weerstand geboden. Grote groepen van de Franse troepen trokken zich verder terug en bereikten Vlissingen. Met de nodige moeite konden zij per schip toch nog oversteken naar Zeeuws-Vlaanderen. Die terugtocht werd gedekt door een kleine groep vasthoudende en dappere Fransen onder leiding van generaal Deslaurens. Tijdens de achterhoedegevechten werd hij in de avond van de 17de mei dodelijk getroffen en sneuvelde in het vlakke Walcherse land. In de late avond van die dag volgde de overgave van Vlissingen en legden officieel de Nederlandse troepen in Walcheren en Noord-Beveland de wapens neer.

In Zeeuws-Vlaanderen waren, behalve grote aantallen Franse troepen, nog enkele kleinere Nederlandse restanten van twee infanterieregimenten. Ook prins Bernhard was daar aanwezig en liet zich voorlichten. De officiële commandant van Zeeland zag er geen heil meer in de troepen daar langer te houden. Hij gaf de hoogste landmachtofficier van deze eenheden bevel met zijn troepen te verplaatsen naar Oostende. Zo verlieten op 19 mei in de avond de laatste eigen troepen Nederlands grondgebied.

Op 27 mei viel de Duitse 227ste infanteriedivisie westelijk Zeeuws-Vlaanderen binnen. Het laatste stukje Nederland was nu eveneens bezet gebied geworden. Binnen twee weken was geheel Zeeland in Duitse handen gekomen. De strijd in Zeeland was weinig heroïsch geweest. Ondanks dat, sneuvelden er 38 Nederlandse militairen. Aan Franse zijde sneuvelden veel meer mannen bij de gevechten in Zeeland. 229 van hen liggen begraven op de erebegraafplaats te Kapelle. De Duitsers kregen Zeeland niet geheel cadeau. Bij de strijd in Zuid-Beveland en Walcheren, sneuvelden circa 85 militairen van het Waffen SS regiment.

2-9 Terugblik

Na ruim 120 jaar neutraliteit, was Nederland na die paar oorlogsdagen en de gevechten, als uit een boze droom ontwaakt. Het is moeilijk te beschrijven hoe de meerderheid van de bevolking zich in het nu bezette land voelde. Ergens was er een gevoel van opluchting. Bloedvergieten, vernielingen en bombardementen waren opgehouden. Een meer normaal leven leek aan de horizon te verschijnen. Men kon de puinhopen gaan opruimen. Men kon de doden en gewonden gaan tellen. Begrijpelijkerwijs hielden de Duitsers hun verliezen geheim. De Nederlandse verliezen zijn bekend. Aan burgerslachtoffers waren er 2500 doden te betreuren. Aan mili-

| *Centrum Rotterdam na het puinruimen.*

taire zijde waren circa 2300 soldaten, matrozen en mariniers in de strijd gesneuveld. Ongeveer 2700 van de militairen waren min of meer ernstig gewond geraakt. Van de gewonden bleven circa 850 man voor hun hele leven invalide. Aan deze mannen en hun nabestaanden, moeten wij ook na zo veel jaren met respect denken op de jaarlijkse 4 mei herdenking.

De eigen militaire verliezen lijken gering. Daarbij moet bedacht worden, dat van ruim 280 duizend militairen van de Nederlandse krijgsmacht, ongeveer 45 duizend man direct bij de daadwerkelijke gevechten betrokken waren. De materiële schade was groot. Rotterdam, Middelburg, Den Helder en ettelijke kleinere steden en dorpen, waren zwaar gebombardeerd door artillerievuur en bommenwerpers. Enorme aantallen kleine en grote bruggen werden zwaar beschadigd of vernield. Sommige andere infrastructurele complexen en enige industrieën (in het bijzonder in en bij Rotterdam) waren beschadigd. De kleine, maar zich heftig verwerende Nederlandse luchtmacht, was bijna totaal vernietigd. Gelukkig had een groot deel van de marine en koopvaardij kunnen ontsnappen en was daardoor in staat de strijd elders voort te zetten.

De Duitse luchtlandingsdivisie had omstreeks 7200 man in 'Vesting Holland' geland. Van hen zijn ruim zestienhonderd man krijgsgevangen gemaakt en werden omstreeks twaalfhonderd man tijdig afgevoerd naar Engeland. Juiste getallen ontbreken, maar berekend kan worden dat van de luchtlandingstroepen vele honderden zijn gesneuveld of gewond geraakt. Het totale aantal gesneuvelden en gewonden aan Duitse zijde zal omstreeks tweeduizend man hebben bedragen De verliezen aan vliegtuigen van de *Luftwaffe*, waren aanmerkelijk. Totaal werden ruim negenhonderd vliegtuigen ingezet. Hiervan zijn omstreeks vijfhonderd vliegtuigen neergeschoten, gecrasht of zwaar beschadigd. De grootste klappen kregen de transporttoestellen. Van deze meer dan vierhonderd transportvliegtuigen werd meer dan de helft van licht tot zwaar beschadigd. Dit zijn flinke aantallen en die verliezen moesten binnen een redelijke termijn ingelopen worden. De Duitse oorlogsproductie had geruime tijd nodig om dergelijke aantallen vliegtuigen door versnelde productie te vervangen. Helemaal gelukt is dat niet. Uit onderzoek na de oorlog is gebleken, dat de verliezen bij de luchtlandingstroepen aan zowel soldaten als vliegtuigen, bijgedragen heeft aan de beperkte rol van deze eenheid bij de voorbereidingen van de haastig geplande invasieoperatie 'Zeeleeuw' in Engeland. Later is tevens vastgesteld dat ook bij de Duitse luchtlandingen op Kreta in mei 1941, ze nog steeds last hadden van de opgelopen verliezen in de meidagen van 1940 in Holland.

De verovering van Nederland was in 'Plan Geel', voor de Duitsers een secundaire operatie. Hoofddoel was de Franse landmacht uit te schakelen en dat land te veroveren. Wanneer we de Duitse veroveringen in West-Europa bekijken, dringt zich een interessante vergelijking op. Denemarken werd in één dag onder de voet gelopen. In het bijzonder de tegenstand bij Kornwerderzand, de Grebbe, Dordrecht en de Maasbruggen in Rotterdam, veroorzaakte een vertraging in de Duitse schattingen, van twee paar dagen. Door deze vertraging konden eenheden van het Duitse 18de leger minder snel gebruikt worden als reserve voor hun legergroep B. Deze legergroep had als taak de Franse legers en de BEF de pas af te snijden langs de Belgische en Franse kust. Indirect heeft de langer dan geschatte Nederlandse tegenstand in 'Vesting Holland' waarschijnlijk bijgedragen aan het succes van de grootschalige ontsnapping van Britten en Fransen tijdens operatie 'Dynamo' aan de stranden van Duinkerken.

Wanneer we in een breder verband vergelijkingen trekken, zien we sprekende feiten. De Nederlandse tegenstand duurde 'slechts' vijf dagen. De Belgen hielden het achttien dagen vol. Daarbij moet wel in aanmerking worden genomen, dat het Belgische leger in 1940 circa zeshonderdduizend man telde. De Nederlandse krijgsmacht bedroeg nog geen driehonderdduizend man. De Belgen werden in hun strijd tijdens de meidagen, geassisteerd door de Fransen en Britten. Deze steun op Belgisch grondgebied, bestond uit *veertien* Franse en *drie* Britse divisies (totaal ruim tweehonderdduizend man)!

Wanneer we de sterkte van de Franse legers, de BEF en het aantal Franse en Engelse tanks vergelijken met de Duitse aanvallers, hadden beide zijden ongeveer een gelijk aantal troepen en tanks. Toch capituleerde Frankrijk na 42 dagen strijd. In het noorden van Frankrijk waren 94 Franse divisies en tien Britse divisies van de BEF.

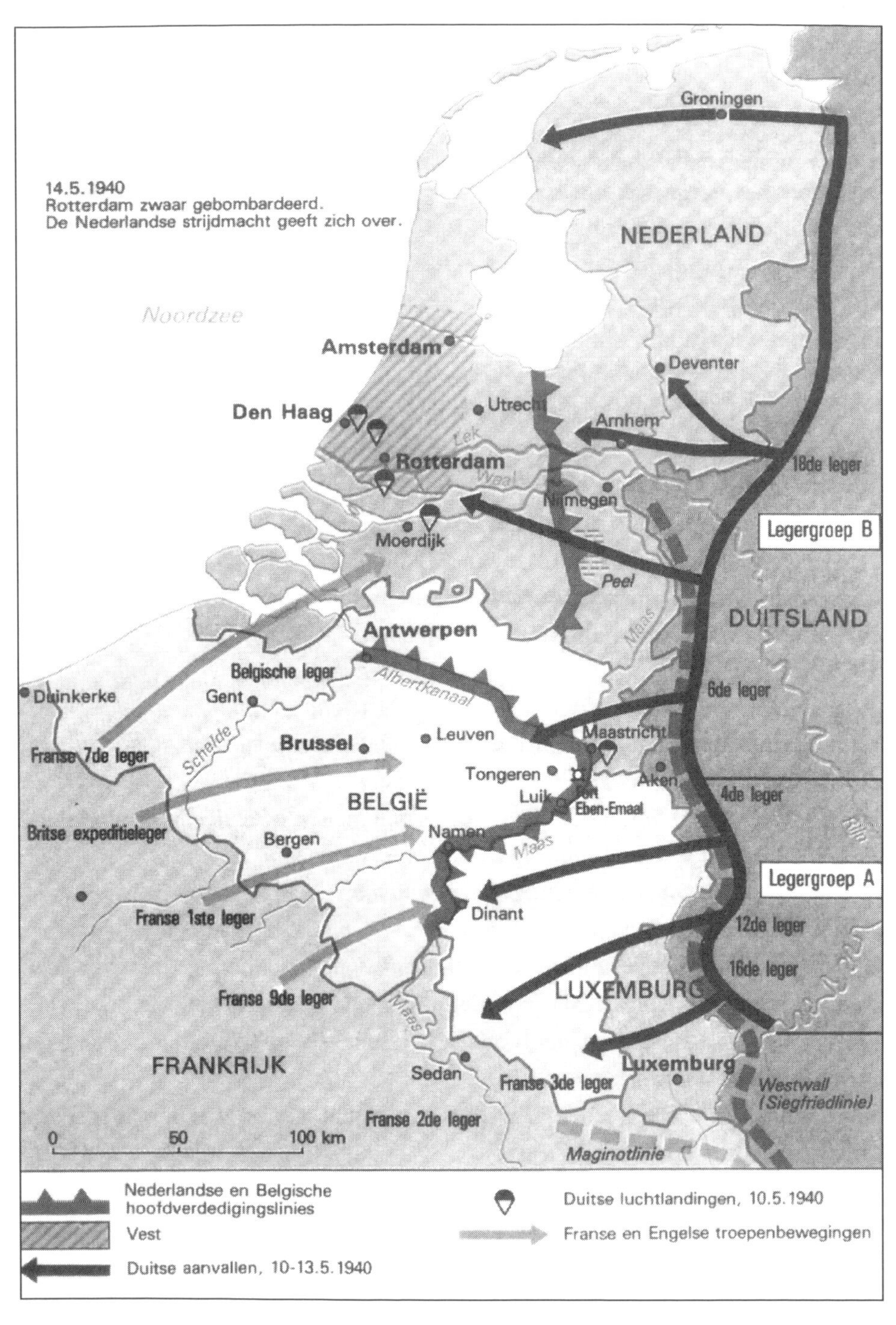

| *Westelijk front in mei 1940.*

Ondanks dat konden de Britten en Fransen na 25 dagen van gevechten met moeite een deel van hun troepen redden via de stranden van Duinkerken tijdens de indrukwekkende operatie 'Dynamo'. Daarbij moesten ze verreweg het grootste deel van hun zware wapens en uitrusting op de stranden achterlaten. Bij deze vergelijking van troepensterktes en dagen volgehouden tegenstand, steekt de Nederlandse strijd van vijf dagen, redelijk gunstig af.

Maar oorlog is niet alleen een kwestie van aantallen. Eén van de belangrijkste factoren bij oorlogvoeren is moreel en de wil om weerstand te bieden en stand te houden. Nederland had ruim honderd jaar een doelbewust neutraliteitsbeleid gevoerd. Dat paste goed bij de christelijk-pacifistische mentaliteit van het grootste deel van de bevolking. Hierdoor was defensie vele jaren het stiefkind geweest. Training en opleiding vond men vaak te duur en werden daardoor verwaarloosd. Het grootste deel van bewapening en uitrusting bij het leger was sterk verouderd. Niemand had enige gevechtservaring. We waren als land argeloos, vrij naïef en sterk naar binnen gericht. De fysieke en psychische overmacht van de goed en modern uitgeruste, bewapende en getrainde tegenstander, was te groot. Nu, ruim zestig jaar later moet nogmaals keihard en nuchter vastgesteld worden, dat een militaire nederlaag onontkoombaar was. Zelfs met een moderne en betere bewapening, uitrusting en training en afgezien van de druk van luchtbombardementen op de grote steden in het westen, had Nederland in mei 1940 op zijn gunstigst zonder hulp van geallieerde troepen, de vijand *minimaal één, hooguit twee weken langer* buiten de deur te houden.

Toch mag ruim een halve eeuw later geconstateerd worden dat we met ere hebben verloren. We moeten nog steeds diep respect hebben voor de vele, meestal jonge dienstplichtige soldaten, onderofficieren en officieren, die *wel* hardnekkig standhielden en sneuvelden. Zij verdedigden met het offer van hun leven een rechtsstaat, waar democratie en vrijheid heerste. Hun tegenstander was een overmachtige vijand, die geleid werd door politieke fanaten, die dictatuur en racisme hoog in hun vaandel voerden. Helaas was de verloren vijf dagen oorlog in mei 1940, niet het einde van de ellende. Het zou blijken het begin te zijn van vijf jaren onderdrukking en ontberingen, voor een groot deel van de Nederlandse bevolking.

HOOFDSTUK 3

Eerste jaar van de bezetting 1940-1941

3-1 Nieuw regime

De snelle successen van de Duitse legers bij de veldtocht in het westen, steeg Hitler al gauw naar het hoofd. In 1940 waren de meeste van zijn generaals bepaald geen supporters van de nazi-ideologie of lid van de nazi-partij. Eén van de uitzonderingen hierop was de chef van de weermachtstaf generaal Keitel. Die volgde en gehoorzaamde vanaf 1933 Hitler slaafs en klakkeloos. Het gros van de generaals was zelfs als 'professional' verbluft over de geweldige successen van hun eigen krijgsmacht tijdens de uitvoering van 'Plan Geel'. Hierdoor kregen zij een zekere vorm van appreciatie voor de onorthodoxe benadering van Hitler ten aanzien van aanvalsstrategieën. Naast zijn visie op militaire veroveringen (Hitler was tijdens de Eerste Wereldoorlog korporaal geweest in het Duitse keizerlijk leger en bij gevechten gewond geraakt), had hij een specifieke, indringende en troebele visie op menselijke rassen. In die hitleriaanse mystiek-occulte gedachtewereld, werd de wereld bevolkt door supermensen (*Übermenschen*) en inferieure mensen (*Untermenschen*). Hitler had van zijn rassentheorie nooit een geheim gemaakt. In zijn boek *Mein Kampf*, fulmineerde hij heftig tegen 'het wereldcomplot van het jodendom' en gaf daarin uitvoerig aan dat de joden een gevaar opleverden voor Duitsland en andere landen. Helaas hadden maar weinigen dit boek ooit gelezen, laat staan wat erin stond enigszins serieus genomen.

Vanuit Hitler's wereldbeeld, behoorden in de eerste plaats joden tot de categorie *Untermenschen*. Tot deze categorie inferieuren behoorden in die ideologie verder onder meer ook zigeuners, negers, Slavische volken, homoseksuelen en geestelijk gehandicapten. Zijn ideologie achtte het noodzakelijk dat deze 'untermenschen' uit de samenleving verwijderd moesten worden of op zijn minst geen gelegenheid moesten krijgen zich verder voort te planten. Tot de *Übermenschen* behoorden vooral de Noord-Europese Germaans/Nordische volkeren, zoals natuurlijk de Duitsers en de Oostenrijkers, Anglo-Saksen, Nederlanders en de Scandinavische volkeren. Deze 'superieure' mensen zouden qua 'ras' herkenbaar zijn door blond haar, grote(re) lengte en blauwe ogen. Er was natuurlijk geen enkel wetenschappelijk bewijs voor een dergelijke onzinnige rassentheorie. Het was een soort banaal en simplistisch sociaal darwinisme. In nazi-Duitsland was de wetenschap ondergeschikt gemaakt aan de nazi-ideologie. Door de nazi-top werd het geloof in de rassentheorie zelfs tot wet ver-

| *Installatiebijeenkomst van Duits bestuur in Ridderzaal te Den Haag.*

heven in de vorm van de Neurenberger rassenwetten van 1935. Deze wetten troffen vooral de joden. Onder invloed van dit racistische gedachtegoed meende Hitler met de Britten als 'Germaans volk' wél tot overeenstemming te kunnen komen. Vanwege Hitlers visie op de 'Germaanse' volkeren, waren de instructies voor het Duitse leger zodanig, dat ze het Nederlandse 'Germaanse broedervolk' enigszins vriendelijk moesten behandelen.

Nu Nederland veroverd gebied was, installeerden de Duitsers zo spoedig mogelijk een nazi-(civiel-)bestuur. Op wat langere termijn moest Nederland rijp worden gemaakt om op te gaan in het 'Groot Germaanse Rijk'. Als 'opperbaas' voor dit bestuur haalde Hitler zijn landgenoot Seyss-Inquart uit Polen. Daar bekleedde hij in voorjaar 1940 een nazi-bestuursfunctie. Het nieuwe bestuur werd door Hitler snel benoemd. De officiële plechtigheid voor de installatie vond op 29 mei plaats in de Haagse Ridderzaal op het Binnenhof. Het was natuurlijk weloverwogen, dat de plechtigheid geschiedde in dezelfde zaal waar normaal het parlementaire jaar met de troonrede werd geopend. Gedurende deze ceremonie namen de hoogste militaire autoriteit (luchtmachtgeneraal F.C. Christiansen) en de hoogste civiele autoriteit (rijkscommissaris dr. A. Seyss-Inquart) officieel het gezag over Nederland in handen. De gebeurtenis werd bijgewoond door vooral Duitse militaire en burgerlijke autoriteiten. De Nederlandse secretarissen-generaal (SG) van alle departementen waren ook aanwezig. Ze hadden hierover eerst intensief overleg gepleegd met generaal Winkelman. Winkelman zelf was heel doelbewust door de Duitsers niet uitgenodigd, hoewel hij officieel in feite nog steeds de hoogste Nederlandse burgerlijke en militaire gezagsdrager was.

Dr. Seyss-Inquart was van huis uit, net als Hitler, een Oostenrijker. Het was een intelligente, wat vormelijke man. Al sinds 1937 was hij een uitermate trouwe vazal van Hitler. Hij speelde een belangrijke politieke rol voor de aansluiting van Oostenrijk bij het Duitse rijk in 1938. Vóór zijn benoeming in Nederland, was hij plaatsvervangend gouverneur-generaal in bezet Polen geweest. Ondanks zijn eruditie, was hij een overtuigd lid van de NSDAP en bijzonder loyaal aan Hitler en de partij. Toch behoorde hij niet tot de kerngroep van de nazi-top. Zijn sobere levenswijze, zijn culturele interesses en zijn van origine katholieke geloof, pasten niet bij de racistische en vrij vulgaire smaak van de meeste mannen aan de top van de nazi-hiërarchie.

In zijn eerste speech maakte Seyss-Inquart duidelijk dat Duitsland en Nederland met elkaar verbonden waren door hetzelfde Germaanse bloed. Hij beweerde dat het niet zijn bedoeling was de nazi-ideologie aan Nederland op te dringen. De Nederlanders werd verzekerd dat hun nationale wetgeving 'zoveel mogelijk' van toepassing zou blijven. Dit betekende wel dat die wetgeving niet in strijd mocht zijn met Duitse belangen! De toekomst zou helaas leren dat deze vage garantie een wel een erg rekbaar begrip was.

Hitlers decreet van mei over de bestuurlijke autoriteit in Nederland, gaf aan dat Seyss-Inquart zou regeren door middel van decreten en wetten. Bij dit 'toezichthoudend bestuur', kwam het er op neer dat de Duitsers stuurden en de Nederlanders bestuurden. Na overleg met Winkelman en uitgebreide onderlinge discussies, zouden de Nederlandse SG's en hun ambtelijke apparaat zoveel mogelijk met hun gewone werk doorgaan. Alle SG's hadden met deze regeling ingestemd, hoewel er enkelen waren die hierover toch wel ernstige bedenkingen hadden. De SG bij Defensie kwam al spoedig in conflict met de Duitsers en werd ontslagen. Een andere SG (departement van Arbeid) trad in augustus af omdat hij niet langer kon samenwerken met de Duitsers. De resterende SG's dachten door samenwerking met de Duitsers een buffer te kunnen vormen tussen het Duitse bestuur en de belangen van de Nederlandse burgers. Ze meenden in hun wat naïeve, maar wel oprechte manier te kunnen voorkomen dat de Duitsers te veel greep zouden krijgen op de ambtenaren en bevolking. Ze hadden toen nog niet in de gaten dat ze met en door deze samenwerking, zich op zeer glad ijs zouden gaan begeven.

Hun enige houvast was de (geheime) 'Aanwijzing' van het Kabinet uit 1937. Deze 'Aanwijzing' was bij hen bekend. De meeste lagere ambtenaren en veel burgemeesters waren in het geheel niet op de hoogte van deze 'Aanwijzing'. Veel hoge ambtenaren en burgermeesters hadden wel een map waarin deze 'Aanwijzing' zat, maar die was geclassificeerd en slechts weinigen hadden die vóór mei 1940 ooit geopend. In die 'Aanwijzing' stond onder meer:

> *'Ambtenaren moeten in het geval van een bezetting door een buitenlandse macht, hun werkzaamheden continueren als het nadeel van de bezetter dienen, in het algemeen geringer zou zijn, dan het grotere nadeel dat voor de bevolking zou voortvloeien uit het niet meer functioneren van het eigen bestuursapparaat.'*

Het zou al die bestuurders in de toekomst regelmatig op het glibberige snijvlak van collaboratie, het echte belang van de Nederlandse burgers en hun eigen geweten brengen. Hoewel het in het eerste begin de schijn had dat de Duitsers zich niet te veel met het directe bestuur zouden bemoeien, bracht Seyss-Inquart voor zijn 'opper'-bestuur een staf van ruim zeshonderd Duitsers mee. Dit zou geleidelijk uitgroeien tot meer dan duizend man. De meesten van hen zouden op sleutelposities de Nederlandse bestuurders controleren en in feite ook bespioneren.

De hoogsten van deze nieuwe 'opper'-bestuurders waren vier commissarissen-generaal. Zij werden in juni officieel aangesteld. F. Schmidt werd commissaris-generaal voor 'Speciale Aangelegenheden' (vraagstukken betreffende de vorming van de openbare mening en niet-economische verenigingen). F. Wimmer werd belast met 'Bestuur en Justitie'. Dr. H. Fischböck werd de man voor 'Financiën en Economie'. Eén van de persoonlijke en niet mis te verstane instructies die Hitler meegaf, was dat 'de Nederlandse industrie zoveel mogelijk ingeschakeld moest worden om de Duitse oorlogsindustrie te ondersteunen'.

De vierde, in feite machtigste en meest sinistere van de commissarissen-generaal, was SS-brigadegeneraal H.A. Rauter. Hij was een fanatieke nazi en belast met 'Openbare orde en Veiligheid'. Deze functie omvatte ook de functie van hoogste SS-'baas' en hoogste politiechef in Nederland. In zijn functie was hij de belangrijkste autoriteit belast met de controle op de gehele Nederlandse politie organisatie. Rauter was een landgenoot van Seyss-Inquart, maar qua karakter, persoonlijkheid en mentaliteit, van een heel ander kaliber. Hij behoorde tot de radicale en fanatieke vleugel van de nazi's. Hij had een zeer actieve rol bij de nazi-sympathisanten in Oostenrijk gespeeld in begin jaren dertig. In 1933 werd in zijn geboorteland de grond hem te heet onder zijn voeten en vluchtte hij naar Duitsland. Daar maakte hij rap carrière in de SS. Hij kwam in persoonlijk contact met Heinrich Himmler en wist diens vertrouwen te winnen. Functioneel was hij ondergeschikt aan Seyss-Inquart. Door zijn directe contact met Himmler, was hij in Nederland op het gebied van (politieke) veiligheidsaangelegenheden formeel niet, maar in feite onafhankelijk opererend van Seyss-Inquart.

De commissarissen-generaal hadden de bevoegdheid om decreten te ontwerpen en van kracht te verklaren. Door deze constructie, had Seyss-Inquart met zijn commissarissen-generaal volledige bestuursbevoegdheid en konden zij alle Nederlandse ambtenaren (inclusief de SG's) gebruiken voor Duitse doeleinden. Het Nederlandse parlement werd al eind juni naar huis gestuurd. Vanaf het eerste begin van de bezetting (hetzelfde gold voor de andere bezette gebieden in Europa), beschouwde het nazi-regime iedere actie die conflicteerde met de nazi-ideologie en de belangen van Duitsland, primair als een criminele daad. Voor controle op en handhaving van de openbare orde, had Rauter – behalve het gehele Nederlandse politieapparaat – ruim zeshonderd Duitsers ter beschikking. Die Duitse politie-eenheden bestonden uit de veiligheidspolitie (*Sicherheitspolizei*), de veiligheidsdienst (SD = *Sicherheits Dienst*) en de ordepolitie (*Ordnungspolizei/Grüne Polizei*, vanwege hun groene uniformen). De SD werd ook wel Gestapo (*Geheime Staats Polizei*) genoemd. Hun aantallen mochten niet groot zijn, maar hun invloed en bevoegdheden gingen zeer ver. De aan een rechtsstaat gewende Nederlandse burgers, zouden spoedig ervaren dat de Duitse politie er andere maatstaven over veiligheid op na hield, dan men in ons land van oudsher gewend was.

Wat was de reactie van de Nederlandse bevolking in de maanden mei en juni op de dramatische en ingrijpende veranderingen die in het land hadden plaatsgevonden? Op het platteland merkte men nog maar weinig van veranderingen, in de steden duidelijk meer. In zijn proclamatie van 14 mei had generaal Winkelman de burgers gevraagd om met waardigheid en in alle rust, te reageren op de bezetting van het land. De meeste mensen waren na de capitulatie nog steeds in een geestesgesteldheid die neerkwam op een mengeling van verbijstering, boosheid, opluchting, angst en onzekerheid. Men begreep niet hoe het mogelijk was geweest dat het land in vijf dagen onder de voet was gelopen. Geruchten dat dit veroorzaakt was door verraad, circuleerden ruimschoots rond. Direct na de capitulatie heerste bij de meeste burgers angst voor plundering en wangedrag door de Duitse soldaten. Een paar honderd mensen hadden zelfmoord gepleegd uit vrees voor Gestapo-terreur. Toen het bleek dat de Duitse militairen zich correct en zelfs vriendelijk gedroegen, verdween geleidelijk de paniek en angst. Men werd zelfs nieuwsgierig wat de toekomst zou gaan brengen en kreeg hoop dat de normale draad van het dagelijks leven weer opgepakt kon worden. Een mentaliteit van de oorlogsschade herstellen, puinruimen en de handen uit de mouwen steken, werd de algemene trend. Het gewone leven hervatten, werd als de beste remedie gezien om de vijf bange oorlogsdagen zoveel mogelijk te vergeten.

In de nieuwe bezettingssituatie hadden de Duitsers niet genoeg mankracht om overal aanwezig te zijn. Vooral op het platteland zag men maar af en toe een enkele Duitser. In de steden was dat geheel anders. Daar was hun fysieke aanwezigheid veel duidelijker zichtbaar en voelbaar. Ondanks dat het gedrag van de bezetters in het begin meeviel, was er toch vanaf het begin enige wrevel tegen de buitenlandse overheersers. Dit leidde regelmatig tot kleine pesterijen. Zo kwam het vrij algemeen voor dat Duitsers die de weg vroegen, bewust de verkeerde kant op werden gestuurd. Vooral in de steden werd men al gauw keihard geconfronteerd met het ingrijpende fenomeen van 'verduistering'. Van zonsondergang tot zonsopkomst mocht van ieder huis geen enkel licht naar buiten schijnen. De nieuwe bepaling werd voortdurend gecontroleerd door de Nederlandse en Duitse politie. Op overtreding stonden flinke boetes. De verduisteringsbepalingen werden al op 15 mei ingevoerd en duurden tot het einde van de oorlog in 1945. Het lijkt een kleinigheid, maar deze verduisteringsplicht legde toch een behoorlijke druk op de huishoudens, omdat de controle voortdurend en scherp was en de boetes fors.

Hitlers welwillendheid ten opzicht van het Nederlandse 'Germaanse broedervolk', bleek kort na de capitulatie. Eind mei beval hij dat de ongeveer 22 duizend in Duitsland als krijgsgevangenen vastgehouden Nederlandse militairen, naar huis mochten terugkeren. Dit gebaar lijkt nu onbetekenend, maar in Hitlers optiek was het een zeer grootmoedig gebaar. Ter vergelijking moet opgemerkt worden, dat de omstreeks twee miljoen (1 850 000) Franse krijgsgevangenen in Duitsland, na de Franse capitulatie in juni, in Duitsland werden vastgehouden. Zij bleven vijf jaar

| *Prominente parade van Duitse troepen op het Lange Voorhout te Den Haag.*

lang verstoken van huis en haard en werden al die jaren als slavenarbeiders ingezet voor de Duitse (oorlogs)industrie! De thuiskerende Nederlandse krijgsgevangenen werden in eigen land warm onthaald. Hun verhalen over die paar weken krijgsgevangenschap waren niet juichend. Ze waren niet slecht behandeld. Hun grootste klachten gingen over magere etensrantsoenen, zeer povere accommodatie en wasfaciliteiten en eindeloze appèls. Hitler had bevolen dat het Nederlandse leger in juni gedemobiliseerd moest worden. Eigenlijk was er een hoogst merkwaardige situatie. Bij de ondertekening van de capitulatie, was generaal Winkelman nog steeds officieel opperbevelhebber van de krijgsmacht. Hij had ook na die ondertekening nog de beschikking over zijn eigen militaire staf. Op 13 mei had hij van het vertrekkende kabinet alle civiele en militaire bestuursbevoegdheden over het land gekregen. Het was daarom niet te verwonderen dat de bezetters zo snel en onopgemerkt mogelijk van hem af wilden. De formeel en ambtelijk ingestelde SG's beschouwden in mei en juni Winkelman nog steeds als de hoogste Nederlandse bestuursautoriteit. Over belangrijke beslissingen pleegden de SG's overleg met hem. Dit zat Seyss-Inquart meer en meer dwars en het leek hem zoiets als twee kapiteins op één schip. De Duitsers piekerden over allerlei wegen om Winkelman zo gauw en geruisloos mogelijk kwijt te raken.

Om op een ordelijke manier het grote aantal militairen te kunnen demobiliseren, werd bepaald dat ze eind mei moesten terugkeren naar de plaatsen waar ze op 9 mei gelegerd waren geweest. Ze moesten zich op die plaatsen laten registreren en al hun militaire uitrusting en persoonlijke wapens die ze nog in bezit hadden, inleveren. Winkelman had opdracht gegeven dat alle dienstplichtigen die konden aantonen dat ze een baan hadden, de volgende dag naar huis mochten. Binnen drie weken was de meerderheid van de bijna driehonderdduizend man van de krijgsmacht, gedemobiliseerd. De beroepsmilitairen moesten een 'erewoordverklaring' tekenen. Dit hield in dat ze een papier ondertekenden, waarin ze onder meer beloofden 'niet deel te nemen aan de strijd tegen Duitsland' en 'geen handelingen te begaan of verzuim te plegen, waardoor het Duitse Rijk schade zou kunnen lijden'. Wie niet tekende, zou als krijgsgevangene direct worden afgevoerd naar een krijgsgevangenkamp in Duitsland. Dit wel of niet tekenen, bracht de meeste militairen (in het bijzonder de officieren die een eed van trouw aan de koningin hadden afgelegd) in gewetensnood. Ongeveer zeventig officieren en militairen van lagere rang, weigerden zeer beslist om die verklaring te tekenen. Zij werden in juli inderdaad afgevoerd naar Duitsland. Omstreeks zestienduizend beroepsmilitairen tekenden wel en konden als gedemobiliseerden naar huis terugkeren.

De officieren die wel hadden getekend en later opgepakt werden omdat ze deelnamen aan illegaal werk, maakten een goede kans op langdurige gevangenisstraf en in het ergste geval, zelfs op de doodstraf. Vrij veel van de ontslagen beroepsmilitairen, vonden spoedig werk bij politie, douane of soortgelijke civiele overheidsinstellingen. Omstreeks drieduizend man werden gerekruteerd voor een nieuw fenomeen, de Opbouwdienst. Deze semi-militaire, maar wel ongewapende organisatie, groeide redelijk snel uit tot een aantal van zestigduizend man. De leiding kwam in handen van de reserveofficier majoor Breunese. Die stond bekend vanwege zijn bijzondere organisatietalenten. Hij was politiek niet geëngageerd en dat maakte hem voor de Duitsers acceptabel. In eerste opzet, was de Opbouwdienst bedoeld om te assisteren bij grote projecten die nodig waren om de ontstane vernielingen door de oorlogvoering, te herstellen. Een tweede opzet was te voorkomen dat de tienduizenden ex-dienstplichtigen werkeloos zouden worden. De Duitsers vertelden doelbewust niet dat hun langetermijnplanning was om de Opbouwdienst te transformeren naar het model van de (verplichte) Duitse Arbeidsdienst. Onder het nazi-bewind bestond deze dienst in Duitsland al ettelijke jaren. Het was daar een van de vele instrumenten om jongemannen en vrouwen verder te indoctrineren in het nazi-gedachtegoed.

Generaal Winkelman irriteerde het Duitse bestuur al voor de officiële machtsovername eind mei in de Ridderzaal, ettelijke malen. Twee dagen voor de ceremonie verzond hij brieven met instructies over samenwerking met de Duitsers. Hij bepaalde dat het *niet* was toegestaan aan staatsbedrijven en private ondernemingen, om met de Duitsers samen te werken voor militaire productie en reparaties van wapens voor de Duitse krijgsmacht. Ruim een week daarvoor had Winkelman via de pers laten weten dat productie van militaire uitrusting voor de Duitsers door private bedrijven, gestopt moest worden. Veel ondernemers die hun werknemers aan de slag wilden houden, hadden grote moeite met deze instructies. Zij probeerden hem te bewegen zijn instructies te verzachten. Winkelman bleef zich onverzettelijk vasthouden aan zijn oorspronkelijke standpunt. Begin juni deelden de Duitsers Winkelman mee dat hij zich voortaan alleen met de demobilisatie van de Nederlandse krijgsmacht mocht bemoeien. Winkelman interpreteerde dit zeer ruim en kwam omstreeks een week later voor de zoveelste maal in conflict met de Duitsers.

Begin juni namelijk, bezocht rijksmaarschalk Hermann Göring Nederland. Tijdens een bespreking met Seyss-Inquart ontmoette Göring Winkelman persoonlijk. Göring maakte een vleiende opmerking over het Nederlandse 'Germaanse' broedervolk. Toen Winkelman duidelijk maakte dat hij niet gediend was van dit soort complimenten, volgde een redelijk fel twistgesprek. In de Duitse optiek had Winkelman geen enkel respect getoond voor Göring en dat stond in de nazi-'religie' ongeveer gelijk aan doodzonde. Er waren nog ettelijke andere malen dat Winkelman stevig over bestuurlijke zaken en zijn bevoegdheden, in conflict kwam met Seyss-Inquart en het nieuwe regime. Winkelman toonde de Duitsers in deze eerste weken voortdurend zijn resolute, koppige, onverschrokken, kritische, weinig flexibele en nauwelijks op samenwerking gerichte instelling en karakter. Dit moest natuurlijk grandioos fout lopen en dat gebeurde dan ook spoedig. Kort na Anjerdag lichtten de Duitsers hem geruisloos thuis van zijn bed en arresteerden hem. Per auto werd hij begin juli onmiddellijk overgebracht naar een krijgsgevangenkamp voor officieren in Duitsland. Hij bleef daar in gevangenschap tot het einde van de oorlog.

In de officiële toespraak van Seyss-Inquart had de rijkscommissaris gegarandeerd dat de bezetters het Nederlandse rechtssysteem zouden respecteren. In de werkelijkheid zou blijken dat deze toezegging alleen inhield dat het gold voor geringere (criminele) misdaden zoals diefstal, verkrachting, niet-politiek geweld, zwarte markthandel, ernstige verkeersmisdrijven et cetera. Deze misdrijven werden door de Nederlandse rechter berecht en de verdachten werden verdedigd door Nederlandse advocaten. Na vonnissing konden de veroordeelden in hoger beroep gaan volgens de regels van het Nederlandse strafrecht. Voor delicten tegen de Duitse autoriteiten, militairen, objecten of andere zaken die direct gericht waren tegen het nazi-(politieke)systeem, moesten de verdachten verschijnen voor een Duitse militaire rechtbank of een Duitse burger- of SS-rechtbank in Nederland. Deze verdachten werden berecht en veroordeeld volgens de Duitse nationale wetten. De strafmaat kon daarbij variëren van vrijspraak tot gevangenisstraf, tuchthuis of zelfs de doodstraf. Bij de Duitse rechtbanken was er geen mogelijkheid voor hoger beroep. De procesvoering voor deze rechtbanken was meestal niet langer dan een week. Gratie kon eventueel aangevraagd worden. Wanneer in het geval van de doodstraf, geen gratie werd verleend, werd de terechtstelling doorgaans binnen een week daadwerkelijk uitgevoerd. Al een jaar na het begin van de bezetting, bleek uit een nieuwe Duitse wetgeving eind juli 1941, dat de doodstraf bijna standaard was voor daden van geweld tegen iedere Duitse militair, een lid van de Waffen SS, Duitse politieman of Duitse officiële autoriteiten. Het bezit van wapens door burgers, kon eventueel ook de doodstraf betekenen.

Enige maanden later maakte een nieuw decreet duidelijk, dat iedere daad die de openbare orde en veiligheid verstoorde, beschouwd kon worden als sabotage.

Voor dit soort daden was eveneens de doodstraf een meer waarschijnlijke straf. Het opsporen en aanpakken van tegen de Duitsers gerichte vijandelijke activiteiten, was geen taak voor de Nederlandse politie. Meestal zorgde de Gestapo of de SD voor de onderzoeken, opsporingen en arrestaties. In de regel werden ze hierbij geassisteerd door de Duitse politie. Wanneer het een zaak van spionage betrof, nam de Duitse militaire contraspionagedienst de zaak in handen. In sommige minder ernstige gevallen van verstoring van de openbare orde werd ook de Nederlandse politie door de bezetters ingeschakeld om arrestaties uit te voeren. Naast de geüniformeerde Duitse politiemannen hadden de SD en de Gestapo vele agenten in burger rondlopen. Deze hielden zich bezig met spioneren, onderzoeken uitvoeren en arrestaties verrichten. Ze bemoeiden zich met van alles wat de Duitsers schade zou kunnen berokkenen of vijandig leek ten opzichte van het nazi-regime. Wanneer bij delicten politieke aspecten aanwezig waren (en dat vonden de nazi's al vrij gauw), werden arrestaties en verhoren bijna altijd door de SD en de Gestapo uitgevoerd. Naast al deze officiële procedures en regelgeving, hadden vanaf het begin van de bezetting de SD en de Gestapo de bevoegdheid om verdachten *zonder enigerlei rechtszaak* naar een Duits concentratiekamp te zenden.

Toen de oorlog steeds langer duurde en de oppositie en het verzet tegen de bezetters toenam, kwam Hitler in december 1941 met het *Schutzhaft/Nacht und Nebel Erlass*. Deze bijzondere instructie onderstreepte dat gearresteerde mannen en vrouwen van het verzet zonder enige vorm van proces naar een concentratiekamp moesten worden gezonden. In augustus 1944 (na de mislukte moordaanslag op Hitler) ging Hitler nog een stap verder. Hij gelaste toen dat verzetsmensen op de plaats van hun arrestatie geëxecuteerd moesten worden. In de eerste maanden van de bezetting zag het er allemaal nog niet zo somber uit. Na de aanvankelijke ontwrichting en verslagenheid, nam men de draad van het gewone leven weer op en trachtte men onder het nieuwe regime zo normaal mogelijk verder te gaan.

Een deel van de verslagenheid onder de bevolking, was ontstaan door het plotselinge vertrek van de Koningin en het zittende kabinet naar Engeland. Veel militairen, politiemensen en ambtenaren, maar ook vele gewone burgers, vonden deze 'vlucht' als een soort 'in de steek gelaten worden' door de koninklijke familie en de politici. Onder de bevolking leefde in mei 1940 nog de wat naïeve hoop, dat de bezetting niet lang zou duren. Men had toen nog de ijdele hoop dat de legers van het machtige Frankrijk en Engeland, de Duitse opmars zouden stoppen. Na de capitulatie van de Belgen eind mei, de ontsnapping van de Engelsen van de stranden van Duinkerken tussen 16 mei en 4 juni en de capitulatie van de Fransen eind juni, was die hoop al gauw volledig in rook opgegaan.

Men begon zich geleidelijk te realiseren, dat de bezetting wel wat langer zou kunnen gaan duren. Misschien kon het een paar maanden en in het somberste geval wellicht zelfs wel een paar jaar doorgaan. Het werd een noodzaak dat men zich hierop in het dagelijkse leven helemaal moest instellen en aanpassen. Aanpassen ja, maar in hoeverre moest en kon dat; en wat hield het in om onder de nogal veranderde omstandigheden gewoon te kunnen leven en overleven? In de komende jaren zouden velen met dit 'aanpassings'-probleem direct geconfronteerd worden. Om te weten hoe te handelen, moesten veel burgers daarvoor bij hun eigen geweten te rade gaan. Een van de belangrijkste instituties die hierbij duidelijk richting en enig houvast gaven, waren de kerken.

3-2 Germanisering

Seyss-Inquart had in mei mooie woorden gebruikt over het Duitse 'opper'-bestuur. Argeloos zoals men toen nog was, geloofde men hem en hadden de meeste mensen de indruk dat de Duitse invloed wel zou meevallen. Men had beter kunnen weten. Een blik op het verleden en kijkend naar de ontwikkelingen in Duitsland had terecht argwaan kunnen oproepen. Toen de nazi-partij aldaar in 1933 aan de macht was gekomen, had men met een kritische blik kunnen observeren dat die nazi-partij de volledige macht over alle aspecten van het dagelijks leven onopvallend maar zeer indringend onder controle had gekregen. Daardoor was heel snel het bestaande democratisch bestel in de Weimar-republiek om zeep geholpen

Bovendien was in mei 1940, anders dan in de jaren 1933-1939, Duitsland nu verwikkeld in een 'hete' oorlog met Engeland. In Engeland was de aanvankelijk naar compromissen zoekende Chamberlain vervangen door de wilskrachtige Churchill. De Britse bevolking met Churchill voorop was niet langer bereid naar Hitlers voorstellen over vrede of een andersoortig vergelijk, te luisteren. In een dergelijke oorlogstoestand, waren andere maatstaven nodig en Seyss-Inquart en zijn bestuurders hadden duidelijke orders uit Berlijn, om het Nederlandse 'Germaanse' broedervolk stap voor stap te 'Germaniseren'. Hiermee kon het land onder controle worden gehouden en rijp worden gemaakt voor eventueel toekomstige invoeging bij het 'Groot Germaanse Rijk'. Bovendien was het uitermate belangrijk, ja, zelfs noodzakelijk, om Nederland zoveel mogelijk in te schakelen voor de Duitse oorlogsproductie. Al met al redenen genoeg voor de bezetters om allerlei instituties en organisaties systematisch om te bouwen naar het nazi-model.

Al vrij spoedig kwam het Duitse bestuur met een regen van decreten. Zelfs al voor Seyss-Inquart officieel van start was gegaan, hadden de Duitsers een listige greep op de radio-omroep en de vrije pers gedaan. Een zekere mijnheer Hushahn was reeds meerdere jaren vóór 1940 cultureel attaché bij de Duitse ambassade in Den Haag. Hij was zelf opgegroeid in Nederland. Zijn vervolgstudie had hij gedaan in Duitsland, waar hij lid werd van de nazi-partij. Hij sprak vloeiend Nederlands en kende de Nederlandse pers en radio-omroep op zijn duimpje. Als cultureel attaché, probeerde hij vóór mei 1940 in Nederland sympathie te wekken voor nazi-Duitsland. Direct na de capitulatie, reisde hij spoorslags naar Amsterdam, waar het ANP (Algemeen Nederlands Persbureau) zijn hoofdkantoor had. Hij nam de controle over van de directie en ontsloeg de volgende dag twee joodse directeuren. Hij stelde twee Duitse redacteuren aan en dwong de algemeen directeur om 'absolute gehoorzaamheid aan de Duitse bezettende macht' te accepteren. Dezelfde dag ontvingen de Nederlandse dagbladen een instructie van de hoogste Duitse militaire bevelhebber in Nederland. Zij moesten allemaal in de kranten van 17 mei op pagina 1 in de linkerbovenhoek het volgende bericht afdrukken: 'De Nederlandse dagbladen verschijnen tijdens het Duitse bestuur zonder voorcensuur van de militaire autoriteiten. Deze toegefelijke houding, *veronderstelt een absolute loyaliteit van zowel uitgevers, als redacteuren.*' In een begeleidend schrijven werd zonneklaar duidelijk gemaakt dat dit inhield dat alleen nieuws gepubliceerd zou worden dat *afkomstig was van officiële Duitse bronnen*. Het was *niet* toegestaan te verwijzen naar andere buitenlandse bronnen. Bovendien moesten de kranten iedere dag het officiële dagelijkse communiqué van het Duitse legerhoofdkwartier in Berlijn afdrukken.

De week daarop ontving het bestuur van de Nederlandse Dagbladpers het bericht, dat het niet langer gewenst was dat joodse mensen belangrijke functies bij de krantenpers vervulden. Er waren maar weinig redacteuren die tegen deze discriminerende maatregel protesteerden. Wie wel protesteerde, werd onmiddellijk ontslagen. Op 19 mei gingen Duitsers bij Haagse boekwinkels, anti-Duitse boeken in beslag nemen. De secretaris van de branchevereniging van boekverkopers adviseerde hierna de leden om anti-Duitse boeken uit de circulatie te nemen. Twee hoofdambtenaren van het ministerie van Binnenlandse Zaken, werd opgedragen om alle anti-Duitse films uit de circulatie te halen.

Ten aanzien van de radio-omroepen hadden de Duitsers de controle ook zorgvuldige voorbereid. Een special team onder leiding van de Duitser Freudenberg ging direct op 15 mei naar Hilversum. Zij ontdekten daar dat alle apparatuur van de omroepen nog geheel intact was. Twee dagen later trommelde Freudenberg alle directieleden van de verschillende omroepen op voor een bespreking in de AVRO-studio. Hij deelde mee dat – als de omroepen zich onthielden van anti-Duitse berichtgeving – zij hun omroepactiviteiten mochten voortzetten. Zij zouden niet gedwongen worden om Duitse politieke propaganda uit te zenden. De directie kon met deze regeling instemmen en op 20 mei kwamen de omroepen weer normaal in de lucht. Voor dagelijkse controle 'op afstand' stelden de Duitsers een omroepcontrole-organisatie in. Deze snelle 'houd'-greep van de Duitsers op pers en omroep, was binnen een week uitgevoerd. Dit was in de tumultueuze en onoverzichtelijke dagen direct na de capitulatie zo snel en geruisloos gegaan dat generaal Winkelman en de SG's hier niets van afwisten!

Zoals hiervoor vermeld, ging een van de eerste conflicten tussen Seyss-Inquart en Winkelman over de inschakeling van de Nederlandse industrie voor de Duitse oorlogsinspanningen. Vóór 1940 was Duitsland al een heel belangrijke handelspartner. Omstreeks 40 procent van de arbeidsbevolking was voor de oorlog werkzaam in de industrie. Import, export en handel waren daarnaast belangrijke onderdelen van de werkgelegenheid. Toen in 1939 de oorlog tussen Engeland en Duitsland uitbrak, ging de Engelse marine het scheepvaartverkeer in Het Kanaal en de Noordzee meer en meer controleren. In juni 1940 kondigden de Britten een totale blokkade af voor schepen van en naar het bezette West-Europa. Alle handel, aan- en afvoer van grondstoffen, agrarische producten en andere artikelen van overzee waren daardoor niet meer mogelijk. Voor de werkende bevolking van Nederland dreigde door deze blokkade massale werkloosheid.

Het Duitse bestuur dwong Winkelman zijn productieverbod aan de industrie in te trekken. De werkgevers zelf hadden bij hem op grond van een begrijpelijk opportunisme, herhaaldelijk ook aangedrongen op verzachting of intrekking van zijn verbod. Zonder nieuwe orders vreesden veel ondernemers dat ze hun bedrijf moesten sluiten. De SG's werd duidelijk gemaakt dat Nederlandse bedrijven opdrachten voor productie en levering aan de Duitsers moesten accepteren. Twee SG's brachten de moed op te protesteren tegen dit besluit. Zij beriepen zich op enige bepalingen hierover, in het internationaal volkenrecht. Seyss-Inquart legde die protesten gewoon naast zich neer. Begin juni werd een vergadering gehouden door de top van de Nederlandse metaalindustrie. Het door de vertegenwoordiger van de Duitse inspecteur-logistiek van het leger voorgelegde ultimatum over productie ten behoeve van de Duitse wapenindustrie, werd onder zwak protest uiteindelijk door de Nederlanders ondertekend. Enige directeuren van bedrijven weigerden hieraan mee te werken. Ze liepen het risico om buitengesloten te worden voor aanvoer van grondstoffen. Bovendien dreigden de Duitsers, dat weigerende directeuren vervangen zouden kunnen worden door een Duitse commissaris. De rauwe en nuchtere werkelijkheid was, dat de meeste directeuren in de industrie liever op de koop toe namen om voor de Duitsers te produceren. Daardoor konden ze hun werknemers tenminste in dienst houden. Dit verkozen ze noodgedwongen boven vervanging door een Duitse *Verwalter* of hun bedrijf moeten sluiten. De eerlijkheid gebiedt te onderstrepen, dat Duitse opdrachten aannemen en uitvoeren, eveneens betekende omzet draaien en winst maken! Het enige tegenwicht tegen deze coöperatieve houding van de meeste industriëlen was, dat sommige bedrijven veel later tijdens de oorlog opzettelijk de productie enigszins vertraagden of in incidentele gevallen, zo onopgemerkt mogelijk saboteerden.

Ondanks deze afgedwongen orders voor bedrijven, was het aantal werklozen na de capitulatie en demobilisatie van de dienstplichtigen, behoorlijk opgelopen. Het percentage werklozen bedroeg 40 procent van de arbeidsbevolking (in juni 1940 ongeveer vierhonderdduizend werklozen op een totale bevolking van bijna 9 miljoen Nederlanders). In Duitsland zelf waren veel jongemannen opgeroepen voor de grote legers die Europa aan het veroveren waren. De Duitse oorlogsindustrie draaide op volle toeren. Extra handen waren hard nodig. Bijna 2 miljoen Franse krijgsgevangenen waren gedwongen om in Duitsland te werken. Dat was nog steeds niet genoeg om de opengevallen plaatsen op te vullen. Al voor de installatie van Seyss-Inquart, was het ministerie van Sociale Zaken en Werkgelegenheid, aan de slag gegaan voor werving van werklozen. Zij probeerden werkzoekenden te stimuleren vrijwillig aan het werk te gaan in Duitsland. Deze acties sloegen niet erg aan. De meeste werklozen verkozen liever in Nederland van een magere uitkering rond te komen, dan in Duitsland te gaan werken. Een paar maanden later werd dan ook de vrijwilligheid opgeheven. Dit ging zelfs zo ver, dat het ministerie van Sociale Zaken een regeling uitvaardigde, die bepaalde dat wie niet in Duitsland wilde werken, de *uitkering zou kunnen verliezen*. Commissaris-generaal Fischböck en zijn assistenten hielden de tewerkstelling van de Nederlandse werklozen scherp in de gaten.

In 1941 waren omstreeks 120 duizend Nederlanders in Duitsland aan het werk. Circa dertigduizend mannen werkten in België en Frankrijk. De honger naar extra werkkrachten voor Duitsland groeide tijdens de oorlog steeds meer. Gedwongen arbeid, werd na 1941 steeds meer een harde noodzaak. Deze werkkrachten moesten de gaten opvullen die ontstonden omdat het Duitse leger voortdurend nieuwe lichtingen landgenoten voor de dienstplicht opriep. De vele gewonde en gesneuvelde Duitse militairen bij de expansieoorlog, moesten aangevuld worden door steeds jongere en steeds oudere Duitsers.

De stroom van Duitse decreten en maatregelen, beïnvloedde sluipend en geleidelijk, het dagelijkse leven. In juni kwam er distributie voor schoenen, koffie, thee, brood en meel. Het werd verboden voor joden om lid te zijn van de luchtbeschermingsdienst. Dezelfde maand werd het verboden om te vlaggen op verjaardagen van leden van het koninklijk huis. Het werd eveneens verboden om openlijk op andere manieren blijk te geven van sympathie voor het koninklijk huis. Ondanks dit verbod was het voor de SD en de Duitse politie een volkomen verrassing, dat op de verjaardag van prins Bernhard op 29 juni, spontaan, openlijk en op grote schaal sympathie voor hem betuigd werd. Ook toen al was het voor prins Bernhard een gewoonte om dagelijks een anjer in het knoopsgat te dragen. Zes weken na de capitulatie had het grootste deel van de bevolking de koninklijke familie min of meer vergeven dat ze tijdens de meidagen overhaast het land had verlaten. Men zag na die paar weken bezetting al in dat het verstandig van kabinet en koningin was geweest, om de strijd vanuit Londen voort te zetten. Bovendien was koningin Wilhelmina inmiddels via de Londense radio begonnen de Nederlanders moed in te spreken en aan te zetten de strijd tegen de nazi-bezetter zoveel mogelijk passief of actief voort te zetten. Zij was in die korte tijd al het symbool aan het worden van onverzettelijkheid tegen de nazi-Duitsers.

Op de verjaardag van prins Bernhard, werd ondanks het Duitse verbod, spontaan door veel Nederlanders de nationale driekleur uitgestoken. Dat gebeurde zelfs hier en daar op gemeentegebouwen. Vooral in de steden waren er de nodige kinderen en volwassenen die een witte anjer droegen of oranje versieringen en speldjes. In Den Haag werden bij het standbeeld van Willem van Oranje en de moeder van de koningin, prinses/regentes Emma, bloemen en boeketten neergelegd. Op paleis Noordeinde kon een felicitatieregister getekend worden. Veel Hagenaars tekenden doelbewust dit register. Ook de burgemeester van Den Haag De Monchy en generaal Winkelman tekenden voor het front van het publiek dit felicitatieregister. Al deze acties waren spontaan en illustreerden voor het eerst een vorm van openlijk ongenoegen en verzet tegen de bezetters. Het bericht over deze voor de Duitsers bijzonder onwelgevallige acties bereikte Seyss-Inquart heel gauw. Ondanks de onaangename verrassing, reageerde hij weloverwogen en vrij nuchter. Hij wilde vooral de zaak niet laten escaleren. Hij beval de veiligheidspolitie om niet in te grijpen, zolang de acties niet overgingen in gewelddadigheden. De Duitse politie werd wel paraat gehouden. Gelukkig braken er alleen maar hier en daar kleine relletjes uit. Deze vonden in de meeste gevallen plaats tussen op rellen beluste jongemannen en leden van de NSB. De volgende dag werd het weer rustig in het land. Toch had deze spontane actie heel onplezierige gevolgen. De gemeente Den Haag werd een boete van één miljoen gulden opgelegd. Burgemeester De Monchy werd ontslagen en generaal Winkelman opgepakt. Voor zowel de Duitsers als de SG's, was het slechts zes weken na de capitu-

| *Spontane bloemenhulde bij het standbeeld van de regentes prinses Emma, ter gelegenheid van verjaardag Prins Bernhard te Den Haag.*

latie een eerste en duidelijk signaal, dat de Nederlandse bevolking zich wel enigszins had aangepast aan het nieuwe regime, maar dit niet klakkeloos had geaccepteerd.

Een onaangenaam en duidelijk signaal waarbij het masker van Duitse 'vriendelijkheid' enigszins werd afgeworpen, werd gedemonstreerd in juli ten aanzien van de Indische verlofgangers. Tegen het advies van Seyss-Inquart in en op direct bevel vanuit Berlijn, werden 230 Nederlandse mannen en vrouwen door de SD gearresteerd. Het grootste deel van hen waren mensen die vanuit het voormalig Nederlandse Oost-Indië (thans de Republiek Indonesië) in Nederland verbleven voor hun Europees vakantieverlof. Zij werden gegijzeld en naar de concentratiekampen Buchenwald en Ravenbrück gezonden. De achtergrond van deze actie was, dat toen de oorlog met Duitsland op 10 mei uitbrak, honderden Duitsers in Indië waren opgepakt en geïnterneerd. Toen de Nederlandse regering in Londen en het Indische gouvernement in Djakarta (voormalig Batavia) niet ingingen op de Duitse eis die mensen onmiddellijk vrij te laten, werden in oktober als represaille opnieuw circa 120 man door de SD opgepakt. Onder hen was ook een groep van omstreeks twintig prominente

BEKANNTMACHUNG

Wiederholt habe ich' die Niederlaendische Bevoelkerung davor gewarnt, in irgendeiner Form die Feinde Deutschlands zu beguenstigen. Trotzdem ist wieder ein schwerer Fall von Feindbeguenstigung vorgekommen. Am 7. 8. 41 musste auf niederlaendischem Gebiet ein britisches Kampfflugzeug notlanden. Der unverletzt gebliebenen Besatzung von 6 Mann wurde bei ihrem Bestreben zu fliehen, Unterstuetzung durch Niederlaender zuteil durch Hergabe von Geld, Nahrungsmitteln und Zivilkleidung.
Noch am gleichen Tage wurden die Englaender gefangen. Die Beguenstiger wurden sofort vor ein Deutsches Kriegsgericht gestellt. Dieses verurteilte 5 von ihnen zum Tode und 3 weitere zu langjaehrigen, teilweise lebenslaenglichen Freiheitsstrafen.

Den Haag, den 14. 8. 1941.

Gez.: FR. CHRISTIANSEN, General der Flieger.
Wehrmachtbefehlshaber in den Niederlanden.

| *Duitse 'Bekendmaking' in verband met hulp aan Engelse vliegtuig-bemanning.*

Nederlanders, zoals de ex-burgemeester van Den Haag De Monchy, enige politici (waaronder Drees, Tilanus en Deckers), zeven hoogleraren, generaal Röell, oud-minister van Justitie Goseling en president-directeur Goudriaan van de Nederlandse Spoorwegen. Ook zij werden afgevoerd naar een Duits concentratiekamp, waar ze tot het eind van de oorlog als gijzelaars werden vastgehouden.

Ondertussen ging de stroom van decreten onverminderd door. In juli werd het officieel verboden naar andere uitzendingen dan de Nederlandse en Duitse radio te luisteren. De CPN werd officieel tot verboden partij verklaard. Maar het was niet alleen dat de bevolking werd opgezadeld met allerlei decreten en andersoortige verboden. De begerige ogen van de 'hongerige' bezetter richtten zich op de overvloedige Nederlandse voorraden van strategische goederen. Fischböck, die hierbij gesteund werd door zijn bazen in Berlijn en zelfs Göring, vertelde de SG voor Handel, Industrie en Scheepvaart dr. Hirschfeld, dat hij die voorraden wilde 'kopen'. Deze Hirschfeld, was al voor de oorlog één van de belangrijkste Nederlandse gesprekspartners geweest voor handelsbesprekingen met de Duitsers. Hij sprak perfect Duits, was zeer intelligent, vrijgezel, een harde werker en een uitstekend onderhandelaar. Ondanks dat hij joodse grootouders had, werd hij als SG door Seyss-Inquart en zijn 'opper'-bestuur volledig geaccepteerd. Zij kenden hem al van voor de oorlog (hij had toen zelfs voor zijn bekwame onderhandelingsrol een Duitse onderscheiding gekregen) en waren onder de indruk van zijn competentie en persoonlijkheid. Hirschfeld protesteerde tegen Fischböck over deze verkoop, maar was slim genoeg om niet helemaal dwars te liggen. In dat geval wist hij, zouden de Duitsers de goederen gewoon vorderen (een nette benaming voor stelen). Hirschfeld argumenteerde, dat de verkoop van al die voorraden de Nederlandse economie en industrie volledig zou ontwrichten. Daardoor zou ook de inschakeling van de Nederlandse industrie voor productie en levering aan de Duitsers ernstig gevaar lopen.

Na bekwame en harde onderhandelingen, ging Hirschfeld uiteindelijk akkoord dat alleen de volgende goederen aan de Duitsers verkocht zouden worden: 68 duizend ton consumptie vetten en olie, zesduizend ton cacao, elfduizend ton rijst, vijftienduizend ton koffie, twaalfduizend ton tabak, zesduizend ton wol, vijfduizend ton katoen, vierhonderdduizend huiden, 18.00 ton tin, 150 ton aluminium, zestigduizend ton ijzerafval, drieduizend ton rubber, 4500 ton grondstof voor fabricage van touwwerk, 55 duizend ton vliegtuigbrandstof, honderdduizend ton benzine en elfduizend ton smeerolie. Al deze vitale grondstoffen zouden naar Duitsland afgevoerd worden tegen 'betaling'. Ten behoeve van deze betaling moest de Nederlandse Bank aan Duitsland een verkoopkrediet verstrekken van 50 miljoen gulden. Bovenop de afgedwongen verkoop eiste Fischböck tevens allerlei Nederlandse legeruitrusting, zoals geweren, uniformen, 150 duizend militaire schoenen en dertienduizend paarden. Na augustus 1940 kwamen ze nog met een volgende claim. Deze eis hield in 21 duizend paarden, achtduizend auto's, duizend vrachtwagens, duizend autobussen en vijftig vissersvaartuigen. Deze gedwongen verkopen en leveringen, waren de eerste voorlopers van de georganiseerde Duitse berovingen en plunderingen van Nederland. In de komende jaren zou de roverij nog verder uitgebreid, geïntensiveerd en geperfectioneerd worden.

3-3 NSB, Nationaal Socialistische Partij in Nederland

Zoals hiervoor aangegeven, had de NSB als politieke partij vóór mei 1940 nooit kans gezien langs democratische weg grote politieke steun te verkrijgen van de Nederlandse kiezers. In 1937 behaalde de NSB slechts vier zetels bij de landelijke Tweede Kamer verkiezingen (circa 4 procent van de geldige stemmen).

Mussert richtte in 1931 deze partij op en haalde aanvankelijk de meeste inspiratie uit het gedachtegoed van de fascistische politieke partij van Mussolini in Italië. Musserts ideeën waren vrij nationalistisch en richtten zich op een sterk fascistisch getint krachtig leiderschap. Dit leiderschap zou het land regeren ten behoeve van het welzijn van de bevolking. De NSB vond het democratische systeem achterhaald. Het land dienen en liefde voor het vaderland, waren belangrijke onderdelen van de NSB-ideologie bij de oprichting.

Mussert was als persoon een weinig indrukwekkende, weinig dynamische verschijning en natuurlijk charisma had hij helemaal niet. Hij was klein van stuk, enigszins gezet, behoorlijk kalend en een beetje pedant. Hij had sterk de neiging om ook uiterlijkheden van Mussolini te imiteren. Na zijn technische universitaire studie in Delft, maakte hij als ingenieur een goede carrière bij Rijkswaterstaat. Reeds op zijn 33ste jaar, werd hij benoemd tot hoofdingenieur in de provincie Utrecht. In 1934 nam hij vrijwillig ontslag bij Rijkswaterstaat. Hij kon nu al zijn energie en tijd steken in zijn idealen. Dit manifesteerde zich in het leidinggeven aan zijn politieke partij, de NSB. Toen Hitlers ster rees, ging de NSB zich wat meer richten op de nazi-ideologie in het buurland. Mussert koos voor de minder radicale richting van deze ideologie. Vóór 1940 was de NSB zeker geen racistische anti-joodse partij. Tussen 1931 en 1940 telde de NSB zelfs ettelijke joodse leden. Er was wel een meer radicale vleugel. De voorman hiervan was Rost van Tonningen. Die vleugel probeerde de meer nihilistische en racistische visie van de nazi-ideologie in Duitsland, in de NSB te propageren. In 1937 werd Rost van Tonningen verantwoordelijk gemaakt voor de partijkrant *Het Nationale Dagblad*. Datzelfde jaar werd Rost Tweede-Kamerlid voor de NSB.

Tijdens de vijf oorlogsdagen in mei 1940 werden de meeste bekende NSB partijleden gearresteerd en opgesloten. Aangezien nationalisme een van de pijlers van de NSB-ideologie was, steunde de meerderheid van de leden zeker *niet* het Duitse leger gedurende de vijf dagen oorlog. Ondanks dat hadden veel Nederlanders een groot wantrouwen en verdachten de partij van verraad voor de vijand. Mei 1940 had de NSB omstreeks 33 duizend leden. Ruim een halfjaar later was het aantal leden gegroeid tot circa vijftigduizend. Kennelijk was een dosis opportunisme diverse nieuwe leden zeker niet vreemd! Veel later zou dat overduidelijk blijken. Doordat het kabinet naar Engeland uitgeweken was, had Mussert goede hoop dat hij door de Duitsers benoemd zou worden tot 'politiek leider' van Nederland. Toen Seyss-Inquart door Hitler werd aangesteld als rijkscommissaris, was dat voor Mussert een grote teleurstelling. Hij werd wel uitgenodigd voor de officiële installatie in de Ridderzaal te Den Haag. Hij zou vrij spoedig merken dat de Duitsers zijn partij gebruikten als een soort reservoir van handlangers voor diverse hand- en spandiensten, assistent-politiemensen en soldaten voor Duitse frontdiensten. Gedurende de bezetting ging de NSB onder druk van de radicale vleugel en door druk van Seyss-Inquart, Rauter en Himmler, steeds meer de richting op van de nazi-racistische ideologie. Deze drie prominente nazi's, hadden veel meer vertrouwen in Rost van Tonningen, dan in Mussert. Rost van Tonningen werd dan ook in juli 1940 door Seyss-Inquart benoemd tot Commissaris voor de Socialistische partijen. Zijn geheime opdracht was om de Nederlandse Socialistische partij om te bouwen tot een Nationaal Socialistische partij. Deze opdracht mislukte volkomen.

De meerderheid van de Nederlandse sociaal-democraten hadden totaal geen belangstelling voor de NSDAP-ideologie. De weinigen die wél die belangstelling hadden, waren intussen al lid van de NSB geworden. Rost van Tonningen kreeg vervolgens in de NSB de functie van 'tweede man' van de 'Leider' Mussert. Aangezien Musserts ideeën meer gematigd en nationalistisch waren en Rost van Tonningen meer radicaal, was de combinatie van die twee mannen in de top van de NSB in feite hoogst ongelukkig. Ze kwamen dan ook regelmatig met elkaar in conflict. Van Seyss-Inquart kreeg Rost van Tonningen een tweede kans. Hij werd in 1941 benoemd tot president van de Nederlandse Bank. Rost werd bovendien benoemd tot interim secretaris-generaal van het departement van Financiën. Gedurende deze ambtsperiode kwam hij weer enige malen in conflict met Seyss-Inquart, die hem niet volgzaam genoeg vond. Uiteindelijk nam Rost ontslag in begin 1945. Op dat moment was overigens het

| *Duitse propagandabijeenkomst in Amsterdam met als spreker Seyss-Inquart.*

einde van nazi-Duitsland al duidelijk in zicht! Mussert had Rost al geruime tijd daarvoor geschorst als plaatsvervangend 'Leider' van de NSB. Rost van Tonningen werd in 1945 officier bij de Landstorm Nederland (territoriale eenheid van de Waffen SS). Na de bevrijding van Noord-Nederland in mei 1945 werd hij gearresteerd. Voor hij berecht kon worden, pleegde Rost zelfmoord in de gevangenis.

Ondanks Musserts persoonlijk gematigde en nationalistische ideeën, veranderde de NSB geleidelijk aan in een kopie van de Duitse NSDAP. Het werd steeds meer een gehoorzaam instrument in Duitse nazi-handen. Jaarlijks organiseerde de NSB in Lunteren zijn nationale landdag. Het was in uitvoering en aankleding een kopie van de NSDAP-landdag in Neurenberg. Deze massabijeenkomsten werden heel strak georganiseerd. Ze stonden bol van toejuichingen voor de 'Leider' en werden gekenmerkt door zeeën van vlaggen, NSB-uniformen en bombastische toespraken. Door Duitse invloed en toedoen van de radicale vleugel van de NSB omarmde de partij vanaf mei 1940 steeds intenser de racistische anti-joodse ideologie. Toen in 1941 de jodenvervolgingen begonnen en in het land enig verzet zich begon af te tekenen, werden vele

| *Jaarlijkse landdag van de NSB te Lunteren.*

meer radicale NSB-leden gewillige beulen, die enthousiast meededen aan de jacht op joden en mensen van het verzet.

Het Duitse bestuur gaf aan de NSB als een van de weinige organisaties toestemming om hun (zwarte) uniform in het openbaar te dragen. Al spoedig had de NSB enige semi-militaire organisaties. De grootste was de WA (Weer Afdeling). Zij droegen een zwart uniform met daarop diverse Germaanse (runen) symbolen. In augustus 1941 werd het lidmaatschap van de WA verplicht voor *alle* mannelijke NSB leden in de leeftijd van achttien tot veertig jaar. De WA was georganiseerd volgens het model van de Duitse SA. In het begin was de hoofdtaak het beschermen van de leden van de partij, partijbezittingen en gebouwen. Ook bij grote partijbijeenkomsten moesten zij als beschermers optreden. Geleidelijk aan werd de WA een instrument voor het intimideren en terroriseren van de niet pro-Duitse Nederlanders. Zij assisteerden met een naargeestig enthousiasme en een zekere wellust, de Duitsers bij de jodenvervolgingen en bij het oppakken van mensen die zich tegen het Duitse regime keerden.

Onder pressie van Seyss-Inquart, Rauter en Himmler, moest Mussert vanaf september 1940 meewerken aan de oprichting van de Nederlandse SS. Het idee van Mussert was dat die SS ingezet zou kunnen worden voor bescherming van partijleden en bij gewapende overvallen door kwaadwilligen. Himmler had geheel andere bedoelingen. Hij wilde de Nederlandse SS integreren in de Duitse SS. Alle leden van de Nederlandse SS moesten aantonen dat zij geen joodse voorouders hadden. De meerderheid van de leden kreeg een Duitse militaire opleiding en moest een eed van trouw aan Hitler afleggen. Officieel was deze Nederlandse SS een onderdeel van de NSB. De harde werkelijkheid was dat Mussert en zijn NSB nauwelijks enige greep hadden op deze organisatie. Commandant van de Nederlandse SS was de fervente Nederlandse nazi J.H. Feldmeijer. Deze man had als militair deelgenomen aan de Duitse veroveringsaanvallen op de Balkan. Later nam hij als militair deel aan de Duitse aanval op de Sovjet-Unie. Feldmeijer was een radicale nazi en tegenstander van Mussert. Feldmeijer was wel lid van de NSB, maar botste vaak intens met de meer gematigde Mussert.

Omdat het gewapende verzet tegen de Duitsers in 1943 was toegenomen, werd nog een nieuwe semi-militaire NSB-organisatie opgericht. Deze eenheid kreeg de naam Landwacht. Zowel Seyss-Inquart als Rauter had hiervoor het idee aangedragen. Mussert wilde de Landwacht laten functioneren als een organisatie die puur bedoeld was om alleen te dienen voor bescherming van NSB-partijleden. In het bijzonder Rauter, gebruikte de Landwacht als hulppolitie. Door hun hardvochtige optreden tegen anti-Duitse mannen en vrouwen, waren de leden van de Landwacht bij de Nederlandse bevolking al gauw berucht en gehaat. Door dit harde, soms onmenselijke optreden, werden ze doelwit voor gewapende aanslagen van het Nederlandse verzet. Leden van de Landwacht moesten ook een eed van trouw op Hitler afleggen. Zij werden door de zorg van Rauter van wapens voorzien. Medeoprichter en plaatsvervangend leider van de NSB sinds 1931 van Geelkerken, werd door Seyss-Inquart benoemd als inspecteur-generaal van de Landwacht. Van Geelkerken was ook oprichter en ettelijke jaren het hoofd geweest van de NSB-jeugdorganisatie. Deze in 1934 gestarte organisatie – de 'Nationale Jeugdstorm' – was een soort NSB-padvinderij, waar de kinderen naast sport en spel, systematisch met het nationaal-socialistische gedachtegoed vertrouwd werden gemaakt. Van Geelkerken was noch een gematigde, noch een radicale nazi. Hij was nauwelijks een idealist, maar simpelweg een doorgewinterde opportunist, die meedraaide met de wind die zijn eigen belang het best diende. Aangezien van Geelkerken als inspecteur generaal van de Landwacht stevig in conflict kwam met Mussert, werd hij door hem uit de partij gezet.

Seyss-Inquart trok zich niets aan van deze beslissing en herbevestigde de benoeming van Van Geelkerken als inspecteur-generaal. Ondanks Musserts gematigde en enigszins naïeve Nederlandse nationaal-socialisme, kapselden zijn Duitse bazen – in het bijzonder Seyss-Inquart en Rauter – hem steeds meer in. Af en toe protesteerde hij zwakjes tegen deze nazi's, die van alles regelden over de NSB zonder hem in kennis te stellen. Mussert miste de krachtige persoonlijkheid om stelling te nemen tegen hem onwelgevallige Duitse besluiten. Zijn positie was temeer moeilijk, omdat hij binnen zijn eigen partij moest opboksen tegen kleine, maar krachtige en invloedrijke radicale minderheden, zoals in het bijzonder de vleugel die onder leiding van Rost van Tonningen opereerde. In feite werd Mussert door de Duitse autoriteiten en de radicale vleugel van de NSB steeds meer beschouwd en behandeld als een klein zetbaasje. In de periode 1940-1945 werd Mussert over het algemeen en voorzover mogelijk, gesteund door Seyss-Inquart. Andere Duitsers die hem meestal steunden, was de commissaris-generaal voor Speciale Aangelegenheden Schmidt, de Duitse vertegenwoordiger in Nederland van de NSDAP en Martin Bormann van de staf van Hitler. Rost van Tonningen koesterde zich in de steun van de SS, Rauter en Himmler. Vanaf het begin van de bezetting vond zowel Seyss-Inquart als Rauter Mussert niet competent genoeg om te fungeren als 'politiek leider' van Nederland. Mussert bracht zelf vele malen naar voren dat hij 'de juiste' man was voor deze positie.

De Duitsers maakten hem duidelijk dat hij deze titel alleen kon verkrijgen door zeer loyaal met hen samen te werken. Bovendien verwachtten zij van hem dat zijn partij aanzienlijk meer steun van de bevolking zou verkrijgen en dus flink moest groeien. Ondanks alle Duitse steun en medewerking lukte het de NSB niet om boven de 75 duizend leden uit te komen. Mussert had zelf het wat naïeve idee dat hij Hitler persoonlijk moest uitleggen wat een autonome nationaal-socialistisch Nederlandse steunpilaar allemaal zou betekenen voor de totale Nordisch/Germaanse volkerengemeenschap. In zijn eigen scenario zag hij zichzelf helemaal als de leider zijn van deze Nederlandse natie. Hij dacht werkelijk dat Hitler hem zou begrijpen en zou steunen.

Tussen 1940 en 1944 kreeg Mussert viermaal de exclusieve gelegenheid Hitler persoonlijk te spreken. Meestal luisterde Hitler half geïnteresseerd naar zijn verhaal. Hitler was wel zo sluw, om geen enkele maal bij deze gesprekken in Berlijn, enigerlei belofte, toezegging of steun te geven naar aanleiding van Musserts ideeën over de politieke toekomst van Nederland. Bij die gesprekken maakte Hitler Mussert zonneklaar duidelijk dat zijn belangrijkste taak in Nederland was, om de bevolking te bekeren tot de nationaal-socialistische ideologie. Bij de tweede bespreking met Hitler in 1941, zwoer Mussert de eed van trouw aan Hitler. December 1942 bezocht Mussert Hitler voor de derde maal. Bij dit gesprek waren ook Bormann, Himmler en Seyss-Inquart aanwezig. Deze keer maakte Hitler hem duidelijk dat het zijn toekomstvisie was om Nederland te integreren in het Groot Germaanse Rijk. Mussert was behoorlijk teleurgesteld toen hij dat hoorde. Om Musserts teleurstelling over deze totaal andere bestuurlijke toekomst van Nederland wat te verzachten, zei de sluwe Hitler dat hij Mussert beschouwde als de 'leider van de Nederlandse bevolking'. Voor deze bespreking in Berlijn had ook Seyss-Inquart in Nederland Mussert officieel verteld dat hij hem beschouwde als de 'leider van het Nederlandse volk'.

Al deze vriendelijke woorden konden niet verbergen dat de Duitsers aan hem en zijn NSB geen enkele reële bestuurlijke macht wilden geven. In 1943 kreeg de NSB-partij van Seyss-Inquart een jaarlijkse subsidie van één miljoen gulden. Voor die tijd was dat een aanzienlijk bedrag. Deze subsidie werd verleend vanwege de diverse hand- en spandiensten die de NSB gaf aan het Duitse 'opper'-bestuur. Door zijn diverse ontmoetingen en gesprekken met Seyss-Inquart, Rauter, Himmler en Hitler, begon het bij de naïeve en idealistische Mussert geleidelijk door te dringen, dat hijzelf en zijn partij alleen maar simpele werktuigen waren en bleven voor de nazi's. Ze werden gebruikt voor onderdrukking van hun eigen landgenoten en voor het leveren van zoveel mogelijk 'kanonnenvlees' in de vorm van frontsoldaten.

Het werd hem steeds duidelijker dat de NSB volledig ondergeschikt was gemaakt aan nazi-politiek. Ondanks dit sombere inzicht, was er geen weg terug meer mogelijk. Hij zat helemaal gevangen in het Duitse nazi-web. Als 'leverancier' droeg de NSB

Propaganda voor dienstneming bij de Nederlandse Waffen SS

behoorlijk bij aan de Duitse oorlogsmachinerie. In augustus 1943 hadden circa 25 duizend leden van de NSB van beneden de leeftijd van 45 jaar, een actieve rol in de verschillende semi-militaire en militaire eenheden zoals de Nederlandse SS en de Waffen SS. Een schatting uit 1960 geeft aan dat ongeveer tienduizend NSB-vrijwilligers zijn gesneuveld in Duitse frontdienst. Toch bleven, ondanks vele teleurstellingen, Mussert en veel leden van de NSB loyaal aan Hitler en zijn nazi's. Dit ging door tot het bittere eind, toen Hitler op 30 april 1945 zelfmoord pleegde. Diverse opportunistische leden – die waren toegetreden toen Duitsland aan de winnende hand was – probeerden toen de ondergang van Duitsland in beeld kwam, zich wel te onttrekken aan verplichtingen die de partij hen oplegde. In al de jaren tussen 1931 en 1945, heeft Mussert met zijn burgerlijke en vrij gematigde nationaal-socialistische visie, eigenlijk nooit echt iets begrepen van het nihilistische, racistische en mystieke karakter van Hitler en de Germaanse nazi-ideologie.

Vóór 1940 was de NSB als politieke partij in democratisch Nederland slechts een randverschijnsel. De partij zag toen al geen kans substantiële steun van de kiezers te krijgen. Het aanvankelijke marginale aantal van de kern van de meer idealistische leden, nam tijdens de bezetting wel toe en werd versterkt met een flink aantal opportunisten. Het fascistischachtige NSB-gedachtegoed, schoot nooit substantieel wortel in de Nederlandse samenleving. Tot de bezetting, beschouwden de meeste Nederlanders de NSB als wat vreemde pro-Duitse sympathisanten, ja zelfs verraders. Tijdens de bezetting en gevoed door het pro-nazi-gedrag van veel NSB-leden, gingen de meeste Nederlanders de NSB'ers en hun familieleden steeds meer verafschuwen, zelfs haten. In de jaren 1940-1945, werd de NSB zelfs *nog erger gehaat* dan de Gestapo en de SD! Ze werden beschouwd als pure landverraders. Na Dolle Dinsdag in september 1944, wekte het laffe gedrag van veel NSB'ers die toen vluchtten naar het oosten van het land en Duitsland, een nog grotere weerzin bij de bevolking. Mussert en zijn partij werd in het bijzonder in het laatste jaar van de oorlog, volledig beschouwd als een verafschuwde en gehate farce op het Nederlandse bezettingstoneel.

3-4 Aan de overkant van Het Kanaal

Het kabinet bereikte Londen op 13 mei 1940 volledig onvoorbereid en in een staat van verslagenheid en wanorde. De ministers vonden tijdelijk onderdak in een hotel. Door het haastige vertrek was er nauwelijks gelegenheid geweest voor een ordelijke overdracht van de bestuurlijke bevoegdheden. Generaal Winkelman had alle bevoegdheden gekregen, om zowel alle militaire als bestuurlijke zaken te beslissen naar zijn eigen inzicht. In het haastig samengestelde communiqué op 13 mei, had de SG van Buitenlandse Zaken per telefoon doorgegeven dat de koningin en het kabinet besloten hadden om de zetel van de regering te verplaatsen. Formeel gezien kon dit niet volgens artikel 21 van de toenmalige grondwet. De opstellers van die grondwet hadden echter nooit voorzien in dit soort buitengewone omstandigheden en daarom gold hier 'nood breekt wet'. De enige schriftelijke instructies voor de in Nederland achtergebleven tienduizenden ambtenaren, was te vinden in de eerdergenoemde (geheime) 'Aanwijzing' van 1937 van het toenmalige kabinet.

Behalve het kabinet, was ook koningin Wilhelmina in Londen aangekomen. Staatsrechtelijk gezien had ze officieel weinig verantwoordelijkheden. Al bij de grondwetswijziging in 1848 was bepaald dat de ministers in staatszaken de verantwoordelijke functionarissen waren. Koningin Wilhelmina was in Londen tijdelijk de gast van koning George en zijn familie en verbleef daardoor enige tijd in Buckingham Palace. Wilhelmina verhuisde later naar een sober huis in Londen. Toen de Duitse bombardementen op Londen in hevigheid toenamen, adviseerden de Britten haar een veiliger accommodatie te vinden in de nabije omgeving van Londen.

De leden van de regering in ballingschap hadden geruime tijd nodig om te wennen in Londen. De meeste ministers waren nooit in Londen, of zelfs in het buitenland geweest. Daarbij moet aangetekend worden, dat in de jaren dertig van de vorige eeuw, een buitenlandse vakantie een zeldzaamheid was voor de meeste Nederlanders. Alleen een kleine groep rijkere welgestelden, konden zich toentertijd een dergelijke luxe permitteren. Diverse ministers kenden zelfs nauwelijks een woord Engels! Hoewel in het vaderland Winkelman had moeten capituleren, had het kabinet in hun ballingsoord Engeland *de facto* nog steeds het hoogste gezag over de Nederlandse koloniën, de Koninklijke Marine en de koopvaardij. In Engeland stonden ze financieel niet met lege handen, aangezien een groot deel van de goudvoorraad naar Engeland was overgebracht. Zowel de marine als de koopvaardij, werden ingezet ten dienste van de Britse oorlogvoering. Ze konden daardoor een kleine, maar waardevolle bijdrage leveren aan de geallieerde oorlogvoering. De koopvaardij en de marine, kregen tijdens de oorlogsjaren grote verliezen aan mensenlevens en materiaal. Met hun bijdrage, hielden ze als een der onderdelen van de geallieerde strijdmachten, de Nederlandse vlag als maritieme natie op de wereldzeeën hoog.

De militaire vliegtuigen en hun bemanningen die uit Nederland hadden kunnen ontsnappen, waren voor het grootste deel van de marine. Hun vliegtuigen werden geïntegreerd bij de Britse krijgsmacht. In de tweede helft 1940 volgde een reorganisatie, waarbij vliegtuigen en bemanning ingedeeld werden bij twee squadrons (RAF squadron 320 en 321). Zij kwamen onder direct operationeel bevel van *Coastal Command*. Tijdens de oorlogsjaren werden vrij spoedig de oude watervliegtuigen vervangen door nieuwere en snellere vliegtuigtypes. In 1944 namen beide squadrons op D-day met succes deel aan de invasie in Frankrijk. Daarna steunden deze squadrons met verve tot het einde van de oorlog, de verdere strijd tegen de Duitsers in West-Europa. Medio 1943 kon met een flink aantal Nederlandse (niet marine) vliegers ook een Spitfire squadron (322 squadron) aan de strijd deelnemen. Dit squadron werd onder meer ingezet in 1944 bij operatie *Market Garden*. Van de Koninklijke Landmacht hadden slechts omstreeks duizend man naar Engeland kunnen ontsnappen. Britse instructeurs namen de training van deze aanvankelijk gedemoraliseerde mannen in handen. De kleine kern werd geleidelijk aangevuld door Nederlandse vrijwilligers die vanuit alle delen van de vrije wereld arriveerden. Hieruit werd een eenheid geformeerd die de naam Prinses Irene Brigade kreeg. Onder commando van de luitenant-kolonel Ruyter van Steveninck, versterkt door een compagnie mariniers die onttrokken werd aan de in oprichting zijnde mariniersbrigade in de Verenigde Staten, kon deze infanteriebrigade in augustus 1944 operationeel ingezet worden bij de gevechten in Normandië na D-day. Met succes namen zij daarna tot mei 1945, als onderdeel van het Britse leger, deel aan de opmars en strijd op Belgisch en Nederlands grondgebied.

Voor het uitbreken van de oorlog, was minister-president De Geer bepaald niet het toonbeeld geweest van een krachtig leider. In Londen voelde hij zich helemaal niet op zijn gemak. Nog erger was, dat hij ideeën had om met de Duitse bezetter te onderhandelen. Hij had er nauwelijks vertrouwen in dat de Britten uiteindelijk zouden standhouden en de oorlog zouden winnen. Zijn aarzelende houding bleek ook in het kabinet. Hij vroeg toestemming om een vakantie in Zwitserland te mogen doorbrengen. De meeste ministers waren hier fel tegen gekant. Koningin Wilhelmina, die zich ook regelmatig ergerde aan zijn houding, consulteerde een aantal ministers. Dit leidde in september 1940 tot zijn ontslag.

De meer resolute Gerbrandy werd zijn opvolger. Deze nieuwe eerste minister, geloofde wel degelijk in de geallieerde eindoverwinning en deelde deze mening geheel met koningin Wilhelmina. Vooral in dat eerste moeilijke jaar was het in het bijzonder Wilhelmina, die iedereen in haar omgeving wist te bezielen met haar heilige overtuiging, dat op alle mogelijke manieren weerstand moest worden geboden aan het nazi-regime. Gerbrandy zag spoedig kans van de regering in Londen een beter en hechter team te maken. Het eerste jaar had het kabinet grote moeite om aan redelijk betrouwbare informatie te komen over de toestand in het bezette vaderland. Een van de belangrijkste taken die men voor ogen had, was hoe men het moreel van de mensen in Nederland kon beïnvloeden en hooghouden. Het was speciaal de verdienste van Gerbrandy, om als eerste vertegenwoordiger van de diverse in Londen verblijvend regeringen in ballingschap, toestemming te krijgen om radio-uitzendingen te mogen houden vanuit Engeland. Daardoor kon Radio Oranje al in juli 1940 van start gaan met zijn eerste uitzending. Deze uitzendingen voorzagen de Nederlanders thuis van ongecensureerd nieuws vanuit de vrije wereld. Bovendien kon via deze weg het moreel worden hooggehouden en de Nederlanders hoop worden gegeven op de eindoverwinning. De meest inspirerende spreker was ongetwijfeld koningin Wilhelmina. Haar radiotoespraken voor Radio Oranje, waren bezielend en effectief. Ze had een goede stijl van spreken en deed dat met oprechtheid, op vertrouwenwekkende wijze en met grote vurigheid en pathos. Helaas liet zij na krachtig stelling te nemen tegen de in Nederland in 1941 op gang komende systematische jodenvervolgingen.

Gedurende de oorlogsjaren groeide zij toch steeds meer in haar rol als koningin in ballingschap van alle Nederlanders. Door haar optreden werd ze volledig geaccepteerd als het symbool van vrijheid en onafhankelijkheid, als symbool van verzet tegen terreur en de wil om te overleven tijdens de bezetting van het vaderland. Bij de nazi-top in Berlijn was de beruchte minister van Propaganda dr. Joseph Goebbels zelfs wat bezorgt over de groeiende populariteit en invloed die ze bleek te krijgen bij de meeste kringen van de Nederlandse bevolking. Bij de Duitsers was de populariteit van de koninklijke familie een constante bron van ergernis en zorg. De sympathie voor het kabinet in Londen was in het bezette Nederland duidelijk beperkter. De regering in ballingschap werd wel gerespecteerd, maar echt populair werd het nooit. Eén van de moeilijkste zaken voor deze regering bleef hoe contact te houden met de mannen en vrouwen in het bezette vaderland.

Slechts weinig mensen hadden na mei 1940 kans gezien, om met vaak gammele bootjes, overzee Engeland te bereiken. Deze mensen werden 'Engelandvaarders' genoemd. Bij aankomst in Engeland, werden ze 'doorgelicht' door de inlichtingendiensten, om te controleren of ze geen voor de Duitsers werkende spionnen waren. Daarna konden ze voor het kabinet werkende instanties informeren, hoe de actuele levensomstandigheden in Nederland waren. Koningin Wilhelmina stond er op dat de meeste Engelandvaarders ook haar persoonlijk bezochten. Ze gaf hen een warm welkom en was enorm gretig om te horen hoe het dagelijks leven in het bezette gebied was. In 1941 werden geleidelijk aan meer professionele organisaties opgezet met het doel inlichtingen te verzamelen over de bezette landen. Deze diverse inlichtingendiensten opereerden grotendeels onder de vleugels van de Britse SOE (*Special Operations Executive*).

Na de capitulatie van Frankrijk, was Engeland de enig overgebleven lijfelijke vijand van nazi-Duitsland in Europa. Het grootste deel van de BEF (met Franse militairen er bij gerekend ruim 335 duizend man) had dankzij de gedurfde reddingsoperatie 'Dynamo', Engeland kunnen bereiken. Nagenoeg al het materiaal en zwaardere wapens (tanks, kanonnen en allerlei soorten voertuigen), had men moeten achterlaten in België, Frankrijk en op de stranden van Duinkerken. De Britten stonden er in 1940 helemaal alleen voor. Op dat moment waren alleen de Britse marine en RAF nog grotendeels ongeschonden en in staat op zee en in de lucht de vijand tegen te houden.

Hitler deed in juni en augustus ettelijke pogingen om het Britse kabinet en de bevolking te paaien om te praten over een vredesregeling. Dat moest uiteraard dan wel op de Duitse voorwaarden! In Hitlers ideeënwereld zou Engeland, na de succesvolle Duitse veroveringen in West-Europa, wel inzien dat de tijd nu rijp was voor een vredesregeling. Hij schetste in een speech in juli in Berlijn, een scenario voor een dergelijke regeling. Begin augustus strooiden Duitse bommenwerpers boven enige (grotere) Engelse steden pamfletten met suggesties voor een dergelijke regeling. De Britten reageerden op geen enkele manier op deze vrij vage vredesvoorstellen. Hitler begreep er helemaal niets van dat de Engelsen op zijn voorstellen niet reageerden. Na Hitlers militaire successen op het Europese vasteland waren ze onder leiding van de onverschrokken Winston Churchill helemaal niet bereid tot enigerlei vorm van compromis. Een dergelijke rigoureuze ommezwaai in mentaliteit na het vertrek van de tot compromissen geneigde Chamberlain, was in de gedachtewereld van Hitler niet te bevatten. Voordat Churchill in mei 1940 minister-president was geworden, had hij al vele jaren als parlementslid een geheel andere visie op nazi-Duitsland gehad dan zijn voorganger Chamberlain. In woord en geschrift had hij deze mening al jaren voortdurend duidelijk kenbaar gemaakt. Na de Franse militaire nederlaag en de geslaagde Britse evacuatie van de stranden van Duinkerken, hield Churchill op 5 juni een inspirerende en lange *speech* in het Engelse Hoger- en Lagerhuis. In deze toespraak die gericht was op het parlement en de Engelse bevolking, riep hij met zijn sonore stem op te volharden in de strijd tegen het nazi-regime. Op zijn fameuze eigen en vastberaden wijze zei hij onder meer:

> *'Wij zullen ons vaderland verdedigen. Als het nodig is doen we dat vele jaren, als het nodig is doen we dat alleen. We zullen doorgaan tot het bittere einde. We zullen vechten op de zeeën en oceanen, we zullen vechten in de lucht, we zullen vechten om de vliegvelden, we zullen vechten op de vlaktes en in de heuvels, we zullen vechten in de straten. We zullen ons nooit overgeven.'*

Delen van deze inspirerende toespraak sprak hij ook uit in een radio-uitzending en zijn boodschap sloeg aan bij zowel de politici als de bevolking.

Het begon bij Hitler langzaam door te dringen dat het met de Engelsen tot overeenstemming komen, er niet in zat. Voor het geval de Britten niet bereid waren tot een compromis, gaf hij medio juli na enige aarzeling de instructie 'Aanwijzing nr. 16' uit. Deze instructie hield in dat het Duitse militaire oppercommando moest beginnen met de planning en voorbereidingen voor een invasie in Engeland. De codenaam hiervoor was operatie 'Zeeleeuw'. Vanuit een militaire invalshoek bezien, was het zowel toen als nu absoluut, overoptimistisch en getuigend van groot gebrek aan realiteitszin, te denken dat een dergelijk complexe aanval overzee, in een paar maanden kon voorbereid en uitgevoerd worden. Ter vergelijking mag dienen dat de geallieerde planning en voorbereidingen voor de landing in Normandië in juni 1944, *een paar jaar* in beslag namen! Het Duitse militaire oppercommando had voor de gedetailleerde planning van operatie 'Zeeleeuw' omstreeks een maand beschikbaar! De snelle successen van de Duitse legers tijdens de aanvallen in West-Europa waren behaald tijdens een flitsende landoorlog. Een aanval op de Britse eilanden hield in een complexe en grootschalige amfibische operatie.

Vanaf het eerste begin had de bevelhebber van de Duitse marine admiraal Raeder, ernstige bezwaren tegen deze grootschalige landingsoperatie. Hij wees Hitler er op, dat de *Kriegsmarine* niet genoeg schepen had om in het operatiegebied van het Kanaal een zeeoverwicht te bevechten. Raeder had Hitler bovendien ingelicht, dat de Duitsers niet genoeg geschikte transportschepen konden opbrengen, om een aantal legerdivisies met hun complete uitrusting, van Frankrijk naar de zuidkust van Engeland over te zetten. Hitler legde dit advies eigenwijs naast zich neer en gelaste dat de planning gewoon door moest gaan. Hitler was wel zo realistisch, dat hij begreep dat het een zeer riskante operatie zou worden. Het minste wat hij ervan verwachte, was dat hij Churchill en de Engelsen hiermee politiek en militair stevig onder druk zou kunnen zetten.

In de grotere zeehavens van Nederland, België en Noord-Frankrijk, werd een complete armada van allerlei soorten schepen gevorderd en geconcentreerd. In september 1940 was een grote geïmproviseerde transportvloot bij elkaar geschraapt. De 'invasie'-vloot bestond uit een allegaartje van 150 stoomschepen, 1939 binnenvaartschepen, 422 sleepboten, 994 motorschepen en omstreeks honderd kustvaartschepen. In het bijzonder bij de binnenvaartschepen, werden allerlei aanpassingen en proeven gedaan. Het Duitse leger ging ondertussen door met het concentreren van de voorhoede van de landingsstrijdmacht aan de Noord -Franse kust. De voorhoede zou bestaan uit dertien divisies (inclusief twee pantserdivisies, totaal bijna 250 duizend man). De totaalplanning voor de invasietroepenmacht was 39 divisies (circa zevenhonderdduizend man). Wanneer de aanvalstroepenmacht met zijn uitrusting ingescheept was en Het Kanaal zou oversteken, kon dit vanwege het allegaartje van schepen alleen maar onder bijzonder gunstige weercondities en bij een kalme zee! Dat was niet alles. Er was nog een ander 'vuiltje in de lucht'. De oversteek naar Engeland kon alleen geschieden als het grootste deel van de Engelse kustdoelkanonnen en de Engelse luchtmacht uitgeschakeld zouden zijn. De bevelhebber van de Duitse luchtmacht rijksmaarschalk Göring, was normaal al een man die weinig last had van enigerlei vorm van bescheidenheid. Door de successen van zijn *Luftwaffe* in Polen, Noorwegen, Denemarken, Nederland, België en Frankrijk was hij helemaal overmoedig geworden. Hij pochte tegen Hitler en de topgeneraals en admiraals van de Duitse krijgsmacht, dat de *Luftwaffe* ieder karwei aankon. En zo startte in juli 1940 de eerste fase van de uitvoering van operatie 'Zeeleeuw'. Die fase bestond uit het uitschakelen van de Britse kustartillerie en luchtmacht. Aan Britse zijde werd deze felle strijd in de periode juli tot en met september de 'Slag om Engeland' genoemd.

Dat was het ook. Indien de Britten deze luchtslag zouden verliezen, lag Engeland open voor een Duitse invasie!

De *Luftwaffe* viel in juli en augustus continu Engelse havens, konvooien, kustartillerieposities, radarstations en militaire vliegvelden aan. In topdagen voerden Duitse bommenwerpers en jagers zelfs achttienhonderd vluchten uit. Ongelukkigerwijs maakten de Duitsers een fatale fout door de goed georganiseerde Engelse luchtverdedigingcapaciteit te onderschatten. Hoewel nog vrij primitief van opzet, beschikten de Britten over een radarsysteem, dat de Duitse aanvallende bommenwerpers en jagers al op enige afstand kon opsporen. Door deze informatie kon de RAF met zijn jachtvliegtuigen (goed manoeuvreerbare Spitfires en Mustangs) de Duitse formaties tijdig onderscheppen. De *Luftwaffe* had meer vliegtuigen dan de RAF. Dit Engelse nadeel werd opgeheven doordat de RAF een 'thuiswedstrijd' speelde. De vliegtuigen konden snel brandstof bijtanken op het dichtstbijzijnde vliegveld en dan direct weer de lucht in. Door hun radar wisten ze precies waar ze de Duitsers konden onderscheppen. De Duitse aanvallers hadden dit voordeel niet en moesten tijdig terugkeren om op het vasteland te kunnen bijtanken. Voor beide partijen was de 'Slag om Engeland' een uitputtingsslag. Over en weer gingen heel veel vliegtuigen en piloten verloren. Bij oorlogvoering is planning, moed en vastberadenheid, uiterst belangrijk. Toch kan winnen of verliezen soms van kleine, toevallige omstandigheden afhangen.

Na een dag van felle luchtgevechten met grote verliezen aan beide zijden, waren in de avond van 24 augustus omstreeks honderd Duitse bommenwerpers op weg naar industriële doelen in de omgeving van Londen. Engelse nachtjagers vielen de Duitse bommenwerpers aan. In de hitte en verwarring van de nachtelijke luchtgevechten lieten een paar Duitse bommenwerpers per ongeluk hun bommen vallen zonder hun opgegeven doelen goed in het vizier te hebben. Ze hadden niet in de gaten dat ze precies boven het centrum van Londen vlogen. Die bommen veroorzaakten veel schade, doden en gewonden bij de burgerbevolking. Het was het eerste bombardement op burgerdoelen in Londen sinds 1915!

Ter directe vergelding gelastte Churchill een luchtbombardement op Berlijn. Door de grote verliezen had de RAF de grootste moeite om voldoende piloten en bommenwerpers bij elkaar te schrapen. Het lukte uiteindelijk en 81 RAF-bommenwerpers gingen op weg naar Berlijn. Ze lieten boven die stad hun bommen vallen. De daadwerkelijke materiële schade was vrij gering. Het psychologische effect was immens. Hitler en Göring hadden na de grote successen van hun machtige krijgsmacht, het gevoel gekregen dat ze onoverwinnelijk waren. In deze sfeer hadden ze de Duitse bevolking in die waan gebracht en beloofd dat bombardementen op Duits grondgebied door de vijand onmogelijk waren. Het Engelse bombardement op Berlijn was daarom een harde klap in hun gezicht en maakte hen daardoor buitenzinnig. In deze woedende geestesgesteldheid maakte Hitler een fatale strategische blunder. Hij gaf de *Luftwaffe* bevel om de bombardementen op *militaire doelen* in Zuid-Engeland *te stoppen*. Ze gingen nu over op *vergeldingsbombardementen* op de burgerbevolking in Londen en andere grote steden. Vooral Londen kreeg het heel zwaar te verduren. Dag en nacht gingen de bombardementen op de burgers door. Duizenden mannen en vrouwen werden gedurende deze luchtaanvallen gedood of gewond. Hele wijken werden platgegooid en stonden in brand. De bevolking van de stad bracht vele dagdelen en nachten door in de beschermende Londense ondergrondse. Met deze bombardementen bereikte Hitler het tegendeel van wat hij beoogde. In plaats van de wil tot weerstand te breken, bereikten ze dat de Engelsen met Churchill voorop, nog resoluter en feller werden om tegenstand te bieden en te vechten tot het uiterste. Augustus en september waren uiterst kritieke maanden. De burgers vingen nu verreweg de grootste klappen op. Hierdoor was de RAF in de gelegenheid te hergroeperen. Ze konden hun vliegtuigverliezen aanvullen en vliegvelden en radarstations repareren. De luchtverdediging werd versterkt en verbeterd. Vers opgeleide vliegers, konden de zorgelijk uitgedunde gelederen versterken.

De continue bombardementen eisten ook een steeds zwaardere tol aan Duitse zijde. Hoewel de Duitsers aanvankelijk meer vliegtuigen hadden, waren hun verliezen aan vliegers en vliegtuigen zó hoog, dat het steeds moeilijker werd die onmiddellijk aan te vullen. Göring verloor midden augustus in zes dagen tijd 250 vliegtuigen met het grootste deel van hun bemanningen. Begin september had de *Luftwaffe* nog steeds niet het luchtoverwicht bevochten. De uitvoering van operatie 'Zeeleeuw' moest daardoor verschoven worden naar 21 september. Ondertussen begon de zich herstellende RAF met aanvallen op de concentraties van de landingsvloot in de Franse havens. Aangezien de Britse luchtverdediging zich onvermoeibaar en verwoed verweerde, moest Hitler de invasie weer verder uitstellen. De weersomstandigheden en zeecondities werden in september steeds slechter. Voor de Duitsers was er deze maand – ondanks alle verwoede pogingen – geen zicht op een eindoverwinning in de luchtslag. Daardoor moest Hitler op 12 oktober alle activiteiten voor de uitvoering van de landingen in Engeland afblazen. De Duitsers hadden de 'Slag om Engeland' toen in feite verloren. De dappere burgerbevolking en de RAF, hadden deze uitputtingsslagslag ten koste van heel grote aantallen offers gewonnen.

Toch gingen de luchtaanvallen op Londen – zij het op een iets lager intensiteitniveau – gedurende de nachten toch nog door. In de periode juli-oktober 1940 verloor de *Luftwaffe* ongeveer 1730 bommenwerpers en jachtvliegtuigen. In dezelfde periode verloor de RAF circa 915 vliegtuigen. Verreweg de zwaarste verliezen vielen onder de burgerbevolking. In de periode 1940-1941 vielen ongeveer 43 600 burgerslachtoffers en telde men vijftigduizend zwaargewonden. Engeland was door het oog van de naald gekropen. Groot-Brittannië had de vrije wereld overduidelijk laten zien dat – weliswaar ten koste van grote offers aan mensenlevens van burgers en militairen – het mogelijk was om nazi-agressie te weerstaan.

In bezet Nederland waren in de periode juli-augustus, de koortsachtige activiteiten en voorbereidingen voor operatie 'Zeeleeuw' vooral in de regio Rotterdam duidelijk zichtbaar. Er werden negenhonderd binnenvaartschepen gevorderd. Diverse scheepswerven werden intensief betrokken in de ombouw van schepen ten behoeve van deze invasie. De meeste binnenvaartschepen werden voorzien van een andere boeg met een landingsklep. Begin september moesten alle niet daar woonachtige burgers verdwijnen uit de kustzone. De door de Duitsers gecontroleerde radio-uitzendingen rapporteerden breeduit de geweldige successen van de *Luftwaffe* tijdens de 'Slag om Engeland'. Veel Nederlanders luisterden naar de (door de Duitsers gestoorde) BBC-uitzendingen. Daar hoorde men iets minder propagandistisch gekleurd nieuws met informatie over de hoge Duitse verliezen. Toen in oktober de invasie werd afgeblazen en de Engelsen de luchtslag hadden gewonnen, ging er een zucht van verlichting door Nederland. Het gaf de meeste mensen in het land weer meer moed om te weten dat de nazi's niet helemaal onoverwinnelijk waren. Het veroorzaakte nieuwe hoop op een eindoverwinning van de Britten in de verre toekomst.

Maar het werd veel mensen ook duidelijker, dat er een keerzijde van de medaille was. Met de ervaring van Rotterdam en de berichten over de bombardementen van Londen, begonnen burgers in te zien dat in het bezette Nederland ook burgers het slachtoffer konden worden van luchtbombardementen. Doordat er in het bezette Nederland inmiddels de nodige Duitse militaire installaties waren (onder andere voor de Duitse luchtverdediging) en diverse industrieën voor de Duitsers werkten, waren dat potentiële toekomstige doelen voor bombardementen door de Engelsen. Zo werd de luchthaven Schiphol al spoedig helemaal omgebouwd tot een militair vliegveld. Reeds op 23 juni 1940 werd dit vliegveld door de Britten gebombardeerd. De volgende dag was marinehaven Den Helder doelgebied. Er vielen veel burgerslachtoffers. Haarlem werd op 3 oktober gebombardeerd. Daar waren 25 burgerslachtoffers te betreuren. Gedurende de vijf bezettingsjaren zou het nog heel veel keren gebeuren dat de RAF militaire en industriële doelen (in de steden) zou bombarderen. Hoewel de RAF zoveel mogelijk probeerde bewoonde gebieden te ontzien, vielen de bommen op industriële doelen soms op verkeerde plaatsen en werden daardoor toch woonwijken geraakt. Ten gevolge hiervan werden tijdens de oorlogsjaren vele duizenden burgers gedood of gewond. Omwille van de goede zaak van de geallieerde eindoverwinning, werd – ondanks het vele leed dat dit met zich meebracht– het toch door het grootste deel van de bevolking geaccepteerd. De Duitse propaganda buitte deze Britse bommen op bewoonde gebieden in steden in Nederland uit. Ze trachten de burgers wijs te maken hoe 'barbaars' de Engelsen wel waren dat ze 'zomaar' Nederlandse woonwijken bombardeerden!

3-5 Nederlandse Unie

Al gauw na de capitulatie werd het duidelijk, dat het normale functioneren van het oude politieke bestel met zijn politieke partijen, niet meer mogelijk was. Medio 1940 konden nog bijeenkomsten gehouden worden, waar over algemene politieke zaken van gedachten gewisseld mocht worden. Voor dit soort bijeenkomsten moest wel een vergunning worden aangevraagd. Vanaf september verbood Rauter het afgeven van nieuwe vergunningen. De sociaal-democratische partij werd op 20 juli door het Duitse bestuur onder controle gesteld van de NSB'er Rost van Tonningen. Hij ontsloeg de partijleiders. Ondertussen had Seyss-Inquart de communistische partij al verboden. De CPN had dit zien aankomen en veel leden gingen zoveel mogelijk 'ondergronds'. Bij de socialisten weigerde de staf van deze partij samen te werken met Rost van Tonningen. Het werd steeds duidelijker dat alleen de NSB steun kreeg van het nazi-bestuur. De meeste politieke leiders van liberale, christen-democratische en socialistische signatuur, realiseerden zich dat het wenselijk en nodig was om bij de burgers een vaardige anti-NSB- en nationalistische mentaliteit, in stand te houden en te stimuleren. Helaas kwamen de traditionele politieke partijen en hun leiders door de vooroorlogse verdeeldheid, onderling niet tot overeenstemming hoe dit moest worden aangepakt. Het was de politici wél duidelijk, dat ieder nieuw politiek platform altijd toestemming zou moeten vragen aan het Duitse bestuur. Ondanks diverse pogingen, lukte het niet om tot overeenstemming te komen.

Uiteindelijk slaagden met veel moeite vier vooraanstaande, maar vrij conservatieve mannen. Zij kwamen met een plan voor een politieke corporatie. Eind juni hadden ze hierover een gesprek met commissaris-generaal Schmidt. Seyss-Inquart ging met de algemene lijn voor een dergelijke politieke corporatie, akkoord. Beide nazi's hadden enige hoop dat deze anti-NSB-beweging genoeg steun en draagvlak zou kunnen verkrijgen van de Nederlandse bevolking. Zij dachten dat met deze beweging viel te kunnen samenwerken om de Duitse politieke doelstellingen voor een groter publiek dan de NSB te kunnen overbrengen. Eén van de vier mannen haakte al gauw af. De drie overgeblevenen konden op 24 juli in de dagbladen een eerste oproep richten aan de lezers om steun te krijgen voor deze nieuwe partij.

De partij kreeg de naam Nederlandse Unie. Het enthousiaste, maar enigszins naïeve trio, bestond uit Linthorst Homan (voormalig commissaris van de koningin in Groningen), de Quay (hoogleraar en vooraanstaand lid van de RK Staatspartij) en Einthoven (hoofdcommissaris van politie in Rotterdam). Een paar dagen later publiceerden ze een partijmanifest. Dit manifest was uiteraard een compromis, want het Duitse bestuur moest ermee akkoord kunnen gaan. De belangrijkste punten daarin waren: loyale samenwerking met het Duitse bestuur; nationale onafhankelijkheid onder Duits leiderschap; nationale eenheid; vrijheid van geloof, opleiding en meningsuiting; een corporatieve economie; nauwe (culturele) samenwerking met Nederlandstaligen buiten Nederland en recht op, maar ook verplichting tot, arbeid. Op uitdrukkelijke instructies van de Duitsers werd in het manifest niets vermeld over banden met het koningshuis. Veel burgers werden lid van de nieuwe partij. Een groot deel van het succes van de Nederlandse Unie, was toe te schrijven aan gebrek aan keuze van andere partijen dan de gehate NSB. De Nederlandse Unie had beslist geen nationaal-socialistische signatuur en werd daardoor snel behoorlijk populair. De leden van de partij waren van zeer verschillende pluimage. Veel leden kwamen uit de 'oude' politieke partijen. Het waren meestal ambtenaren, ex-militairen, arbeiders, handwerklieden et cetera. Na een paar maanden (in februari 1941) telde de Nederlandse Unie al ongeveer achthonderdduizend leden. In dezelfde tijd had de nazi-gezinde NSB minder dan zestigduizend leden. De Nederlandse Unie mocht van de Duitsers zelfs een eigen wekelijkse krant uitgeven, die de naam kreeg *De Unie*. In deze krant konden de leiders van de partij de doelstellingen uitleggen en artikelen publiceren die gericht waren op het stimuleren van de eenheid onder de bevolking. Aangezien de krant ook verkocht werd via straatverkoop, was het een duidelijke concurrent van de wekelijkse NSB-krant. De verkopers kwamen elkaar op straat regelmatig tegen. Die ontmoetingen liepen meestal uit op scheldpartijen, maar ook op vechtpartijen waarbij men stevig op de vuist ging. Soms greep de Nederlandse poli-

| *Manifest van de Nederlandse Unie.*

tie in, soms keek de politie de andere kant op. De Duitse politie steunde consequent de NSB-krantenverkopers.

De Nederlandse Unie had de grootste bloeitijd vanaf de tweede helft 1940 tot en met het eerste kwartaal 1941. Ze openden zelfs winkels en kantoren in de grote steden. Daar werden vooral de wekelijkse kranten en partijbrochures verkocht. Aangezien de leiders en leden van de Unie nationalistische idealisten waren maar niet nationaal-socialistisch gezind, konden op den duur conflicten met de Duitsers niet uitblijven. Na de oprichting van de Unie konden joodse mensen gewoon lid worden. Toen de Duitsers stap voor stap de joden begonnen te isoleren van het maatschappelijke leven, werd de Unie min of meer in mei 1941 gedwongen de joodse leden tot 'niet werkende leden' te bestempelen. Maar er waren nog diverse andere wrijfpunten met het Duitse bestuur. In maart 1941 publiceerde de Unie in haar krant dat Nederland in feite nog steeds in Staat van Oorlog met Duitsland verkeerde. Ook in andere politiek gerichte aangelegenheden steunde de Unie *niet* het nazi-beleid. De hoogste politiechef Rauter greep op 1 april in. Hij verbood voor zes weken de straatverkoop van de krant. Juist die straatverkoop was een belangrijke inkomstenbron voor de Unie. Door dit verbod droogde een flink stuk financiële ruggensteun op. Toen het verbod werd opgeheven, werd de Uniekrant een preventieve censuur opgelegd. Bij de Duitse aanval in juni 1941 op Rusland, weigerden de leiders van de Unie in hun krant anticommunistische en andersoortige Sovjet-Unie-vijandige propaganda in de krant op te nemen.

Hoewel de Nederlandse Unie een geslaagde breed geschakeerde massabeweging was, werd het in de loop van 1941 steeds duidelijker dat het tweesporenbeleid (samenwerking met en aanpassing aan de Duitsers en ondertussen de Nederlandse eigen identiteit beschermen) niet langer in redelijkheid te combineren was. Dit dualisme had ettelijke malen de nodige interne spanningen en conflicten binnen het leidende driemanschap veroorzaakt. De Duitsers merkten in 1941 heel duidelijk, dat het manipuleren van de Unie voor nazi-politieke doeleinden, niet goed slaagde. Ze zagen in dat deze partij nauwelijks voor hun karretje was te spannen en dus voor hen weinig nut kon opleveren. In december 1941 verbood het Duitse bestuur de partij en ging de Unie ter ziele.

Inmiddels waren in 1941 alle nog resterende 'oude' politieke partijen officieel verboden. Eveneens in december verklaarde Seyss-Inquart bij de feestelijke viering van het tienjarig bestaan van de NSB, dat deze partij de nog enige toegestane partij in Nederland was. Toen alle niet-nazi-partijen verboden waren, maakten diverse leiders en leden van zowel de 'oude' politieke partijen als de Unie, de stap om contact te zoeken met en een rol te gaan spelen bij de diverse langzaam op gang komende verzetsbewegingen.

Ondanks het vrij korte bestaan, had ergens de Nederlandse Unie als pluralistische massabeweging, zijn nut gehad. Het had positief bijgedragen om bij een grote groep politiek bewuste Nederlanders, enig gevoel aan te wakkeren van zich verzetten tegen de toenemende Duitse onderdrukking. Het had ook duidelijk gemaakt dat openlijke kritiek op het Duitse bestuur en hun handlangers, volkomen onmogelijk was. Het had zonneklaar aangetoond, dat het nazi-regime alleen maar gedweeë navolging van wat zij verordonneerde, toeliet. Het kwam voor veel Nederlanders steeds helderder op het netvlies te staan, dat 'aanpassing' in feite betekende 'onderwerping' aan het nazi-regime.

3-6 Toenemende onderdrukking

De Britse overwinning in de luchtslag om Engeland en het in 1940 afblazen van de invasie van Engeland, had vele wat defaitistisch ingestelde Nederlanders een vaag sprankje hoop gegeven. Men kreeg toch weer enig idee dat een vastberaden tegenstander in staat was de nazi-agressie een halt toe te roepen. Misschien zou oorlog en bezetting niet al te lang duren. Die vage hoop smolt geleidelijk als sneeuw voor de zon door de ingrijpende maatregelen die de bezetters met eentonige regelmaat uitstrooiden over de hoofden van de bevolking. Die maatregelen en decreten beïnvloedden steeds meer het dagelijkse leven in de stad en op het platteland. Augustus 1940 ging textiel op de bon. Brood en bloem waren al in juni op de bon gegaan. In dezelfde maand verordonneerde het Duitse bestuur een verbod op alle joodse kranten. Er mocht maar één officiële joodse krant overblijven. Het was niet langer toegestaan dat joden als ambtenaar werden aangesteld. In september nam de SD actie tegen vrijmetselaars en leden van de Rotary. Hun verenigingen werden verboden. Vlees en vleesproducten gingen deze maand ook op de distributiebon. In oktober werd algemene identificatieplicht ingevoerd. Alle Nederlanders boven de veertien jaar moesten op instructie van de SG's van Justitie en Binnenlandse Zaken, vanaf oktober een voorlopig identiteitsbewijs kunnen tonen. Dit identiteitsbewijs moest men buitenshuis *altijd* bij zich dragen. Als tussenmaatregel kon daarvoor dienen een geldig paspoort of de distributiestamkaart met foto. Het voorlopige identiteitsbewijs zou later worden vervangen door een – naar zou blijken – moeilijk te vervalsen persoonsbewijs.

Ambtenaren moeste de zogenaamde 'ariërverklaring' ondertekenen. Daarin werd geregistreerd of men jood was en hoeveel joodse ouders en grootouders men had. Bijna alle personeel in overheidsdienst (ruim tweehonderdduizend mannen en vrouwen) tekenden. Wie de verklaring niet invulde, wachtte het risico van gevangenisstraf! Men had toen nog weinig benul wat de sinistere achtergrond was van de registratie van iemands godsdienst. De Duitsers hadden voor joodse mensen dit verbonden aan 'ras'. De pers werd eind oktober meegedeeld, dat het verboden was om artikelen te publiceren die commentaar gaven over joodse aangelegenheden. De discriminerende maatregelen ten aanzien van de joden, riepen actieve weerstand op bij de protestantse kerkleiders. Zij stuurden een petitie naar Seyss-Inquart dat deze maatregelen indruisten tegen de christelijke leer, die barmhartigheid predikte. Diverse protestantse voorgangers preekten bij de zondagsdiensten van de kansel over het belang van geestelijke vrijheid. Andere protestantse scribenten publiceerden artikelen waarin ze een waarschuwing aan hun geloofsgenoten vastlegden over de racistische maatregelen tegen joden. Het Duitse bestuur legde dit alles naast zich neer.

In november werd de bewegingsvrijheid van alle Nederlanders beperkt door afkondiging van de avondklok. Tussen 24.00 uur en 04.00 uur was het voor de bevolking niet langer toegestaan om buitenhuis te zijn. Ontheffing hiervan kon alleen verkregen worden via een speciale toestemming. Deze avondklok werd gehandhaafd gedurende alle oorlogsjaren. In de loop van de bezettingsjaren werd later de avondklok nog verder aangescherpt. De avondklok was al die jaren een zware ingreep in het dagelijkse leven en betekende voor de burgers in feite tijdens de nachtelijke uren 'huisarrest'.

Het voedingpakket dat vrijelijk gekocht kon worden, ging nog meer achteruit. Ook eieren, kaas, gebak en graanproducten gingen onder de distributie vallen. Deze verschraling van het voedselpakket, trof de mensen in de steden veel harder dan de bevolking op het platteland. Daar kon – ondanks de verplichte leveringen aan de Duitsers – veel makkelijker 'gesjoemeld' worden met landbouwproducten. Enige tijd later werd de gas- en elektriciteitsvoorziening beperkt. Al deze beperkingen werden met weinig vreugde ontvangen, maar gelukkig waren de meeste mensen in staat zich snel aan te passen.

Het isoleren van de joden uit het maatschappelijke leven kwam stap voor stap in de versnelling. Begin november 1940 kwam het al enigszins verwachte ontslag van alle joodse ambtenaren uit overheidsdiensten af. De studenten van de Delftse Technische Universiteit gingen uit protest in staking toen drie joodse hoogleraren bij deze universiteit ontslagen werden. De Duitse politie reageerde hier onmiddellijk op door de Delftse universiteit te sluiten. Bij de oudste universiteit in Nederland te Leiden, hield de prominente professor in de rechtswetenschappen Cleveringa, eind november een indrukwekkende toespraak voor een groot studentenpubliek. In zijn magistrale en vlammende betoog hekelde hij het ontslag van zijn joodse collega, de zeer bekwame en gerespecteerde hoogleraar in de rechtswetenschappen professor E.M. Meijers. De studenten applaudisseerden langdurig na dit betoog en begonnen spontaan het Wilhelmus te zingen. Daarna gingen ze in staking. Twee dagen later werd Cleveringa gearresteerd en opgesloten in de Scheveningse gevangenis. Hij werd uiteindelijk niet veroordeeld en zonder enige vorm van proces pas na acht maanden vrijgelaten. Ook in Leiden gingen de Duitsers onmiddellijk over tot het sluiten van de universiteit. Ondanks deze incidentele, maar krachtige protesten, gingen de Duitsers onverstoorbaar door met hun kruistocht tegen de joden. Een volgende stap was, dat het Duitsers verboden werd om in joodse huishoudens te werken. In de crisisjaren met zijn grote werkloosheid, waren diverse jongere Duitse vrouwen naar Nederland gekomen om als dienstmeisje bij Nederlandse families te werken. Mei 1941 kwam een decreet af dat joodse artsen, apothekers, vroedvrouwen, makelaars en advocaten, alleen toestond om voor joodse mensen hun beroep uit te oefenen. Al deze beperkingen van democratische grondrechten, racistische buitensluiting van de joodse bevolkingsgroep, precensuur en censuur van de vrije pers en radio-uitzendingen, steeds meer artikelen die op de bon gingen, maakte dat het dagelijkse leven moeilijker, stroever en schraler werd.

Als één van de reacties op die onvrede, startte al vrij snel na de capitulatie illegale (primitieve en soms met de hand geschreven) publicaties. Daarnaast waren er kleine

STRIJDT VEREEND tegen de Jodenpogroms

STRIJDT VOOR POLITIEKE VRIJHEID VOOR HET GEHELE WERKENDE VOLK!

De terreur tegen de Joden wordt brutaal voortgezet!!

Eerst ontzetting van de Joden uit alle openbare ambten.
Daarna verbod voor café- en bioscoopbezoek.

NU, OPENLIJKE TERREUR VAN W-A PAUPERS!

Straks verbod voor Joodse dokters om niet-Joodse patienten te behandelen. Intussen wordt de kleine Joodse handeldrijvende middenstand het bestaan onmogelijk gemaakt!

WAT IS HET DOEL van dit ANTI-SEMITISME?

Om de bloedschuld van het grote financiers-kapitaal aan de grenzenloze uitbuiting, de felle onderdrukking en de afschuwelijke oorlog te bedekken en het voor te wenden, dat de Joden schuld aan dit alles dragen.

EEN BLIKSEMAFLEIDER VOOR DE VOLKSWOEDE TEGEN HET BRUTE KAPITALISME!

Om verdeeldheid onder het werkende volk te brengen door de schijn te wekken, dat door uitschakeling van de Joden voor velen de weg vrij komt voor promotie en nieuwe baantjes en de concurrentie in de handel verdwijnt om zo de handen vrij te krijgen voor verdere verscherpte uitbuiting en politieke onderdrukking en om het ganse werkende volk als slaven voor het grote financiers-kapitaal te laten dienen.

TOT WELKE NATIE BEHOOREN DE JODEN?

TOT DIE NATIE, WAARMEDE ZIJ DOOR GESLACHTENLANG VERBLIJF VOLKOMEN VERGROEID ZIJN!

De Nederlandse Joden behoren dus tot de Nederlandse natie.
Zij wonen van generatie tot generatie in Nederland.
Zij hebben met alle anderen één economisch lotsgemeenschap, zij spreken dezelfde taal, zij hebben medegewerkt aan de ontwikkeling van de Nederlandse cultuur!

De Joodse kapitaalbezitters hebben evenals de andere Nederlandse kapitaalbezitters het werkende volk onderdrukt en uitgeplunderd.

Zij moeten door het werkende volk dus bestreden worden in de strijd tegen de kapitalistische slavernij!!

De Joodse arbeiders, beambten, intellectuële- en kleine middenstanders behoren tot het Nederlandse werkende volk, waarmede zij gezamenlijk voor de algemene en algehele bevrijding moeten strijden.

HET IS EEN LEUGEN, DAT DE JODEN TOT EEN APARTE NATIE ZOUDEN BEHOREN EN MOETEN WORDEN UITGESTOTEN!!

Illegaal pamflet tegen de vervolging van joodse mensen.

GEUZEN ACTIE BERICHT No. 12. uitgezonden 2.7.'40.

De ware geest van het Duitsche beest komt steeds meer voor de dag. Duitschalnd wil trachten de Nederlanders op te zetten tegen Engeland en gebruikt daartoe de middelen, die zoover BENEDEN ELK BEGRIP VAN MENSCHWAARDIGHEID liggen, zoodat daarmede het laatste restje van de Vroegere Duitsche eer (zoodat tenminste nog aanwezig was) voorgoed is bezoedeld. In den Helder , Haarlem, Schiedam en Rotterdam, is vast gesteld, dat Duitsche vliegtuigen, zich verschuilende achter wolken of het nachtelijk duister, achter de Engelsche machines zijn gaan vliegen, toen de Engelschen hunne bommen hadden uitgeworpen op militaire doelen (o.m. het roode kruishospitaal te den Helder, alwaar Oorlogsmaterialen waren opgeslagen) hebben daarna de Duitschers nog enige bommen geworpen op burgers en woonhuizen (zooals in Rotterdam). Per Radio en Pers beweren ze nu dat deze moordenaarsbommen ook van de Engelschen afkomstig zijn. ZOEK EN BEWAAR DEZE BOMSCHERVEN. Zij zullen de Leugenaars aan de kaak stellen, TEKEN AAN waar en wanneer zij gevonden zijn. Blijf momenteel rustig , al moeten wij thans leven onder heerschappij van het meest ontaarde volk dat ooit bestaan heeft. onder samenwerking met het uitvaagsel der N.S.B. Onze Geuzenactie bereid bevrijding voor. EERST GEHEIM , LATER OPENBAAR. Helpt allen mede, geef berichten door, tot een betrouwbare Oranjeband onstaan is! Reeds DUIZENDEN werken mede, werkt daarom allen mede voor het scheppen van een VRIJ HOLLAND.
De verjaardag van PRINS BERNHARD heeft getoond dat Nederland nog niet Verduitscht is . Betrek allen , oud en jong, rijk en arm, man en vrouw in de geuzenactie.
Helpt allen mede. Lafheid is verraad. Ge hebt het gezien aan de laksche houding tegenover de N.S.B. etc. voor den oorlog.
De schande voor het naar Duitschland ontvoeren van onze NEDERLANDSCHE OPPERBEVELHEBBER GENERAAL WINKELMAN, zal niet ongewroken blijven, zomin het ontslag van Burgemeester de Monchy. Het is geen schande het felicitatieregister in het paleis NOORDEINDE te tekenen, en hulde aan hem die opdracht heeft gegeven de Oranjebloemen welke in het paleis waren verborgen openlijk ten toon te spreiden.

HET RECHT ZAL EENMAAL ZEGEVIEREN.

NEDERLAND ZAL NOOIT EN NIMMER EEN DUITSCHE PROVINCIE WORDEN.

Algemeen bericht. Doorzenden zoo spoedig mogelijk s.v.p.

| *Illegaal pamflet van de Geuzen actie.*

groepen burgers en ex-militairen, die samenkwamen om eerste stappen te zetten in wat later als 'verzet' of 'illegaliteit' kan worden bestempeld. Men dacht daarbij soms zelfs aan sabotageacties op kleine schaal uit te voeren. Triest genoeg had men in het begin niet in de gaten hoe geslepen en genadeloos de Duitse geheime politie kon zijn. Behalve de 'Oranjewacht', 'Oranjegarde', 'Leeuwengarde', organisatie 'Stijkel', 'Legioen Oud Frontsoldaten (LOF)', 'OD' en nog ettelijke andere kleinere groeperingen, was een van de eerste grotere verzetsorganisaties, de groep die zich de 'Geuzen' noemde. Ze waren heel losjes en informeel in kleine groepjes georganiseerd en wel voornamelijk in de omgeving van Amsterdam en Rotterdam. Ze pleegden enige sabotage, onder meer in de vorm van het doorsnijden van belangrijkere telefoonkabels. Hun summiere bewapening bestond uit wat geweren, pistolen en enige springstoffen. Argeloos als men was, pochten een paar leden van die groepering tegen vrienden en bekenden, hoe flink ze wel waren met hun illegale activiteiten.

Eén van de mannen van het eerste uur van de Geuzen, was Bernard IJzerdraat. Hij gaf onderwijs in handenarbeid en was ook gobelinrestaurateur. Al vóór mei 1940 was hij een felle anti-nazi. Kort na de capitulatie schreef hij met de hand het eerste illegale pamflet en distribueerde dit daarna. Bij de start van de verzetsgroep de Geuzen had hij zijn vrienden nadrukkelijk op het hart gebonden dat de grootste geheimhouding in acht moest worden genomen. Hij benadrukte voortdurend dat de leden absoluut niets moesten vertellen over hun werk aan mensen die ze niet voor de volle 100 procent konden vertrouwen. Toch was één van leden loslippig. Dit verhaal bereikte via via, een NSB-lid. Die ging met deze wetenschap onmiddellijk naar de politie. Binnen korte tijd werden honderden mannen die verdacht werden van mogelijk lidmaatschap of banden met de Geuzen, gearresteerd en opgesloten in de Scheveningse gevangenis. Na enige weken en tal van ondervragingen, werden de meesten van hen vrijgelaten. Vijftien hoofdverdachten werden uitgebreid gemarteld door de SD. Sommigen bezweken onder deze enorme fysieke en psychische druk en sloegen door over hun anti-Duitse activiteiten. Ze werden door een militair hof berecht en ter dood veroordeeld. Als eersten van vele honderden verzetsmensen die zouden volgen, werden ze door een Duits vuurpeloton op de Waalsdorpervlakte (in de duinen nabij Den Haag) in maart 1941 geëxecuteerd.

Na deze eerste grotere executie schreef Jan Campert ter nagedachtenis en om de vlam van verzet brandend te houden, een aangrijpend illegaal gedicht. Het werd in 1943 op grote schaal illegaal verspreid en door honderdduizenden gretig gelezen.

'Een cel is maar twee meter lang en nauw twee meter breed,
wel kleiner nog is het stuk grond, dat ik nu nog niet weet,
maar waar ik naamloos rusten zal, mijn makkers bovendien,
wij waren achttien in getal, geen zal den avond zien.

O lieflijkheid van land en lucht, van Hollands vrije kust
eens door de vijand overmand, vond ik geen uur meer rust;
wat kan een man oprecht en trouw, nog doen in zulk een tijd?
hij kust zijn kind, hij kust zijn vrouw en strijd den ijdele strijd

Ik wist de taak die ik begon, een taak van moeiten zwaar,
maar 't hart dat het niet laten kon, schuwt nimmer het gevaar.
het weet hoe eenmaal in dit land de vrijheid werd geëerd,
Voordat een vloekb're schennershand het anders heeft begeerd.

Voordat die eden breekt en bralt, het misselijk stuk bestond
en Hollands landen binnenvalt en brandschat zijnen grond,
voordat die aanspraak maakt op eer en zulks germaans gerief,
een land dwong onder zijn beheer en plunderde als een dief.

De rattenvanger van Berlijn pijpt nu zijn melodie,
zo waar als ik straks dood zal zijn, de liefste niet meer zie
en niet meer breken zal het brood, noch slapen mag met haar
verwerp al wat hij biedt of bood, de sluwe vogelaar.

Gedenkt, die deze woorden leest, mijn makkers in den nood
en die hen nastaan 't allermeest, in hunnen rampspoed groot,
zoals ook wij hebben gedacht aan eigen land en volk,
er komt een dag na elke nacht, voorbij trekt iedere wolk.

Ik zie hoe 't eerste morgenlicht door 't hoge venster draalt
mijn God maak mij het sterven licht, en zo ik heb gefaald,
gelijk een elk wel falen kan, schenk mij dan uw gena,
opdat ik heenga als een man als ik voor de lopen sta.'

De Duitse reactie op de studentenprotesten in Leiden en Delft stopte vooral in de grote steden niet de verontwaardiging van velen over het racistische beleid ten opzichte van de joodse landgenoten. De meeste Nederlandse joden hadden in dit land generaties lang gewoond. Ze voelden zich voor honderd procent Nederlander. Nederland was al vele honderden jaren op godsdienstig gebied vrij tolerant. De meeste Nederlanders beschouwden het joodse bevolkingsdeel als 'hun joden'. De grootste concentratie joodse mensen woonde toentertijd in Amsterdam. Onder hen waren veel musici, artsen, financiële specialisten en kleine handelslieden. Daarnaast waren veel joden werkzaam in of voor de Amsterdamse diamantbeurs. Amsterdam was in die tijd vanwege bewerking en handel van diamanten, wereldwijd bekend. Toen de jodenvervolgingen in Duitsland begonnen en doorzetten, vluchtten tienduizenden Duitse joden naar Nederland. Een groot deel van hen vond onderdak in Amsterdam.

In januari 1941 nam het nazi-regime een volgende en vrij radicale stap op het pad van de rassendiscriminatie. Een nieuw decreet gelastte dat 'alle mensen met joods bloed of gedeeltelijk joods bloed', zich moesten laten registreren bij het bevolkingsregister. Omstreeks 140 500 'voljoden' en circa 14 500 'halve' joden lieten zich nu registreren. Er waren maar weinigen die het aandurfden zich niet te melden. Dat lijkt opmerkelijk, maar bedacht moet worden dat degenen die zich niet lieten registreren en gesnapt werden, konden rekenen op gevangenisstraf of het concentratiekamp. Ook de joodse leiders spoorden hun mensen aan om aan deze registratie gevolg te geven. Begin februari volgde een nieuw decreet. Het werd joden verboden om bloeddonor voor het Rode Kruis te zijn of te worden. In Den Haag werd door (waarschijnlijk NSB'ers) een synagoge in brand gestoken. De daders waren onvindbaar.

De verontwaardiging onder de bevolking over al deze acties en maatregelen, groeide langzaam maar gestaag. In het bijzonder in Amsterdam met zijn vele joodse ingezetenen, begonnen NSB'ers en andere Nederlandse nazi-groeperingen, met het uitdagen van joden en anti-nazi's. Tegelijkertijd met deze oplopende spanningen, begonnen in de stad protesten onder de werkverschaffingarbeiders over hun lage lonen. Eveneens in dezelfde periode, hadden de metaalarbeiders in Amsterdam-Noord korte tijd met succes gestaakt. Deze staking had als doel te voorkomen dat enige honderden van hen gedwongen zouden worden op scheepswerven in Duitsland te gaan werken. Al deze ontevredenheid, het ongenoegen, de afschuw over de discriminatie van de joden en een groeiende haat tegen de nazi-mentaliteit van veel NSB'ers, hoopten zich onder oppervlakte op bij een groot deel van in het bijzonder de arbeidersbevolking in Amsterdam. Een klein vonkje zou genoeg zijn om dit explosieve mengsel rond midden februari 1941 te laten ontbranden tot een grote uitslaande brand.

3-7 Februaristaking en eerste executies

De onrust in Amsterdam groeide en groeide. Op 8 en 9 februari vonden er in het centrum schermutselingen plaats tussen geüniformeerde mannen van de WA en de Nederlandse politie. Duitse soldaten steunden toen de WA'ers. Deze gevechten leverden 23 gewonden op. Een paar dagen later probeerden veertig man van de WA door te dringen in een gebied waar veel (maar niet alleen) joden woonden. Veel Nederlanders uit de arbeidersklasse die gewapend waren met ijzeren staven, riemen en stenen, trachtten de WA-mannen een halt toe te roepen. Na felle gevechten ontsnapten de WA'ers. Eén van de WA'ers raakte bij dit handgemeen ernstig gewond en bleef kreunend liggen op een van de grachtenbruggen. Deze WA'er overleed drie dagen later in het ziekenhuis ten gevolge van de opgelopen verwondingen. Zijn overlijden werd volledig uitgebuit door de nazi-propaganda. Er werd een martelaar van hem gemaakt door te insinueren dat zijn overlijden het gevolg was geweest van 'joodse beestachtigheid'.

In de joodse wijk werden hierna door weerbare mannen knokploegen georganiseerd. De volgende dag sloten de Duitsers de joodse wijk hermetisch af. Er werd voor dit gebied een speciale avondklok afgekondigd. Om onnodige escalatie te voorkomen, verboden de Duitsers de WA-mannen in dit gebied op te treden. De WA'ers lieten zich hierdoor niet ontmoedigen. Ze gingen nu op zoek naar joden buiten deze wijk, die ze te grazen konden nemen en konden aftuigen. Uit de boezem van lokale burgers en studenten, werden als reactie knokploegen gevormd om de joden te beschermen. Op een avond vond er een botsing plaats in de ijssalon van de joodse eigenaar Cahn. De verdedigers in de ijssalon dachten met WA-mannen van doen te hebben. De invallers bleken helaas Duitse politiemensen te zijn. Bij de inval vonden ze niemand. De mensen in de ijssalon, waren na het openen van een fles met ammoniakgas, tijdig gevlucht. Ze werden helaas vrij snel opgespoord, gearresteerd en flink mishandeld.

De Duitsers zonnen nu op wraak om de geest van verzet met harde hand in de kiem te smoren. Seyss-Inquart en Rauter besloten ruim vierhonderd jongere joden in de leeftijdsgroep van twintig tot 35 jaar, te arresteren. Op 22 en 23 februari werden door zeshonderd Duitse politiemannen op uiterst brute wijze razzia's gehouden in de joodse wijk. Als beesten werden met veel geweld circa 425 jongere joodse mannen gearresteerd en bij elkaar gedreven. Zonder enige vorm van proces werden de mannen onmiddellijk afgevoerd naar concentratiekamp Buchenwald. Dat was nog niet het ergste. Korte tijd later werden de nog overlevenden overgebracht naar het beruchte dodenkamp Mauthausen in Oostenrijk. Binnen een jaar waren ze door moord, vergassing en zelfmoord bijna allemaal overleden. De Duitsers hadden hiermee hun wraak. Ze hadden een duidelijk voorbeeld gesteld en lieten zien dat er met hen niet te spotten viel.

Wat ze niet verwacht hadden, was dat deze harde acties extra woede en verzet van de Amsterdamse arbeiders en andere burgers zou oproepen. De dag na deze razzia's kwamen enige leiders van de militante en verboden communistische partij bijeen. Deze mannen vormden de harde kern van de Amsterdamse CPN. Ze waren gepokt en gemazeld in het organiseren van stakingen. Meestal ging dat soort stakingen om het bevechten van betere arbeidsvoorwaarden. In de eerste maanden van de bezetting hadden de communisten zich rustig gehouden, omdat de CPN enige moeite had met de positiebepaling ten aanzien van de houding van Rusland versus nazi-Duitsland. Al voordat de CPN door de Duitsers officieel verboden werd, hadden hun leiders voorbereidingen getroffen om eventueel 'ondergronds' illegaal verder te gaan. Deze plannen waren bij de Duitse geheime politie totaal niet bekend. Door alle negatieve maatregelen tegen de arbeiders, de meeste burgers en het schenden van democratische rechten, vond de CPN het nu het juiste moment om in actie te komen door massaal te gaan protesteren. De brute acties tegen de Amsterdamse joden was de laatste druppel die de emmer deed overlopen.

De lokale CPN-leiders en enige socialistische voormannen, realiseerden zich dat iemand het teken voor een staking moest geven. Hun idee was, dat een staking een algemene en brede staking zou moeten worden. Ze hadden goede hoop en verwachting dat een staking ondersteund zou worden door brede lagen van de Amsterdamse bevolking. Misschien zelfs zou de staking kunnen overslaan naar andere delen van het land. In de vroege morgen van 24 februari gingen diverse communistische en socialistische kaderleden op pad om bijeenkomsten te houden voor groepjes arbeiders. Zij probeerden hen over te halen om in staking te gaan. Er werden pamfletten gedrukt en gedistribueerd. Dezelfde avond kwamen omstreeks 250 man van voornamelijk de gemeentelijke publieke werken en stadsreiniging (velen van hen waren lid van de illegale CPN) in de stad bijeen. Door de kaderleden werd hen verzocht de volgende dag in staking te gaan. Ze moesten de boodschap doorgeven aan hun collega-arbeiders. De volgend dag gingen inderdaad kleine groepen arbeiders in staking. Kaderleden bezochten meerdere bedrijven en haalden daar nog meer arbeiders over om mee te gaan staken. De boodschap ging daardoor als een bosbrand zich over de stad verspreiden. In het begin waren het honderden, spoedig duizenden, die hun fabriek, werkplaats, kantoor, magazijn, winkel, bank, scheepswerf, et cetera verlieten en de straat opgingen. Sommige stakers, begonnen in het centrum van de stad openlijk en spontaan het Nederlandse volkslied te zingen.

De dag vóór de staking uitbrak, had de SD vage geruchten opgepikt, dat misschien een staking ophanden was. In hun gedachtegoed (grotendeels gebaseerd op ervaring in Hitler-Duitsland, waar sinds 1934 stakingen gewoon niet meer voorkwamen) was het onmogelijk dat gewone arbeiders onder hun neus het zouden durven om in staking te gaan. Ze veronderstelden dat de geruchten over een op handen zijnde staking, pure bluf waren. Toen de staking de volgende dag realiteit werd, hielden de Duitsers zich in het begin muisstil. De Nederlandse politie wilde de vingers niet branden en hield zoveel mogelijk koppen weg. Het zag er in het centrum van de stad even uit of Amsterdam bevrijd was. Men was gaan staken als een reactie op de brute terreur tegen de joden en om de opgekropte woede over en afkeer van de steeds dwingender decreten te ontladen. In de loop van de middag hield de menigte trams tegen die niet met de staking meededen. Tegen rijdende trams werden zelfs stenen gegooid. De inmiddels wakker geworden Duitse politie probeerde de menigte tegen te houden en begon haar vuurwapens te gebruiken. Er vielen nu gewonden tijdens de botsingen. Die eerste dag aarzelden de Duitsers nog om grof geweld te gebruiken. De WA-mannen waren wijs genoeg in deze turbulentie, hun koppen weg te houden.

De geruchten over de Amsterdamse staking gingen zich al zeer snel in de omgeving verspreiden. In Weesp, Hilversum, Utrecht, de Zaanstreek, Velzen en Haarlem braken ook stakingen uit. De volgende dag zette de staking verder door. Er volgden nog meer plaatsen waar men in staking ging. Op 26 februari reageerden de Duitsers feller en meedogenlozer. Tijdens botsingen werd door hen inmiddels systematisch met scherp geschoten. Daarbij werden negen burgers gedood en 24 gewond. Dezelfde dag nam de hoogste commandant van de Duitse troepen in Nederland, generaal Christiansen, het gezag over de provincie Noord-Holland op zich. Een verscherpte avondklok was de dag daarvoor al afgekondigd. De eerstverantwoordelijke voor veiligheid Rauter, had resoluut diverse stappen genomen. Hij stuurde een Waffen SS bataljon en een Duits politiebataljon, ter versterking naar Amsterdam. Ze hadden opdracht gekregen direct met scherp raak te schieten. Ze gebruikten in hun optreden tegen groepen stakers daarvoor geweren, pistoolmitrailleurs en zelfs lichte mitrailleurs. De SD ging zeer actief communistische arbeiders en trampersoneel arresteren. In korte tijd pakten ze al gauw tweehonderd man op. Overal werden Duitse proclamaties opgehangen. De proclamaties gaven opdracht om op 27 februari onmiddellijk aan het werk te gaan. Daarin werd tevens duidelijk gemaakt, dat niet opvolging arrestatie en veroordeling tot zware straffen zou betekenen. De letterlijke tekst van een deel van de proclamatie luidde:

KENNISGEVING
Ik beveel:
a) In alle openbare en particuliere bedrijven is op Donderdagochtend, 27 Februari, het werk in vollen omvang te hervatten.
b) Optochten, vergaderingen, samenscholingen en betoogingen van welken aard ook, in het bijzonder op openbare wegen en pleinen, alsmede in bedrijven, zijn verboden.
Overtreding van deze bepalingen en maatregelen, welke worden genomen door den met de uitvoering belasten bevelhebber, vallen onder de Duitsche wetten van oorlog en worden berecht door Duitsche krijgsraden.
Dientengevolge wordt, voor zoover niet nog zwaardere strafwetten zijn geschonden, met tuchthuis van ten hoogste 15 jaar vooral hij gestraft, die tot staking ophitst of daartoe oproept of de werkzaamheden staakt. Indien voor de weermacht belangrijke bedrijven daarbij zijn betrokken, waartoe tevens ook behooren alle voor de algemeene levensbehoeften belangrijke bedrijven, kan de doodstraf worden opgelegd.

's-Gravenhage, 26 Februari 1941.
De Weermachtbevelhebber in Nederland
Fr. CHRISTIANSEN,
Generaal der Vliegers

De burgemeester van Amsterdam en de diensthoofden van de gemeentelijke diensten waren ondertussen door Rauter opgetrommeld. Zij werden persoonlijk verantwoordelijk gesteld voor het beëindigen van de staking. De intimiderende boodschap aan bestuurders en stakers had resultaat. De dreigende proclamatie, de harde acties van Duitse politie en militairen door middel van arrestaties en het gebruik van scherpe munitie tegen stakers en gewone burgers, had als resultaat dat in Amsterdam op 27 februari de staking snel verliep. De Duitsers namen ondanks dat geen enkel risico meer. De speciale veiligheidsmaatregelen werden nog ettelijke dagen gehandhaafd. Er werden door hen extra Waffen SS en Duitse politie-eenheden bij de hand gehouden, om ieder nieuw verzet onmiddellijk de kop in te drukken. Toen de staking in Amsterdam op deze hardhandige wijze gebroken was, verliepen de stakingen elders ook vrij snel. Door de arrestaties en verhoren van de paar honderd man en verdere spionage, hoorden de Duitsers dat er bij de illegale CPN serieuze plannen zouden zijn om op 6 maart een algemene staking uit te roepen. Daarom handhaafden ze de bijzondere veiligheidsmaatregelen en hielden de aangetrokken extra veiligheidstroepen bij de hand. Op 6 maart gebeurde er niets. De CPN wilde wijselijk niet het risico nemen om een nieuw bloedbad te initiëren. Het grootste deel van de lukraak gearresteerde stakers en betogers werd na een paar dagen weer vrijgelaten. Sommigen werden een paar weken vastgehouden. Zeven gearresteerden werden zwaar mishandeld en veroordeeld tot langdurige gevangenisstraf. Eén van hen werd ter dood veroordeeld. Buiten Amsterdam arresteerden de Duitsers tot begin april meer dan honderd bij hen bekende communisten. Hiervan werden er 22 veroordeeld. De rest van deze arrestanten werd na diverse verhoren weer vrijgelaten.

Maar de staking had nog meer gevolgen. De gemeente Amsterdam moest een boete betalen van 15 miljoen gulden (thans vergelijkbaar met minstens 150 miljoen gulden). Gemeente Hilversum werd veroordeeld tot een boete van 2,5 miljoen gulden en Zaandam tot een half miljoen. De burgemeester van Amsterdam en vijf wethouders werden ontslagen. In Zaandam wachtte de burgemeester en hoofdcommissaris hetzelfde lot. De Duitsers benoemden op deze functies NSB'ers. In mei 1941 werd de Amsterdamse hoofdcommissaris vervangen door een pro-Duitse hoofdcommissaris.

Had de Februaristaking iets veranderd aan het Duitse optreden tegen de joden? Nee, helaas niet. Het Duitse vliegwiel van isolatie, vervolging en later systematisch en fabrieksmatig vermoorden van de joden, was al in beweging gezet en zou niet meer stoppen. In volgende hoofdstukken wordt daar verder op ingegaan.

De staking had wel andere en blijvende gevolgen. Het had keihard getoond dat Seyss-Inquarts politiek om het 'Germaanse' Nederlandse broedervolk te winnen voor steun aan het nazi-gedachtegoed faliekant mislukt was. De aanvankelijk verdoving en nogal semi-coöperatieve houding van veel Nederlanders gedurende het eerste halfjaar van de bezetting leek nu echt voorbij. De nazi's werden – waarschijnlijk veel eerder dan ze aanvankelijk gedacht hadden – gedwongen om het ware gezicht van terreur en onderdrukking in al zijn gruwelijkheid te laten zien. Een flink deel van de bevolking in het westen van het land had nu duidelijk getoond dat – naast de instinctieve drang om te overleven – de drang naar vrijheid en rechtvaardigheid nog steeds onverminderd aanwezig was. Men werd er zich meer van bewust, dat verzet tegen de onderdrukkers op allerlei passieve en actieve manieren mogelijk en noodzakelijk was. De in het begin passieve houding van veel Nederlanders zou steeds meer verdwijnen. De Februaristaking was een keerpunt in de verhouding tussen bevolking en bezetters. Bovendien verzwakte het de positie van de toch nog enigszins gematigde houding van Seyss-Inquart bij de nazi-top in Berlijn. Helaas versterkte het ook de ijzeren greep van Rauter en zijn handlangers op de Nederlandse bevolking. Zoals hiervoor vermeld, werden twee weken na de staking de ter dood veroordeelde eerste Geuzen en drie anderen (waaronder de eigenaar Cahn van de ijssalon) op de Waaldorpervlakte geëxecuteerd. Een paar duizend burgers zouden hierna in de volgende jaren door verzets- en andersoortige illegale activiteiten, ten gevolge van executies het leven verliezen.

HOOFDSTUK 4

Van aanpassing naar verzet, 1941-1943

4-1 Europese speelveld

In de tweede helft van 1940 was het door de houding van de Britten duidelijk geworden dat Duitsland beslist niet onoverwinnelijk was. De Engelsen waren vastbesloten en bereid de strijd tot het bittere eind voort te zetten. Hoewel dit defaitisten de wind uit de zeilen nam, was er in Nederland geen enkel uitzicht om onder het Duitse juk vandaan te komen. De felle en harde Duitse reactie op de Februaristaking in 1941 en de daaropvolgende executies, hadden her en der gevoelige snaren geraakt. Veel meer dan voorheen beseften vooral stedelingen, maar ook de bewoners op het platteland, dat alleen langs de zijlijn staan wel erg naar binnen gericht was. Er kwam meer draagvlak voor illegale activiteiten. Het enig hoopvolle teken dat de Engelsen in hun strijd actief waren om Duitsland aan te pakken, waren de Britse en later ook Amerikaanse bommenwerpers op weg naar doelen in Duitsland. De hoogvliegende bommenwerpers, bleven in de jaren vóór medio 1944, zichtbare signalen dat de 'Moffen' in hun vaderland er flink van langs kregen. Het gezegde 'er is geen beter vermaak dan leedvermaak' ging hier helemaal op!

Hitler liet zich ondanks de Engelse tegenstand, niet van zijn stuk brengen. Zijn langetermijnstrategie was continentaal Europa in zijn macht krijgen. De Molotov-Ribbentrop-overeenkomst met Rusland had uitstekende diensten bewezen om rugdekking te geven voor de aanval in West-Europa. Erfvijand Frankrijk was boven verwachting snel verslagen. Hitler kon zich nu helemaal concentreren op zijn brandend ideaal *Lebensraum* te verkrijgen in het oosten. De vernietiging van het sovjetleger en verovering van Rusland stonden nu bovenaan zijn agenda.

Al in december 1940 was de militaire planning voor die aanval (operatie Barbarossa) in gang gezet. Om Duitslands positie op de wereldkaart verder te versterken, had Hitler in september 1940 het Driemogendheden Pact getekend. Dit pact werd getekend door Japan, Duitsland en Italië. Hoofddoel was om in Europa en Azië de 'Nieuwe Orde' te vestigen. In Europa had men inmiddels ruimschoots ervaren wat dit soort 'Nieuwe Orde' kon betekenen en dat was niet veel goeds! Onder Duitse druk traden eind 1940 Hongarije, Roemenië en Slowakije toe. In het voorjaar van 1941 voegden zich Bulgarije en Joegoslavië bij de pactlanden.

Grote problemen had Hitler met zijn fascistische heetgebakerde compagnon

Mussolini. Om de handen vrij te hebben voor de aanval op Rusland, was voor Hitler stabiliteit en rust in het Balkangebied bijzonder belangrijk. Door uitoefenen van druk en het voeren van een sluwe politiek, had Hitler Roemenië, Joegoslavië, Hongarije en Bulgarije zover bewerkt dat ze de kant van Duitsland kozen. Hitler had Mussolini min of meer bevolen zich *niet* door middel van militaire acties te bemoeien met het Balkangebied. Helaas was Mussolini een bijzonder ijdele en pocherige man, die met zijn emotionele mentaliteit behoorlijk jaloers was op de eclatante militaire successen van de Duitse legers. Het Italiaanse leger kon qua mentaliteit, geoefendheid, bewapening en uitrusting, totaal niet tippen aan het Duitse leger. In zijn grootheidswaan zocht Mussolini naar overwinningen en glorie, om zijn kleinzielige ego te strelen. Hij had illusies om opnieuw een 'Romeins Rijk' te vestigen in het Middellandse-Zeegebied. Zonder overleg met Hitler, viel hij in oktober 1940 onverhoeds vanuit Albanië Griekenland aan. Door de eerste en volledige verrassing had het Italiaanse leger aanvankelijk succes. De Grieken herstelden zich vrij snel, mobiliseerden direct en ondernamen tegenaanvallen. Door tactisch slim opereren, zagen ze kans de Italianen een halt toe te roepen. Binnen drie weken dreven ze de Italianen terug tot in Albanië. Bij hun tegenaanvallen hadden de Grieken duizenden Italianen krijgsgevangen gemaakt en hen veel verliezen toegebracht. Wat een glorieuze aanval met overwinningen voor Mussolini had moeten worden, eindigde rap in een drama. Met moeite stopten de Italianen in Albanië de Griekse opmars. In het bergachtige gebied van dit land, gingen de aanvallen en tegenaanvallen door, maar zonder echte successen voor de Italianen.

Teneinde de zich moedig werende Grieken te helpen, stuurden de Engelsen een aantal RAF-jachtvliegtuigen naar Griekenland. In maart 1941 vergrootten de Britten hun steun door vijftigduizend man Engelse troepen naar Griekenland te zenden. Door al deze ondoordachte activiteiten, gebeurde er precies wat Hitler had geprobeerd te vermijden. Door het impulsieve en klungelige optreden van Mussolini werd Hitler meegezogen in een niet gewenste militaire campagne in de Balkan. Om de Italianen te helpen, begonnen de Duitse legers voorjaar 1941 vanuit Bulgarije met een aanval op Griekenland. Tegelijkertijd vielen de Duitsers het door een interne coup nu vijandige Joegoslavië aan. Met hun *Blitzkrieg*-tactiek veroverden ze eerst Belgrado en daarna Athene in april. Hun succes was te verklaren door de onvoorbereidheid van het Joegoslavische leger en een meedogenloos bombardement van drie dagen op de mooie stad Belgrado. De te hulp geschoten Britten kwamen te laat om de aanvallende Duitse legers tegen te houden. De Engelse en Australische troepen voerden bekwame achterhoedegevechten die de Duitsers vertraagden, maar die hen niet konden tegenhouden. De Britten en Australiërs zagen kans om na de verwoede achterhoedegevechten hun troepen overzee te evacueren. Hoewel dit niet van tevoren gepland was, had Hitler door de Balkan-campagne nu de volledige politieke en militaire controle over het hele Balkangebied. Dit nieuwe succes overtuigde Hitler nog meer van de onoverwinnelijkheid en superioriteit van zijn Duitse legers. Het versterkte zijn mening dat hij de Russen gemakkelijk en snel zou kunnen verslaan.

Voor Mussolini was het Duitse militaire succes in de Balkan een harde klap in het gezicht en een nieuwe vernedering. De eerste klap had hij al eerder opgelopen bij de militaire operaties in Noord-Afrika. Vanuit het door de Italianen gedomineerde Libië, had Mussolini in september 1940 de aanval ondernomen op de Britse troepen in Egypte. De Britten werden negentig kilometer in oostelijke richting teruggeslagen. De Italianen stopten na dit succes hun opmars om zich te reorganiseren. Voor de Engelsen was het noordoosten van Afrika van groot strategische belang. Het Suezkanaal was voor hen de slagader naar Brits-Indië (huidige Pakistan en India). De Britten startten een tegenoffensief in december en sloegen de weinig vechtlustige Italianen nu terug tot aan Tobroek en Benghazi. Een compleet Italiaans leger moest capituleren en circa honderdduizend Italianen werden krijgsgevangen gemaakt.

Hitler werd tegen zijn zin gedwongen zijn ijdele bondgenoot te hulp te snellen. In februari 1941 werd generaal Rommel met Duitse pantser- en infanterietroepen inclusief vliegtuigen van de *Luftwaffe*, naar Noord-Afrika gestuurd. Rommel nam onmiddellijk het commando van de Italianen over. Door zijn bekwame tactiek en durf, zag hij kans het door de Italianen verloren gebied redelijk vlug op de Britten te heroveren.

In Nederland werd al het nieuws over de Duitse successen in Noord-Afrika en in de Balkan op de bekende brallende wijze door de media over de mensen uitgestort. Na de Februaristaking en de brute Duitse reactie daarop, werd het voor de patriottische Nederlanders steeds duidelijker dat de bezetting lang zou gaan duren. Dit sombere beeld werd extra versterkt door de plotselinge Duitse aanval op Rusland in juni 1941. Door de opgedrongen Balkan-campagne was de eerdere planning voor deze aanval met een maand vertraagd. Later zou blijken hoe fataal deze vertraging zou uitpakken.

Hitler was dermate overtuigd van de superioriteit van de Duitse legers, dat hij verwachtte het gebied rond Moskou veroverd te hebben voor de beruchte ijzig koude Russische winter zou invallen! Hij had daardoor geen speciale winteruitrusting en andere voorbereidingen voor een wintercampagne nodig geacht. Niet te veel gehandicapt door grote kennis van de geschiedenis en volledig overtuigd van de grote superioriteit van zijn 'Germaanse' soldaten, trok hij geen enkele les uit de rampzalig verlopen Russische veldtocht in 1812 van de legers van Napoleon.

De sluwe Stalin had ondanks het sluiten van het Molotov-Ribbentrop-pact, begrepen dat confrontatie met Hitler-Duitsland op den duur onvermijdelijk was. Het pact kon hem hooguit wat tijdwinst opleveren. Toen de Duitsers op 22 juni hun aanval lanceerden, was zijn eerste reactie compleet ongeloof. Dit ongeloof was nogal merkwaardig, aangezien zowel de Britse als de Amerikaanse en zijn eigen inlichtingendiensten, hem voor de Duitse aanval van tevoren hadden gewaarschuwd. Misschien gaat hierbij de stelling op dat bedriegers nauwelijks verwachten zelf ook bedrogen te worden! Omdat de Russische legers nauwelijks voorbereid waren op deze onverhoedse aanval, kwam de klap des te harder aan. In een paar dagen tijd vernietigden de Duitsers omstreeks 2400 Russische jachtvliegtuigen en bommenwerpers. Tienduizenden Russische soldaten werden gedood of krijgsgevangen gemaakt. Geleidelijk aan herstelden de Russen zich en wierpen nieuwe verdedigingslinies op. Ondanks taai verzet waren ze niet opgewassen tegen de Duitse *Blitzkrieg* en konden de vijandelijke opmars hooguit wat vertragen. De Duitsers rukten op sommige rou-

| *Kaart Europa 1941/42.*

tes in het uitgestrekte land zelfs zestig kilometer per dag op. De sovjets pasten in hun enorm grote land de 'verschroeide aarde' tactiek toe. Grotere weerstandskernen bezorgden de Duitsers problemen en enige vertraging, maar hun opmars ging toch gestaag verder.

In circa vier maanden bereikten de Duitse legers de lijn Leningrad-Moskou-Rostow. Op zich was dat een knappe militaire prestatie, die wat zegt over de professionaliteit van het Duitse leger. De Duitsers doodden of namen omstreeks één miljoen Russische militairen krijgsgevangen en vernietigden duizenden Russische tanks en kanonnen. Ondanks deze grote successen slaagden ze er niet in de sovjetlegers uit te schakelen. Hitler en zijn generaals wisten niet en hadden zich ook niet gerealiseerd, dat de sovjets nog ruim een miljoen geoefende militairen in reserve hadden om de verliezen op te vangen. In oktober/november 1941 stopte de Duitse opmars door het invallen van de strenge Russische winter en wegens logistieke problemen. Het Duitse leger was op de extreme koude noch fysiek, noch psychisch en materieel voorbereid. De gehavende legers moesten zich bovendien herstellen van de opgelopen verliezen aan mensen en materiaal. De Duitse verliezen omvatten in deze eerste fase van de Russische campagne toen al omstreeks een half miljoen man aan doden en gewonden. Ongeveer 50 procent van hun tanks waren verloren gegaan of moesten gerepareerd worden. De bitter koude Russische winter was nog maar net begonnen en sloeg keihard toe. Smeerolie bevroor in geweren, mitrailleurs, kanonnen en tanks. Bevroren oren en tenen schakelden veel soldaten uit. In de steenhard bevroren grond was het nu bijzonder zwaar om mangaten en loopgraven te hakken. Dit gedwongen halt houden van de tot dan ongeslagen en succesvolle Duitse legers, was voor menig soldaat een eerste vaag voorteken, dat de snelle eindoverwinning niet zo makkelijk binnen het bereik lag als de nazi-leiders hen hadden voorgeschoteld.

De Duitse aanval op Rusland verloste de Nederlandse communisten van hun loyaliteitsdilemma. Sinds 1917 hadden ze de politieke lijn van communistisch Rusland gevolgd. Toen Stalin het Molotov-Ribbentrop-pact tekende, veroorzaakte dat grote verwarring bij de CPN en haar leden. Toen de SD kort na de bezetting begon met arrestaties van Nederlandse communisten, begrepen de CPN-leiders dat ze niet meer klakkeloos de politieke lijn van Moskou konden blijven volgen. De Duitse aanval op Rusland maakte voor de nu illegale CPN de weg vrij om contacten te leggen en onderhouden met de opkomende Nederlandse verzetsgroeperingen. De communisten zouden in het groeiende Nederlandse verzet een duidelijke en actieve rol spelen en door hun hechte organisatiegraad in staat zijn om succesvol 'ondergronds' te opereren.

In het voor de Duitsers nog militair succesvolle jaar 1942, nam de greep en invloed van het nazi-bestuur op veel aspecten van het dagelijkse leven van maand tot maand toe. De eerste grotere executies van de achttien mannen in maart 1941, toonde aan dat veel nieuwe wetsbepalingen dat soort zware straffen mogelijk maakten en helemaal geen dode letter waren. Het was helaas de keiharde realiteit. Het was nu ook griezelig duidelijk dat actief verzet tegen het nazi-regime arrestatie, marteling en de doodstraf kon betekenen. De afwachtende en vrij gelaten passieve houding van veel mensen, veranderde geleidelijk in grotere ingehouden woede en de bereidheid om meer weerstand te bieden tegen de terreur. De mate waarin zich dat uitte, hing sterk

| *Nazi overmoedigheid in verband met militaire successen op gebouw in de Kneuterdijk te Den Haag 1941.*

af van de persoonlijke mentaliteit van mensen. Hierbij waren geloofsovertuiging, politieke bewustheid, sociale positie en het individuele geweten belangrijke factoren. De wil om onder deze moeilijke omstandigheden zo goed mogelijk te overleven, bleef voor veel mensen toch wel de meeste bepalende drijfveer. Ondanks dat waren inmiddels meer mensen vanaf eind 1941 bereid om voor 'de goede zaak' hun nek uit te steken. Er ontstond een breder draagvlak voor actieve en passieve vertragingstactieken, voor het ontduiken van allerlei regels en bereidheid om te saboteren.

In februari 1941 verordonneerde een nieuw decreet werklozen om verplicht in Duitsland te gaan werken. De volgende maand werd het joden verboden om bij (niet-joodse) bedrijven te werken. Alle radioverenigingen werden opgeheven en de omroepen werden nu verzorgd door een Rijksradio-omroep. De directeur van deze nieuwe omroep was uiteraard een NSB'er. In april werd de padvinderij verboden. Dezelfde maand werd het dansen in openbare uitgaansgelegenheden eveneens verboden. Overal in de steden moesten in cafés bordjes worden opgehangen met het opschrift 'voor joden verboden'. Vooral militante WA'ers dwongen onwillige caféhouders onder dreiging met geweld deze borden toch op te hangen.

In mei had de door Duitsers gecontroleerde omroep een flink probleem. De trouwste vazal van Hitler en zijn kameraad vanaf het eerste uur in 1921 was Rudolf Hess. Hess vloog vrijwillig met een *Luftwaffe*-jachtvliegtuig naar Schotland. Hij landde daar per parachute in de omgeving van het landgoed van de graaf van Hamilton. Hess was direct in 1933 benoemd tot de tweede man en plaatsvervanger van Hitler. In de nazi-top vervulde hij in de jaren 1933 tot 1941, een aantal uiterst belangrijke functies. Zo werden de meeste nazi-wetten en -decreten in die periode door hem officieel ondertekend. Zijn reis naar Schotland, was een naïeve en puur persoonlijke onderneming. Het was zijn bedoeling om op eigen houtje een vredesregeling met de Engelsen tot stand te brengen.

Direct na zijn landing in Schotland werd hij gearresteerd en voor de verdere duur van de oorlog in een Engelse gevangenis opgesloten. Het Duitse propagandaministerie onder Goebbels en dus ook de Nederlandse radio-omroep en pers, probeerden aan dit nieuws zo min mogelijk ruchtbaarheid te geven. Voor de nazi's en de pro-Duitse Nederlanders was deze vlucht van Hess een enorm morele klap. De meeste Nederlanders gniffelden toen ze via de officiële omroep wat 'gecamoufleerd' en afgezwakt maar via de 'illegale' BBC en Radio Oranje voluit, dit nieuws hoorden.

Dit soort nieuws over deze ramp bij de nazi-top, gaf mensen weer wat meer hoop dat er ooit een eind zou komen aan de Duitse bezetting. Maar meer dan hoop was het niet en de zorg voor het verschralende dagelijkse leven werd er niet minder door. Melk ging op de bon en hierna volgden aardappels en jam. Na het verbod op en de opheffing van de politieke partijen in juni, werden de partijkantoren door de SD bezet en alle financiële fondsen van die partijen in 'beslag genomen'. Dit was inmiddels de officiële benaming voor wat we in een woordenboek gewoon 'roof' noemen. Op de verjaardag van prins Bernhard in 1942 werden spontaan, maar op een veel voorzichtiger en kleinere schaal dan het jaar daarvoor, anti-Duitse en anti-NSB uitingen getoond.

De sluipende en discriminerende maatregelen tegen de joden gingen gestaag door. Tussen april en september dwong een nieuw decreet de joden om hun radio's in te leveren. Vervolgens werd het hun verboden om in badplaatsen te verblijven en verboden om paardenraces bij te wonen. Joodse kinderen mochten voortaan niet meer op scholen zitten met niet-joodse kinderen en mochten alleen nog onderwijs ontvangen op joodse scholen. Maar ook niet joodse mensen ontkwamen niet de grijpgrage handen van de bezetter. In augustus moest iedereen koperen, tinnen en nikkelen voorwerpen inleveren. Deze inlevering werd op grote schaal gesaboteerd en de meeste mensen verborgen of begroeven de voorwerpen van deze metaalsoorten. De Duitsers hadden niet genoeg mankracht om de inlevering af te dwingen en georganiseerd te controleren, toen deze massale sabotage van de inlevering plaatsvond.

Seyss-Inquart kwam in augustus met een decreet, waarbij de gemeente- en provinciale raden werden opgeheven. Die overblijfselen van de democratie pasten niet in het nazi-autoritaire bestuurssysteem. Dezelfde maand werd nabij Amersfoort een nieuw politiek 'doorgangskamp' in gebruik genomen. In feite was dit kamp een soort concentratiekamp waar politieke gevangenen werden opgesloten, al dan niet in afwachting van doorzending naar concentratiekampen in Duitsland of Polen. Zowel nog niet en wél veroordeelde politieke gevangen, zaten in dit kamp bij elkaar.

| *Duitse antisemitische reclame voor een film.*

De sterk gegroeide sympathie van de bevolking voor het koninklijk huis, was de bezetter nog steeds een doorn in het oog. In een nieuw decreet zette de bezetter de frontale aanval in tegen de koninklijke familie. Al hun bezittingen in Nederland werden in beslag genomen. Het gebruik van hun namen bij stichtingen, instituten, verenigingen, bedrijven et cetera werd verboden.

De altijd grotere inspanningen die Duitsland moest leveren om hun massale oorlogsmachine draaiende te houden, waarde in negatieve zin in de herfst 1941 verder door naar Nederland. Veel bedrijven die niet direct van belang waren voor de Duitse oorlogsindustrie, kregen bericht dat ze door gebrek aan steenkool niet meer in aanmerking kwamen voor kolenleveranties en elektriciteit voor industrieel gebruik. Door grote inventiviteit, zagen sommige ondernemingen toch nog kans hun bedrijf draaiende te houden. Buiten deze gelukkigen, moesten veel kleinere bedrijven wel hun activiteiten beëindigen en hun werknemers naar huis sturen. Gedwongen door de energietekorten, moesten in de grote steden de openbaar vervoersbedrijven in de avond hun gewone dienstregeling stoppen om 21.30 uur. Al deze maatregelen maak-

| *Bij gebrek aan benzine stationsvervoer in Ede van 1 pk.*

ten het dagelijks leven moeizamer en armzaliger en het zou nog veel erger worden.
De menselijke geest is gelukkig in staat ook onder moeilijke omstandigheden van de nood een deugd te maken. Door al de beperkingen, werd men steeds inventiever. Men ging improviseren en vervangingen zoeken en vinden (uiteraard van veel mindere kwaliteit) voor wat niet meer normaal beschikbaar was. Daar waar buitenshuis steeds minder mogelijkheden overbleven voor recreatie en vervoer, werden de burgers gedwongen hun vertier en plezier te zoeken met vrienden en familie in de huiselijke kring en dat gebeurde dan ook. Allerlei gezelschapspelen werden uit de kast gehaald, lezen en muziek beluisteren of maken, werden onder meer alternatieven om zich nog enigszins te kunnen vermaken. Met het voortschrijden van de oorlog, zou het dagelijks leven van maand tot maand nog veel meer verschralen en verpauperen.

4-2 Uitbreiding van het oorlogstheater

De Rijksradio-omroep, de radiodistributie en de kranten, gaven aan de mensen alleen maar 'Duits-gekleurd' nieuws. De vele militaire successen (en die waren er in 1941-1942 nog ruimschoots) werden steeds breed uitgemeten. Tegenslagen of verliezen van Duitsland en haar bondgenoten werden verbloemd of niet vermeld. In 1940-1941 waren omstreeks een miljoen Nederlanders in het bezit van een radio. Buitenlandse zenders beluisteren was verboden. Om het illegaal beluisteren van de Engelse radio zoveel mogelijk te hinderen, gebruikten de Duitsers krachtige stoorzenders. Ondanks al deze storingen, zagen velen kans toch stiekem naar de BBC te luisteren. Dit nieuws 'van de andere kant' (dat ook vaak nogal positief 'gekleurd' was) werd doorgaans van mond tot mond doorgegeven en de informatie werd gebruikt voor de groeiende 'illegale' pers. Via deze kanalen bleef 'Jan de Hollander' toch vrij goed op de hoogte wat er gebeurde in het geallieerde kamp.

Het nieuws over de luchtslag boven Engeland, de Amerikaanse stille hulp aan Engeland en de taaie Russische tegenstand, kwamen via de Engelse omroep en Radio Oranje de Nederlanders ter ore. De ondertekening van het Driemogendhedenpact door Duitsland en Japan interesseerde de meeste Nederlanders niet zo direct. Wie het wel de oren deed spitsen, waren de mensen die in de Aziatische koloniën familieleden, vrienden en kennissen hadden.

De Verenigde Staten waren voor de meerderheid van de bevolking een ver en vreemd land. Dat men daar weinig interesse had voor wat in Europa gebeurde, was bekend. Het grote land voerde in 1940 een strikt isolationistische buitenlandse politiek. In de Eerste Wereldoorlog waren de Verenigde Staten in 1917 de Engelsen, Fransen en Belgen te hulp gesneld. Het had de Verenigde Staten op de Europese slagvelden in één jaar tijd omstreeks 75 duizend gesneuvelden en een kwart miljoen gewonden en vermisten gekost. De grote economische recessie in begin dertiger jaren, trof de Verenigde Staten nog harder dan de Europese landen. Toen Hitler Duitsland in 1938 zijn expansionistische politiek doorzette, had president Roosevelt al het inzicht dat zijn land waarschijnlijk toch gedwongen zou worden hun isolationistische politiek op te geven. Het grootste deel van de Amerikanen en het Congres, waren niet geïnteresseerd in wat Hitler in Europa uitvoerde.

Roosevelt begreep dat het heel moeilijk zou zijn om deze mentaliteit van zijn landgenoten om te buigen. De Duitse aanval op de West-Europese landen in 1940, verontrustte de Amerikanen enigszins. Veel nieuwe emigranten hadden daar nog familie wonen. Met de nodige moeite kreeg uiteindelijk Roosevelt van de volksvertegenwoordiging toestemming, om de tot een minimum teruggebrachte Amerikaanse krijgsmacht enigszins te versterken. De dringende verzoeken van Churchill om militaire hulp, werden in september 1940 uiteindelijk ingewilligd. De omvangrijke Amerikaanse industrie, ging geleidelijk aan meer oorlogsmateriaal produceren. Het land met zijn enorme industriële productiecapaciteit, zou uitgroeien tot de wapensmidse voor de westerse democratieën. Om conflicten in het Congres met isolationistische groeperingen te voorkomen, werd de hulp aan Engeland (vooral oorlogsmateriaal), gegoten in de vorm van een 'Leen en Pacht'-wet. Roosevelt moest in de periode 1940-1941 in eigen land politiek nog steeds heel voorzichtig manoeuvreren, om het mogelijk te maken de eenzaam strijdende Engelsen te voorzien van de broodnodige aanvullingen van oorlogsmateriaal en uitrusting. Toen de Duitsers in 1941 Rusland binnenvielen, kregen ook de Russen onder de vleugels van de 'Leen en Pacht'-overeenkomst, veel militair materieel geleverd.

Roosevelt en Churchill konden het persoonlijk bij hun regelmatige ontmoetingen en contacten, goed met elkaar vinden. Roosevelt bewonderde de eenzame en taaie strijd van de Engelsen onder de bezielende leiding van Churchill, tegen de fascistische landen in Europa. De contacten tussen beide staatslieden leidden in augustus 1941 tot een zeer geheime meerdaagse conferentie op de Atlantische Oceaan ter hoogte van Newfoundland. Die conferentie werd gehouden aan boord van de Amerikaanse kruiser *Augusta*. De staatslieden waren vergezeld van een grote staf politici en hoge militairen. Behalve uitgebreide en pittige gesprekken over de politiek-strategische toestand in de wereld, werden de acht punten van een *Atlantic Charter* besproken. In een officiële verklaring legden Churchill en Roosevelt vast dat 'gemeenschappelijke principes in de politiek van hun landen, de basis was voor een betere toekomst in de wereld'. Amerika bleef onder druk van het Congres en ondanks deze verklaring, zijn vrij isolationistische politiek voortzetten.

Voor de Verenigde Staten kroop in het gebied van de Stille Oceaan sluipend een dodelijk gevaar steeds dichterbij. Het was voor Amerika van vitaal belang om in het gebied van de *Pacific Ocean* de vrede te handhaven. Dat gebied was (en is) een achterdeur die voor hen nagenoeg even belangrijk is als de voordeur aan de Atlantische Oceaan. Japan was (en is) in hoge mate afhankelijk van import van ruwe grondstoffen, zoals aardolie, ijzererts, rubber et cetera. Dat soort grondstoffen was in Zuidoost-Aziatische landen (in het bijzonder in de toentertijd koloniale gebieden) ruimschoots aanwezig. Om de afhankelijkheid van deze grondstoffen te verminderen, propageerde Japan vanaf 1928 zijn Groot-Azië-politiek. In het kader van deze politiek hadden ze in 1932 Mantsjoerije onder hun militaire en politieke controle weten te brengen. Zij installeerden in dat land een marionettenregering. Japan lapte een veroordeling door de Volkenbond van hun militaire inval in Mantsjoerije, volledig aan de laars.

Hun expansionistische politiek maakte in 1937 het volgende slachtoffer. Na een aantal incidenten brak de oorlog met China uit. Japan viel met zijn troepen Noordwest-China binnen. Ze rukten gestaag verder op en veroverden Peking en Nanking. In die twee steden gingen de Japanse troepen beestachtig tekeer tegen de lokale Chinese bevolking, waardoor er bij de burgers in die steden heel veel doden vielen.

Hun volgende stap in 1938, was algemene mobilisatie. De regering van de Verenigde Staten werd steeds bezorgder door deze mobilisatie. In 1939 hadden de Verenigde Staten het toen lopende handelsverdrag met Japan opgezegd. Het Driemogendheden Pact in 1940 en het Non-agressie-pact van Japan met de Sovjet-Unie, verzekerde de Japanners van een flankdekking bij hun operaties in China. Zij voelden zich hierdoor gesterkt en bezetten de Franse koloniën in Indo-China. De Amerikanen reageerden hierop door het afkondigen van economische sancties.

De Britten en de Nederlandse regering in Londen namen nu soortgelijke stappen tegen Japan. Door al deze economische sancties, werd Japan afgesneden van haar broodnodige olieaanvoer uit Nederlands Oost-Indië. De handelsbesprekingen tussen Japan en de Verenigde Staten sleepten zich in 1940 en 1941 voort, zonder dat er echt vooruitgang werd geboekt. De Verenigde Staten probeerden op alle mogelijke manieren een gewapend conflict te vermijden. Ondanks dat, wensten ze niet te buigen voor de arrogante Japanse claim op de hegemonie op bepaalde gebieden in China en Zuidoost-Azië.

Zowel de Britten als de Amerikanen en Nederlanders, waren zich ervan bewust dat op den duur een conflict met Japan bijna niet te vermijden was. Merkwaardigerwijs hadden de westerse mensen in de Britse en Nederlandse koloniën geen erg hoge dunk over de militaire kracht van Japan. De blanke mensen van toen hadden een soort superioriteitsgevoel, waardoor ze op allerlei terreinen dachten ver uit te steken boven Aziaten. In militaire kringen meende men serieus dat de westerse militair professioneel veel beter was dan de Japanse militair. Dit ging zelfs zo ver, dat men dacht dat Japanse piloten niet goed konden vliegen, omdat ze scheve ogen hadden! Vandaag aan de dag kan men glimlachen over dit soort ideeën, maar in de koloniale tijd van voor de Tweede Wereldoorlog was dit gedachtegoed vrij algemeen bij blanke westerlingen.

Door de langdurige isolationistische periode en neutraliteit, waren de Verenigde Staten in het geheel niet voorbereid op een oorlog en oorlogvoering. In Azië verwachtten de Engelsen en Nederlanders ieder moment een aanval op de olierijke gebieden in Borneo. Tegen het advies in van de zeer competente Japanse admiraal Yamamoto, besloot de Japanse Imperiale Staf tot een verrassingsaanval op de grote en belangrijke Amerikaanse marinebasis Pearl Harbor in Hawaii. Hun idee was, dat ze daardoor alle grote Amerikaanse oorlogsschepen (vooral slagschepen, kruisers en vliegkampschepen) in één klap konden uitschakelen. Wanneer dit zou lukken, zou de gehele Amerikaanse vloot in de Grote Oceaan voor langere tijd vleugellam zijn. De Japanners zouden dan vrij spel hebben in de Stille Zuidzee.

De zeer zorgvuldig en goed geplande Japanse aanval op Pearl Harbour was een volledige verrassing. Op 7 december 1941 om 08.00 uur in de morgen, stortten zich in de eerste golf 190 Japanse jachtvliegtuigen en duikbommenwerpers (die opgestegen waren van hun vliegkampschepen en beschermd werden door een groot vlootverband) op hun prooien. Die prooien waren marineschepen, vliegvelden, kazernes en dergelijke. Op dat moment waren de meeste Amerikaanse militairen en burgers op het eiland Oahu van de Hawaii-eilandengroep, onder de warme zon genoeglijk en vrij ontspannen het weekend aan het doorbrengen. De aanval veroorzaakte gigantische verwarring, paniek en schade Er waren omstreeks drieduizend doden en gewonden onder militairen en burgers, op en nabij de marinebasis, de vliegvelden en legerkazernes. Vijf slagschepen zonken direct of stonden in brand. Hetzelfde lot trof verscheidene kruisers en torpedobootjagers. Meer dan driehonderd militaire vliegtuigen werden op de vliegvelden beschadigd of compleet vernietigd. Die ochtend leek dit deel van Hawaii op een plaats die in de bijbel als de dag van het laatste oordeel is beschreven.

Ondanks deze enorme schade en verliezen had de Japanse inlichtingendienst ergens behoorlijk gefaald. Ze wisten namelijk niet dat er op die 7de december *geen enkel* vliegkampschip in de haven aanwezig was! Deze uiterst belangrijke, kapitale schepen waren allemaal op zee en ontsprongen de dans van de vernietiging. Het zou in het verdere verloop van de oorlog de Japanse marine binnen een jaar fataal worden. De Japanners hadden minstens een nog even grote andere misrekening gemaakt. De verraderlijke aanval zonder enige oorlogsverklaring vooraf, en op een moment dat er nog handelsbesprekingen gaande waren, schudde de isolationistische Amerikanen in één klap ruw wakker. De dag na de aanval stond nagenoeg de gehele Amerikaanse bevolking in één klap achter de president en was bereid in een bittere strijd revanche te nemen op de verraderlijke aanvallers. Admiraal Yamamoto, die de Amerikanen goed kende (hij had enige tijd aan de Harvard universiteit gestudeerd en was marine-attaché in Washington geweest), had al eerder gewaarschuwd tegen deze vorm van een onverhoedse aanval. Hij waarschuwde na de aanval op Pearl Harbor zijn landgenoten met de veelbetekende woorden: 'we hebben een slapende reus wakker gemaakt.' Hijzelf zou in de nu begonnen oorlog sneuvelen en helemaal gelijk krijgen.

Engeland, Nederland en nog een aantal andere landen verklaarden één dag later Japan officieel de oorlog. Door deze Japanse agressie, was de oorlog plotsklaps een werkelijke wereldomspannend gewapend conflict geworden. Om de geheimhouding en verrassing compleet te houden, hadden de Japanners hun bondgenoot *niet* van tevoren ingelicht. Hitler werd dan ook volledig verrast door de Japanse aanval. De volgende dag verklaarde Hitler officieel de oorlog aan de Verenigde Staten.

Vanaf begin december gingen de zorgvuldig voorbereide Japanse aanvalsplannen met grote vaart en durf verder. Met kerstmis werd de toenmalige Britse kroonkolonie Hongkong ingenomen. De grote Britse troepenmacht in Malakka (thans Maleisië) was het volgende slachtoffer. Met slimme en gedurfde manoeuvres, werden de Engelsen en Australiërs vanaf het noorden stap voor stap teruggedrongen tot het eiland Singapore. De kleine KNIL-luchtmacht kwam de RAF te hulp bij de gevechten rond Singapore. Ze verloren daarbij een groot aantal vliegtuigen. Ondanks alle bittere tegenstand zagen de geallieerden geen kans de Japanse opmars te stoppen. De Britten in Singapore moesten zich medio januari 1942 vernederd overgeven. Bij de gevechten waren omstreeks negenduizend geallieerde militairen gesneuveld en gewond geraakt. Circa 135 duizend militairen wachtte het smadelijke lot van Japanse krijgsgevangenkampen en slavenarbeid.

Vervolgens viel de zeer moderne Japanse luchtmacht, de Amerikaanse luchtmachtbases aan op de eilanden Guam, Midway en Luzon (Filippijnen). Veel Amerikaanse toestellen werden daarbij op de grond uitgeschakeld. Onze Koninklijke Marine, die in Zuidoost-Azië een flink aantal operationele onderzeeboten had gestationeerd, werd inmiddels actief ingezet. Ze zagen kans een behoorlijk aantal Japanse troepenschepen te torpederen. In de Amerikaanse pers kreeg admiraal Helfrich door deze successen zelfs de bijnaam 'Ship a day Helfrich'. Helaas zagen alle inspanningen van Britten, Australiërs, Amerikanen en Nederlanders geen kans de Japanse militaire stoomwals te keren. De Japanners landden vervolgens met een grote invasiemacht

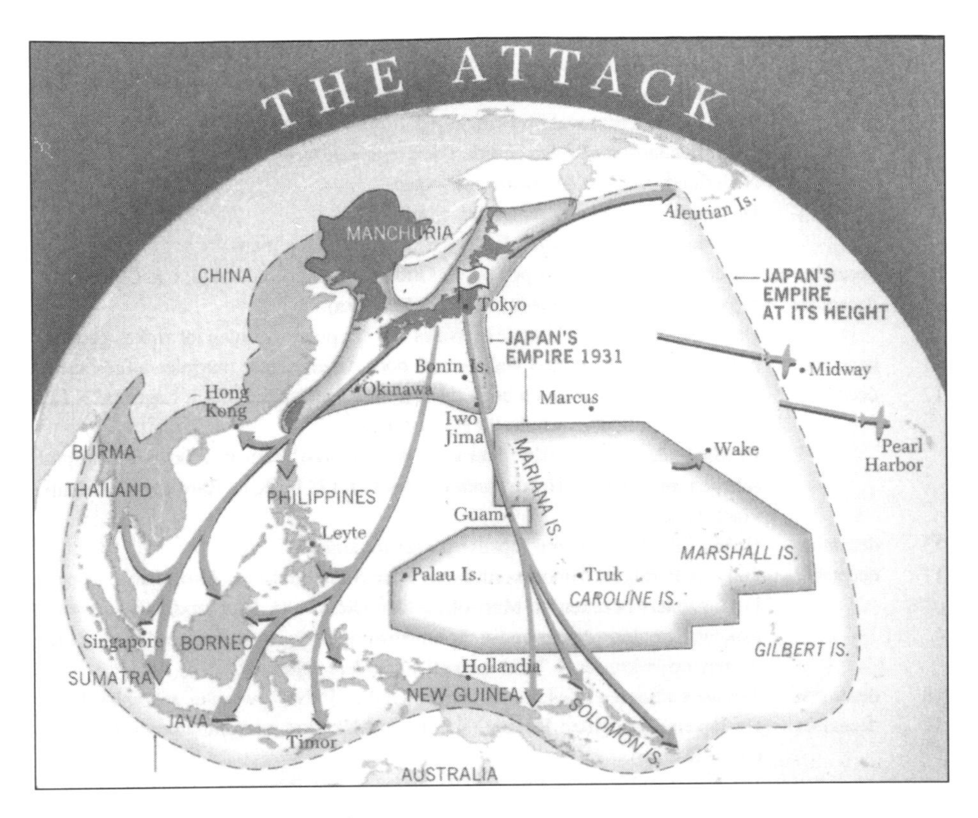

| *Japanse aanvalsacties Zuidoost-Azië in 1941-1942.*

bij Luzon en Mindanao op de Filippijnen. De Amerikanen hadden op de Filippijnen ettelijke infanteriedivisies en een regiment mariniers gestationeerd. Ondanks bittere gevechten, zagen ook die troepen geen kans om de Japanse opmars tegen te houden. Op 9 april moesten circa 75 duizend man verdedigers zich op het versterkte schiereiland Bataan overgeven. Hen wachtte een dodenmars van 135 kilometer, waarbij meer dan tienduizend man omkwamen. De Japanse invasiestrijdmacht had bij de verovering van de Filippijnen wel vertraging ondervonden, maar stoomde daarna weer onvermoeid verder.

In feite was het lot van het voormalig Nederlands Oost-Indië min of meer al bezegeld toen Singapore en daarna de Filippijnen, in Japanse handen vielen. Het KNIL was nooit opgezet, uitgerust en opgeleid om de Nederlandse koloniën in Azië *te verdedigen.* Hun normale taken bestonden uit het handhaven van interne orde en rust in dit grote eilandrijke, koloniale gebied. Het vrij kleine KNIL, had daarom slechts een vrij lichte bewapening. Dit leger was hoofdzakelijk gewend te opereren met kleinere eenheden die in sterkte varieerden van circa twintig tot tweehonderd man. Ze werden vóór het uitbreken van deze wereldoorlog meestal gebruikt om het koloniale bestuur te assisteren en kleine opstandjes in de kiem te smoren. Veel van de mankracht werd gerekruteerd uit de loyale inheemse bevolking, in het bijzonder afkomstig van de Molukken. Praktisch alle officieren en de meeste onderofficieren, waren doorgaans Nederlanders of blanke Europeanen. Eigenlijk had de Nederlandse regering in de jaren 1930-1940 grotendeels voor de verdediging van dit grote, koloniale gebied gerekend op de uitgebreide Britse koloniale troepenmacht. De KNIL-luchtmacht had niet veel vliegtuigen. Een groot deel hiervan was inmiddels verloren gegaan bij luchtgevechten rond Singapore.

De Koninklijke Marine was in Indië wel prominent aanwezig, maar had door de bezuinigingen in de jaren dertig weinig verouderde schepen kunnen vervangen door modernere types. Het enige onderdeel van de KM dat redelijk op sterkte en vrij modern was, bestond uit de vloot van de onderzeedienst. De eerste en belangrijkste doelen van de Japanners in Indië, waren de uitgebreide olievelden in Noordoost-Borneo. Op 11 januari richtten ze hun pijlen met bombardementen en een landing bij de olievelden van Tarakan. Een paar dagen later viel de oliehaven Balik Papan in Japanse handen. Hierna rukten stap voor stap hun invasietroepen met ondersteuning van een grote vloot oorlogsschepen, zwermen jachtvliegtuigen en bommenwerpers op en veroverden ze delen van Sumatra, Celebes (nu Sulawesi geheten) en Ambon. Bij al deze bekwaam uitgevoerde operaties, overtroffen de Japanners in aantallen troepen, oorlogsschepen en vliegtuigen, de Nederlandse verdedigers verre. De kleine verspreide KNIL-garnizoenen op de vele eilanden, konden niet versterkt worden en werden – ondanks dikwijls korte maar dappere tegenstand – stuk voor stuk door de Japanners opgerold.

Het omstreeks dertienhonderd kilometer lange, dichtbevolkte eiland Java was de thuisbasis van het koloniale bestuurs- en regeringscentrum, de militaire staven en de hoofdkwartieren, een grote marinebasis en reparatie- en onderhoudsfaciliteiten voor het leger en de marine. Java werd nu het belangrijkste en laatste bolwerk voor de overblijvende geallieerde strijdkrachten. Het Zuidoost-Aziatische militaire oppercommando was er zich volledig van bewust dat na de val van Singapore en de Filippijnen, hun strijdkrachten op de rand van een regelrechte ramp balanceerden. Toen de Japanners gestaag steeds meer terreinwinst boekten, probeerden de Britten te redden wat er nog te redden viel.

Heel haastig, werd in samenwerking met Amerikanen, Australiërs en Nederlanders, een nieuwe centrale militaire commandostructuur samengesteld. Het kreeg de naam ABDA (American-British-Dutch-Australian) Commando. De commandant van dit nieuwe commando werd generaal Wavell. Die arriveerde in Batavia op 10 januari. Men probeerde in alle haast een laatste verdediging op Java te creëren. Het was alles bij elkaar opgeteld, een vrij schamele strijdmacht die de Japanners zou moeten tegenhouden en moest proberen dat zij niet verder richting Australië konden doorstoten. Het zou blijken allemaal te laat en te weinig te zijn. De militaire eenheden van de vier samenwerkende landen, hadden nog nooit gezamenlijk geoefend en zij hadden allemaal hun eigen nationale verbindings- en logistieke systemen en eigen nationale doctrines. De Japanners waren met hun goed geoliede oorlogsmachine ondertussen opgerukt naar de eilanden Bali en Timor. Medio februari dropten de Japanners parachutisten bij Palembang. Kort daarna landden ze met andere troepen in het zuiden van Sumatra. De tang rondom Java werd langzaam maar zeker dichtgeknepen.

Generaal Wavell telegrafeerde in deze barre omstandigheden aan Churchill het volgende bericht:

> *'Alles wat we nog aan strijdmacht hebben, kan nog maar weinig bereiken om de strijd langer vol te houden. Ik haat het idee om de dappere en wanhopig vechtende Nederlanders in de steek te laten. Ik zal hier blijven en met hen vechten, om het zo lang mogelijk vol te houden als u vindt dat dit zal helpen.'*

Churchill accordeerde dit voorstel niet en beval Wavell om Java te verlaten. Eind februari verliet Wavell met zijn directe staf het eiland Java. Hij gaf het commando van ABDA over aan vice-admiraal Helfrich.

De resolute Helfrich had voor de verdediging van de ongeveer zestienhonderd kilometer noordelijke kustlijn van Java, een samengeraapt stel verdedigers. Door de grote vijandelijke invasiemacht was het bij voorbaat al niet genoeg voor een succesvolle verdediging. Het enige wat voor de verdediging aan land beschikbaar was, bestond uit ongeveer vijf KNIL-regimenten met ondersteunende eenheden (circa vijftienduizend man), Brits-Australisch troepen met wat tanks en twee Amerikaanse veldartillerie batterijen. De Japanners hadden meerdere infanteriedivisies, een grote luchtvloot en een macht aan oorlogsschepen, om de landingen te ondersteunen. Behalve een geringe troepenmacht, hadden de verdedigers bovendien maar weinig jachtvliegtuigen en bommenwerpers.

Helfrich begreep in deze hachelijke situatie maar al te goed dat de beste kansen om de aanvalsvloot met troepen te vertragen of te stoppen, lag in aanvallen uitvoeren op zee. Voor deze operatie van opzoeken en vernietigen van de Japanse troepentransportschepen, had Helfrich een redelijke vloot ter beschikking. Er waren veertien Amerikaanse, Nederlandse, Engelse en Australische lichte en zware kruisers en torpedobootjagers. Helaas waren de meeste van deze schepen al geruime tijd in kleinere gevechten met de Japanners gewikkeld geweest. Sommige schepen hadden daarbij enige schade opgelopen en de goed geoefende bemanningen waren door de gevechten langere tijd niet aan een beetje behoorlijke rust toegekomen. Ondanks deze vermoeidheid, was het moreel van deze marinemannen over het algemeen goed te noemen. Door groot gebrek aan luchtverkenningsvliegtuigen was men nauwelijks in staat met enige betrouwbaarheid te bepalen waar ongeveer de Japanse invasiemacht zich op zee bevond. Het enige wat wel bekend was, bestond uit de informatie dat twee invasievloten vanuit het noorden Java naderden.

Op 26 februari gaf Helfrich opdracht aan de commandant van de gezamenlijke *Combined Striking Fleet* schout-bij-nacht Doorman, om de Japanse aanvallers in de Javazee op te zoeken en in het bijzonder de troepentransportschepen te vernietigen. De geallieerde schepen kozen zee met hun vermoeide, maar vastberaden bemanningen. Zij wisten dat het lot van de mensen op het eiland Java nu volledig van hun succes afhing. Doorman had kort voor zijn vertrek van enige collega's afscheid genomen met de woorden: 'Tot ziens in het hiernamaals.' Uit deze woorden blijkt duidelijk dat hij de kansen op succes van zijn missie laag inschatte. Door het ontbreken van luchtverkenning kon de geallieerde vloot die eerste dag de vijand niet vinden. Hierbij moet opgemerkt worden dat in die jaren oorlogsschepen *niet* konden beschikken over de thans door ieder schip gebruikte radarinstallaties. Na de vruchteloze zoekslagen besloot Doorman om een deel van zijn vloot in Soerabaja brandstof te laten bijtanken. Nog voor de vloot de haven bereikte, kreeg hij van een patrouillerende Nederlandse Catalina vliegboot bericht met *precieze* gegevens over de plaats van de noordoostelijke Japanse vloot. Die bevond zich noordelijk van Soerabaja, nabij het kleine eiland Bawean. Doorman wist niet dat deze vloot bestond uit 41 transportschepen die beschermd werden door lichte en zware kruisers en een aantal torpedobootjagers. Het was hem ook niet bekend dat de Japanners beschikten over uiterst moderne langeafstandstorpedo's en ettelijke luchtverkenningsvliegtuigen. Onmiddellijk na ontvangst van het verkenningsbericht, beval hij zijn aanvalsvloot om te keren en de Japanners te gaan onderscheppen.

Op 27 februari in de namiddag kregen de twee vloten direct contact. Er ontstond gedurende enige uren een hevige zeeslag. De geallieerde vloot overleefde een reeks van Japanse treffers. Twee geallieerde torpedobootjagers werden zodanig geraakt, dat ze beide vrij snel zonken. De Britse kruiser *Exeter* werd zwaar beschadigd. Doorman gaf de order dit schip met escorte van een torpedobootjager, terug te keren naar Soerabaja. Hij besloot met zijn verzwakte vloot in het duister opnieuw een zoekslag in te zetten naar de Japanse transportschepen. Hij gaf nu de order: 'All ships follow me' Dit bevel ging later de wereld niet geheel terecht in als: 'Ik val aan, volg mij.' Deze nachtactie werd een regelrechte ramp. De Japanners hadden vérdragend geschut en openden hiermee en met hun moderne langeafstandstorpedo's, als eersten het vuur. De kruiser *Hr.Ms. Java* werd al gauw getroffen door een aantal torpedo's en zo ernstig beschadigd, dat het binnen twintig minuten zonk. Eén groot deel van zijn bemanning werd tijdens het zinken mee de diepte in gesleurd. Het vlaggenschip *De Ruyter* werd kort daarna ook door torpedo's geraakt. Binnen anderhalf uur zonk deze kruiser eveneens en nam Doorman met een deel van zijn staf en een groot deel van de bemanning mee de diepte in. De commandanten van de twee overgebleven kruisers begrepen dat zonder torpedobootbescherming en verkenningsgegevens, het nu zinloos was het zeegevecht verder voort te zetten. Zij braken het gevecht af en zetten koers naar Tandjong Priok (haven van Djakarta) om de geslonken brandstofvoorraad aan te vullen.

Na het laden van brandstofolie, kozen de kruisers zee om te trachten de Indische Oceaan te bereiken. Kort na hun vertrek stuitten ze in de nacht onverwacht op de westelijke Japanse invasievloot. De Japanse transportschepen waren juist bezig troepen te ontschepen in de Bantam Baai. De twee kruisers openden onmiddellijk het vuur op de voor anker liggende transportschepen en raakten vier troepentransportschepen, een mijnenveger en drie torpedobootjagers. Voor de Japanners was de geallieerde aanval het een complete verrassing. Na korte tijd herstelden ze zich en openden de tegenaanval met hun scheepsgeschut en torpedo's. Het geluk van de verrassing was nu helemaal voorbij en de Japanse overmacht was te groot. Rondom middernacht kregen de geallieerde kruisers diverse fatale torpedotreffers en zonken met hun bemanningen binnen twintig minuten.

De kreupele kruiser *Exeter* die geëscorteerd werd door twee torpedobootjagers,

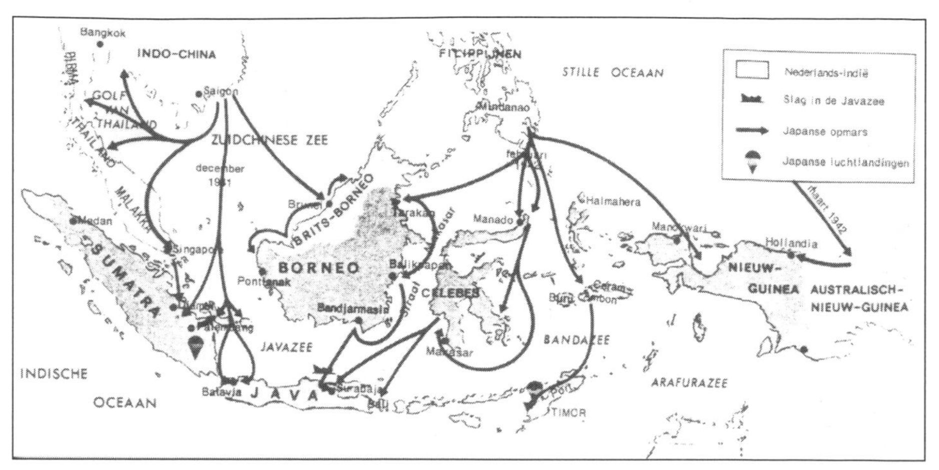

| *Japanse aanval op Nederlands Oost-Indië 1942.*

verliet Soerabaja op 1 maart. Ze probeerden Colombo (op het eiland Ceylon) te bereiken en ongemerkt via Straat Soenda weg te slippen. Noordelijk van Java werden ze opgemerkt door de oostelijke Japanse vloot. Met alle kracht openden de Japanners het vuur op deze drie schepen. Het vernietigende vuur veroorzaakte zoveel treffers, dat ook deze geallieerde oorlogsschepen binnen korte tijd met bemanning en al, in de diepte verdwenen. Meer geluk hadden vier vrij oude Amerikaanse '*fourstacker*' torpedobootjagers. Na in Soerabaja olie te hebben geladen, koersten ze oostelijk en passeerden het eiland Bali. Ze liepen op tegen drie Japanse torpedobootjagers en openden onmiddellijk het vuur. Na een artillerieduel van circa tien minuten, konden ze zonder ernstige schade toch hun weg vervolgen en bereikten de veilige haven Fremantle in Australië.

De zeeslagen in de Javazee waren nu helemaal voorbij. De prijs was hoog geweest. Het had ondanks de grote verliezen aan mensen en schepen, niet het beoogde doel bereikt. Het percentage gesneuvelde bemanningsleden op de vloot was ongeveer 70 procent (omstreeks tweeduizend man)! De weinige overlevenden die in zee op vlotten ronddobberden, waren nu overgeleverd aan de genade van de Japanners. In de Japanse cultuur van toen, had men minachting voor krijgsgevangenen. Een Japanse militair gaf zich niet over, maar vocht zich dood of pleegde *harikiri* (zelfmoord) Het lot van geallieerde militaire gevangenen in de krijgsgevangenkampen was hard, op het onmenselijke af. Veel van deze krijgsgevangenen overleden dan ook door verhongering, slavenarbeid en gebrek aan hygiëne en medische verzorging.

Ondanks de wanhopige moed en opoffering van de bemanningen van de *Combined Striking Fleet*, hadden de zeeslagen in de Javazee de vijand slechts 24 uur vertraging doen oplopen. Het eiland Java lag nu zonder steun van oorlogsschepen en vliegtuigen en met maar een handjevol verdedigers, open voor de Japanse troepenovermacht. Op 1 maart zetten de Japanners de aanval in met verscheidene divisies. De landingen werden uitgevoerd op drie verschillende plaatsen (Bantam, Eretan en Merak). Met hun ongeveer vijf divisies (meer dan honderdduizend man) waren ze veel sterker dan de geallieerde grondtroepen. Ondanks moedige en wanhopige tegenstand, werden de Nederlanders, Amerikanen, Britten en Australiërs stap voor stap steeds verder teruggeslagen. Bij de grondgevechten hadden de verdedigers voortdurend te lijden onder de beschietingen en bombardementen van de Japanse vliegtuigen. Uiteindelijk werden de verdedigers teruggedrongen tot een gebied rondom Bandoeng en de havenstad Tjilatjap aan de zuidkust. In Tjilatjap verdrongen zich duizenden burgers en militairen die probeerden pers schip te ontkomen aan de oprukkende Japanners.

Het gebied bij Bandoeng werd overstroomd door duizenden vluchtende, gedemoraliseerde en hongerige burgers en militairen. De Japanse commandant dreigde de overvolle stad en omgeving te bombarderen. Hij wilde alleen met de Nederlandse gouverneur-generaal persoonlijk spreken, om over een overgave te praten. De hoogste commandant van de geallieerde legertroepen, luitenant-generaal Ter Poorten, en gouverneur-generaal Tjarda van Starkenborgh Stachouwer bleef weinig over dan de moeilijke beslissing te nemen om te capituleren. Op 9 maart capituleerden alle nog aanwezige geallieerde strijdkrachten in het voormalige Nederlands Oost-Indië. Voor de Amerikanen, Britten, Australiërs en vooral de Nederlanders in dit gebied was het een grote klap. Het grote Indische eilandenrijk met zijn rijkdom aan bodemschatten, ging nu eveneens verloren en zelfs Australië werd daardoor direct bedreigd.

Voor de Nederlandse regering in Londen kwam deze capitulatie heel hard aan. Behalve het grootste deel van het koloniale rijk en zijn inwoners, was ook een flink deel van de kapitale schepen van de Koninklijke Marine met hun bemanningen, verloren gegaan. Aan koloniën bleven alleen nog Suriname en de Nederlandse Antillen over. In het bezette Nederland werkte het bericht over het verloren gaan van de Indische koloniën, behoorlijk demoraliserend. Menig Nederlander had familieleden in Indië wonen. Men maakte zich over hen grote zorgen.

In de zomer van 1942 werden nagenoeg alle blanke Europeanen in het toenmalige Nederlands Oost-Indië geïnterneerd in aparte kampen voor mannen en vrouwen. Aangezien de Japanse propaganda al geruime tijd de leuze 'Azië voor de Aziaten' had rondgebazuind, hadden de blanke Europeanen (voor het grootste deel Nederlanders) in Indië niet veel hoop op een fatsoenlijke behandeling. Helaas werd dit sombere vooruitzicht de naakte realiteit. De levensomstandigheden in de Japanse gevangenkampen waren beneden peil. Veel mannen, vrouwen en kinderen in de kampen stierven door slechte behandeling, soms martelingen, honger, slechte hygiene, gebrek aan medicijnen en – vooral voor de mannen – slavenarbeid. Sommige jonge blanke vrouwen werden zelfs tot prostitutie voor Japanse militairen gedwongen. Het lot van de landgenoten in Azië bleek achteraf vaak nog erger te zijn geweest dan het lot van het grootste deel van de Nederlandse bevolking in het bezette vaderland. Onzekerheid over het lot van de familieleden in het verre Indië was nog een extra last die in de volgende oorlogsjaren door menig Nederlander gedragen moest worden.

4-3 Jacht op de joodse bevolking

'Het dagboek van een jong meisje,' opgetekend door Anne Frank, is een bekend, aandoenlijk en diep tragisch verhaal. Het gaat over een joods meisje dat – na met haar familie jarenlang ondergedoken te zijn geweest – verraden werd. Door dit verraad werd de familie opgepakt en afgevoerd naar het concentratiekamp Bergen-Belsen. Daar kwam de familie op de vader na, om het leven. Het lot van de meeste joodse mensen in Nederland was meestal vele malen erger dan het verhaal uit dit dagboek. Thans, zoveel jaren na de Tweede Wereldoorlog, is het nog steeds onbegrijpelijk om ons te realiseren, dat het nazi-regime systematisch tewerk gaande, kans heeft gezien om binnen circa twee jaar de joodse bevolking van Nederland nagenoeg in zijn geheel te elimineren (*'Judenfrei' zu machen*).

In Hitler zijn boek *Mein Kampf* (eerste uitgave in 1926) ventileert hij een extreem antisemitisme en een grote haat tegen alles wat joods is. Hij schrijft over begrippen als Ariërs die supermensen zijn en andere 'rassen', die inferieure mensensoorten zouden zijn. Hij fulmineert in dat breedsprakige en wat prullige boek, tegen het 'wereldjodendom', dat op sluwe wijze de hele wereld in zijn macht probeert te krijgen. Zij zouden volgens Hitler verantwoordelijk zijn voor allerlei ellende, armoede, oorlogen en uitbuiting op de gehele aardbol. In duizenden jaren geschreven geschiedenis zijn vele malen bevolkingen en groepen van een bevolking om allerlei economische, religieuze, etnische, emotionele en nog diverse andere redenen massaal uitgemoord. Helaas komen dit soort onmenselijke moordpartijen zelfs nu nog steeds voor.

Het unieke van het moorden door de nazi's in de Tweede Wereldoorlog bestaat er nog steeds uit dat vanaf 1942 *fabrieksmatig* en in een volledig gepland systeem miljoenen mensen om het leven werden gebracht. Dit geheel werd in de jaren 1941-1944 zeer zorgvuldig gepland en ging om het operationeel vermoorden van circa 6 miljoen – volgens de nazi-ideologie – zogenaamde '*untermenschen*'. Toen het nazi-regime in 1933 Duitsland in de greep kreeg, begon de aanvankelijk weinig, maar later steeds systematischer isolatie en vervolging van de Duitse joden. In de westerse wereld werd dit wel waargenomen, maar men volstond meestal met een enkel vrij zwak officieel kritisch commentaar op deze racistische politiek. Toen de eerste stroom van vervolgde Duitse joden in Nederland asiel vroeg, was er over het algemeen vrij veel sympathie voor deze mensen. Deze sympathie kwam voor het grootste deel van christelijke organisaties en van de Nederlands-joodse gemeenschap. Toen de stroom vluchtelingen voortdurend bleef groeien, werd het medeleven wat zwakker. Bovendien moeten we constateren dat in die tijd ook in Nederland bij bepaalde groeperingen vormen van antisemitisme bestonden. Gedurende de regering van Colijn in 1938, waren er perioden dat de oostgrens voor de joodse vluchtelingen enige tijd zelfs geheel gesloten werd. Een hoofdmotief hiervoor was, dat onze neutrale regering van alles wilde doen om te vermijden dat Hitler-Duitsland zou kunnen irriteren. Sommige publicaties (zelfs in een joods weekblad) vermeldden, dat te veel vluchtelingen de Nederlandse economie zouden kunnen verstoren!

Na 1938 moesten joodse vluchtelingen voorafgaand aan toelating kunnen aantonen dat ze minstens een persoonlijk kapitaal van tienduizend Nederlandse guldens bezaten. Bedacht moet worden dat in die jaren in democratische landen niemand het flauwste idee kon hebben dat een Europese landsregering serieuze plannen zou hebben om miljoenen mensen te vervolgen om ze uiteindelijk uit te roeien. Onbekendheid bij politici en burgers met de inhoud van Hitlers boek *Mein Kampf* en een op zich begrijpelijke naïviteit, was hier mede debet aan. Omdat in 1938 al veel joodse vluchtelingen zonder eigen middelen van bestaan in Nederland verbleven, gaf de regering opdracht in Westerbork een nieuw vluchtelingenkamp te bouwen. Het kamp zou aanvankelijk slechts vijftienhonderd mensen herbergen en was een soortement interneringskamp. In mei 1940 bestond de joodse bevolking uit 114 duizend joodse Nederlanders en omstreeks 26 duizend joodse (voornamelijk Duitse) vluchtelingen. Van deze 140 duizend joodse mensen, zouden uiteindelijk naar in 1945 bleek, slechts dertigduizend op de een of andere manier de oorlog overleven.

In de eerste maanden van de bezetting stelde het Duitse bestuur zich tegenover de joodse bevolkingsgroep redelijk gematigd op. Zoals eerder aangegeven, startte al in de zomer van 1940 heel voorzichtig en stap voor stap, de isolatie van de joden uit het publieke leven. Een niet direct opvallende – maar naar later bleek –, eerste drastische stap in dit proces was het markeren van de joden met een grote 'J' (jood) in het nieuw uit te geven, voorlopige persoonsbewijs. Hierbij moet bedacht worden dat in die tijd praktisch iedere Nederlander gedoopt was en aangesloten bij een of andere kerkgemeenschap. Het geloof van iemand was daardoor een normaal standaardgegeven in de bevolkingsadministratie. De centrale bevolkingsadministratie was in Nederland al in 1940 goed georganiseerd. Men gebruikte voor die administratie onder meer IBM Hollerith machines. Daardoor was het niet bijzonder moeilijk na te gaan waar alle joden in Nederland verbleven en woonden. In het begin van de bezetting geloofden heel naïef de Nederlandse joden, dat de nazi's voornamelijk eropuit waren de *Duitse* joden aan te pakken. Het gedwongen ontslag van joodse ambtenaren en hoogleraren in najaar 1940, veroorzaakte diverse protesten. Hiermee kon zowel het joodse deel als het overig deel van de bevolking inzien wat de uiteindelijk Duitse bedoelingen zouden kunnen zijn. Maar ook toen had men – anders dan een enkele naoorlogse historicus meent – nog nauwelijks enig idee dat er een gericht, sinister plan in voorbereiding was, dat uiteindelijk zou leiden tot de *fysieke vernietiging* van de joodse mensen.

Met het brute optreden van WA-mannen en de Duitse politie in Amsterdam in februari 1941, werden de intenties over de nazi-plannen duidelijker zichtbaar. De verontwaardigde en felle reactie van de arbeidsbevolking bij de Februaristaking was voor het Duitse bestuur een echte verrassing. Hun harde reactie onderschreef hun louche bedoelingen ten aanzien van de joodse bevolking. Enigszins anders dan de meer openlijke en barbaarse acties tegen de joden in Oost-Europa, speelden de nazi's in West-Europa het vervolgingsspel veel sluwer en meer bedekt. In hun systeem gebruikten de nazi's met succes het van het Romeinse Rijk afgekeken 'verdeel en heers' (*divide et empera*) principe. De Duitsers wilden niet aan tafel zitten met verschillende groeperingen van de joodse bevolking, maar alleen met enkele – door henzelf gekozen – leiders.

Tijdens de troebelen in februari 1941 hadden de Duitsers de joodse gemeenschap

| *Bord bij de joodse wijk in Amsterdam.*

opgedragen een Joodse Raad in het leven te roepen om alle joden te vertegenwoordigen. Ze hadden niet veel moeite om mensen te vinden die de leiding wilden nemen in deze nieuwe – naar steeds duidelijker bleek – voor alle joden uiterst belangrijke organisatie. In deze Joodse Raad was de omvangrijke lagere joodse arbeidsbevolking nauwelijks vertegenwoordigd. De meeste leden van de raad kwamen uit de midden- en hogere maatschappelijke klassen. De raad had achttien leden. Zonder veel moeite werd een voorzitter uit hun midden gezocht en gekozen. De bekende en dominante professor in de geschiedenis aan de Amsterdamse Universiteit David Cohen werd de eerste voorzitter. De rijke industrieel uit de florerende Amsterdamse diamantindustrie Abraham Asscher werd de tweede voorzitter. Beide mannen hadden een uitgebreide staat van dienst op het gebied van liefdadigheid en andere maatschappelijk bestuurlijke functie. Cohen was voorzitter geweest van een comité dat hulp verleende aan joodse vluchtelingen. Asscher was een van de belangrijkere liberale politici en een geziene werkgever in de diamantindustrie.

Alle leden van deze Joodse Raad, hadden in het eerste begin het wat naïeve maar achteraf begrijpelijke idee, dat ze in deze bestuursfunctie de joden zouden kunnen beschermen tegen al te vervelende en harde Duitse maatregelen. Ze hadden er zeker in dat eerste jaar geen idee van dat ze gewoon een handig werktuig voor de nazi's waren om hun geloofsgenoten te verzamelen en later te transporteren naar de Oost-Europese vernietigingskampen. Eén van de weinige scherp vooruitziende vooraanstaande joodse Nederlanders was professor Visser. Hij was opperrechter geweest in de Hoge Raad. Hij waarschuwde bij voorbaat de leden van de Joodse Raad, dat *iedere samenwerking* met de Duitsers afkeurenswaardig was en zou kunnen leiden tot onbedoelde medewerking aan een destructief beleid. Cohen was – ondanks dat hij aan de hand van behandeling van de Duitsjoodse vluchtelingen beter had kunnen weten – veel te dominant en te eigenwijs, om naar deze waarschuwing te luisteren. Het is redelijk waarschijnlijk dat Cohen en Asscher in oorsprong heel naïef maar *echt* geloofden dat ze een menslievende taak gingen uitvoeren. Ze meenden dat ze in die raadsfunctie een noodzakelijk schakel vormden tussen het Duitse bestuur en de joodse gemeenschap.

Vanaf het eerste begin gaven de Duitsers beide voorzitters doelbewust een welhaast dictatoriale macht. In 1941-1942 had de joodse bevolking het idee dat ze niet al te zachtzinnig behandeld zouden worden. Ze wisten enigszins hoe het de joden in Duitsland vóór 1940 vergaan was. Men veronderstelde toen de vervolgingen begonnen dat ze wellicht gedwongen zouden worden tot een soort dwangarbeid. In 1942 kon nog niemand in de flauwste verte voorzien dat er een complete blauwdruk gestalte kreeg, om miljoenen joden systematisch en georganiseerd te gaan vermoorden. De toekomst zou laten zien, dat door de samenwerking van de Joodse Raad met de nazi's, hun raad een perfect instrument onder Duitse controle zou worden.

Dit instrument zou er onbedoeld voor zorgdragen dat het verzamelen en afvoeren van de joden naar de vernietigingskampen, geolied zou verlopen. Vanaf dit eerste begin, nam de Joodse Raad een dubbele taak op haar schouders. De raad assisteerde de joden in civiele en financiële aangelegenheden en voorzag in onderwijskundige en religieuze programma's. Enige tijd later zag de raad toe op de distributie van voedsel en werd zij de autoriteit die kon beslissen wie wel en wie niet op een bepaald transport zou gaan. Zij droeg ook zorg voor toewijzing en uitreiking van allerlei soorten persoonlijke passen ten behoeve van diverse aangelegenheden. Maar helemaal in de lijn van de nazi 'verdeel en heers' tactiek, werd de raad de organisatie die volgens de Duitse richtlijnen de uitvoering regelde van verzameling, aanwijzing en aantallen mensen, die wekelijks op transport gingen naar onbekende bestemmingen. Zonder er zich direct van bewust te zijn, groeide de raad, die enorme macht had, tot een perfect uitvoeringsorgaan voor de Gestapo, SS en Duitse politie. Eén van de weinige verontschuldigingen die later naar voren werden gebracht, was dat men onder grote druk moest werken en in 1942 ergens het idee had dat de oorlog niet te lang zou duren.

Het was de eerste opdracht voor de gloednieuwe raad, om de joden in Amsterdam te overtuigen om te stoppen met de straatgevechten tegen de WA in februari 1942. Eerder is beschreven hoe direct voorafgaand aan de Februaristaking, honderden joodse mannen werden gearresteerd en mishandeld. In het beruchte kamp Mauthausen stierven de meeste van deze mannen binnen een aantal maanden. Wanneer het de nazi's in hun kraam te pas kwam, dreigden ze ermee dat iedereen die niet onmiddellijk aan hun orders gehoorzaamde, direct afgevoerd zou worden naar Mauthausen. Alleen al het woord 'Mauthausen', deed de meeste joden rillen van de angst.

In 1942 wist nog geen enkele joodse en niet-joodse Nederlander dat *Hitler in 1941* al het principiële besluit had genomen tot 'de uiteindelijke oplossing van het jodenprobleem' (*'Endlösung der Judenfrage'*). Het was eveneens niet bekend dat in januari 1942 in een geheime bespreking van een select top-SS en Gestapo gezelschap, de *'technische' planning en uitvoering van deze oplossing'* nabij Berlijn was besproken. Deze conferentie werd gehouden in een prachtig buitenverblijf aan de Wannsee. De vergadering werd bijgewoond en voorgezeten door Heydrich (SS generaal). Verder waren aanwezig Müller (hoogste baas van de Gestapo) en Eichmann (SS luitenant-kolonel en het hoofd van het departement voor joodse zaken) als notulist. Daarnaast waren in deze vergadering (circa dertig man) hoge topambtenaren van de ministeries van Binnenlandse Zaken, Buitenlandse Zaken, Justitie, Staatsveiligheidszaken, hoge leiders van de NSDAP, Veiligheidspolitie en politieke SS. Eveneens prominent aanwezig, waren twee Veiligheidspolitie-/SD-commandanten, die in de Baltische staten Letland, Litouwen, Estland en in het westen van Polen uitgebreid hadden *'geoefend'* met het bij elkaar drijven, uithongeren en deels op meer primitieve wijze *vermoorden* van *ettelijke honderdduizenden joodse mensen.*

Bij de verhoren tijdens het proces in Neurenberg in 1945-1946 werd pas bekend dat *al ruim voor de Wannsee conferentie* mondeling en schriftelijk bevel was gegeven voor de fysieke uitroeiing van de joden in Oost-Europa. Zo waren kort na de inval in Rusland SS *Einsatzgruppen* het leger gevolgd. Deze SS eenheden hadden kans gezien in de zojuist bezette sovjetgebieden binnen een paar maanden tijd ruim driehonderdduizend Russische joden op meer handmatige manieren te vermoorden. Op agenda van de Wannsee-conferentie stond het bespreken van de organisatorisch meest *efficiënte* manier en methodieken, om (naar hun overdreven schatting omstreeks 10 miljoen) Europese joden te transporteren naar getto's en daarna naar speciale vernietigingskampen. Aldaar moesten ze vervolgens *fabrieksmatig* vermoord worden. In de conferentie werd duidelijk gemaakt dat de 'technische machinerie' voor de uitroeiing *al getest was* en dat in diverse vernietigingskampen deze infrastructuur (gaskamers en verbrandingsovens) al in aanbouw was. Tijdens de besprekingen en in alle relevante notulen en documenten, werden nergens de woorden 'vermoorden' of 'uitroeien' genoemd of gebruikt. Er werd slechts klinisch gesproken en geschreven over 'evacueren', 'verplaatsen' en 'volledige oplossing van het joodse probleem' et cetera. In Nederland wisten de hoogste Duitse SS en politieman Rauter en ook Seyss-Inquart, haarscherp wat er in hun gebied te doen stond om het 'joodse probleem' aan te pakken.

Na de arrestatie en eerste deportatie van de paar honderd joodse mannen in februari 1941 te Amsterdam, werd het tempo van de nazi's ten aanzien van het anti-joodse beleid stevig opgevoerd. Een gestage vloed van anti-joodse maatregelen en decreten volgde vrij snel achter elkaar. De bedoeling was om de joden zoveel en snel mogelijk te isoleren van de andere Nederlanders en hen te beroven van de normale mogelijkheden van het dagelijkse leven en hun bestaan. Het werd joodse mensen nu verboden in publieke plaatsen, zoals dierentuinen, parken, zwembaden, musea, bioscopen, schouwburgen, restaurants en cafés, te verblijven of deze te bezoeken. Steeds meer zelfstandige beroepen, zoals advocaat, notaris, arts en specialist mochten niet meer uitgeoefend worden. Joodse ondernemingen werden eerst verplicht geregistreerd. Daarna werden ze onder controle van een Duitse zaakwaarnemer gesteld en uiteindelijk moest de joodse eigenaar zijn zaak *verplicht* verkopen aan een daartoe aangewezen bank. De van origine joodse bankinstelling Lipmann & Rosenthal (Liro), werd hiertoe door de bezetter overgenomen.

De Lirobank werd een soort agentschap voor confiscatie en beheer van joodse eigendommen en joodse rekeninghouders. Joden moesten vervolgens huizen en grond die men bezat, gedwongen verkopen aan de Lirobank. De opbrengsten van dit soort 'verkopen' gingen rechtstreeks naar deze bank. De in feite beroofde eigenaren, was het slechts toegestaan om maandelijks een minimaal bedrag in handen te krijgen om zelf te besteden. Deze hele operatie was in de praktijk een 'legale' manier van de nazi's om in de kortst mogelijke tijd joden met enig bezit, officieel te beroven. Al deze ex-joodse bezittingen en gelden werden keurig door de Lirobank geadministreerd en beheerd. In alle stilte werden de vele miljoenen guldens van deze bank, in 1943 overgemaakt naar de zakelijke rekening van de Duitse Rijkscommissaris voor Nederland.

Een verordening in oktober 1941 gelastte ongeveer 7500 werkloze joden om zich te melden voor werkkampen in het noordoosten van Nederland. Deze en vele volgende instructies, zette de Joodse Raad – in feite hiertoe verplicht – in haar krant *Het Joodse Weekblad*. In die krant, werden de geloofsgenoten gemaand om nauwgezet te gehoorzamen aan de Duitse instructies. Wie niet zou gehoorzamen wachtte strenge sancties. De argeloze raad, werd sterk gevoed door angst voor het Duitse bestuur.

De nazi's hadden de meeste uitvoeringsmaatregelen in handen gelegd van een speciale afdeling, die ironisch genoeg 'Centrale afdeling voor joodse emigratie' heette. Die naam was zo gekozen, omdat de nazi's aanvankelijk (vóór 1941) een vaag plan

| *Uitsluiting van joden bij cafetaria.*

hadden om joden gedwongen over te brengen naar het verre eiland Madagaskar. Deze 'Centrale afdeling' was nauw verbonden met de Berlijnse afdeling hiervoor en werd geleid werd door de eerdergenoemde Adolf Eichman. In Amsterdam startte de 'Centrale afdeling' met zijn activiteiten in maart 1941.

Eén van de vele discriminerende maatregelen om joden doeltreffend te isoleren, bestond uit de verordening dat joden niet meer zonder een speciale vergunning mochten reizen of verhuizen. Een andere efficiënte manier in dit isoleringproces, was de verordening dat joodse kinderen niet langer op gewone scholen met niet-joodse kinderen onderwijs mochten volgen. Er moesten – zowel voor het basis- als ook het vervolgonderwijs – aparte scholen georganiseerd worden, die alleen voor joodse kinderen toegankelijk waren en alleen joodse leerkrachten moesten hebben. Om de zaak goed onder druk te houden, hield de Duitse politie razzia's in de oostelijke provincies. Omstreeks tweehonderd opgepakte joodse mannen werden daarna direct naar het beruchte concentratiekamp Mauthausen afgevoerd.

In mei 1942 volgde een veel drastischer stap, die de joden nóg duidelijker en

| *Joodse mensen op weg naar het station in verband met afvoer naar Kamp Westerbork.*

zichtbaar zou isoleren van het niet-joodse deel van de bevolking. Die stap maakte het bovendien nog gemakkelijker om hen te kunnen arresteren. Iedere honderd procent joodse man, vrouw of kind van ouder dan vijf jaar, moest voortaan altijd buitenshuis een gele ster (bestaande uit de ster van koning David met daarin voluit het woord *Jood*) zichtbaar op de kleding dragen. Dezelfde maand kwam de verordening, dat joden tussen 20.00 en 06.00 uur *niet meer op straat* mochten komen. Vanaf het midden van 1942 liet het Duitse bestuur steeds openlijker het masker vallen. In een openbare speech van commissaris-generaal Schmidt in juni, kondigde hij aan dat het grootste deel van de joden afgevoerd zou worden naar het 'oosten', om aldaar dwangarbeid te verrichten. De voorzitter van de Joodse Raad, werd door de 'Centrale afdeling voor joodse emigratie' meegedeeld, dat de joden onder geleide van de Duitse politie naar Duitsland zouden worden overgebracht, om daar voor de Duitsers verplicht te werken. Vrij spoedig lekte het uit dat de werkelijke plaatsen van die kampen voor deze 'tewerkstelling', in Polen lagen.

De christelijke kerken protesteerden fel tegen deze bevelen voor tewerkstelling, maar zoals gewoonlijk had het Duitse bestuur lak aan al die officiële kerkelijke protesten. De nazi's reageerden hierop zelfs door te dreigen dat alle tot de christelijke kerken overgegane joden, ook gedeporteerd zouden worden. De protestantse kerken stopten hierdoor met hun protesten. Aartsbisschop De Jong weigerde zich hierdoor te laten intimideren. Als onmiddellijke reactie hierop, liet Seyss-Inquart ook veel katholiek gedoopte joden oppakken en afvoeren.

De joden die aangewezen waren voor 'tewerkstelling', werden gewoon per PTT-brief hierover ingelicht. Velen van hen reageerden niet op deze eerste lastgeving. De Duitse reactie hierop was de arrestatie van honderden joden. In juli werden uiteindelijk zesduizend opgepakte joden naar kamp Westerbork overgebracht. De Joodse Raad werd stevig onder druk gezet om vooral hun mensen er pertinent op te wijzen dat ze zich na de schriftelijke lastgeving voor verder vervoer naar kamp Westerbork moesten melden bij het spoorwegstation.

Aangezien de reacties op de schriftelijke lastgevingen toch nog steeds onder de maat bleven, veranderden de Duitsers hun tactiek. De schriftelijke lastgevingen in de kleinere steden in de provincies werden op dezelfde voet voortgezet. In de grote steden (met Amsterdam als koploper) werden voortaan de joden in de nacht van hun bed gehaald door middel van intensieve razzia's. Aangezien in Amsterdam een groot deel van de joden woonde, was een dergelijke operatie daar voor de politie niet al te moeilijk uitvoerbaar. Na avondkloktijd werden complete straten met huizenblokken hermetisch afgesloten. Men had via de bevolkingsregistergegevens alle adressen in handen. Na aanbellen of op de deur beuken, werden alle bewoners van een huis naar buiten gedreven. Op straat stonden vrachtwagens klaar, die de mensen direct afvoerden naar een verzamelgebied. In Amsterdam werd hiervoor de Hollandsche Schouwburg bij het Waterlooplein gebruikt. In andere steden ging na het oppakken, de rit rechtstreeks naar het grootste spoorwegstation. Speciaal ingehuurde NS-treinen stonden daar klaar om de mensen direct naar Westerbork af te voeren. Om iets weer te geven van de ziekmakende stemming, de sfeer van onzekerheid en angst bij de meeste joden die in de herfst 1942 in Amsterdam woonden, volgt hier een ooggetuigenverslag dat afgedrukt stond in een van de vele illegale krantjes uit die tijd:

> *'In de stille nachtelijke straten van Amsterdam (Zuid) hoort men ineens het geluid van vele vrachtwagens. Het zijn de hatelijke Duitse politiewagens, die gebruikt worden voor vervoer van gearresteerde mensen. Uit de wagens springen de Duitse en (pro-nazi) Nederlandse politiemannen. In korte tijd zijn alle pleinen en aangrenzende straten volledig afgezet. En dan begint het. Op iedere straathoek staan met geweren bewapende Duitse politiemannen. Met veel lawaai klimmen ze de trappen op en vragen "wonen hier joden?" De joden worden gedwongen zo gauw mogelijk hun huis te verlaten. Mannen, vrouwen en kinderen wordt toegesnauwd op de straathoek te verzamelen en te wachten. De mensen staan in het duister op de hoek van hun eigen straat, verlaten en eenzaam. Nee, niet helemaal eenzaam. Gode zij dank, er zijn christelijke Nederlanders die zich wél om het lot van deze mensen bekommeren. Zij proberen de Duitse politiemensen te overreden om de joden vrij te laten. Deze christenen geven de opgepakte joden etenswaren, snoepgoed en warme kleding. Ze rennen naar andere families in de omgeving om ze te waarschuwen dat er familieleden zijn opgepakt. Vanaf een vierde verdieping stort zich een man in wanhoop in de diepte. Hij was door de Duitsers opgejaagd naar het dak. De politiemannen kijken in iedere kelder, zolder, kast, dakkamer en schuur of er geen mensen verstopt zijn. Een felle hond probeert zijn baas te verdedigen en wordt doodgeschoten. Niet-joodse mensen zien*

> *deze jacht op joden gebeuren en zijn verstijfd van schrik. Iedere tegenstand is onmogelijk tegen de met pistolen en geweren bewapende politiemensen. Iedere voorbijganger op straat wordt aangehouden en gecontroleerd op zijn persoonsbewijs. De ongelukkige enkeling met een "J" in zijn persoonsbewijs, wordt onmiddellijk gearresteerd en in de politiewagens geduwd. Na deze angstaanjagende jacht, worden alle opgepakte joden in de vrachtwagens geduwd. De politiewagens rijden volgeladen met hun slachtoffers af naar het verzamelgebied in de Hollandsche Schouwburg. Spoedig hierna volgt het transport naar het station. Het is hartverscheurend om stadgenoten zoals wij, op deze manier te zien worden afgevoerd. De meeste joden dragen hun lot met kalmte en waardigheid. Maar er zijn ook veel huilende en schreiende vrouwen en kinderen, als de treinen met hun passagiers vertrekken naar een onbekende en angstaanjagende eindbestemming.'*

Op deze en soortgelijke mensonwaardige manieren, werden duizenden mensen opgepakt. De meesten van hen gingen rechtstreeks naar Westerbork, dat snel uitgroeide tot een enorm groot doorgangskamp. Het kamp diende nu volledig als voorportaal voor de lange en verschrikkelijke reis die in de meeste gevallen naar het verre Polen ging.

In de periode tussen juli 1942 en herfst 1944, werden vanuit Westerbork circa 101 500 joden weggevoerd. Het vervoer geschiedde in ruim honderd treintransporten en de reis ging in de meeste gevallen naar de ettelijke vernietigingskampen in Polen. Enkele transporten gingen naar Duitse concentratiekampen. In bovengenoemd aantal zijn *niet* inbegrepen de joden die in Nederland gedood werden of stierven door ziekte en zelfmoord. Aangezien nazi's behept waren met de bekende Duitse grondigheid, werd over dit alles een pijnlijk nauwkeurige administratie bijgehouden. Daardoor werd na de oorlog bekend, dat om en nabij naar Auschwitz 58 400, naar Sobibor 34 300, naar Bergen-Belsen 3750, naar Buchenwald en Ravensbrück 150 en naar Theresiënstadt 4850 joodse mensen werden afgevoerd. Slechts circa 4850 joden overleefden de hel en verschrikkingen van deze kampen. Die weinige overlevenden, kwamen na de oorlog als levende skeletten uitgemergeld terug in Nederland, waar ze helaas lang niet altijd even vriendelijk werden ontvangen.

Het is droef om te moeten constateren, dat het 'vuile werk' (zoals het oppakken, afvoeren en later aanwijzen van de mensen voor het transport naar het oosten) voor een groot deel werd overgelaten en uitgevoerd door Joodse Raad, pro-nazi en (te) consciëntieuze of op premies beluste Nederlandse politiemannen. Het aantal werknemers van de Joodse Raad groeide en groeide steeds meer in de periode 1942-1943. Zij voerden al het 'papierwerk' nauwgezet uit en registreerden (na aanwijzing) wie op transport gingen. In 1942 werden nog flink wat vrijstellingen afgegeven. Menig werknemer bij de Joodse Raad had toen nog de illusie het noodlot om afgevoerd te worden naar het oosten, te kunnen ontlopen. In hun cynisme hadden de nazi's zich gerealiseerd, dat het wegvoeren van meer dan honderdduizend mensen organisatorisch minstens een jaar zou kosten. In hun perfiditeit hadden ze er daarom weinig moeite mee dat de raad aanvankelijk aan groepen of individuelen flink wat vrijstellingen afgaf. De nazi's wisten donders goed, dat die vrijstellingen toch maar voor een beperkte tijd zouden zijn. In de beginperiode van de deportaties was *al* het personeel van de Joodse Raad vrijgesteld van de transporten naar het oosten. In 1943 was dit geleidelijk aan afgelopen en gingen ook zij in groepen op transport. Degenen die het meeste geluk hadden waren de weinigen die naar Theresiënstadt in Tsjechoslowakije gingen. Dit 'modelkamp' bood de beste kansen om te overleven. Ook de meeste joden met een speciale *Sperre*, eindigden niet altijd in Polen, maar onder meer in een speciale afdeling van het concentratiekamp Bergen-Belsen.

In Westerbork kregen de 'inwoners' op illegale en andere manieren steeds meer informatie dat de zogenaamde dwangarbeid in Oost-Europa een grote farce was. Dit werd temeer duidelijk toen joodse ziekenhuispatiënten, zwakzinnigen en bejaarden ook zonder pardon opgepakt en afgevoerd werden. Veel illegale informatie werd verkregen doordat in de in Westerbork terugkerende treinen soms een klein briefje werd gevonden, dat het ware doel van de eindbestemming beschreef.

Het is logisch dat men in de huidige tijd van welvaart en overvloed zich rationeel afvraagt waarom niet veel meer joden toen het noodlot van arrestatie en deportatie toesloeg, dit wilden voorkomen door ergens in Nederland onder te duiken. Daarvoor zijn een aantal nuchtere oorzaken te noemen. Nederland is een dichtbevolkt en vlak land. Er zijn erg weinig grote bossen en heuvelgebieden, waar men zich met enig succes ongezien zou kunnen verbergen.

Onderduiken in de grote steden was helemaal bijzonder moeilijk en gevaarlijk. Daar loerde de kans op verraad overal, zoals ook gebleken is bij de familie van Anne Frank. Een ander probleem was dat nogal wat joden een duidelijk zichtbaar Semitisch uiterlijk hadden. Zelfs met vervalste identiteitspapieren, gaf hun uiterlijk daarom een extra grote kans om opgepakt te worden. Bij grondige controles, boden zelfs vervalste papieren niet voldoende bescherming. Het was voor de toen nog weinig goed georganiseerde illegaliteit in het jaar 1942, vaak vrij moeilijk om *genoeg* betrouwbare onderduikadressen te vinden. Het verbergen van onderduikers over het algemeen en joden in het bijzonder, kon voor de gastheren onder meer betekenen een forse gevangenisstraf of afvoer naar een 'gewoon' concentratiekamp in Duitsland. Veel joodse mensen wilden – ondanks dat men in de gaten kreeg dat hun lot en toekomst somber was – liever met de familie *zo lang mogelijk* bij elkaar blijven. Door onderduiken was dat nagenoeg altijd praktisch onmogelijk. Daar komt nog bovenop dat de meeste (vooral armere) joden geen betrouwbare niet-joodse kennissen of vrienden en geld hadden, om te kunnen onderduiken. In die eerste jaren van de bezetting moesten joodse mensen vaak enig geld hebben om voor hun illegale 'logies' te kunnen betalen.

Wellicht het allergrootste probleem was, behalve het hiervoor genoemde, dat als het op onderduiken en masse aankwam, het een enorm groot aantal mensen (ruim honderdduizend mannen, vrouwen en kinderen) betrof. In dezelfde tijd dat de jacht op de joden systematisch begon, begon eveneens de stroom van veel jongemannen die moesten onderduiken om te ontsnappen aan gedwongen arbeid in Duitsland, op gang te komen. Al eerder hebben we vermeld, dat de Joodse Raad hun mensen dringend adviseerde de Duitse decreten te gehoorzamen. Het werd hen zelfs *afgeraden*

| *Ondergedoken joodse kinderen met hun gastheren bij een boerderij op het platteland.*

om onder te duiken. Weinig betrouwbare gegevens zijn hierover beschikbaar, maar schattingen na 1945 geven aan dat tussen de twintigduizend en 25 duizend joodse kinderen, mannen en vrouwen, in de 'onderduik' zijn gegaan. Hiervan is uiteindelijk circa 30 procent toch nog verraden, of bij onderduikerrazzia's door de Duitse en Nederlandse politie opgepakt. Voor onderduiken werden de gekste schuilplaatsen bedacht en gebruikt, om bij het zorgvuldig doorzoeken van huizen te ontkomen aan arrestatie. Veel schuilplaatsen werden (vaak op bijzonder inventieve manieren) geconstrueerd in kelders, op zolders en vlieringen, in schuren, kasten, kruipruimtes et cetera. Mensen die onderduikers onder hun hoede hadden en ook de onderduikers zelf, moesten dag en nacht op hun qui-vive zijn voor niet betrouwbare buren, verraad en razzia's. Ieder nonchalance kon eindigen met arrestatie van de onderduikers en de families die hen verborgen. Op het platteland was het onderduiken iets makkelijker dan in de steden. Sociale controle en waarschuwingssystemen, droegen daar zorg dat razzia's eerder gesignaleerd werden en onderduikers nog konden vluchten naar sloten, in de weilanden of in bossages. Het gevaar voor verraad en ontdekking, bleef voor alle onderduikers iedere dag, iedere week, iedere maand, ieder jaar, continu aanwezig.

Voor de uitvoering van het duivelse nazi-deportatieprogramma, was Westerbork de grootste wachtkamer en trechter, op de weg naar de dood. In België en Frankrijk waren soortgelijke kampen die functioneerden als 'poorten naar de hel'. De eerste trein met ongelukkigen uit kamp Westerbork vertrok al op 15 juli 1942 oostwaarts. Toentertijd was de spoorlijn nog niet doorgetrokken tot in het kamp en moesten de slachtoffers met hun bagage nog vijf kilometer lopen voordat ze in de dodentrein konden stappen. Op veel kleinere schaal werden joden vanaf het concentratiekamp in Vught naar het oosten afgevoerd. Westerbork was geen concentratiekamp van het soort en type zoals in Duitsland en Oostenrijk. Het was eigenlijk een weinig comfortabel doorgangskamp. De levensomstandigheden waren daarom wel merkwaardig, maar iets normaler dan in 'gewone' concentratiekampen. De eerste kampcommandant was de fanatieke nazi Deppner (SS *Obersturmbannführer*) die bij de SD zijn sporen ruimschoots had verdiend met de meedogenloze organisatie die zich bezighield met de vervolging van de joden. Zijn opvolger als commandant, met een gelijke SS rang (luitenant-kolonel), was genaamd Gemmecker. Die trad op met een zekere vorm van soberheid en decorum. Hij probeerde de (tijdelijke) inwoners van 'zijn' kamp een soort illusie van een normaal leven te geven. Hij stimuleerde een joods theater en cabaret. Bij voorstellingen bezocht hij vaak met leden van zijn kampstaf de uitvoeringen. Bij die voorstellingen zat hij als geamuseerde toeschouwer zo ongeveer te kijken, net zoals in de Romeinse tijd de keizers toeschouwer waren bij de gladiatorengevechten.

In het kamp waren scholen voor de kinderen, een ziekenhuis, polikliniek, allerlei werkplaatsen, een wasserij, een toneelzaal, et cetera. Het kamp leek enigszins op een dorpsgemeenschap. Een groot deel van de kampadministratie en bijbehorende diensten waren in handen van de eerste bewoners. Dat waren de Duitse joodse vluchtelingen die al vóór 1940 op last van de Nederlandse regering geïnterneerd werden. Deze Duitse joden hadden een zekere mate van wrok tegen de Nederlandse 'nieuwe' inwoners van het kamp. Begrijpelijkerwijs probeerden die Duitse joden (zoals trouwens alle inwoners van het kamp) hun eigen leven te redden. Ze trachtten door een zekere onmisbaarheid, zo lang mogelijk hun baantje te behouden en niet op transport gestuurd te worden. Inderdaad is dat velen van hen gelukt. Deze mensen van de kampstaf en de aanvankelijk vele werknemers van de Joodse Raad, trachtten iedere vorm van tegenwerking of verzet door andere joodse inwoners in de kiem te smoren en het hen uit het hoofd te praten. Beide administratief-organisatorische groeperingen, probeerden primair zelf zo lang mogelijk te overleven en werden daardoor extra gehoorzame en efficiënte dienaren van de Duitse SS kampstaf.

De Duitsers bepaalden *hoeveel* joden op transport moesten, de joodse kampstaf bepaalde op naam wie op transport ging. Een dergelijk 'verdeel en heers'-systeem, leidde natuurlijk tot allerlei vormen van corruptie en vriendjespolitiek. Zo lang mogelijk in Westerbork blijven, was een pure vorm van overleven voor alle inwoners. De Duitse SS-kampstaf was er alleen maar in geïnteresseerd, dat de wekelijkse transporten het van bovenaf opgedragen aantal slachtoffers naar het oosten afvoerden. De doorsnee inwoner van het kamp had noch de connecties, noch het geld om te kunnen organiseren dat men langer dan een paar weken in het kamp verbleef. Nagenoeg iedere week vertrok vanaf de later tot in het kamp doorgetrokken spoorverbinding, een treintransport oostwaarts met tussen de duizend en twaalfhonderd mannen, vrouwen en kinderen. Ze werden allemaal in meestal gesloten (en ook in de winter niet verwarmde) goederenwagons geperst. Het enige 'meubilair' in die wagons, was een emmer met water en een ton om de behoeften te doen. Een enkele maal werden voor de transporten personenwagons gebruikt, maar dat waren uitzonderingen. Meestal waren dit mensen met een speciale *Sperre*. De mensonwaardige treinreis naar het oosten duurde doorgaans twee tot drie dagen en nachten. In de goederenwagons was heel weinig ruimte door de grote hoeveelheid mensen per wagon. Kinderen, volwassenen, bejaarden, baby's, zieken, het maakte niet uit en meestal zat alles dus door elkaar. Daarbij probeerden familieleden doorgaans zoveel mogelijk bij elkaar in dezelfde wagon terecht te komen. Doorgaans was er voor onderweg geen of nauwelijks enige verstrekking van voedsel of vers water. Het was dan ook niet verwonderlijk dat lang vóór de onbekende en gevreesde eindbestemming bereikt werd, ettelijken reeds onderweg stierven.

Door de perfecte organisatie en administratie die toen al ondersteund werd door IBM Hollerith machines, was het mogelijk de registratie van de slachtoffers en de planning van de treinenloop op zeer efficiënte wijze gesmeerd te laten lopen. De sfeer in het kamp werd voor een belangrijk deel bepaald door de wekelijkse aanwijzing van de mensen die op het eerstvolgende transport zouden worden afgevoerd. Wie stond er op de lijsten? Wie niet? Wat moesten en mochten de mensen meenemen? Hoe kon men alsnog proberen van de lijsten geschrapt te worden? Het inladen en vertrek van de treinen vanaf Westerbork was iedere keer weer het toneel van hartverscheurend afscheid, verdriet, angst, bitterheid en wanhoop. Bij het vertrek waren er daarnaast ook tonelen van waardigheid en berusting. Menig volwassene stapte met opgeheven hoofd en in alle rust in de wagons voor de fatale reis en werd daarbij gesterkt door het geloof. In september 1943 vonden de laatste georganiseerde razzia's plaats en werden de opgepakte joden naar Westerbork gezonden. In de loop van het laatste kwartaal 1943 ging een flink deel van de in het kamp nog resterende aanwezigen, alsnog op transport naar het oosten. In de periode eind 1943-1944 gingen ook de staf en leden van het bestuur van de Joodse Raad op transport. Sommigen uit de laatste transporten hadden het geluk naar Theresiënstadt te worden gezonden. De transporten stopten helemaal in het september 1944. Toen het laatste transport in 1944 uit Westerbork vertrok, was het grootste deel van de Nederlandse joden in vernietigingskampen in het verre Polen inmiddels al vermoord.

De vervolging van de joden in Nederland vergrootte bij het grootste deel van de bevolking in toenemende mate de weerzin tegen de nazi's en hun ideologie. Zelfs veel zich volkomen afzijdig houdende Nederlanders konden hun hoofd niet meer in het zand steken. De zichtbare brute behandeling van joodse vrouwen, kinderen en bejaarden en de evacuatie van joodse zieken- en verzorgingshuizen, bejaardenhuizen en krankzinnigeninrichtingen, voedden de walging tegen de nazi's en hun handlangers, die dit soort onmenselijke acties organiseerden en uitvoerden. Diverse illegale kranten beschreven het vermoedelijke noodlot van de joodse landgenoten Het confessionele zedelijke bewustzijn en erfgoed van veel Nederlanders, kon deze wreedheden en vernedering van hun joodse landgenoten niet vergeven, noch vergeten. De kerken protesteerden vele malen tegen deze mensonwaardige behandeling van de joden. De Duitsers legden systematisch de protesten naast zich neer en dreigden iedere keer weer met bestraffing van de christelijke voormannen. De Londense regering waarschuwde wel, maar bleef vrij summier in zijn oproepen tot actie. Het brute Duitse optreden opende hardhandig nog meer de ogen van veel Nederlanders, die aanvankelijk gedacht hadden dat 'aanpassing' de beste weg was.

De jodenvervolging in het bijzonder, stijfde meer en meer Nederlanders in de houding om waar mogelijk het Duitse bestuur actief of passief tegen te werken. Vermeld moet worden dat in het bijzonder strikt gelovige Nederlanders bleken hun nek te durven uitsteken om joden te herbergen die wilden onderduiken. Op deze manier werd ruim 10 procent van de joodse bevolking de kans gegeven om hun leven te redden. Achteraf bezien een vrij droevig klein percentage. Eerder werd aangegeven hoe groot de risico's van niet-joodse families waren, om joodse onderduikers te verbergen. Het risico van langdurige gevangenisstraf, concentratiekamp en/of verbeurdverklaring van huisraad en andere bezittingen, ontnam menig Nederlander de moed om zijn nek uit steken.

Thans na ruim vijftig jaar, is het nog uiterst tragisch te weten dat de geallieerde leiders Churchill en Roosevelt van het uitmoorden van de joden op de hoogte waren. Poolse verzetslieden hadden via een vluchtweg langs Zweden, Londen en Washington bereikt. Daar hadden ze al eind 1942 deze leiders op de hoogte gebracht van de nazi-plannen en de constructieactiviteiten van vernietigingskampen in Polen. Om militair-strategische en waarschijnlijk politieke redenen, besloten deze leiders met hun hoogste militaire staven, de prioriteiten te leggen bij het met alle middelen aanpakken van de Duitse krijgsmacht, industriële infrastructuur en burgerbevolking. De fabrieken van onder meer IG Farben bij Auschwitz, werden *wel* ettelijke malen gebombardeerd door geallieerde bommenwerpers. De spoorlijn naar het vernietigingskamp Auschwitz-Treblinka niet. Was dat – desnoods enige keren – wél gebeurd, dan had dat de holocaust zeker *niet* kunnen stoppen. Het had hooguit het vernietigingsproces in Auschwitz-Birkenau enigszins *kunnen vertragen.* Maar het had tenminste de vele honderdduizenden joodse mensen in het gezicht van de dood, enige illusie van vage hoop kunnen geven.

Na de bevrijding wordt tot op heden gediscussieerd en geschreven over het verhoudingsgewijs hogere percentage joodse Nederlanders ten opzichte van Frankrijk, België en Denemarken, die in de vernietigingskampen zijn omgebracht. In deze discussies is regelmatig naar voren gebracht dat de niet-joodse Nederlanders hier medeschuldig aan zouden zijn. Al deze discussies geschieden met het *latere vernemen en weten,* hoe grootschalig en systematische die massamoorden zijn geweest. Hierbij moet realistisch bedacht worden dat in de jaren 1942-1944 bij normale joodse en niet-joodse mensen in Nederland, nauwelijks iemand zich bij benadering kon voorstellen dat een regime van een als beschaafd land bekend staand Duitsland, tot zo iets grootschaligs en moorddadigs in staat zou kunnen zijn. Zeer weinigen konden toen bedenken of enig idee hebben, dat het zowel mogelijk als uitvoerbaar kon zijn om in 'vernietigingsfabrieken' mensen aan de lopende band te vermoorden.

Met wetenschap achteraf in een welvarend democratisch land, weldoorvoed en gebruikmakend van een overvloed aan niet-gecensureerde literatuur, selectieve bronnen et cetera. tot allerlei 'theoretisch-achtige' conclusies te komen, is erg gemakkelijk. Het is verre van realistisch en zelfs nogal schaamteloos ten opzichte van de vele en uiteindelijk bijna een miljoen Nederlanders, die in de illegaliteit met levensgevaar hun nek durfden uit te steken in die bezettingsjaren. Vooral neo-historici dienen zich in huidige studies goed te realiseren dat vooral vanaf medio 1941, Nederland een land was dat gedomineerd werd door terreur, repressie, roof en afwezigheid van normale rechtszekerheden!

4-4 Verzet en aprilstakingen

Het eerste halfjaar van de bezetting was vooral het afwachten en aanpassen een op zich begrijpelijke reactie van bevolking en overheid geweest. Feitelijk was niemand mentaal en fysiek enigszins voorbereid op het leven onder een buitenlands autoritair regime. Eén van de zeer weinige vooroorlogse voorbereidingen was het al eerdergenoemde vrij vage (geheime) kabinetsdirectief voor overheidsambtenaren uit 1937. Behalve dit directief waren er geen instructies of aanwijzingen in de richting van enigerlei reëel verzet tegen een buitenlands regime. In de periode 1940-1941 bleek het Duitse bestuur stap voor stap met zijn vele decreten en andere maatregelen in te grijpen op allerlei aspecten van het dagelijks leven. Toch waren er zelfs vanaf het eerste begin enkele moedige mannen die het om zeep brengen van een democratisch systeem, niet wilden accepteren. Deze weinigen bezonnen zich geleidelijk steeds serieuzer hoe, en op welke materiële en immateriële manieren, verzet mogelijk kon zijn.

De eerste daad van spontane oppositie werd gedemonstreerd bij de verjaardag van prins Bernhard in juni 1940. De nog weinig gecoördineerde en soms minder goed georganiseerde daden van sabotage, waren in de zomer van 1940 al begonnen. De eerste activisten waren meestal studenten en ex-militairen. In hoofdstuk 2 werd reeds een aantal verzetorganisaties van 'het eerste uur' genoemd. Hun sabotage bestond meestal uit het doorknippen van militaire telefoonlijnen en kabels. In oktober 1940 veroordeelde een Duitse militaire rechtbank de eerste opgepakte daders tot een paar jaar gevangenisstraf. De aanvankelijke sabotagedaden door individuen en kleine groepjes typeren over het algemeen de ontwikkeling van het Nederlandse actieve verzet. Onder de onvoorbereide en zeker in het vroege begin wat naïeve anti-nazi Nederlanders, groeide de mentaliteit voor het plegen van actief verzet van de basis naar de top. Bij dit ontwikkelingsproces waren onder meer bronnen van inspiratie en richtinggevend, de voormannen van de protestantse en katholieke kerken, leden van de socialistische en communistische partij en ex-(beroeps)militairen. Bij de start kregen acties grotendeels gestalte door het maken en verspreiden van illegale geschriften, pamfletten en het beschermen en het onderduiken van bedreigde personen (ontsnapte mannen die dwangarbeid moesten verrichten, joodse mensen, leden van de illegale communistische partij et cetera).

Daden van actieve sabotage, bevrijden van opgepakte verzetsmensen uit gevangenissen, het liquideren van belangrijke NSB'ers en nazi's en het verzamelen van militaire inlichtingen, waren dikwijls volgende stappen in de groei van verzet en illegaliteit. In het vrij dichtbevolkte Nederland dat nauwelijks grote bosgebieden, heuvels of bergen heeft, was actief verzet op een schaal zoals de Franse *maquis* pleegde, nagenoeg niet mogelijk. Mannen en vrouwen van het Nederlandse verzet, hadden de beste kansen om zich verborgen te houden en illegaal te opereren, door gebruik te maken van vervalste papieren en zich te verbergen tussen de inwoners van de grote steden of op het platteland in boerderijen en (kleinere) dorpen. Op het platteland waren in die jaren nog veel wegen half- of onverhard, waardoor het voor de Duitsers niet zo eenvoudig was om met behulp van voertuigen op mensen te jagen. Het allerbelangrijkste dat het verzet en de illegaliteit zeker in de beginjaren heeft kunnen bereiken, was vooral het op alle niveaus mobiliseren en versterken van de mentale instelling van de bevolking tegen de onderdrukkers en hun autoritaire regime. Op dit gebied hebben het verzet en de illegaliteit bij brede lagen van de bevolking succes gehad en heeft vooral met passief verzet goede resultaten geboekt. Spectaculair was het niet, maar na de eerste schrik en vooral na het eerste jaar, heeft het zeker bijgedragen aan steeds meer steun door steeds meer mensen. In dit proces hebben in het bijzonder de kerken en illegale pers een grote rol gespeeld.

Door de individualistische mentaliteit van Nederlanders werd veel van het actieve verzet door eigen initiatieven van vooral kleine en lokale groepen uitgevoerd. Deze dikwijls weinig gecoördineerde acties hadden een duidelijk nadeel. Verzetsgroepen konden elkaar daardoor weinig versterken of ondersteunen. Een groot voordeel van dit weinig gecoördineerde optreden was wel, dat bij infiltratie van een groep door een verrader, andere groepen niet in gevaar kwamen. In de illegaliteit gold de regel dat hoe minder men wist, hoe minder men onder druk van martelingen door de SD kon doorslaan. Toch kwam in de loop van de bezettingsjaren – zij het vrij moeizaam – geleidelijk meer structuur en coördinatie tot stand. Ondanks dat heeft vooral de regering in Londen tot aan de bevrijding, veel moeite gehad om dit taaie individualistische ageren te doorbreken. Veel pogingen vanuit Londen om de verscheidenheid van verzetsgroepen van bovenaf te centraliseren, onder één noemer te brengen en hen meer gecoördineerd te laten optreden, mislukten grotendeels.

Reeds eerdergenoemd werd de moedige man Bernard IJzerdraat, die vanaf het allereerste begin reeds tot actie over ging. Zijn eerste handgeschreven illegale pamflet dateert van 18 mei 1940. In vorig hoofdstuk is reeds beschreven hoe die wat naïeve verzetsmannen van de groep de 'Geuzen', verraden en opgepakt werden. Dit drama eindigde met de executies in maart 1941.

Kort na de capitulatie ontstond een andere vroege verzetsgroep. De deelnemers hieraan, waren voornamelijk ex-militairen die zich organiseerden onder de naam OD (Orde Dienst). Hun idee was om verzetsgroepen te vormen die voorafgaande aan het moment van bevrijding door de geallieerden, in staat zouden zijn om de bevrijders

| *Redactie van illegale krant bezig met samenstellen van volgend nummer.*

te assisteren. Ze zouden dan kunnen zorgen voor een gecoördineerde en ordelijke bestuursoverdracht. De OD was al vanaf het begin een landelijke organisatie en had een vertakte (hiërarchisch militaire) structuur. Al in de zomer van 1940 startte de OD met het verzamelen van militaire inlichtingen en maakte met gebruik van een illegale zender contact met de Centrale Inlichtingen Dienst in Londen. Ze droegen ook zorg voor schuilplaatsen ten behoeve van gedropte geheime agenten, neergeschoten geallieerde vliegtuigbemanningen en ontsnapte Belgische en Franse krijgsgevangenen. De meeste leiders bij de OD waren ex-officieren. In het eerste jaar werden er nauwelijks spectaculaire sabotageacties ondernomen.

Ondanks de zorgvuldige en langzame start van de OD, waren in 1943 door infiltratie, verraad en bekentenissen van gemartelde agenten, driehonderd leden van de OD inmiddels opgepakt en velen geëxecuteerd. De voortdurende arrestaties van leden van de OD betekende dat men zich continu moest herstructureren en dit leidde soms tot periodes van inactiviteit. De leden van de OD liepen nog meer dan gewone burgers, groot gevaar. Aangezien het grotendeels ex-militairen waren, was de Duitse geheime politie bijzonder gespitst om juist deze mannen op te sporen en te arresteren. De Duitsers hadden al heel gauw in de gaten dat de OD bemand was door veel officieren, onderofficieren en politiemensen. Ze wisten dat deze mensen vanwege hun (vorige) professie, vertrouwd waren met vuurwapens en explosieven. Ze begrepen ook dat OD-mensen gewend waren aan strikte discipline en geheimhouding. Een dergelijke achtergrond maakte hen in de ogen van de Gestapo nog gevaarlijker

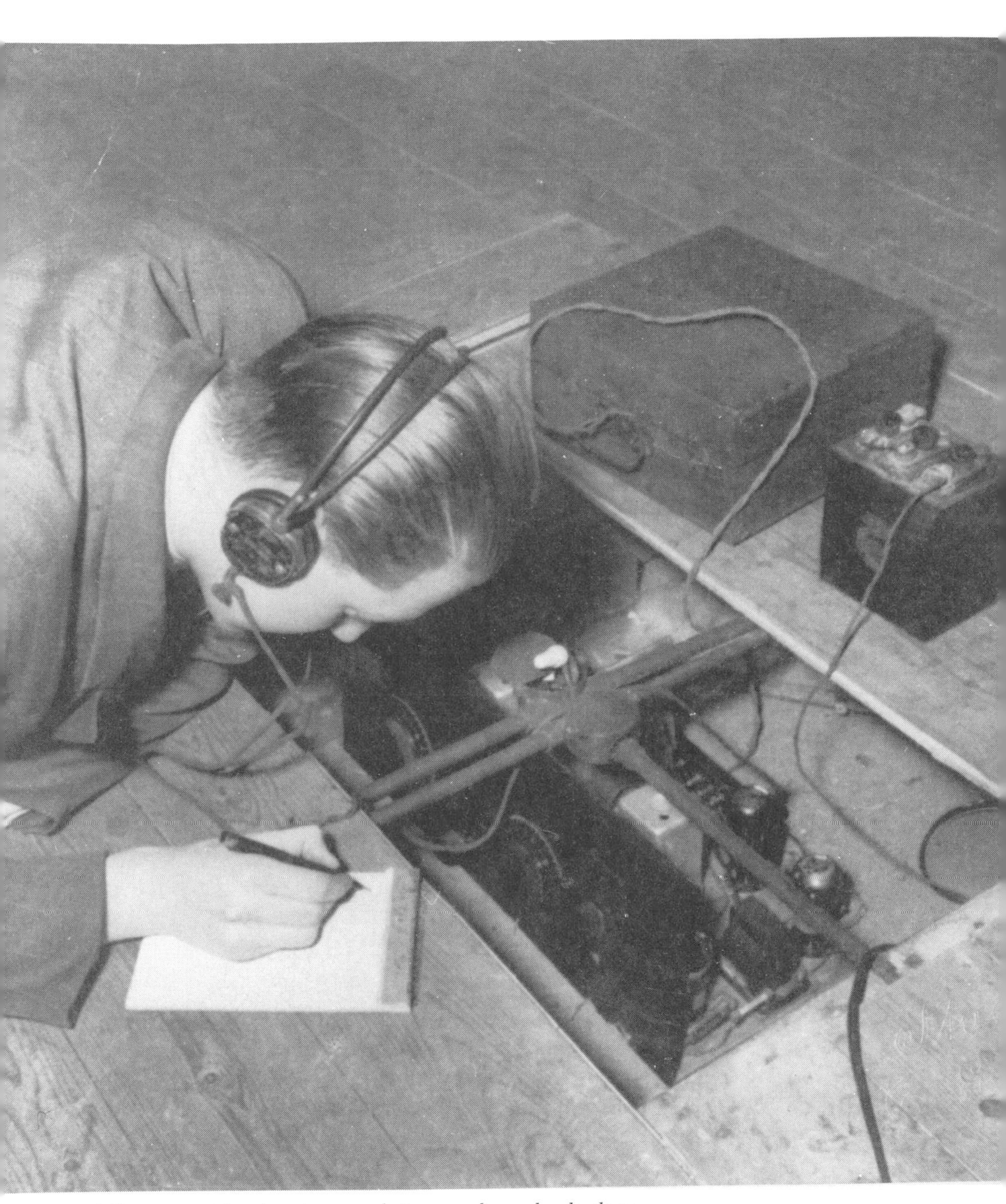

| *Contact met Londen via een geheime zender onder de vloer.*

dan verzetsmannen met een civiele achtergrond. De Gestapo kwam er eveneens vrij snel achter dat de OD via diverse radiozenders contact had met militaire inlichtingendiensten in Londen. Door soms sluwe en geslaagde infiltratie via Nederlandse verraders, zagen ze helaas vrij regelmatig kans OD-mensen te pakken te krijgen. De OD-organisatie heeft in de oorlogsjaren dan ook een hoog verlies aan mensenlevens gehad. Ondanks de grote verliezen, hebben ze een behoorlijke rol in het actieve verzet gehad. Verscheidene andere verzetgroepen hadden over het algemeen een zeker wantrouwen tegen de OD. Dit werd vooral veroorzaakt door de politiek ietwat conservatieve en 'militaire' mentaliteit van de meeste leden van de OD.

In de periode 1940-1943 werden gewapende verzetsacties doorgaans uitgevoerd naar eigen goeddunken en op eigen initiatief van de vele kleine, lokale verzetsgroepen. Het ging daarbij vooral om berovingen van distributiekantoren, overvallen op bevolkingsregisters, kleinere sabotageacties en liquidaties van extreem gevaarlijke en beruchte Nederlandse en Duitse nazi's. Toen onderdrukking en terreur toenamen, werd een betere coördinatie van in het bijzonder het gewapend verzet steeds urgenter. In april 1943 besloten een aantal groepen hun krachten te bundelen. Zij richtten de Raad Van Verzet (RVV) op. De eerste leider van de RVV was Jan Thijssen. Oorspronkelijk was hij aangesloten bij de OD. Hij vond de OD niet actief genoeg en wilde een meer prominente rol in het verzet spelen. Zijn idee was om de vijand door sabotageacties zoveel mogelijk schade toe te brengen. Eén van de andere leden van de RVV was een leidende autoriteit van de CPN. Door zijn toetreden tot de RVV konden de ettelijke illegale communistische verzetscellen samenwerken met diverse andere verzetsgroepen. Beter gecoördineerde en gebundelde acties waren nu mogelijk. Een ander prominent lid van de RVV was de beeldhouwer Gerrit van der Veen. Hij was actief in de beeldhouwerbond toen de Duitsers in 1942 probeerden de bestaande kunstenaarsbonden te 'Germaniseren'.

Vanaf juli 1942 had Van der Veen de leiding over de illegale (valse) persoonsbewijzencentrale. Die centrale was voor het verzet bijzonder belangrijk en produceerde in de jaren 1942-1945 omstreeks tachtigduizend valse persoonsbewijzen en tienduizenden vervalste andere belangrijke documenten. Eén van de meer spectaculaire overvallen, was die op het Amsterdamse bevolkingsregister. Deze gevaarlijke, maar noodzakelijke actie was erop gericht de persoonsdossiers van joodse mensen in dit register te vernietigen. Als dit zou lukken, werd het de Duitsers behoorlijk moeilijk gemaakt om joodse landgenoten te kunnen vinden en op te pakken. Bij de overval kon de verzetsgroep bovendien zeshonderd blanco persoonsbewijzen buitmaken. Door de overval werd van het register een behoorlijke puinhoop gemaakt. Helaas zag de Gestapo kans twaalf verzetsmensen van deze overval te pakken te krijgen. Ze werden korte tijd later geëxecuteerd.

In april 1944 zaten in het Amsterdamse huis van bewaring een aantal belangrijke verzetsstrijders gevangen. Bij een niet goed geslaagde gewapende overval op die gevangenis in mei 1944, werd Van der Veen vrij zwaar aan zijn benen gewond en overgebracht naar een andere schuiladres. Binnen twee weken werd hij door de Gestapo toch opgespoord en gearresteerd. Spoedig hierna werd hij in de duinen bij Overveen, samen met vier andere verzetsmensen, door executie ter dood gebracht.

Van der Veens moedige, bekwame en gedurfde leiderschap in het verzet, had veel andere verzetsmensen geïnspireerd. Na de oorlog werd hem postuum hulde gebracht door de straat waar de school die door de Gestapo als verhoor- en martelcentrum werd gebruikt staat (Euterpestraat), om te dopen in Gerrit van der Veenstraat.

Onder invloed van de steeds drastischer, impopulairder en ingrijpender wordende Duitse maatregelen, namen meer mensen – vooral in de steden – een vijandiger en minder passieve houding aan. Men was flink geschokt door het brute optreden tegen de joden en andere Nederlanders, die actief ageerden tegen het nazi-optreden. In mei en juni 1942 werden 1260 prominente Nederlanders gearresteerd en permanent als gijzelaar vastgehouden. De Duitsers gebruikten hen als een 'stille reserve'. Wanneer het in hun kraam te pas kwam, werden de gijzelaars gebruikt als slachtoffers om wraak te nemen na overvallen door het verzet. Dit soort maatregelen en waarschuwingen werden door de Duitsers breeduit in kranten en radio-uitzendingen vermeld om de schrik er goed in te houden. In een autoritair regime is terreur een beproefd middel om grote massa's onder de duim te houden. Himmler, Rauter en hun politieapparaten, kenden op dit gebied ruimschoots het klappen van de zweep. In augustus 1942 was het weer zover. Vijf gijzelaars werden geëxecuteerd als vergelding voor een mislukte aanslag van het verzet, op een trein met Duitse soldaten.

Aangezien veel ex-beroepsofficieren actief betrokken waren bij de OD, had Hitler mede hierdoor bevolen dat alle beroepsofficieren alsnog in krijgsgevangenkampen in Duitsland moesten worden opgesloten. In mei 1942 moesten daarom alle ex-beroepsofficieren (met adelborsten en cadetten er bij, meer dan tweeduizend man) zich melden in bepaalde kazernes voor 'registratie'. Deze mededeling en opdracht, bereikte deze mensen via de landelijke kranten. Om hun bedoelingen te versluieren, was het Duitse bestuur wel zo slim om in deze mededeling te vermelden dat de treinreiskosten voor *heen- en terugreis* naar en van die registratieplaatsen, vergoed zou worden. Wie geen gevolg gaf aan deze oproep, zou gestraft worden. De meerderheid van de officieren trapte in die val. Toen de opgeroepen militairen in de kazernes arriveerden, werden ze opgesloten en werd hen medegedeeld dat ze van nu af aan weer krijgsgevangenen waren. Onder bewaking van Duitse militairen met pistoolmitrailleurs in de aanslag, moesten ze afmarcheren naar het spoorwegstation. Daar stond de trein al klaar. Toen de trein naar Duitsland vertrok, begonnen de meeste officieren uit volle borst het Wilhelmus te zingen. Gedurende de drie jaren krijgsgevangenschap in Duitsland werden door de gevangenen vele, vaak ingenieuze en gedurfde vluchtpogingen georganiseerd. Helaas lukte het hierbij aan weinig officieren om met succes uit de goedbewaakte kampen te ontsnappen. De enkelingen die dat wel lukte, sloten zich meestal aan bij verzetsgroepen in Polen, Frankrijk en Nederland. In de krijgsgevangenkampen (Stanislaus in Polen en Neubrandenburg in Duitsland) hielden de Duitse militaire bewakers zich vrij redelijk aan de regels van de Conventie van Genève. De officieren die niet in de val getrapt waren van de zogenaamde 'registratie', doken onder. De meesten van hen sloten zich aan bij het actieve verzet. Voor de OD-organisatie (en ook enige andere verzetsgroepen), was het een zware tegenvaller om in één klap zoveel deskundigheid van beroepsofficieren te moeten missen.

Medio 1942 (in die tijd ging het voor een groot deel om joodse mensen) groeide

| *Onderduiker op zolder in zijn 'kamer'.*

de behoefte aan betrouwbare onderduikadressen aanzienlijk. In dat vroege stadium waren het in de meerderheid families die actief waren in protestantse kerkgemeenschappen, die het grote risico namen om onderduikers in huis te verbergen. Eén van de vrouwen die zeer actief was op dit terrein, was mevrouw Kuipers-Rietberg. In najaar 1942 nam ze contact op met de toen al ondergedoken dominee Slomp (zijn schuilnaam was Frits de Zwerver). Deze schuilnaam had hij te danken aan het feit dat hij vanaf de preekstoel, bij kerkdiensten regelmatig een anti-nazi houding had uitgesproken. Dit was voor de Duitsers genoeg reden om hem te willen oppakken. Hij werd tijdig getipt en kon snel onderduiken. Slomp en Kuipers besloten een organisatie op te zetten die zich zou bezighouden met onderduikadressen voor die mensen die op korte termijn moesten 'duiken' en hulp nodig hadden. De organisatie kreeg de naam LO (Landelijke Organisatie).

In het begin werd de LO het meest gesteund door veel belijdenden gelovigen van christelijke signatuur. Ook later domineerden in de LO mensen die strikt gelovige protestanten waren. Toen in 1943 de Duitse onderdrukking verder toenam, gingen meer en meer anti-Duitse burgers sympathiseren met het gevaarlijke werk van de LO. Vooral op het platteland kwam een sterk groeiend aantal onderduikadressen beschikbaar. De LO groeide als kool en werd een echt nationale organisatie die nu steeds meer brede steun verkreeg. Ook de katholieke geestelijken en veel gelovige katholieken gingen de LO steunde en dus adressen beschikbaar stellen. Door de grote groei werd de LO gereorganiseerd en onderverdeeld in provinciale subeenheden. Er kwam een klein centraal comité voor coördinatie op nationaal niveau. In 1943 moest de LO duikadressen vinden voor tachtigduizend mensen en met veel moeite lukte dat ook nog. Op het hoogtepunt van hun belangrijke werk had de LO circa vijftienduizend volwassenen als actief lid.

Steeds weer meer en nieuwe adressen vinden voor het groeiende leger onderduikers, was een continue zorg en activiteit voor de LO. Misschien was zelfs nog meer initiatief en creativiteit nodig om al die tienduizenden, in 1944 zelfs een paar honderdduizend onderduikers, te voorzien van vervalste persoonsbewijzen, vervalste speciale passen en in het bijzonder voedseldistributiekaarten. Door de vele taken groeide en groeide de LO steeds verder. Ze moesten diverse ondersteunende suborganisaties oprichten om in de vele noden te voorzien. Een gespecialiseerde suborganisatie was onder meer de persoonsbewijsafdeling. Deze afdeling voorzag in veranderingen in bestaande persoonsbewijzen en droeg zorg voor nieuwe, vervalste persoonsbewijzen. Een andere gespecialiseerde afdeling hield zich bezig met het vervalsen van allerlei soorten bijzondere vergunningen en andere officiële (Duitse) documenten.

Beroemde (en bij de nazi's beruchtste) ondersteunende afdelingen van de LO, waren de KP's (Knok Ploegen). De taak van die militante en belangrijke subafdeling was meestal, om door middel van gewapende overvallen echte distributiekaarten en officiële documenten (zoals nog niet gebruikte vergunningen en persoonsbewijzen) in handen te krijgen. Overvallen voor het bemachtigen van distributiekaarten en blanco persoonsbewijzen, werden een normale – maar uiterst gevaarlijke – routine voor de knokploegen. Eind 1943 was het aantal actieve KP'ers gegroeid tot omstreeks driehonderd man. Om een betere coördinatie en grotere doelmatigheid te bereiken, werd in het najaar van 1943 overgegaan tot een reorganisatie die leidde tot de LKP (Landelijke Knok Ploegen). Na zomer 1944 was het landelijke aantal actieve leden van de LKP uitgegroeid tot circa vijftienhonderd man. Meestal waren de overvallen succesvol en kon men tienduizenden distributiekaarten bemachtigen. Maar het ging af en toe ook helemaal mis. Doorgaans werden deze mislukkingen veroorzaakt door slechte, haastige voorbereiding of door verraad.

Wanneer LKP'ers in Duitse handen vielen, droeg doorgaans de Gestapo zorg voor ondervragingen en marteling. De veroordelingen die hieruit voortvloeiden, varieerden van langdurige gevangenisstraffen, afvoer naar een concentratiekamp tot een doodvonnis. Gedwongen door de diverse arrestaties, moest de LKP nog een nieuwe taak op zich nemen. Die bestond uit het gewapenderhand bevrijden van gearresteer-

| *Overval op een distributiekantoor.*

de LKP'ers en andere opgesloten verzetsmensen uit gevangenissen. Eén van de meest succesvolle operaties, was het bevrijden van meer dan vijftig politieke gevangenen en verzetsmensen uit een gevangenis in Arnhem in juni 1944.

De greep van de bezetters in Nederland werd vanaf tweede helft 1942, begin 1943 steeds harder en meer voelbaar. Daardoor beïnvloedde dit sterker het dagelijkse leven van voortdurend meer mensen. Naast de jacht op de joden, werd de jacht op mannen voor gedwongen arbeid in Duitsland, intensiever. Een groeiend aantal gezinnen met jongere mannen, hing dit gevaar continu boven het hoofd.

Reeds in 1940 waren de werklozen geconfronteerd met het fenomeen 'werken in Duitsland'. Tot maart 1942 ging dat op een soort 'vrijwillige' basis. De officiële arbeidsbureaus werden gebruikt om de werklozen aan te moedigen en te contracteren voor werken aan de andere kant van de grens. Er was weinig enthousiasme voor dat soort werk. Geleidelijk aan werd van de kant van het ministerie van Sociale Zaken en Werkgelegenheid, er wat meer druk uitgeoefend. Degenen die bleven weigeren, kregen geen uitkering meer. Van Duitse zijde werd er ook de nodige druk uitgeoefend op directeuren van productiebedrijven (in het bijzonder in de metaalindustrie) om vaklieden te overreden in Duitsland te gaan werken. Zomer 1941 was het aantal Nederlandse arbeiders dat in Duitsland werkte ongeveer 120 duizend man. De meerderheid van hen was al werkeloos vóór mei 1940. Dit aantal lag ver beneden de sterk groeiende Duitse behoeften. Zij hadden meer en meer buitenlandse arbeiders nodig om de opengevallen plaatsen door het in militaire dienst roepen van Duitse mannen, in de industrie en landbouw op te vullen.

In maart 1942 kwam er weer een nieuw decreet af. Alle werkloze mannen tussen achttien en veertig jaar, moesten zich nu bij de arbeidsbureaus laten registeren en konden gedwongen worden om in Duitsland te gaan werken. Veel jongemannen doken onder en moesten hulp vragen aan mensen die wat later zich organiseerden in de LO. Ondanks het gebrek aan medewerking, zagen de Duitsers kans in de loop van 1942 door middel van arrestaties en dwang, 160 duizend mannen in hun netten te vangen. Deze mannen werden zo snel mogelijk naar Duitsland vervoerd en daar gedwongen in fabrieken en op boerenbedrijven te werken. De mannen die op het platteland moesten werken, waren over het algemeen beter af dan de gedwongen arbeiders in de grotere steden. In de stedelijke gebieden waren de kansen op geallieerde bombardementen veel groter, waardoor de dwangarbeid aldaar veel en veel gevaarlijker was.

De massale Duitse verliezen aan gewonden en gesneuvelden – in het bijzonder door de oorlog in het onmetelijk grote Rusland – in 1942-1943, verhoogde in nog sterkere mate de behoefte aan buitenlandse dwangarbeiders. Deze grote nood, dwong het Duitse bestuur tot voortdurend radicalere en meer impopulaire maatregelen. Allerlei voor Nederlandse nationale doeleinden werkende industriële ondernemingen, werden gedwongen om te sluiten. Na sluiting konden de inmiddels werkloos geworden arbeiders gedwongen worden om in Duitsland te werken. Werkgevers werd officieel toegestaan de werkweek op te rekken tot maximaal 72 uur. Hierdoor konden de werkgevers makkelijker gedwongen worden om arbeiders vrij te maken om elders te dwangarbeid te verrichten.

De moordaanslag op de gepensioneerde pro-nazi Nederlandse luitenant-generaal Seyffardt in februari 1943, gaf de nazi's een mooi en extra excuus om – na conflicten met de studenten en universiteiten in 1942 – nieuwe maatregelen tegen studenten te treffen. Kort voor hij overleed, mompelde Seyffardt namelijk dat de moordenaar 'er uitzag als een student'. De Duitsers arresteerden daarom honderden studenten op diverse universiteiten. De protesten door vooral kerkelijke leiders en voorgangers, waren zo fel en heftig, dat de Duitsers veel studenten vrijlieten.

Universiteiten werden nu verordonneerd om lijsten te maken van studenten die ingezet konden worden voor werken in Duitsland. Door tegenwerking van de universiteiten kwam hier niets van terecht. Een volgende stap was de Duitse eis aan studenten om een loyaliteitsverklaring te tekenen. In deze verklaring moesten ze onder meer beloven 'zich te onthouden van alle actie tegen het Duitse Rijk, de Duitse weermacht of het Nederlandse bestuur, die de openbare orde in gevaar zou kunnen brengen'. De studenten kregen enige bedenktijd voor ze de loyaliteitsverklaring

Reclamezuil met oproepen voor werken in Duitsland.

moesten ondertekenden. Bovenop deze maatregel kondigde het Duitse bestuur aan dat studenten die afstudeerden, daarna enige tijd in Duitsland zouden moeten werken. Het is te begrijpen dat al deze zaken heftige discussies en de nodige spanning veroorzaakten in de universitaire wereld. Uiteindelijk ondertekende circa 14 procent van alle studenten die loyaliteitsverklaring. Omstreeks elfduizend man die weigerden te tekenen, werden opgeroepen om in Duitsland te gaan werken. Hun ouders werden bedreigd met represailles als hun zonen bleven weigeren. Circa 5200 studenten volhardden in hun weigering en moesten daardoor met hun studie stoppen en onderduiken. Ettelijken van hen sloten zich aan bij een verzetsgroep. De diverse Duitse maatregelen tegen de studenten betekenden op termijn de doodskus voor de continuïteit van de meeste universiteiten en hogescholen. Vanaf april 1943 gingen colleges op een steeds beperkter schaal verder. Doordat studenten gedeeltelijk vogelvrij waren geworden, ging een deel van de colleges hier en daar op clandestiene wijze verder. Uiteindelijk was het aantal studerende jongemannen dat afgevoerd werd voor gedwongen arbeid in Duitsland, veel kleiner dan het aantal dat het Duitse bestuur gepland had.

De liquidatie van generaal Seyffardt, de toenemende activiteiten van verzet en illegaliteit, het optreden van de studenten en de toenemende tegenwerking van meer Nederlanders voor de gedwongen arbeid in Duitsland, was in Berlijn niet onopgemerkt gebleven. Rauter had inmiddels gerapporteerd dat het aantal liquidaties van prominente pro-nazi Nederlanders langzaam toenam, dat de studentenwereld behoorlijk dwars lag en dat het mogelijk was dat bij het verzet veel ex-militairen betrokken waren.

Door de tegenslagen van de Duitse legers bij de strijd in de Sovjet-Unie en Noord-Afrika, moest Hitler via de vele bombastische redevoeringen door hem of Goebbels te Berlijn in januari 1943 'De Totale Oorlog' afkondigen. De noodzaak om weer meer buitenlandse dwangarbeiders in te zetten, werd almaar nijpender. Daardoor ontstond het plan om de naar hun (te hoge) schatting bijna driehonderdduizend ex-militairen (grotendeels dienstplichtige) op te roepen voor gedwongen arbeid in Duitsland. Zij zouden de gevallen gaten in Duitsland mooi kunnen opvullen! Na enig touwtrekken tussen Berlijn en Den Haag, werd de eindbeslissing april 1943 genomen. *Alle* mannen van de voormalige Nederlandse krijgsmacht (exclusief de ongeveer tweeduizend eerder geïnterneerde beroepsofficieren) werden door de Duitse militaire commandant in Nederland generaal Christiansen, opgeroepen. Zij zouden als krijgsgevangenen worden afgevoerd naar Duitsland. Zware straffen werden in het vooruitzicht gesteld voor degenen die geen gehoor gaven aan dit zoveelste nieuwe decreet.

De 'aanpassingsbereidheid' aan het Duitse bestuur was inmiddels al ruimschoots weggeëbd. Tussen 1940 en 1943 was er al zoveel gebeurd, dat bij de meeste Nederlanders een groot wantrouwen tegenover de Duitsers was gegroeid. Allerlei verboden en beperkingen, het optreden tegen de joodse burgers, arrestaties en executies, gedwongen arbeid in Duitsland en nog vele andere maatregelen die een normaal leven steeds moeilijker maakten, hadden het ware gezicht en de duistere bedoelingen van het nazi-bewind keihard blootgelegd. Veel oorspronkelijk gezagsgetrouwe mannen en vrouwen, hadden hun passiviteit tegenover de Duitse en gedwee volgende Nederlandse overheden, verloren en waren in stilte begonnen tegen te werken. Een oud spreekwoord zegt dat 'de kruik net zo lang te water gaat tot hij barst'. Het decreet over de krijgsgevangenschap van de ex-militairen veroorzaakte daarom enorme opwinding en een ontlading van lang opgekropte woede. Deze ontlading uitte zich in spontane stakingen in het oosten van het land.

De al vrij snel *algemene* nieuwe staking, begon op 29 april. Bij de Stork-fabriek in Hengelo, die voor een groot deel noodgedwongen voor de Duitse oorlogsbehoeften produceerde, kwamen veel arbeiders na de middagpauze niet terug op hun werk. Daardoor verlieten nóg meer arbeiders spontaan hun werk. Vroegere vakbondsleiders moedigden nu anderen aan om ook te gaan staken. De werkgevers deden geen enkele poging om de stakers tegen te houden. Het nieuws over de wilde staking bij Stork, verspreidde zich als een lopend vuurtje naar andere fabrieken in de omgeving. In de loop van de middag begonnen her en der in het land en vooral op het platteland, allerlei wilde stakingen.

In de grote steden in het westen werd dit voorbeeld nauwelijks gevolgd. Waarschijnlijk zat daar de schrik over de Duitse politieterreur tijdens de februaristakingen in 1941, er nog flink in. Vooral in Amsterdam en Rotterdam, werd deze keer nauwelijks gestaakt. In Eindhoven bij de Philips fabrieken en in de Limburgse kolenmijnen werd wél massaal gestaakt. De productie van kolen in Limburg kwam bijna helemaal tot stilstand. De volgende ochtend waren honderdduizenden arbeiders in het hele land in staking. Deze keer was de staking niet grotendeels beperkt tot de industrie, maar werd breed gesteund door de plattelandsarbeiders bij landbouw- en veeteeltbedrijven en in de landbouwindustrie. Veel boeren weigerden melk te leveren aan de melkfabrieken. Ze gaven de melk rechtstreeks aan de bevolking. Over het algemeen steunden ook de lagere ambtenaren bij gemeenten de staking en had deze staking daardoor een ruimschoots landelijk karakter.

Helaas herhaalde zich grotendeels de geschiedenis van februari 1941. Seyss-Inquart was op het moment van het uitbreken van de staking tijdelijk niet in het land. Hij was voor besprekingen met Hitler op diens Beierse prachtige buitenverblijf De Berghof in Berchtesgaden. Dit bewijst eens te meer dat – hoewel de Duitsers enige onrust verwachten – ze geen concreet idee hadden over de inmiddels krachtige anti-Duitse gevoelens onder de burgers. De Gestapo had in de afgelopen jaren getoond in staat te zijn professioneel te infiltreren in verzetsgroepen, ware meesters te zijn in arrestaties, verhoren met martelingen en executies. Toch hadden ook deze keer hun inlichtingendiensten volledig gefaald. Zij hadden niet zien aankomen dat de opgekropte ongenoegens en woede, zouden kunnen leiden tot een dergelijk massaal landelijk verzet.

Door afwezigheid van Seyss-Inquart, had Rauter als hoogste politiechef nu nagenoeg volledig de vrije hand om te reageren op deze onverwachte toestand. Het duurde een dag voor hij en zijn SD mannen zich realiseerden dat dit een spontane en serieuze landelijke staking was, die door honderdduizenden gesteund werd. Hij informeerde zo gauw mogelijk Seyss-Inquart in Duitsland. Die ging akkoord met de afkondiging van de 'Staat van Beleg'. Rauter ging snel, resoluut en bruut te werk. Hij mobiliseerde verschillende Waffen SS, Duitse en pro-nazi Nederlandse politie-eenheden. Voor grote delen van het land werd nu de 'Staat van Beleg' afgekondigd.

Onder de Staat van Beleg was het mogelijk om direct mensen te veroordelen tot de doodstraf en daarna direct de executies uit te voeren. Een Duitse politie-eenheid van tweehonderd man, werd naar Hengelo gestuurd. Posters werden aangeplakt. Daarop stond vermeld dat zware straffen zouden worden opgelegd aan stakers en dat de avondklok van kracht was van 20.00 tot 06.00 uur. De Gestapo had lessen getrokken uit de stakingen van 1941 en deze maal werd zelden met scherp direct op menigten geschoten. De tactiek was nu, om zo snel mogelijk en selectief individuele stakers op te pakken. De voormannen van de stakingen werden onmiddellijk voor Duitse politierechtbanken gebracht. Met weinig uitzonderingen, werden ze tot de doodstraf veroordeeld. Binnen een paar dagen werden de vonnissen door executiepelotons uitgevoerd. Deze executies met naam en toenaam, werden overal opgeplakt.

Deze sluwe en wat andere aanpak van Rauter werkte redelijk effectief. De brute intimidatie met de vele arrestaties, snelle veroordelingen en daaropvolgende executies, hadden tot gevolg dat de staking verliep. Binnen twee dagen ging de meerderheid van de stakers weer aan het werk. Op (maandag) 3 mei was de staking grotendeels voorbij.

Bij de Philips-fabrieken in Eindhoven staakte men na het weekend nog wél. De Duitse politie reageerde hierop onmiddellijk en installeerde een politierechtbank in het Philips hoofdkantoor. Heel vlug veroordeelden ze zeven stakers tot de doodstraf. Onder druk van deze terreur, eindigde ook de staking in Eindhoven. Op 8 mei werd er nergens in het land nog gestaakt. Ondanks het 'selectieve' gedrag van de Duitse eenheden om niet met scherp op menigtes te schieten, was het aantal doden ten gevolge van botsingen met Duitse patrouilles, toch nog opgelopen tot 95 mensen. Tijdens de totaal zeven dagen durende stakingen, werden omstreeks vierhonderd burgers op straat door kogels gewond en werden duizenden stakers opgepakt. Totaal 116 stakers werden veroordeeld tot de doodstraf. 36 van de opgepakten kregen gratie en tachtig stakers stierven voor het vuurpeloton. De meerderheid van de opgepakten werd na enige dagen vrijgelaten. De meest actieve niet tot de doodstraf veroordeelden, werden naar het concentratiekamp in Vught afgevoerd. Van deze groep werden sommigen na enige maanden vrijgelaten, anderen pas na één jaar. De overigen werden afgevoerd naar concentratiekampen.

Rauter en zijn terreurapparaat hadden uiteindelijk deze slag tegen de 'staking van de opgekropte woede' met alle gereedschappen die een dictatoriaal en onderdrukkend systeem kan mobiliseren, gewonnen. Merkwaardig genoeg heeft na de bevrijding, de herdenking van de Februaristaking in 1941 in de regio Amsterdam steeds veel belangstelling gekregen. De veel grotere en massalere staking in april 1943 in Oost-Nederland kreeg en krijgt *onterecht nauwelijks aandacht*, terwijl juist díé staking in de aanvang totaal niet georganiseerd en volledig spontaan was.

Ook deze keer was een massaal en breed gedragen verzet in bloed gesmoord. Voor Seyss-Inquart, Rauter en allen die het nazi-regime in Nederland ondersteunden, was dit succes ruimschoots een Pyrrusoverwinning. De tweede grote staking was voor de Duitsers onverwacht, spontaan, wijdverspreid en fel. Het toonde wederom aan dat alle pogingen om het Nederlandse 'broedervolk' te overreden om in de zegeningen van de nazi's en hun Duizendjarige Rijk te laten delen, een volledig fiasco was geworden. Het toonde eveneens aan dat de grijze massa die in het begin van de bezetting zich nog redelijk wilde aanpassen en passief was, geleidelijk aan veranderd was in een bevolking die actief het nazi-regime en zijn racistische ideologie niet wenste te accepteren. Door alles wat er gepasseerd was, waren meer mensen bereid op een of andere manier het Duitse bestuur te dwarsbomen of zelfs deel te nemen aan actief verzet of andere illegale activiteiten. Een groot deel van bevolking was door schade en schande wijzer geworden. In 1943 was men er zich van bewust dat massaal verzet tegen een terreurregime alleen maar succes kon hebben, wanneer snel geallieerde militaire assistentie van buitenaf zou volgen. In het voorjaar van 1943 was dat fysiek nog niet mogelijk en waren de geallieerden nog niet in staat om die grootschalige militaire steun te geven.

De hoofdreden van het losbarsten van de stakingen, was het decreet voor het in krijgsgevangenschap afvoeren van de ex-militairen. Dit decreet werd ondanks de stakingen *niet* ingetrokken. De eerste mensen moesten zich begin mei melden in Amersfoort. Ondanks dreigementen met sancties voor wie zich niet zou melden en de verzekering dat veel opgeroepenen vanwege onmisbaarheid een vrijstelling zouden krijgen, kwam circa 30 procent niet opdagen.

Bij de mannen die zich wel meldden, hadden inmiddels velen echte of vervalste papieren voor vrijstelling weten te bemachtigen. Zij konden na het tonen van die vrijstelling weer naar huis gaan. In de periode mei tot juni meldden zich totaal 210 duizend ex-militairen. Uiteindelijk werden slechts omstreeks elfduizend man afgevoerd naar krijgsgevangenkampen in Duitsland. Waarschijnlijk door gebrek aan Duitse en Nederlandse politiemankracht, zagen de Duitsers ervan af om systematisch en landelijk, de niet-melders alsnog op te pakken. Van deze mannen hadden ze wel degelijk de namen en de laatst bekende adressen! De LO had het natuurlijk extra druk om de grote aantallen ex militairen van nieuwe vervalste persoonsbewijzen en soms ook nog distributiekaarten te voorzien. Gedwongen door het Duitse decreet, doken vele niet-melders onder. Anderen gingen in de illegaliteit en diversen sloten zich aan bij een verzetsgroep en konden het actieve verzet verder versterken. De complete Duitse actie om de ex-militairen in krijgsgevangenschap af te voeren, was eigenlijk een groot fiasco geworden met een bijzonder magere oogst.

Dit nam niet weg dat de Duitse honger om dwangarbeiders te vangen, er geen haar minder door was geworden. Nieuwe maatregelen werden bedacht, om in die urgente behoefte te voorzien. In het verlengde van eerdere pogingen om meer dwangarbeiders te vangen, werd een nieuw decreet afgekondigd. Hierin werd begin mei bevolen dat *alle mannen* van de leeftijdscategorie tussen achttien en 35 jaar, zich moesten melden bij de arbeidsbureaus. Melding en registratie werden georganiseerd in leeftijdsgroepen. Men begon met de mannen tussen negentien en 23 jaar. Zij moesten zich melden in mei en begin juni. Deze leeftijdsgroep bestond uit circa zestigduizend man. Dezelfde regels voor vrijstellingen die golden voor de ex-militairen, waren nu weer van toepassing. Ook nu weer kwamen velen niet opdagen (30 procent). 50 procent van degenen die zich wel melden, kregen een officiële (of een door de LO vervalste) vrijstelling. Bij volgende leeftijdsgroepen waren de eindresultaten ongeveer gelijk.

Het vrij magere resultaat als gevolg van dit decreet, leverde de bezetter omstreeks 140 duizend mannen op die afgevoerd werden naar werkkampen in Duitsland. Ettelijke van die mannen ontsnapten uit de treinen op weg naar Duitsland of tijdens een schaars en kort verlof in Nederland. Daarna doken ze onder of voorzagen zich via de illegaliteit van vervalste documenten. Van de niet-melders doken de meesten ook onder of verdwenen in de illegaliteit. De Duitse en Nederlandse politie deed ook nu weer voor deze categorieën geen grote moeite om systematisch deze dwarsliggers op te sporen. Vermoedelijk waren de aantallen van de mannen die zich onttrokken aan dwangarbeid, zó groot dat het de capaciteit om geconcentreerd jacht op hen te maken, de Duitsers boven het hoofd groeide. Een andere reden voor het nalaten van de opsporingen, lag vermoedelijk in de groeiende obstructie van Nederlandse ambtenaren die betrokken waren bij de administratieve registratie van de 'arbeidsinzet'. De Nederlandse overheden trachtten de Duitsers bovendien ervan te overtuigen dat de geforceerde arbeidsinzet in Duitsland, Nederlandse bedrijven die voor de Duitse oorlogsindustrie produceerden, steeds meer zouden gaan ontwrichten.

Het zal duidelijk zijn, dat de grote hoeveelheid mannen die zich onttrokken aan de gedwongen arbeid, van de LO een gigantische inspanning vergde om duizenden nieuwe onderduikadressen te vinden. Het voorzien in die enorme aantallen vervalste persoonsbewijzen, vervalste vrijstellingen en voedseldistributiekaarten voor deze meerdere duizenden onderduikers, was voor de LO een megaoperatie, die uiteindelijk lukte. Dat het lukte, was te danken aan het groeiende aantallen mannen die zich bij de illegaliteit hadden aangesloten en die allerlei hand- en spandiensten verrichten. Bovendien raakte de LO steeds beter ingespeeld en kon het door grotere doelmatigheid meer en betere vervalste documenten produceren. In 1943 groeide de illegaliteit aanzienlijk en konden veel verzetsgroepen daardoor krachtiger opereren. De vele illegale activiteiten (onderduiken van duizenden joden, studenten, journalisten, vakbondsmensen, stakers, dwangarbeiders, ex-militairen, drukken van illegale kranten et cetera) vergde niet alleen mankracht, maar ook aanzienlijke financiële fondsen.

Veel geld werd opgehaald bij collectes door protestantse en katholieke kerken en organisaties. Belijdende gelovigen gaven gul zelfs een deel van hun salaris voor hun ondergedoken landgenoten. Uit allerlei bestaande fondsen en stichtingen werd eveneens geld geschonken aan de illegaliteit. In 1943 werd door de sterk toenemende behoefte aan geldstromen, de zaak beter georganiseerd en gebundeld. Daardoor kreeg de illegaliteit een eigen 'bankier', genaamd NSF (Nationaal Steun Fonds). Deze hele grootschalige bankoperatie ontstond uit een al bestaand steunfonds voor de gezinnen van de Nederlandse zeevarenden ter koopvaardij en de marine (Zeemanspot), die buiten Nederland op schepen voeren. Toen een steeds groter aantal vervolgde mensen financiële hulp nodig had, groeide dit fonds eveneens. Het NSF opereerde onder de bekwame (illegale) leiding van de bankier Walraven van Hall, zijn broer G. van Hall en de ex-marine officier I.J. van den Bosch. Het steunfonds groeide uit tot een grote illegale organisatie met circa negentienhonderd assistenten. Zij droegen zorg voor het verzamelen, registreren, distribueren en uitbetalen van vele miljoenen guldens. In het geheim werd contact gezocht met de voormalig Nederlandse Bank president-directeur J.L.A. van Trip. Deze zegde toe dat de regering in ballingschap in Londen (na de oorlog) degenen die leningen gaven aan het NSF, zou terugbetalen. Veel belastingambtenaren, bankiers, ondernemers en handelsmensen, steunden (uiteraard in het diepste geheim) deze gigantische financiële operatie. Langs deze wegen stroomde heel veel geld naar het NSF.

In 1944 autoriseerde de regering in Londen een garantieverklaring, die goed was voor ongeveer 30 miljoen gulden (thans minstens vergelijkbaar aan een bedrag van ruim 300 miljoen gulden). Het grootste deel van het geld ging naar de gezinnen van zeevarenden, onderduikers en naar verschillende verzetsgroepen. Toen de activiteiten van verzet en illegaliteit in 1943-1945 verder toenamen, werd een deel van dit geld eveneens gebruikt voor financiering van sabotageacties, gewapende overvallen en de illegale pers. Al deze bankiersactiviteiten werden uitgevoerd in het grootste geheim en natuurlijk met gebruikmaking van speciale codes. Het moge niet spectaculair zijn, maar het is wel een feit dat deze financiële steun in hoge mate heeft bijgedragen aan de successen van de illegaliteit in het algemeen en het gewapende verzet in het bijzonder. Aan het eind van de bezetting in mei 1945, was het totaal door het NSF uitgegeven bedrag 84 miljoen gulden (thans vergelijkbaar met bijna één miljard gulden = omstreeks 454 000 000 euro). Niet onvermeld mag bij de enorme financiële steun blijven de Groep-2000, die met omstreeks één miljoen gulden (nu vergelijkbaar met circa 4,6 miljoen euro) de illegaliteit steunde. Deze gelden kwamen uit de kringen van de vrijmetselaars en hervormde gemeentes. Helaas werden de NSF-oprichters Walraven van Hall en Van den Bosch uiteindelijk toch opgepakt en daarna geëxecuteerd. Van de vele assistenten van het NSF werden tussen 1943 en 1945 tachtig mensen gearresteerd. Ook de oprichter van Groep-2000, generaal Van Tongeren, werd in 1941 gearresteerd en overleed een paar maanden later in het concentratiekamp Sachsenhausen. Zijn dochter zette daarna het werk voort. Ondanks de voortdurende verliezen aan mensen was de NSF zo stevig op poten gezet, dat het werk gewoon doorging. Vanwege de scherpe veiligheid werkte het NSF uit lijfsbehoud sterk gedecentraliseerd. Daardoor kon men bij arrestaties van leden, toch doorgaan met verzamelen en uitbetalen van de vele miljoenen guldens aan de tienduizenden, die hiervan volledig afhankelijk waren.

Het (ongewapend) verzet had vele slachtoffers die hun werk voor de illegaliteit met de dood moesten bekopen. De mede oprichtster van de LO, mevrouw Kuipers-Rietberg, werd in 1944 gearresteerd en verloor in het vrouwenconcentratiekamp Ravensbrück het leven na een lijdensweg van enkele maanden. Haar compagnon van het eerste uur 'Frits de Zwerver' (ds. Slomp) werd in mei 1944 gearresteerd. Nog voor de Gestapo in de gaten had wat voor belangrijke gevangene ze in handen hadden gekregen, werd hij door een gedurfde overval van de LKP uit de koepelgevangenis in Arnhem met geweld bevrijd. De financiële steun van het NSF, de voortdurende zwaardere druk en maatregelen van het nazi-bewind en het einde van de Duitse militaire successen, hebben vanaf 1943 in hoge mate bijgedragen aan groei en 'professionalisering' van de illegaliteit en het actieve verzet.

Het scala van illegale en verzetsactiviteiten werd voortdurend uitgebreider en veelzijdiger. Het bestond voor een belangrijk deel uit het onderbrengen en in le-

| *Resultaat van liquidatie van belangrijke NSB'er.*

ven houden van aanvankelijk duizenden, later tienduizenden en in eind 1944 zelfs meer dan driehonderdduizend onderduikers van allerlei soort en leeftijd. Daarnaast werden er vele andere essentiële zaken uitgevoerd. Die andere activiteiten betroffen (zonder uitputtend op te noemen) ontsnappingsroutes voor geallieerde piloten, vluchtroutes voor geheime agenten en koeriers naar Zweden, Zwitserland en Spanje, liquidaties van gevaarlijke nazi's en pro-nazi Nederlanders, gewapende overvallen op distributiekantoren en gevangenissen, kleinere sabotageacties, verzamelen van militaire inlichtingen, het drukken en verspreiden van vele illegale kranten en het vervalsen van onnoemelijk aantallen persoonsbewijzen en documenten et cetera.

Verzet en illegaliteit zijn na 1945 soms overdreven massaal voorgesteld, soms gebagatelliseerd. In Nederland (net als in Frankrijk, België en Denemarken) zijn er veel 'grijze muizen' geweest, die overleven belangrijker vonden dan deelnemen aan actief 'verzet en illegaliteit'. De nuchtere realiteit laat zien, dat met het brede scala van veelsoortige illegale activiteiten in de jaren 1942-1945, *ruim meer dan één miljoen*

Nederlanders (circa 13 procent van de bevolking) direct of indirect actief waren met (illegale) handelingen, die direct gevaar voor het eigen leven met zich meebracht. Het ging daarbij om handelingen en/of protestacties, die bij arrestatie langere gevangenisstraf, opsluiting in een concentratiekamp of de doodstraf konden betekenen. Daarbij moet in aanmerking worden genomen dat onder het Duitse bestuur (gesteund door de vele decreten en andere autoritaire wetgeving die door hen werd ingesteld) 'iedere daad of actie die enige afbreuk kon doen aan de veiligheid van het Duitse bestuur, het Duitse Rijk, zijn weermacht en onderdanen', gestraft kon worden (en vaak werd) met zware en vaak levensbedreigende sancties. Het begrip 'veiligheid' werd door het Duitse bestuur en hun rechtbanken bijzonder ruim geïnterpreteerd!

Bij het lezen van het in 2001 verschenen boek *Grijs verleden* van auteur Chris van der Heijden zal het gros van de mensen die de bezetting hebben ondergaan, in het bijzonder gruwen bij het hoofdstuk 'Verzet en verzetjes'. De honderdduizenden die met groot levensgevaar hand- en spandiensten verrichtten bij het onder meer verbergen van onderduikers, het distribueren van illegale kranten en het vervalsen van documenten, kunnen zich nauwelijks herkennen in die 'marginalisering' van verzet en illegaliteit, die deze schrijver met zijn beweringen pleegt. Zijn beweringen worden gestaafd door allerlei statistische gegevens en een aantal weinig representatieve dagboekfragmenten. Terreur, oppositie en verzet, laten zich heel slecht vangen in statistieken! Een scherpe scheiding aanbrengen tussen verzet en illegaal werk (Van der Heijden doelt vooral op gewapend verzet) is moeilijk, zo niet onmogelijk en bijzonder kunstmatig. Illegaliteit en verzet waren tijdens de bezetting niet scherp te scheiden en overlapten elkaar meestal.

In dit licht is het de moeite waard om te onderstrepen wat je met statistieken allemaal kunt 'bewijzen'. In een uiterst amusant, maar verhelderend kort boekje (*How to Lie with Statistics*) heeft de Engelse auteur Darrell Huff dat al in de jaren vijftig van de vorige eeuw duidelijk gemaakt. Dit boekje heeft wegens groot succes vele herdrukken beleefd. Het geeft een goed beeld van hoe je met statistische gegevens kunt goochelen en eigenlijk kunt 'bewijzen' wat je maar wilt.

Met statistieken verzet in Nederland, België en Frankrijk vergelijken, is het in deze context het vergelijken van appels en peren. Frankrijk en België werden eerder bevrijd en lagen geografisch gezien een stuk dichter bij het 'eiland' Engeland. Daar komt nog bij dat de bevolking van beide landen in de Eerste Wereldoorlog de nodige ongunstige ervaringen hadden opgedaan met hun Duitse 'buren'. Ze waren daardoor veel minder naïef dan de neutrale Nederlanders en hadden nogal wat negatieve ervaringen met de Duitse onderdrukker. Bovendien had het (kleine) actieve gewapende verzet in Nederland, opdracht uit Londen om zich vóór het jaar 1944 – in het bijzonder op het terrein van sabotage en liquidaties – *zoveel mogelijk te beperken teneinde grote bloedbaden onder gijzelaars te voorkomen*! De nazi-reactie bij de overval in 1944 te Woeste Hoeve op de auto waarin Rauter (toevallig) was gezeten, maakt bijzonder duidelijk dat deze strikte opdracht uit Londen, geen loze kretologie was!

Bij mijn uiterst voorzichtige berekeningen over het aantal direct betrokkenen bij protesten, stakingen, andersoortige illegale hand- en spandiensten en gewapend verzet, kom ik op een lager percentage uit dan Dick Verkijk in zijn boek *Die slappe*

Nederlanders en op grond van onder meer de uitgebreide boekenreeks van Lou de Jong. In het boek van Verkijk, komt hij voor de illegaliteit en verzet uit op omstreeks 27 procent. De juiste aantallen van zich ergens verzettende Nederlanders, zal nooit precies achterhaald kunnen worden. Het zal altijd bij wat ruwere schattingen en berekeningen blijven. Het zal de lezer waarschijnlijk wel duidelijk zijn dat de 'grijsheid' van de bevolking niet zo opvallend was, als auteur Van der Heijden in zijn boek probeert aan te tonen. Vanaf medio 1941 week de anti-nazi attitude van de bevolking in Nederland nauwelijks af van de houding van de meerderheid van de bevolking in België en Frankrijk.

4-5 Spionage en sabotage

Oorlogen worden niet alleen gewonnen of verloren door strijdende matrozen, soldaten en piloten. Minstens even belangrijk voor slagen of falen, is het intelligente gebruik van spionage, contraspionage, spionnen, geheime agenten, sabotage en het verzamelen van vooral militaire inlichtingen. Het actieve verzet in Nederland had een vrij langzame start. Door de individualistische instelling van 'Jan de Hollander' was de groei van het verzet meer 'van de basis naar de top' dan omgekeerd. Na de capitulatie in 1940 waren zowel de Britten als de Londense regering in ballingschap, enorm geïnteresseerd om wegen te vinden voor informatie hoe het er in de bezette landen aan toeging.

In het begin van de Tweede Wereldoorlog was de Britse militaire inlichtingendienst (MI = *Military Intelligence*) er beslist niet op voorbereid om de vele taken in de nieuwe situatie met een professionele tegenstander op zich te nemen en goed uit te voeren. Geleidelijk aan verbeterden ze hun technieken en konden ze het aantal en de kwaliteit van de spionnen en geheime agenten uitbreiden. Pas vanaf 1943 waren ze in staat hun competente en sluwe Duitse opponenten in het defensief te duwen. De Engelse *contraspionage* was georganiseerd onder de vleugels van MI-5. De SIS (*Special Intelligence Service*) was een onderdeel van MI-6, dat zich in het bijzonder bezighield met *militaire inlichtingen.* Vanwege een aantal praktische redenen werden de meeste van de MI-6-activiteiten in 1940 gebundeld in de SOE (*Special Operations Executive*) organisatie. Het zal duidelijk zijn dat de Nederlandse regering in ballingschap, zowel voor training, uitrusting als andere faciliteiten op het gebied van inlichtingen, in hoge mate afhankelijk was van de Britse inlichtingendiensten.

Eén van de weinige directe bronnen van rechtstreekse informatie voor de Londense regering, bestond uit 'Engelandvaarders'. Op allerlei en bijzonder gevaarlijke manieren, trachtten ettelijke en meestal jongere mannen, hun weg te vinden vanuit het bezette Nederland naar Engeland. In 1940 en 1941 probeerde men de Noordzee over te steken met kleine en dikwijls nauwelijks zeewaardige bootjes. Veel pogingen mislukten. De mislukte pogingen leidden dan tot arrestatie en langdurige gevangenisstraffen. Andere pogingen mislukten doordat de vaak wrakke bootjes op zee ten onder gingen en de 'Engelandvaarders' onderweg verdronken. De meest gelukkigen van die 'Engelandvaarders', werden op zee opgepikt door de *Royal Navy* en konden daardoor in Engeland aan land komen.

Van de 110 vluchtpogingen overzee vanuit Nederland naar Engeland, zijn er tachtig mislukt. In totaal waren hierbij omstreeks 450 mensen betrokken en waren er 139 gelukkigen die het met allerlei soorten vaartuigen uiteindelijk toch lukte om Engeland te bereiken.

De Duitsers maakten na 1942 de vrije toegang tot stranden en havens onmogelijk. Alleen met een speciale vergunning kon men daar nog komen. Ze gingen gedurende het nachtelijk duister, regelmatiger met patrouilles de stranden in de gaten houden. Door al deze beperkingen moesten individuele 'Engelandvaarders' en het verzet, andere wegen zoeken om naar de overkant te ontsnappen. Eén van de ontsnappingsroutes liep vanaf de haven van Delfzijl, via kustvaartuigen naar het neutrale Zweden. Vanuit Zweden kon dan per vliegtuig of 'neutraal land'-schip Engeland worden bereikt. Een andere mogelijkheid was met vervalste documenten per trein door België en Frankrijk reizen en daarna proberen ergens onopgemerkt de grens naar Zwitserland over te steken. Door regelmatige controles in de treinen, werden ettelijken – ondanks hun valse documenten – toch gesnapt en gearresteerd vóór ze het grensgebied met het neutrale Zwitserland bereikten. De langste, moeilijkste en gevaarlijkste route, was om met vervalste papieren door België en Frankrijk te reizen en via de Pyreneeën te trachten illegaal Spanje binnen te komen. Als de 'Engelandvaarders' in dat land niet gegrepen werden en kans zagen het neutrale Portugal te bereiken, konden ze per schip of vliegtuig proberen in Engeland te komen. Bij aankomst in Engeland werden de 'Engelandvaarders' eerst uitgebreid ondervraagd door de Britse inlichtingendienst en pas daarna doorgesluisd naar de Nederlandse autoriteiten in Londen.

Begrijpelijkerwijs bekeken de Engelse inlichtingendiensten deze mensen met een flinke achterdocht en argwaan. Het konden moedige patriotten zijn, maar net zo goed mensen die door de Duitse geheime dienst op pad waren gestuurd om in Engeland te infiltreren en te spioneren. In de periode 1940-1944 zagen circa zeventienhonderd Nederlandse mannen en vrouwen kans om langs de diverse gevaarvolle wegen veilig Engeland te bereiken. Hoeveel durfals de lange en moeilijke reis zijn begonnen en onderweg werden opgepakt of overleden, is niet bekend. Schattingen geven aan dat minder dan 50 procent van de 'Engelandvaarders' ooit Engeland heeft kunnen bereiken. Indien ze wel succes hadden, vertelden ze uitgebreid aan de Britse en Nederlandse militaire inlichtingendiensten hoe het er in het bezette vaderland toeging. Deze categorie moedige vaderlanders, was voor de Londense regering een bijzonder waardevolle groep om mensen uit te rekruteren voor de Nederlandse krijgsmacht én ten behoeve van spionageactiviteiten. Velen van hen vonden hun weg naar trainingscentra voor geheim agent en werden na hun pittige opleiding later gedropt voor speciale opdrachten in Nederland.

In Londen werd al in juli 1940 de Nederlandse Centrale Inlichtingen Dienst (CID) opgericht. De bedoeling was, om zo spoedig mogelijk opgeleide geheime agenten met radiozenders te droppen in bezet Nederland. Hun belangrijkste opdracht zou meestal bestaan uit het vergaren van betrouwbare militaire inlichtingen. Bovendien zouden ze contact moeten zoeken en samenwerken met landgenoten van het (prille) verzet, die actief waren in het verzamelen van militaire inlichtingen. In samenwerking met de SIS werden in de zomer van 1940 de eerste geheime agenten in Nederland geparachuteerd. Sommigen van hen maakten contact met mensen van het verzet en wel voornamelijk met mensen van de OD. Ze zagen daardoor kans nuttige informatie naar Engeland te seinen. Deze agenten waren uitgerust met (niet de modernste) radiozenders en dat maakte hen extra kwetsbaar. In het begin van de oorlog hadden de Brits inlichtingendiensten nog niet in de gaten dat hun Duitse opponenten beschikten over zeer moderne apparatuur om radiozenders te peilen. De eerste gedropte agenten liepen tegen nog meer problemen op. Het was vooral een groot probleem dat er zoveel verschillende kleine, lokale en onafhankelijk van elkaar opererende verzetgroepjes bestonden. Deze werkten ongecoördineerd in hun eigen regio en deden dat geheel op eigen initiatief. Veel van deze groepen hadden geen eigen radiozenders waarmee ze de verzamelde informatie konden verzenden naar Engeland.

Om de contacten tussen de Britse militaire inlichtingendiensten en het Nederlandse verzet te verbeteren, startte MI-6 in 1940 een speciale groep die de naam kreeg 'Contact Holland'. Hoofddoel hiervan was het verzamelen van militaire inlichtingen en regelmatige contacten met Nederlandse verzetsgroeperingen. Nagenoeg parallel met de start van 'Contact Holland', begon de SOE met een Nederlandse sectie. De bedoelingen van deze SOE/*Dutch* gingen wat verder. Zij richtten zich op voorbereidingen voor daadwerkelijke sabotage in het bezette gebied. Deze sabotageacties, zouden een voorbereiding moeten zijn voor toekomstige operaties op een veel grotere schaal. Deze operaties op grote schaal, moesten dienen om *na* een geallieerde invasie in West-Europa, door sabotageacties de Duitse weermacht in het achterland schade toe te brengen.

Geheime informatie naar Engeland seinen werd de belangrijkste taak voor de geleidelijk aan beter opgeleide en beter uitgeruste diverse geheime agenten. De Duitse contraspionage richtte zich vooral op het infiltreren in verzetsgroepen door middel van *Vertrauensmänner*. De meerderheid van deze V-mannen werd gerekruteerd uit Nederlanders die infiltreerden en daarna hun landgenoten verraadden in ruil voor ruime geldelijke beloningen. De Duitse contraspionage gebruikte voor het opsporen van geheime agenten voor in die tijd behoorlijk geavanceerde peilapparatuur. De geheime agenten gebruikten voor het seinen van hun informatie de toen algemeen toegepaste morsecode. Door verbeteringen van de zendapparatuur in 1942 werden de zenders kleiner, lichter en daardoor handzamer in gebruik en gemakkelijker te verbergen.

In Engeland had men bij voorbaat voorzien dat radio-operators met hun zender opgepakt zouden kunnen worden. Daarna bestond de mogelijkheid dat de geheime agenten gedwongen zouden kunnen worden om voor de Duitsers berichten naar Engeland te seinen. Om daarop voorbereid te zijn had men in Engeland daarom de geheime agenten getraind om in dergelijke situaties bij hun berichten altijd een zogenoemde persoonlijke en unieke *security check* te gebruiken. Deze *check* bestond doorgaans uit het maken van onopvallende kleine fouten of bepaalde eigenaardigheden bij het zenden. De agenten moest die gebruiken als zij opgepakt waren en gedwongen werden om voor de Duitsers te seinen. Als deze fouten in Engeland geconstateerd zouden worden, kon men daardoor weten dat het met de bewuste geheim agent fout zat en dat hij of zij 'omgekeerd' was. Bovendien was het in de wereld waar morse gebruikt werd zo, dat operators die veel seinden, elkaar na enige tijd van veelvuldig contact, konden herkennen door hun specifieke 'seinhandschrift'. Iedere seiner had zijn persoonlijke specifieke manier van seinen. Op dezelfde manier als bij het schrijven van een brief ieder zijn eigen handschrift heeft, is dat bij seinen ook het geval. In vaktaal heette dat het 'morsehandschrift'.

Om die redenen was de Duitse contraspionage er erg op gebrand om gearresteerde geheime agenten die marconist waren, 'om te keren'. De meeste geheime agenten werden gedropt in koppels. Eén van de twee was opgeleid als marconist, de ander als sabotage-expert. In het begin van de oorlog, toen dit soort geheime operaties begonnen, waren de voorbereidingen nog vrij armzalig. De Engelse inlichtingendiensten hadden in dat stadium nog onvoldoende kennis van wat er in Nederland aan de hand was en zagen soms belangrijke details over het hoofd. Eén voorbeeld hiervan was dat de geheime agenten zilveren Nederlandse guldens meekregen. Die waren toen in Nederland inmiddels al enige tijd uit de roulatie genomen. In een ander geval hadden de geheime agenten een polshorloge om van een type en merk dat in heel Nederland nergens te koop was. Dit soort details konden absoluut funest zijn voor de gedropte geheime agenten.

In Nederland kregen de agenten te maken met zeer professionele Duitse tegenstanders. Bij de leiding van de contraspionagedienst van de Duitse weermacht (*Abwehr*) in Nederland, waren twee officieren werkzaam die uitmuntten in een hoge standaard van vakbekwaamheid en fantasie. Majoor en later luitenant-kolonel, Giskes was beslist geen nazi, maar een ambitieuze en professionele man. Zijn afdeling trachtte gedropte geheime agenten op te sporen en gevangen te nemen. Daarnaast had de gehele *Abwehr* de uiterst belangrijke opdracht om uit te vinden en er achter zien te komen, *wanneer* en zo mogelijk *waar* de geallieerden van plan waren de grote invasie in West-Europa uit te voeren. Giskes was een uitstekende organisator. Hij werkte systematisch en wist daarbij heel goed het hoofd koel te houden. Hij was in alle opzichten het tegendeel van de veelal brute Gestapo-officieren.

Zoals gewoon in het nazi 'dubbelend' systeem, had hij als tegenvoeter in de SD een bekwame politiechef en criminoloog. Dit was de kaalhoofdige Beier Joseph Schreider. Beide diensten hadden hun eigen V-mannen. Eén van de diverse V-mannen was genaamd Ridderhof. Die zag kans te infiltreren bij een verzetsgroep van de OD. Op grond van de verkregen informatie van deze sluwe infiltrant werd de gedropte geheim agent Ter Laak kort na zijn aankomst gearresteerd. Enige weken later werd zijn compagnon Van der Reijden opgepakt. Door indringende ondervragingen (overigens zonder gebruikmaking van fysiek geweld) zag Giskes kans om hem aan het praten te krijgen. Giskes ontfutselde Van der Reijden informatie over de gebruikte geheime codes. Ondanks vele en langdurige ondervragingen, liet Van der Reijden niets los over zijn *security check*. De Duitsers dwongen Van der Reijden nu met Londen te seinen. Er kwam uit Londen geen reactie. Kennelijk vertrouwden ze het daar niet helemaal.

De *Abwehr* en de SD hadden langs andere wegen nog meer informatie verzameld.

Inmiddels hadden ze in Den Haag de plaats van een andere geheime zender weten te peilen. Met deze informatie konden ze kort daarna de gedropte agent Lauwers met zijn zender oppakken. Lauwers had voor zijn arrestatie enige malen radiocontact gehad met SOE/*Dutch* in Londen. Drie dagen later arresteerde de SD in Arnhem de compagnon van Lauwers. Deze compagnon met de naam Taconis, had ondertussen al contact gehad met een andere OD-groep. Ook die groep was helaas geïnfiltreerd door een V-man. Bij deze operaties werkten de Duitsers met grote behoedzaamheid en zorgvuldigheid. Ze luisterden eerst de radiozenders enige tijd af. Allerlei informatie die ze over zenddetails oppikten, werd genoteerd. Als Giskes genoeg gegevens had, werd de marconist met zijn zender onmiddellijk opgepakt. Het plan van Giskes was, om een hele groep van agenten die werkte voor SOE/*Dutch*, in handen te krijgen, 'om te keren' en ze daarna voor zijn eigen contraspionagedienst te laten werken. Toen geheim agent Lauwers gearresteerd werd, viel de complete geheime ontcijferingcode in handen van de *Abwehr*.

Een volgende stap van Giskes was, om Lauwers te dwingen (zonder fysieke marteling, maar door middel van geraffineerde ondervragingstechnieken) om voor zijn dienst te gaan seinen. Hij beloofde Lauwers dat hij (en de andere geheime agenten van zijn groep) *niet* voor een militaire rechtbank behoefden te verschijnen, wanneer ze zouden meewerken in dit contraspionage-'spel'. Indien de geheime agenten wél voor een Duitse rechtbank zouden moeten verschijnen, wachtte hen volgens de Duitse wetgeving bijna zeker het concentratiekamp of zelfs de doodstraf. Giskes beloofde uitdrukkelijk dat de gearresteerde agenten die meewerkten, een fatsoenlijke behandeling zouden krijgen na hun arrestatie. Er zouden geen brute methodieken op hen zou worden toegepast. Na langdurige aarzeling, bezweek uiteindelijk Lauwers onder deze psychische druk en konden de Duitsers nu zijn radiozender gaan gebruiken. Lauwers nam deze moeilijke beslissing met de wetenschap, die hij bij zijn opleiding ingeprent had gekregen. Hij had ondanks alle op hem uitgeoefende mentale druk, zijn *security check* niet prijsgegeven.

Zo begon in maart 1942 de contraspionage operatie, die de geschiedenis is ingegaan met de naam *England Spiel* (door de Duitsers ook vaak 'operatie Noordpool' genoemd). De manier waarop Lauwers seinde, had in Engeland direct argwaan kunnen en moeten oproepen. Men had kunnen begrijpen dat hij gearresteerd was en niet in vrijheid seinde. Op de hem bij de opleiding geleerde wijze, gebruikte hij zijn *security check* doelbewust *niet*. Maar toen gebeurde wat na ruim vijftig jaar nog steeds onbegrijpelijk en onvergeeflijk is. *Londen reageerde niet op het ontbreken van de security check*. Men reageerde wel, maar op een manier die Lauwers ernstig verontrustte. Op zijn (dus in feite Giskes) verzoek om nog een koppel geheime agenten te droppen, antwoordde SOE/*Dutch* in Londen positief! Giskes en Lauwers reageerden met hun (zeer verschillende) emoties. Men dacht aan een valstrik of truc. De rauwe en onbegrijpelijke realiteit was, dat naar aanleiding van dit verzoek eind maart, twee nieuwe agenten met een zender in Nederland gedropt werden. Ze vielen direct in handen van de *Abwehr*, die met een 'ontvangstcomité' klaarstond. Van nu af aan hadden de Duitsers in Nederland een *directe verbinding* met SOE/*Dutch* in Londen. Ze waren in staat toekomstige geheime operaties naar hun hand te zetten en ze deden dat met verve. Op zich was dat niet iets uitzonderlijks. In de Tweede Wereldoorlog is de techniek om radiozenders en geheime agenten 'om te keren' door beide partijen regelmatig gebruikt. 'Operatie Noordpool' is lang niet het enige 'spel' dat in de contraspionage over en weer in die jaren gebruikt werd. Wat nog steeds exceptioneel blijft, is het feit dat het *twee jaar* lang geduurd heeft en voor de Duitsers enorm goede resultaten heeft opgeleverd.

Begin april gaf SOE opdracht aan (de al lang gearresteerde) Taconis om een ander koppel gedropte geheime agenten te contacten. Door deze informatie, konden die twee mannen en hun illegale contacten vrij snel opgespoord en gearresteerd worden. Eén van deze twee agenten was de radiomarconist met de naam Jordaan. Ondanks hevige psychische druk weigerde Jordaan te vertellen dat hij ook een eigen *security check* had. De Duitsers seinden door middel van een Duitse operator naar Londen alsof het Jordaan was. Dit bericht bevatte, omdat Jordaan gezwegen had, *niet* zijn *security check*. Tot vreugde van de Duitsers, berichtte Londen dat ze voor Jordaan een nieuwe marconist hadden gevonden (in Nederland) en dat Jordaan deze man moest instrueren over het gebruik van de *security check*. Hierdoor viel Jordaan door de mand en begrepen de Duitsers dat hij een en ander verzwegen had. Onder grote druk bij een aantal intensieve ondervragingen, bezweek hij uiteindelijk en gaf alsnog de achtergehouden informatie. Hierdoor was de *Abwehr* in staat een tweede kanaal in gebruik te nemen.

Het *England Spiel* kreeg meer en meer vaart. Steeds weer nieuwe agenten werden na overleg met Londen gedropt. Ze vielen rechtstreeks in handen van het (Duitse) ontvangstcomité en werden direct gearresteerd terwijl ze nog maar net op Nederlandse bodem stonden. De Duitsers speelden het spel perfect. De ene na de andere zender viel met de geheime agenten in hun handen. Hierdoor konden ze het aantal verbindingen met SOE/*Dutch* verder uitbreiden. Meestal op heldere nachten stond het door Giskes en Schreieder samengestelde ontvangstcomité klaar op de radiografisch afgesproken doorgaans verafgelegen droppingplaats. In het comité was altijd een Nederlandse V-man aanwezig, die zijn nietsvermoedende landgenoten als eerste aansprak. De andere assistenten van het comité waren SD-mannen. De afgesproken lichtsignalen werden vanaf de grond uitgewisseld met het naderende Engelse droppingvliegtuig. Het vliegtuig gooide dan de geheime agenten af en daarna vaak nog diverse kleinere containers, die gevuld waren met wapens, explosieven en ander sabotagemateriaal. Sommige vliegtuigen vervoerden wel acht containers of honderden kilo's aan andersoortige materialen voor illegale doeleinden. De gedropte agenten werden direct na hun landing welkom geheten en gefeliciteerd met hun succesvolle overtocht. Opgelucht door de goede landing en het hartelijke welkom door wat ze dachten hun vrienden waren, praatten de gearriveerde agenten meestal honderduit over hun instructies en de laatste ervaringen bij de opleidingen in Engeland. Direct daarna werden ze gearresteerd en werd hun opgewekt verteld dat superieuren van hen in Engeland hen verraden hadden. In de meeste gevallen was deze psychische schok zó groot, dat hun mentale weerstand snel gebroken was en ze vrij spoedig bij de verhoren aan het praten sloegen. De meeste van de agenten geloofden het sprookje dat er ergens in Londen een 'mol' (verrader) was. De geraffineerde ondervragingen (zonder fysieke, maar wel met grote psychische druk) door Schreieder of een van de andere SD-assistenten duurden vele uren, soms zelfs dagen. Over het algemeen slaagden de SD-mannen erin, om bij de gearresteerden de informatie die ze nodig hadden, er uit te wurmen.

Bij de SOE in Londen was er in juni 1942 nog steeds geen enkele argwaan. Met goedkeuring van de Londense regering, werd besloten het 'Plan voor Holland' uit te voeren. 'Plan voor Holland' fase B, paste in de langetermijnstrategie voor de bezette landen. Het was in feite een uitbreiding van de ideeën van 'Contact Holland'. Deze strategie was, dat na de geallieerde landingen op het vasteland van West-Europa lokale verzetsgroepen *achter* de Duitse linies, de geallieerden legers zouden helpen. Op bevel van de SOE in Londen, konden dan de 'ondergrondse legers' gerichte sabotageacties gaan uitvoeren. Het verzet moest vóór dat tijdstip zorgdragen voor intensieve training en andere voorbereidingen van hun mensen, zodat ze bij het in actie komen dit tot een succes zouden kunnen maken.

In Nederland was de kern van dit ondergrondse leger georganiseerd in zeventien regionale groepen. De totaalsterkte van de groepen was gepland op ruim elfhonderd man. In de planning zouden zij (en voor een deel ook andere groepen van het verzet) bevoorraad worden met ongeveer zeshonderd hand- en lichte mitrailleurs, dertienhonderd revolvers en pistolen, 2600 handgranaten en zes ton explosieven. De OD zou voor het 'Plan voor Holland' een ondersteunende rol vervullen. Op bevel van de SOE moesten de sabotagegroepen in actie komen om bepaalde bruggen en spoorwegknooppunten op te blazen, (hoofd)telefoonverbindingen te ontwrichten en vliegvelden aan te vallen. De Nederlandse inlichtingendienst in Engeland waarschuwde de SOE dat sabotageacties in dichtbevolkte gebieden, grote Duitse represailleacties kon ontlokken. Hierdoor zouden levens van veel onschuldige burgers (onder meer gijzelaars) ernstig in gevaar kunnen komen. Daarom werd geadviseerd dat sabotageacties in Nederland vóórdat de geallieerde invasie zou plaatsvinden, *beperkt moest blijven* tot een zeer klein aantal belangrijke doelen. De planning voor de uitvoering van het plan hield in, dat ongeveer dertig tot veertig geheime agenten gedropt moesten worden. Die agenten zouden bij de opbouw, organisatie en training van het ondergrondse leger, een belangrijke taak hebben.

Door de Nederlandse inlichtingendienst in Londen werd geheim agent Jambroes geselecteerd en geïnstrueerd, om de algemene leiding over deze operaties in Nederland op zich te nemen. Jambroes en zijn marconist, werden in juni 1942 gedropt. Net zoals hun voorgangers, werden ze bij hun aankomst gearresteerd en ondervraagd. Jambroes was een stevige persoonlijkheid. Zijn arrestatie direct bij aankomst, was een enorme schok voor hem. De zeer professionele en gewiekste ondervragers confronteerden hem bij zijn ondervragingen met zoveel details die ze inmiddels verkregen hadden, dat hij uiteindelijk bezweek. Jambroes vertelde de ondervragers hierna nog meer details die hij kende. Giskes kon nu nóg meer verbindingskanalen in relatie tot de opdracht van Jambroes, openen met Londen. Ze organiseerden seinstations vanuit Amsterdam, Den Haag, Rotterdam, Driebergen (hoofdvestiging van het *England Spiel* en comfortabel geïnstalleerd in het landhuis de Beukenhorst), Arnhem, Den Bosch en Hoek van Holland. De Duitsers openden *geen seinstations* in de provincies Groningen, Friesland, Drenthe, Overijssel, Limburg en Zeeland. Dit had ruimschoots argwaan kunnen en moeten opwekken bij SOE in Londen, *maar deed dat niet*! Was dit achteloosheid, toeval of opzet? We weten het nog steeds niet. De SOE leek het idee te hebben dat alles geheel volgens plan verliep. De prompte arrestatie van Jambroes, creëerde voor de Duitse contraspionage een merkwaardig probleem. Als ze geen successen van geheime agenten met sabotageactie konden melden, zou dat in Londen direct argwaan kunnen veroorzaken. Om deze ellende te voorkomen, besloot Giskes (na toestemming te hebben gevraagd aan zijn superieuren in Berlijn) om *zelf* enige kleinere sabotageacties te laten uitvoeren door mensen van de *Abwehr*. Bij diverse gelegenheden werden bij enige spoorlijnen en een enkele kleinere brug, schade met explosieven veroorzaakt. Het waren allemaal acties die de Duitsers niet écht in de problemen brachten, maar spectaculair leken. Giskes en Schreieder zorgden er nadrukkelijk voor, dat al deze 'georganiseerde' sabotageacties uitgebreid in de pers werden vermeld. In de media werden het sabotageacties van 'criminele elementen' genoemd. De Duitse contraspionagedienst wist maar al te goed dat Londen via het verzet informatie ontving over belangrijk nieuws in Nederlandse kranten.

Een andere, vrij spectaculaire zogenaamde sabotageactie werd door de *Abwehr* opgezet in augustus 1942. Doel was een aanval op het belangrijke radiozendstation te Kootwijk. Dit station werd in die tijd door de Duitse marine gebruikt als radiobaken voor hun onderzeeboten buitengaats. Geheim agent Taconis had uit Londen opdracht gekregen, om die radiomasten plus antennes met enige van zijn saboteurs op te blazen. Toen die opdracht afkwam, zat Taconis al een paar maanden gevangen. Hij had door zijn arrestatie nooit de gelegenheid gehad om een sabotagegroep te formeren en te instrueren. De mannen van Giskes seinden nu naar Londen dat het radiostation Kootwijk niet te zwaar werd bewaakt en dat deze sabotage redelijk goed was uit te voeren. Londen gaf Taconis bevel tot uitvoering van die sabotageactie over te gaan. Giskes was hierna slim genoeg om enkele dagen te wachten. Na die paar dagen seinden zijn mannen naar SOE, dat de sabotageactie was misgelopen. Als reden werd opgegeven dat door landmijnen de saboteurs vroegtijdig waren vastgelopen. De saboteurs zouden daarbij onder vuur zijn komen te liggen van Duitse schildwachten en drie mannen hebben verloren. Het hele verhaal was natuurlijk pure fantasie. Aangezien het radiostation in een vrij afgelegen gebied lag, klonk dit bericht wel geloofwaardig en werd breeduit in de Nederlandse pers vermeld. Het bericht over de zogenaamd 'mislukte actie' kwam in Londen zo realistisch over, dat SOE later doorgaf dat Taconis een militaire onderscheiding zou krijgen voor zijn betoonde moedige gedrag! Het is te begrijpen dat Giskes zeer geamuseerd was, toen hij via één van de radiozendkanalen het bericht ontving over de onderscheiding voor Taconis. Het moet volmondig worden toegegeven dat Giskes de aan Lauwers bij zijn arrestatie gegeven belofte over een fatsoenlijke behandeling van de gearresteerden, strikt nakwam. Al deze mannen werden na hun uitvoerige ondervragingen opgesloten in het als gevangenis gebruikte seminarie in Haaren (Noord-Brabant). Men werd wel als gevangene behandeld, maar zowel het eten als de faciliteiten, waren fatsoenlijk.

Toen Londen doorgaf dat Jambroes naar Engeland moest terugkeren, had Giskes een serieus probleem. Londen werd nu geïnformeerd dat Jambroes bij een dodelijk ongeluk was omgekomen. De arme man zat gewoon opgesloten in Haaren, maar Londen slikte zijn overlijden zonder moeilijke vragen. Om de geloofwaardigheid van de gevangengenomen 'saboteurs' voor Londen op peil te houden, ensceneerde de *Abwehr* enige maanden later nóg een spectaculaire sabotageshow. Deze keer ging het om een binnenvaartuig in de haven van Rotterdam. Het vaartuig zou geladen zijn met vliegtuigonderdelen voor de *Luftwaffe*. Na een enorme explosie overdag, zonk het vaartuig in de haven. De Rotterdammers die dit zagen gebeuren, juichten luid bij deze succesvolle sabotage. Zij konden natuurlijk geen idee hebben dat de *Abwehr* zélf dit had georganiseerd. Aan de SOE werd ook dit 'succes' vlug doorgegeven en het verscheen natuurlijk ook in alle grotere Nederlandse kranten.

Een andere en zeer sluwe manier om Londen af en toe te misleiden, was de hulp aan geallieerde 'ondergedoken' piloten. De SOE werd ingelicht wanneer piloten waren ondergedoken door middel van een (geïnfiltreerde) verzetsgroep. Via een van de vele kanalen met Londen, vroeg de *Abwehr* vervolgens bevestiging of deze of gene ondergedoken piloot voorkwam in de registratie van de RAF of USAF. De gegevens die men naar Londen seinde, klopten natuurlijk altijd. SOE bevestigde dan de correctheid van de informatie. De bewuste piloot werd daarna (onder geheime controle van de *Abwehr* en de SD) door V-mannen voorzien van valse papieren en het land uit gesmokkeld. De meeste van deze piloten bereikten via Spanje Engeland. Bij aankomst daar, staken ze de loftrompet over de hulp van de Nederlandse verzetsmensen die hen zo voorbeeldig hadden geholpen. De piloten werd door middel van de geïnfiltreerde verraders verteld, dat de hulp die ze kregen van het verzet, werd verricht onder de vleugels van de uiterst geheime operatie 'Noordpool'. Geen van de geallieerde piloten die op deze wijze Engeland bereikten, heeft ooit geweten dat de 'competente helpers van het verzet' V-mannen waren in dienst van de *Abwehr* of de SD!

Het 'Engeland Spiel' had veel onaangename en dodelijke consequenties. Dit betrof zowel het Nederlandse, als het Belgische en Franse verzet. In Nederland hadden de infiltraties tot gevolg dat omstreeks vierhonderd leden van diverse verzetsgroepen werden gearresteerd. De meeste van deze door de SD of de Gestapo opgepakte mannen en enkele vrouwen, werden langdurig ondervraagd, onder grote druk gezet en vaak gemarteld. Uiteindelijk werden bijna allen veroordeeld tot langdurige gevangenisstraf, afvoer naar een concentratiekamp of de doodstraf. In Frankrijk wisten de Duitsers in relatie tot het *England Spiel* via een V-man door te dringen in de Franse verzetsgroep *Prosper*. De beruchte V-man Ridderhof die helaas enorm goed op de hoogte was van veel geheime informatie, zag kans in die Franse groep te penetreren. Verzetsgroep 'Prosper' had verbinding met SOE/*French section* in Londen. De infiltratie in Frankrijk door Ridderhof, leidde tot de arrestatie van meer dan honderd Franse verzetsmensen!

De arrestaties in Nederland van het grote aantal vanuit Engeland uitgezonden geheime agenten, had tot gevolg dat de Duitsers met hun V-mannen door konden dringen tot in de hoogste regionen van het Nederlandse verzet. De beruchte V-man Van der Waals, slaagde erin contact te maken met één van de coördinerende koepels van het verzet, het Nationaal Comité. Dit comité bestond uit vooraanstaande politici.

Zij hadden regelmatig contact met de Nederlandse regering in Londen en waren betrokken bij voorbereidingen voor de terugkeer van de regering na de bevrijding. Van der Waals kwam in contact met hen door zich te presenteren als een verzetsman. Hij bood een nieuwe radiozendlijn aan voor het overseinen van berichten naar Londen. De leden van het comité hadden helaas geen enkele achterdocht en gingen in op zijn voorstel. Van der Waals verried de hele boel en ook nog een aantal met dit comité verwante verzetsgroepen. Alle leden van dit comité werden opgepakt in april 1943. De meerderheid werd als gijzelaar ingesloten in het als gevangenis gebruikte seminarie te St.-Michielsgestel. Bij de Londense regering in ballingschap kwam het nieuws van het verraad en de arrestaties als een enorm gevoelige klap aan.

Ondanks dit slechte nieuws, had SOE/*Dutch* in Engeland merkwaardig genoeg nog steeds geen argwaan over de geheime agenten die nu al geruime tijd in Nederland geacht werden te werken. Het brutale verraad door Van der Waals, maakte hem als V-man erg kwetsbaar. Om ontdekking te voorkomen, zette Giskes een moord op Van der Waals in elkaar. De zogenaamde liquidatie van deze spion (uitgevoerd door Duitsers) werd breed in de kranten gepubliceerd. Van der Waals kon nu, wanneer de Duitsers dat gewenst achtten, zijn verraderswerk onder een andere naam met nieuwe valse papieren gewoon voortzetten.

In Engeland hadden de Britse militaire inlichtingendiensten inmiddels een hoop meer ervaring en kundigheid opgedaan. Ze reorganiseerden en perfectioneerden hun activiteiten. Eén van de gevolgen hiervan was, dat de droppings van geheime agenten die niet ingezet werden ten behoeve van het 'Plan voor Holland', losgekoppeld werden van de kanalen van SOE/*Dutch*. Deze droppings werden nu door de SIS zelf geregeld en uitgevoerd. De bewuste agenten werd 'blind' gedropt op verafgelegen plaatsen en hadden *geen* ontvangstcomité bij aankomst nodig.

In 1943 kregen Giskes en Schreieder geleidelijk in de gaten dat diverse andere geheime agenten met zenders in Nederland gedropt werden en dat dit *zonder* hun tussenkomst geschiedde. Deze andere agenten maakten kennelijk contact met andere verzetsgroepen die niet voor het 'Plan voor Holland' opereerden. Het irriteerde hen in hoge mate dat ze een deel van de greep op gedropte geheime agenten en verzetsgroepen in Nederland, begonnen te verliezen. Via de zenders van deze andere geheime agenten en via communicatie van ontsnappingslijnen naar Zwitserland en Zweden, kwam nog meer informatie in Londen aan met waarschuwingen over infiltraties door verraders. Ondanks deze waarschuwingen, had wellicht het *England Spiel* – door de vooral in het eerste jaar verregaande slordigheden in Londen met de controle op de *security check* – nog veel langer door kunnen gaan.

In augustus 1943 gebeurde er iets wat voortzetting van dit desastreuze *Spiel* in de toekomst onmogelijk zou maken. Uit de Haarense gevangenis zagen door een moedige en ingenieuze ontsnapping, twee gearresteerde geheime agenten van het *England Spiel* kans te ontvluchten. Ze doken ergens in Nederland onder. Met hulp van katholieke geestelijken en leden van het verzet, zagen ze uiteindelijk na een uiterst gevaarvolle tocht, kans veilig Zwitserland te bereiken. Via de Nederlandse ambassade in Zwitserland zonden de agenten direct een uitgebreid rapport naar Londen over de infiltraties door de Duitsers. Deze nieuwe waarschuwing voedde in

Belooning F. 500.-.

Onderstaande Personen:

Johan Bernard UBBINK
geb. 22.5.21 in DOESBURG,
laatst gewoond hebbende:
te ARNHEM,
stuurman

en

Peter DOURLEIN,
geb. 2.2.18 in VEERE,
laatst gewoondhebbende:
te AMSTERDAM,
metselaar

worden door de recherchecentrale gezocht terzake straatroof.
Ieder, die inlichtingen kan verschaffen, wenden zich tot de plaatselijke politie.

Opsporingsaffiche na de ontsnapping van Dourlein en Ubbink uit de Haarense Seminariumgevangenis.

hoge mate de argwaan van SIS en SOE. Ondanks dat en ergens onbegrijpelijk, ging SOE/*Dutch toch nog gewoon door met het droppen van wapens en explosieven*! Giskes was in hoge mate gealarmeerd door de ontsnapping van de agenten Dourlein en Ubbink uit Haaren. Uitgekookt als hij was, informeerde hij Londen dat twee agenten door de Duitsers 'omgekeerd' waren. Hij lichtte SOE/*Dutch* rechtstreeks in dat die twee mannen misschien Engeland zouden bereiken en dan daar aan de slag zouden gaan als spion voor de Duitse geheime diensten!

Tot 1943 was gewapend verzet in Nederland niet direct indrukwekkend geweest. Dat had weinig of niets te maken met gebrek aan moed of anti-Duitse gezindheid, maar was om goede redenen overeengekomen tussen de Londense regering en de Britse inlichtingendiensten. Het paste in het geallieerde strategische plan om vóór 1944 geen grote actieve sabotagedaden te plegen op Nederlands grondgebied. Maar hoe stond het er voor met directe of indirecte sabotage of (stille) tegenwerking op het economische front?

Over het algemeen waren veel producenten het meest bezorgd om hun bedrijf overeind te houden en te voorkomen dat hun werknemers gedwongen zouden worden in Duitsland te moeten gaan werken. Door deze houding viel er nauwelijks aan te ontkomen dat de meeste productiebedrijven gedwongen bleven voor de Duitsers te werken. Direct of indirect bleef er geen andere weg over dan voor de oorlogsindustrie van de vijand te produceren. Nog een andere en valide reden maakte deze coöperatie noodzakelijk. Wie weigerde mee te werken, werd buitengesloten van toelevering van grondstoffen en energie. Ook al vóór de oorlog, *was Duitsland een behoorlijk belangrijk exportland voor Nederland geweest*. In de oorlogsjaren was sabotage of de productie afremmen voor de Duitsers, mede daardoor weinig voorkomend. Een nuchter feit was, dat het produceren van inferieure producten *niet veel* voorkwam. Van tijd tot tijd probeerde het verzet op kleine schaal vitale onderdelen van productiefaciliteiten en landbouwmachines onklaar te maken. Die pogingen hebben de Duitse oorlogsinspanningen nauwelijks ernstige schade toegebracht. Meer succes bij de tegenwerking werd geoogst in de landbouwsector. In de landbouw werd wel actief geprobeerd om zoveel mogelijk de gedwongen leveringen aan de Duitsers te ontduiken. Illegaal slachten (meestal tijdens de nacht in afgeschermde schuurtjes op het platteland) werd veel toegepast. Deze 'illegale' voedingproducten, zoals vlees, melk, boter, kaas en granen, verkochten de boeren op de zwarte markt. De meeste boeren verkochten die 'zwarte' producten tegen redelijke prijzen aan hun bekende mensen en vrienden in de directe omgeving. Toch profiteerde een kleine minderheid van de boeren wél van hun bevoorrechte positie en vroegen woekerprijzen. Deze kleinere groep van profiteurs, verrijkte zich helaas op grove wijze tijdens de bezettingsjaren.

Het achterhouden van landbouwproducten was verre van ongevaarlijk voor de boeren. Wanneer ze door de Duitsers (al dan niet via verraders) gesnapt werden, wachtten hen zware straffen, zoals hoge boetes of zelfs gevangenisstraf. Het massale ontduiken van inleveren van zilver, metalen en koperen voorwerpen (later ook radiotoestellen), was een andere manier van de burgers om de Duitsers dwars te zitten. De realiteit hierbij was, dat wanneer je 'Jan de Hollander' aan zijn portemonnee komt, hij fel kan worden.

4-6 Illegale pers

De hoge bevolkingsdichtheid in Nederland bevorderde een minder spectaculair, maar psychologisch bijzonder belangrijk aspect voor de mensen om de geest van oppositie te voeden en levend te houden. Dit aspect betrof vooral de illegale pers. Eerder werd geschetst dat vanaf het eerste begin, de nazi's een stevige greep hadden op de pers en andere media. Direct vanaf het begin in 1940, waren alle publicaties die informatie over Duitse militaire activiteiten konden onthullen, onder hun volledige controle. Zoals hiervoor beschreven, was die censuur niet direct, maar indirect en achteraf. Iedere journalist en krant die iets publiceerde dat niet 'Duits-vriendelijk' was, kreeg in eerste instantie een waarschuwing. Wanneer een dergelijke waarschuwing niet werd opgevolgd, volgde uitsluiting van het recht om te publiceren. Op deze manier werd de officiële pers en radio gedegradeerd tot boodschappenjongens van het nazi-regime.

Direct al na de capitulatie in 1940, startte een enkeling met kritische pamfletten over de bezetter. Bernard IJzerdraat was de allereerste en velen volgden hem daarna met anti-Duitse grappen, satirische gedichten en nieuws, dat in de 'gewone' pers niet mocht verschijnen. Met het voorduren van de bezetting nam het 'illegale' nieuws toe en begon de illegale pers steeds verder te groeien en bloeien. Dit fenomeen kwam niet typisch alleen in Nederland voor. Ook in België en Frankrijk was dit zichtbaar, maar in Nederland heeft het waarschijnlijk door de langere duur van de bezetting, verreweg de hoogste vlucht genomen. In 1940 was het aantal illegale pamfletten en krantjes nog niet erg groot. December 1940 had het een omvang van circa zestig verschillende illegale kranten met totaal omstreeks 57 duizend exemplaren. De schrijvers riepen voortdurend op niet toe te geven aan en te buigen voor de nazi's. Ze waarschuwden dat een politiek compromis met de Duitsers niet mogelijk was. In dit begin was een tweede belangrijke missie, de lezers te informeren en commentaar te geven over (ongecensureerd) nieuws over de vrije wereld.

De belangrijkste bron van informatie werd verkregen door het 'illegaal' luisteren naar de BBC en Radio Oranje in Engeland. Krachtige Duitse stoorzenders probeerden het illegaal luisteren zoveel mogelijk en intensief te hinderen. Ondanks het hoogst irritante en luide gebrom dat die stoorzenders veroorzaakten, luisterden in 1940 en 1941 ongeveer een miljoen Nederlanders regelmatig in het geheim naar de ongecensureerde nieuwsuitzendingen. De Duitsers waren hier wel van op de hoogte, maar het was voor hen ondoenlijk om dit grote aantal stiekeme luisteraars aan te grijpen. Toen de jodenvervolgingen op gang kwamen en andere onderdrukkingsmaatregelen het dagelijks leven voortdurend naargeestiger gingen beïnvloeden, verdubbelde het aantal gedrukte illegale kranten. Na de aprilstakingen in 1943 verordonneerden het Duitse bestuur dat alle Nederlanders (behalve NSB'ers en andere nazi-sympathisanten) hun radiotoestel moesten inleveren. Er werden ongeveer zevenhonderdduizend bruikbare en ook vele onbruikbare en kapotte toestellen ingeleverd. Circa driehonderdduizend radiotoestellen verdwenen nu in speciale bergplaatsen, zoals kelders, kruipruimtes, speciale kasten, donkere hoeken van zolders et cetera. Het illegaal luisteren naar de 'Engelse' radio, moest voortaan met de grootst mogelijke omzich-

| *Onder de vloer stiekem luisteren naar de Engels radio-uitzending.*

tigheid gebeuren. Wie gesnapt werd bij dit illegaal luisteren, riskeerde straffen zoals confiscatie van de hele inboedel, gevangenisstraf of in het ergste geval veroordeling tot opsluiting in een concentratiekamp.

De Duitse roof van radiotoestellen, gaf de illegale pers een enorme impuls. Vooral de gewone dagbladen vergrootten de aantallen van de in het geheim gedrukte illegale edities. Eind 1943 was het aantal exemplaren illegale kranten al gegroeid tot circa 450 duizend stuks. De meeste van deze kranten werden door de eerste lezer doorgegeven aan betrouwbare familieleden, vrienden en kennissen. Op deze manier bereikte de doorgaans wekelijkse edities ongeveer 2 miljoen 'goede' Nederlanders. Van de enorme hoeveelheid illegale kranten met een politieke, religieuze of neutrale achtergrond is het interessant om een aantal namen te vermelden. We noemen: *Vrij Nederland, Het Parool, Je Maintiendrai, Trouw, Het Bulletin, Ons Volk, Christofoor* en *De Waarheid.* Toen de edities van de grotere illegale kranten gingen oplopen tot zelfs vijftigduizend en honderdduizend exemplaren, ging men uit het oogpunt van veiligheid de kranten regionaal drukken en verspreiden. De kansen op ontdekking door politie of Gestapo, werden daardoor verkleind. Ondanks alle uitgebreide voorzorgsmaatregelen, werden vele malen redacties van illegale kranten toch opgespoord en gearresteerd. Honderden opgepakte journalisten werden veroordeeld en verdwenen achter de tralies, werden naar een concentratiekamp gezonden en diversen kregen zelfs de doodstraf. Dit soort tegenslagen gaf doorgaans maar een tijdelijke terugval van publicaties. In de meeste gevallen traden steeds nieuwe mensen aan die deze gevaarvolle baan van illegale journalistiek overnamen. Veel van de illegale krantenredacties hadden nauwe banden met verzetsorganisaties. De illegale pers was begon-

| *De snelste weg om je radio kwijt te raken.*

| *Scala aan diverse illegale kranten uit 1942-1944.*

| *Afdrukken van illegale krant met stencilmachines.*

nen met handgeschreven exemplaren. Daarna werden stencilmachines gebruikt. Vervolgens werden kleine, betrouwbare drukkerijtjes ingezet en uiteindelijk steunden sommige officiële dagbladdrukkerijen in het geheim de illegale pers. Behalve de illegale redacties, liepen ook drukkers en zetters voortdurend groot gevaar. Ondanks alle, en vele voorzorgsmaatregelen bij het drukken, werden tragisch genoeg ook veel drukkers en zetters gesnapt en opgepakt. Velen van hen werden gearresteerd en veroordeeld. Ook van deze categorie moedige mannen stierven diversen voor de geweerlopen van een vuurpeloton.

Papier om te drukken werd via allerlei slimme en slinkse wegen bij elkaar gescharreld. Het distribueren van de duizenden, later honderdduizenden illegale kranten, vergde een organisatie van duizenden vrouwen, oudere mannen en kinderen. Alles wat daarvoor nuttig kon zijn, werd voor transport en distributie naar betrouwbare landgenoten gebruikt. De kranten gingen van de drukkerijen met de schaarse auto's, binnenvaartschepen, trein, fiets, kinderwagens, handkarren et cetera. De lokale distributie werd in het bijzonder uitgevoerd door vrouwen, kinderen, postbestellers, melkboeren, gepensioneerden en leden van het verzet. Daar waar nu het vak van krantenbesteller wat 'uit de mode en te slecht betaald wordt bevonden', was het toen een eervolle en zeer gevaarlijke zaak om de illegale kranten te mogen distribueren! De krantenbezorgers moesten vooral betrouwbaar zijn, want ook bij die activiteit loerde altijd het gevaar van verraad en arrestatie.

Het vele geld benodigd voor het papier en het drukken, leverde nauwelijks problemen op. Heel veel particulieren, kerkcollectes, stichtingen en nog vele anderen, brachten spontaan en vrijwillig de benodigde financiën bij elkaar. Toen na 1943 het aantal exemplaren per editie in de honderdduizenden ging lopen, kwam ook geld beschikbaar uit het eerdergenoemde Nationaal Steunfonds. Al die illegale kranten zaten de nazi's behoorlijk dwars. Ze konden nauwelijks greep krijgen op de stortvloed van illegale kranten. Ze probeerden zelfs een tegenoffensief! In concentratiekamp Vught werd een echte drukkerij opgezet. Gevangenen moesten daar voor hen een imitatie illegale krant drukken. De gevangenen deden hun werk expres foutloos. In gewone illegale kranten zaten vanwege de heimelijkheid en haast, altijd onzorgvuldigheden en drukfouten. De foutloze imitatiekranten werden door de lezers daarom onmiddellijk ontdekt. Toen de bevolking de radio's moest inleveren, was de Londense regering bezorgd dat de ongecensureerde nieuwsvoorziening te veel zou stagneren.

De redactie van Radio Oranje kreeg daarom opdracht om een luchtposteditie te gaan maken. Vanaf mei 1943 werd deze *Vliegende Hollander* luchtposteditie, via laagvliegende bommenwerpers 's nachts met duizenden exemplaren door de RAF op Nederland losgelaten. De eerste editie bestond uit dertigduizend stuks. Het werd door de mensen met graagte gelezen en de vele volgende edities gingen van hand tot hand. Wat later deed de Amerikaanse luchtmacht ook mee aan de 'krantenbombardementen'. Vanaf 1943 zijn er totaal 139 edities van de *Vliegende Hollander* afgeworpen. Door de massaliteit van de illegale pers en de brede steun hiervoor door de bevolking, hadden de nazi's de 'strijd om de geest' van de Nederlanders al vóór 1943 ruimschoots verloren.

4-7 Keerpunt

Tot in de herfst van 1942 waren de voortdurende Duitse militaire successen, een behoorlijke domper geweest op enige hoop op een finale Duitse nederlaag. Een mislukte Brits-Canadese amfibische landing bij het Franse Dieppe in augustus 1942, was hier mede debet aan. Van de zesduizend mariniers, soldaten en matrozen die toen aan die landingsoperatie deelnamen, werden 4200 man gevangengenomen of waren gesneuveld. De droeve foto's met een strand bezaaid met lijken en tientallen kapotgeschoten Britse tanks en landingsvaartuigen, verscheen triomfantelijk in alle kranten. De Duitse omroepen schalden luid over hun grote succes. De Duitsers hadden er toen geen idee van, dat dit een 'gewapende verkenning' was om de kustverdediging te testen. De opgedane ervaring en lessen bleken van onschatbare waarde voor de latere massale amfibische landingen op D-day in 1944. Het was wel een heel dure les, maar Engelsen hadden en hebben nog steeds een geheel ander gevoel over mensenlevens en heroïek in een oorlog, dan de nuchtere Hollanders.

Een andere tegenslag was de Duitse bezetting van Zuid-Frankrijk in november 1942. Bij de Franse capitulatie in 1940 was overeengekomen dat Zuidwest-Frankrijk niet door de Duitsers bezet zou worden. Een wat fascistisch-achtige regering met als staatshoofd de oorlogsheld maarschalk Petain, kwam aan het roer. Deze Vichy-regering was behoorlijk coöperatief met de Duitsers. In de regering zaten veel conservatieve, wat autoritaire en vrij sterk antisemitische mannen. Door een grote geallieerde landing van meer dan honderdduizend man onder commando van generaal Eisenhower (operatie *Torch*, november 1942) in Marokko en Algerije, vond Hitler het nu noodzakelijk Vichy-Frankrijk te bezetten. De Vichy-regering werd nu helemaal een marionettenregering. Maarschalk Petain bleef officieel staatshoofd, maar de tragische man had nog minder in te brengen dan voorheen. Voor de Nederlandse verzetsbeweging, werd het door die Duitse bezetting nog moeilijker via het Vichy-gebied langs illegale wegen mensen naar Spanje te laten ontsnappen.

In Rusland sloeg de strenge winter zoals gebruikelijk keihard toe. De triomfantelijke en snelle Duitse opmars, was krakend tot stilstand gekomen in de lijn Leningrad-Moskou-Zee van Azow. Hitler met zijn voorheen briljante militaire durf en ideeën, maakte nu een kapitale blunder. Door de grote behoefte aan minerale brandstoffen, was hij gefascineerd door de grote oliewingebieden in de Russische Kaukasus. Met een succesvolle doorstoot van een legergroep, werd in augustus 1942 door de Duitsers het Majkop-olieveld bereikt. De hakenkruisvlag wapperde hierdoor zelfs bij de top van de berg Elbroez in het Kaukasus-gebergte. In zijn euforie maakte Hitler weer zijn bekende vreugdedanspasjes. Hij dacht zelfs dat de sovjetlegers al geheel verslagen waren! Een andere Duitse legergroep rukte inmiddels op naar de grote stad Stalingrad aan de rivier de Wolga. Stalingrad was een belangrijke grote industriestad met een half miljoen inwoners. De voorhoede van de Duitse legergroep B, bereikte de Wolga nabij Stalingrad eind augustus 1942. Het was het begin van een van de hevigste en bloedigste gevechten op de vele slagvelden in Europa. De *Luftwaffe* beukte met intensieve bombardementen drie dagen op de vasthoudende verdedigers. Ondanks dat, bleven de Duitsers aldaar toch hevige weerstand ontmoeten.

Voor Stalin had het bezit van de stad – net zoals voor Hitler – naast strategische ook grote prestigebetekenis. De bekwame Russische generaal Zjoekov was belast met de verdediging. De Russische troepen werd opgedragen om iedere vierkante meter tot het uiterste te verdedigen. De Duitsers hadden samen met hun Roemeense en Italiaanse bondgenoten, een kwart miljoen troepen in Stalingrad en omgeving geconcentreerd. De felle gevechten gingen zes maanden onverminderd door. Er waren ogenblikken dat de Russische verdedigers op het punt stonden de Wolgarivier in te worden gedreven. Er werd hardnekkig gevochten om iedere fabriek, ieder gebouw, iedere straat, ieder huis en plein. Man-tot-mangevechten waren meer regel dan uitzondering. De uiterste vormen van heldhaftigheid, kameraadschap en opoffe-

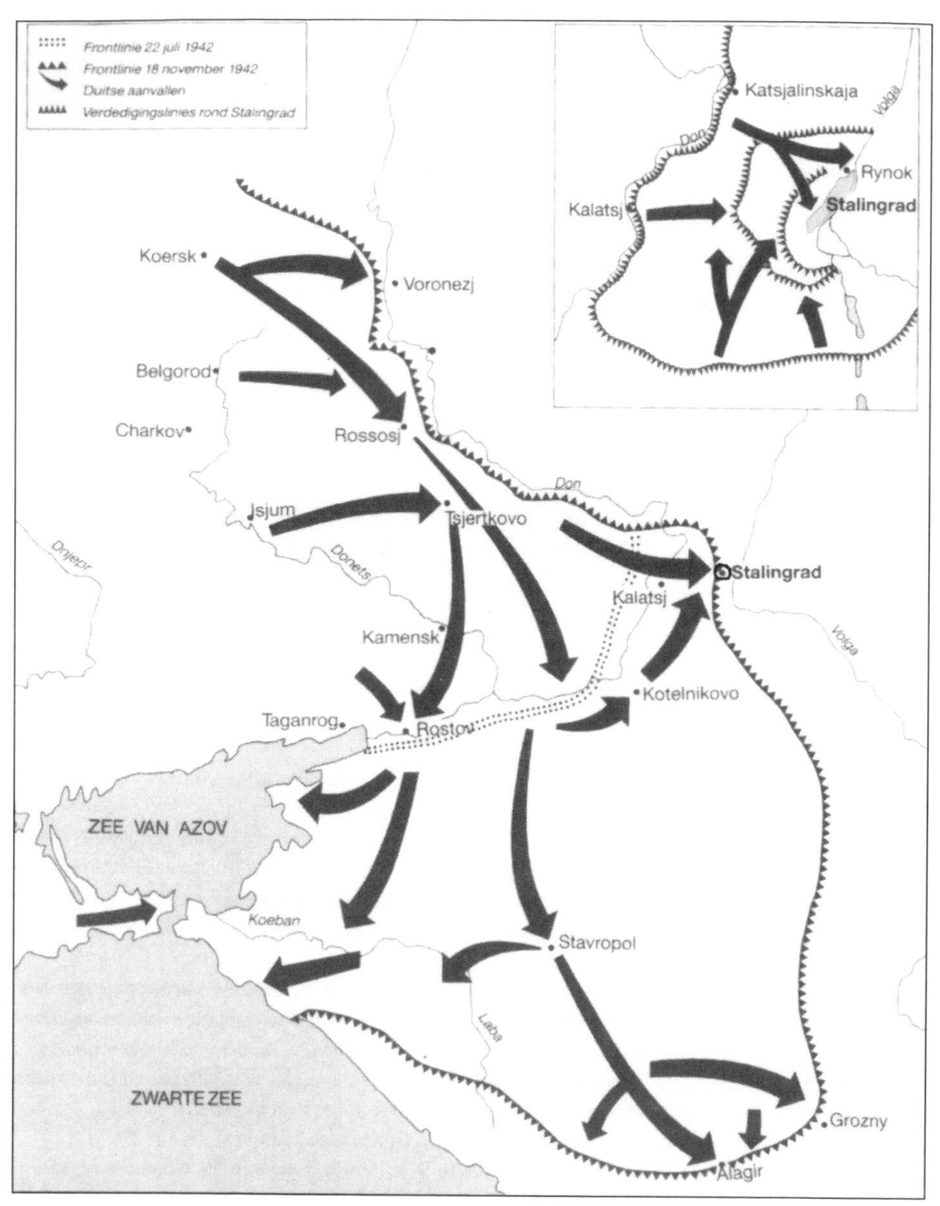

| *Duitse opmars naar Stalingrad 1942.*

ringsgezindheid kwamen tijdens deze titanenstrijd aan beide zijden voor. Eind 1942 zetten de Russen, die over genoeg en zelfs bijna onuitputtelijke reserves beschikten, een zeer krachtige tegenaanval in. Ze slaagden er na hevige en langdurige gevechten in, het Duitse 6de leger van generaal Paulus af te snijden van de andere Duitse legers. Paulus vroeg toen er nog een kleine kans was om aan de Russische omcirkeling te ontkomen, Hitler toestemming om te mogen terugtrekken. *Het werd categorisch geweigerd.* Afgesneden van bevoorrading, uitgedund door de vele tienduizenden doden en gewonden, stervend van de felle kou en uitputting, gaf Paulus na maanden van bittere gevechten zich met circa negentigduizend man overlevenden, begin februari 1943 over.

De sovjets kenden weinig genade voor al deze krijgsgevangenen. Ze verdwenen naar de Goelagarchipel als dwangarbeiders en pas *tien jaar na het einde van de oorlog* mocht het handjevol van slechts circa zesduizend overlevenden van de slag bij Stalingrad, terugkeren naar Duitsland. De Russen betaalden ook een hoge tol. Ongeveer een miljoen Russische burgers en militairen, waren tijdens de slag vermist, gewond of gedood. De Duitse, Roemeense en Italiaanse verliezen bij Stalingrad, waren totaal circa 730 duizend man. De stad was na de maanden van de verbitterde gevechten letterlijk één grote hoop puin en ruïnes geworden. De glorieuze opmars van de Duitse legers naar het oosten, was door deze verloren slag, nu voorgoed afgelopen. Voor Hitler en zijn generaals zou het nog veel erger uitpakken. De grote slachting bij Stalingrad, bleek namelijk voor de Duitse legers het begin van hun definitieve ondergang aan het oostfront te zijn.

Niet alleen Stalingrad was een belangrijk keerpunt. Ook in Noord-Afrika was het tij voorgoed gekeerd. Nadat de Italianen tijdens hun veroveringen in het huidige Libië in de problemen waren gekomen, had Hitler generaal Rommel met zijn Afrika Korps in 1941 ter assistentie gestuurd. Na zijn snelle successen moest Rommel bij de Egyptische grens zijn troepen en tanks hergroeperen. In november lanceerde generaal Montgomery met zijn 8ste leger een massale aanval bij El Alamein en drong de Duitsers en Italianen stap voor stap terug naar het westen. Na langdurige tegenaanvallen en vertragende gevechten in deze woestijnoorlog, moesten de Duitsers en Italianen zich medio mei 1943 in Tunesië uiteindelijk overgeven aan de geallieerde legers. In deze Noord-Afrika-campagne, werden circa 250 duizend Duitsers en Italianen krijgsgevangen gemaakt en grote hoeveelheden oorlogsmateriaal buitgemaakt.

De grote successen van de Duitsers waren niet het enige wat begin 1943 voorbij was. Voor hun Japanse bondgenoten in Azië keerde ook het tij. De Japanse strijdkrachten hadden in 1942 in Zuidoost-Azië het grootste deel van de westerse koloniën met hun rijkdom aan grondstoffen, onder de voet gelopen. De Amerikaanse marine had zich na de klappen bij Pearl Harbour (Hawaii) zover hersteld, dat ze de Japanners dwongen tot de terugtocht, toen die het eiland Midway in juni 1942 probeerden te veroveren. Bij de zeeslag noordelijk van Midway (ongeveer veertienhonderd zeemijl noordwestelijk van Hawaii) verloren de Japanners vier vliegkampschepen en 3500 man, met onder hen veel ervaren vliegkampschippiloten. De Amerikanen verloren bij die zeegevechten maar één vliegkampschip.

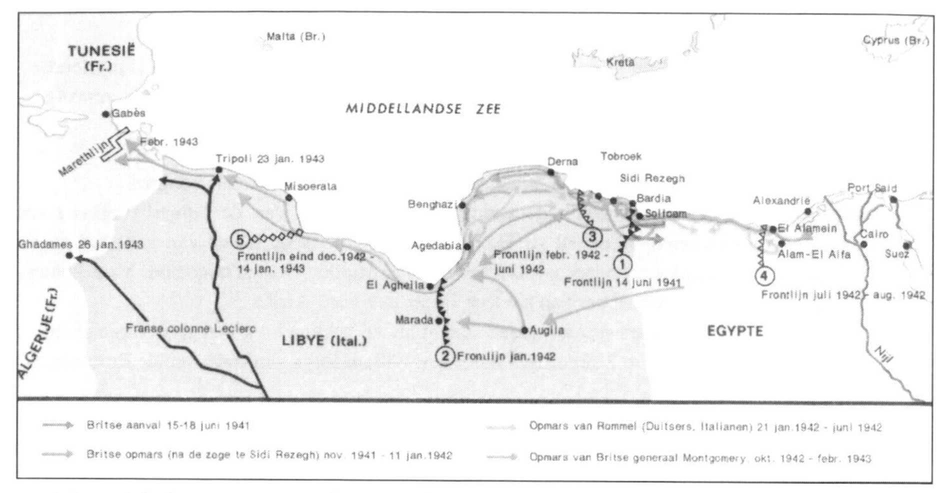

| *Overzicht bewegingen aan het Noord-Afrikaanse front 1941-1945.*

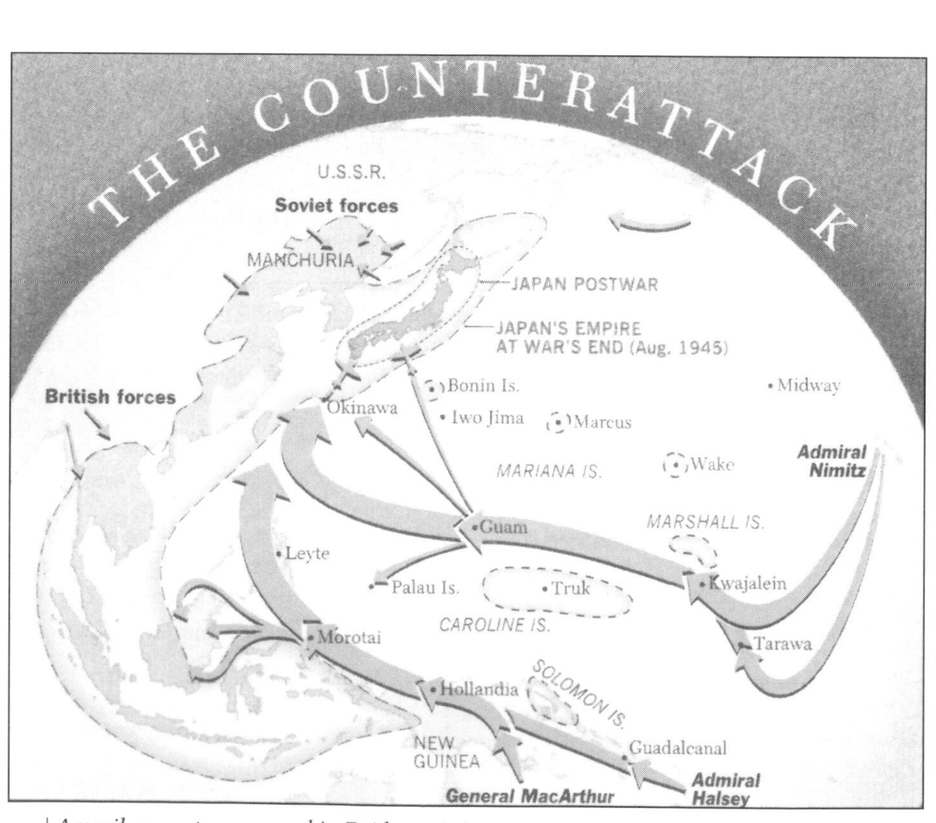

| *Amerikaanse tegenaanval in Zuidoost-Azië 1943-1945.*

Een maand eerder bedreigden in het oosten van de Stille Oceaan, de Japanners zelfs Port Moresby in Australisch Nieuw Guinea. Een Japanse vloot die de troepen voor landingen in dat gebied zou moeten dekken, kwam in de Koraalzee in contact met de *US Navy*. In de hevige zeeluchtslag die ontstond, verloren de Japanners twee en de Amerikanen één vliegkampschip. Aan Japanse zijde gingen ook hier wederom veel ervaren vliegers verloren. Door de hoge verliezen aan mensen en schepen, werd de geplande aanval op Port Moresby afgeblazen. Het gevoelige verlies van totaal *zes vliegkampschepen in twee maanden*, werd in Japan voor de bevolking geheimgehouden. Door de enorme verliezen, was een flink deel van de slagkracht van de Japanse marine definitief verloren gegaan. Ze zouden het verlies aan kapitale schepen niet meer te boven komen. Hun mogelijkheden voor grootschalige offensieve operaties, waren voorbij en Japan werd van nu af aan in Azië steeds meer in het defensief gedrongen.

Gedwongen door de grote slachtingen aan vooral het front in de Sovjet-Unie, had Hitler zijn schreeuwerige propagandaminister Goebbels in februari 1943 de opdracht gegeven de *Totalkrieg* af te kondigen. Het propagandaministerie kreeg een nieuw en groot probleem. Tot aan de slag om Stalingrad konden van de Duitse 'Germaanse' legers voortdurend eclatante successen gemeld worden die de superioriteit van de 'zogenaamde *Übermenschen*' konden aantonen. Door de grote en gevoelige verliezen van hun legers, moesten Goebbels en zijn brallerige propagandisten speciale manieren bedenken om de tegenslagen en terugtochten van hun legers te camoufleren met bijzondere uitdrukkingen. De eigen bevolking en burgers in de bezette gebieden, moesten zoveel mogelijk onkundig worden gehouden dat de 'het superieure Germaanse ras' nu zichtbaar aan de verliezende hand was. In pers- en radioberichten werden vanaf 1943 terminologieën gebruikt als: 'frontlijnposities rechttrekken', 'egelstellingen innemen', 'strategische elastische terugtocht' et cetera. Met nadruk werd steeds gemeld, hoeveel verliezen het Duitse leger aan de vijand had toegebracht. Over eigen verliezen werd nauwelijks of niet gerept. Dankzij illegale radio en kranten, konden de Nederlanders deze cryptische Duitse berichten vertalen naar de werkelijkheid van de gebeurtenissen aan het front. Ondanks dat ook Radio Oranje en de BBC wel eens overdreven de geallieerde successen opbliezen, kregen de burgers duidelijk in de gaten dat eind 1942, begin 1943 de oorlog een duidelijk andere wending had genomen en de geallieerden nu definitief in de aanval waren. Er kwam enig reëel uitzicht, dat er een eind aan de oorlog zou komen en nieuwe hoop vlamde op.

Het werd zelfs NSB'ers en andere pro-Duitse figuren langzaam maar zeker duidelijk, dat het Duizendjarige Rijk dat Hitler beloofd had, wel eens veel korter zou kunnen duren. Enig gevoel van twijfel en onzekerheid begon bij de pro-Duitsers te knagen. Ondanks deze nieuwe hoop, zouden de mensen in bezet Nederland helaas gaan merken, dat hoe minder succesvol de nazi's met hun strijdkrachten waren, des te meer de terreur in de bezette gebieden zou toenemen. Gelukkig beseften de meeste Nederlanders in 1943 nog niet, dat er nog een heel lange en pijnlijke weg met veel slachtoffers te bewandelen was, voor de bevrijding uiteindelijk kwam.

4-8 Doorzettende onderdrukking en verschraling

Ondanks het overnemen van het initiatief door de geallieerde legers, betekende dit bepaald niet dat de ijzeren greep van de Duitsers en Japanners in de veroverde landen minder werd. In Europa nam de nazi-terreur alleen maar toe. Na de aprilstakingen was het de tweede maal duidelijk geworden dat bij massaal verzet de Duitsers door terreurmaatregelen met behulp van pistoolmitrailleurs, geweren, arrestaties, lange gevangenisstraffen, concentratiekamp en executies nog steeds actief verzet met harde hand konden neerslaan. Na mei 1943 trad de Duitse politie bij sabotage of andere verzetsacties, nog rigoureuzer op. In juli werden dertien mannen van het verzet, die een overval op een distributiekantoor in Amsterdam hadden gepleegd, gegrepen en kort daarna geëxecuteerd. Dezelfde maand beval Rauter dat de Duitse politie iedere week in verschillende regio's razzia's moesten houden. Zij moesten daarbij vooral jagen op onderduikers in de categorieën joodse mensen, studenten, ex-politiemensen en mannen die zich onttrokken hadden aan de gedwongen arbeid in Duitsland. De allang gaande razzia's op joden, gingen daarnaast ook intensief door. Zeventien mannen van de OD werden die maand geëxecuteerd en hetzelfde noodlot trof enkele gearresteerde leidende mannen van de verboden CPN.

In oktober werden zeventien burgers doodgeschoten als represaille voor het liquideren van de pro-nazi generaal Seyffardt. Dit steeds bruter optreden schrok wel af, maar aan de andere kant stimuleerde het bij meer mensen ergens de wil om dwars te liggen of op andere manieren stille oppositie te voeren. Het vriendelijke masker van de bezetter was al lang geleden afgeworpen en medio 1943 was het nazi-bestuur inmiddels ontaard in een puur terreurregime. Aangezien het gewapend verzet selectief doorging met liquidaties van gevaarlijke NSB'ers en andere fervent met de Duitsers samenwerkende pro-nazi Nederlanders, autoriseerde Rauter in het geheim de zogenaamde *Silbertanne*-liquidaties.

Dit codewoord werd gebruikt voor de goedkeuring van het vermoorden van meer vooraanstaande Nederlandse patriotten, als represaille voor liquidaties van leidende figuren uit de NSB. De vuistregelregel die de nazi's hanteerden, was dat voor de liquidatie van één nazi, drie vooraanstaande burgers vermoord moesten worden. Vrijwilligers in burgerkleding uit het nazi-kamp voerden deze moorden uit gedurende de nachtelijke uren. De meeste van deze 'vrijwilligers' werden gerekruteerd uit de (Nederlandse) Germaanse SS. Deze SS eenheid stond onder leiding van de Nederlander Feldmeijer. Operatie *Silbertanne* was een van zeldzame gebeurtenissen in de moderne geschiedenis, waarbij een officieel 'bestuur' opdroeg – en dit ook uitvoerde – dat moorden was toegestaan zonder dat dit enigerlei strafrechtelijke consequentie had voor de uitvoerders. De moordenaars werden zelfs volledig uitgerust en van de nodige faciliteiten voorzien door het officiële 'bestuur' om die moorden te plegen. De gecontroleerde pers vermeldde deze moorden, zonder zelfs enig idee te hebben dat ze uitgevoerd werden op last van de hoogste officiële politiechef in Nederland! In de periode 1943-1944 werden op deze manier onder de paraplu van operatie *Silbertanne*, ongeveer vijftig Nederlanders op diverse plaatsen in het land omgebracht. Het gewapend verzet liquideerde in de loop der jaren omstreeks tachtig

| *Concentratiekampen in Midden-Europa 1933-1945.*

NSB'ers en andere leidende nazi-mannen. Naast deze *Silbertanne*-moorden, kwam het regelmatig voor dat de Duitse politie gevangenen overhoop schoot als represaille. Dit werd dan naar buiten bracht als 'tijdens het vluchten neergeschoten'.

Al eerder is genoemd dat veldmaarschalk Keitel in 1941 het zogenaamde *Nacht und Nebel Erlass* had ondertekend. Dit decreet hield in, dat mensen die zich actief tegen Duitsland hadden verzet, alleen voor een militaire rechtbank moesten verschijnen wanneer bij voorbaat het vonnissen met de doodstraf nagenoeg zeker was. Als hun schuld twijfelachtig was, moesten ze in het geheim worden overgebracht naar een speciaal Duits concentratiekamp. Er werd er dan van uitgegaan, dat ze nimmer meer naar huis zouden terugkeren en deze slachtoffers verdwenen dan ook zonder enig spoor achter te laten. Hun familie werd niet ingelicht over hun overlijden. Hun begraafplaatsen bleven geheim. Deze verschrikkelijke praktijk werd door de nazi's regelmatig toegepast en totaal omstreeks zevenduizend mensen zijn in die jaren op die manier geruisloos verdwenen. Helaas worden dit soort praktijken tot op de dag van vandaag door dictatoriale regimes in de wereld nog steeds toegepast. We kunnen daarvoor onder meer verwijzen naar de voormalige Sovjet-Unie onder Stalin, Bosnisch Servië en Argentinië onder het toentertijd autoritaire militaire regimes.

Naast deze diverse terreurpraktijken tegen het verzet en de illegaliteit, ging de kwaliteit van het dagelijks leven in het bijzonder in de steden, meer en meer achteruit. Ieder jaar werd de hoeveelheid voedsel dat op de distributiebonnen gekocht kon worden, minder en werd de keuze aan producten kleiner. De boter, kaas en vethoudende productendistributie, werd vanaf medio 1942 voortdurend geringer. Tabakproducten en zoetigheden gingen in april 1942 op de bon. Begin 1943 werden de vlees- en melkrantsoenen verkleind. In augustus van dat jaar werd de distributie van schaarse groente en fruitproducten geïntroduceerd. Voor het kopen van textielproducten was vanaf eind 1943 een speciale vergunning nodig. Kledingreparatie werd een nieuwe commerciële activiteit en veel huisvrouwen moesten al hun fantasie gebruiken om de familieleden een beetje fatsoenlijk gekleed te houden. Allerlei goederen die gemaakt waren van metaal, aluminium en hout werden steeds schaarser.

In januari 1942 dwong een nieuw decreet de burgers om alle zilveren geldstukken in te leveren. De geldstukken werden vervangen door waardeloze zinken munten, die vanaf september het officiële betaalmiddel werden. Heel veel Nederlanders ontdoken deze inleverplicht en stopten de zilveren guldens, rijksdaalders en vijfguldenstukken in geheime bergplaatsen. Met de verschraling van al deze zaken, bloeide de zwarte handel en ruilhandel als nooit tevoren. Handige zwarthandelaars werden snel rijk en de kleinere 'schlemielige' zwarthandelaars werden meestal het eerst gegrepen en kregen dan forse boetes en soms gevangenisstraf. De eerdergenoemde inleverplicht van radiotoestellen in 1943 veroorzaakte grote commotie onder de mensen en werd flink ontdoken. Een kwart van de radio's ging 'ondergronds'. Bij de steeds frequente razzia's in de stad en op het platteland, werd niet alleen naar onderduikers, maar ook naar verborgen radiotoestellen gezocht. Bezitters van verborgen radio's, wachtte bij ontdekking een flinke straf. Al met al was er steeds minder om over te kunnen lachen. Ondanks dat, groeide een soort bittere en meer cynische humor.

Veel Nederlanders hielden op wandkaarten met vlaggetjes nauwkeurig bij waar de frontlijnen liepen en dat was nog steeds erg ver van Nederland. Wat wel zichtbaar en vaak hoorbaar was, waren de steeds grotere stromen bommenwerpers die dag en nacht op pad waren naar militaire en burgerdoelen in Duitsland. Het was voor Nederlanders vaak een sport om bij de overdag overvliegende bommenwerpers te raden naar welk gebied in Duitsland de vliegtuigen onderweg waren. Maar er was ook een schaduwkant aan die bombardementen. Door de gedwongen deelname aan de Duitse oorlogsproductie, waren industriecomplexen in eigen land regelmatig geallieerde bombardementsdoelen. In december 1942 kreeg het Philips-complex in Eindhoven een zwaar bombardement van omstreeks negentig RAF-vliegtuigen. Er ontstond grote schade en circa 150 burgers werden door dit bombardement gedood. Het volgende jaar april was de Wilton-Fijenoord scheepswerf in Schiedam weer eens doelgebied. Doordat er toen veel plaatselijke bewolking was, werd het bombardement vanaf grote hoogte uitgevoerd. Veel bommen vielen nogal verkeerd en gooiden een woonwijk in het westen van Rotterdam plat. Daardoor werden ruim driehonderd burgers gedood, vierhonderd gewond en verloren twintigduizend burgers hun huis. De schade aan de scheepswerf was helaas vrij gering. In juli waren de Fokkerfabrieken in Amsterdam aan de beurt. De bombardementen veroorzaakten grote

| *Fietsenrazzia bij Rijksmuseum te Amsterdam.*

schade aan de fabrieken, maar ook ruim 150 burgers werden gedood. Oktober 1943 misten Amerikaanse bommenwerpers door een navigatiefout hun doel net over Duits-Nederlandse grens. Per ongeluk kwamen de bommen terecht op een woonwijk in Enschede. Er waren daarbij 150 burgerslachtoffers en ongeveer vierhonderd woonhuizen gingen in puin.

Deze bombardementen op eigen land veroorzaakten natuurlijk veel persoonlijk leed en ellende. Ondanks dat verdroeg men dit gelaten, het was immers voor 'de goede zaak'. De angst voor dit soort uit de hand lopende bombardementen, konden de meeste mensen toch makkelijker verdragen dan de steeds aanwezige vage, maar ook dikwijls reële angst voor arrestaties, dwangarbeid, terreur en executies. Ook in de volgende oorlogsjaren vielen er bij geallieerde bombardementen op industriële en militaire doelen op Nederlands grondgebied regelmatig tientallen, soms honderden burgerslachtoffers. Men droeg dit lot als een noodzakelijk te betalen prijs op de lange weg naar de bevrijding. Bovendien leerde men in een tijd dat de dood veel dichterbij was dan in vredestijd, te relativeren. Men wist dat het aantal burgerslachtoffers bij Duitse bombardementen op Engeland en geallieerde bombardementen op

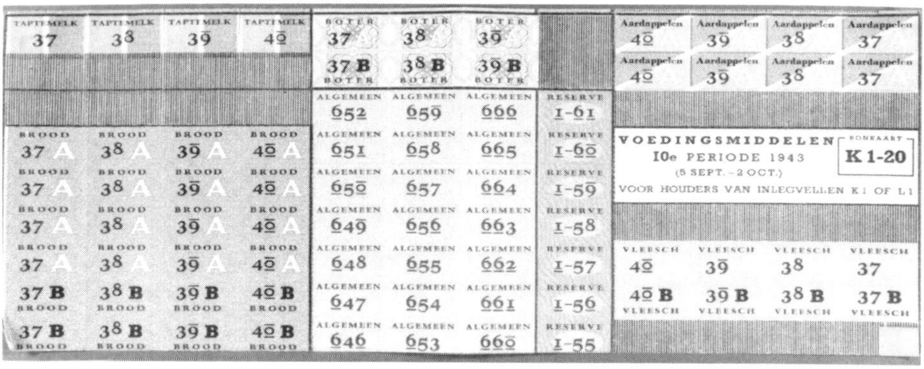

| *Distributiebonkaart najaar 1943.*

Duitsland, een veelvoud was van de paar duizend bombardementsslachtoffers in Nederland.

Om de zorgen van het dagelijks leven met minder goederen in de winkels en minder stevige voeding in de maag, te ontlopen, probeerde men het leven te veraangenamen met simpeler en minder gevarieerde manieren van recreëren. Hoewel de gebruikte teksten bij het cabaret door de censuur goed in de gaten werden gehouden, werden dit soort voorstellingen druk bezocht. Sportbeoefening floreerde en sportwedstrijden waren populair. Van bibliotheken werd druk gebruikgemaakt (alle boeken van joodse en niet-Duitse buitenlandse schrijvers waren daaruit zorgvuldig verwijderd). Bioscopen waren goed gevuld en de mensen namen het Duitse propagandanieuws voorafgaand aan de voorstellingen op de koop toe. De meeste vertoonde films waren natuurlijk '*made in Germany*'. Het familieleven intensiveerde, omdat de keuze van vertier buiten de deur steeds beperkter werd. Buitenrecreatie in de natuur (behalve de stranden, die voor de burgers allang verboden gebied waren) was erg populair. Culturele evenementen, zoals zangkoren, concerten en toneelvoorstellingen waren in trek en deden de mensen de zorgen van het dagelijks leven even vergeten.

Het is altijd verbazingwekkend hoe de flexibele menselijke geest in staat is om nieuwe dingen te verzinnen om onder moeilijke condities het leven toch zoveel mogelijk te veraangenamen. De grootst mogelijke creativiteit werd aan de dag gelegd om surrogaten te bedenken voor zaken als rookwaren, thee, koffie, specerijen en zoetigheden. Van alles en nog wat werd geprobeerd om de originele artikelen te vervangen door iets wat qua smaak en reuk zo dicht mogelijk bij het origineel kwam. In de schaarste-economie vonden veel nieuwe surrogaatproducten hun weg naar de consumenten die wel geld hadden, maar daarmee weinig konden kopen. Door een steeds groter tekort aan rubber werden echte fietsbanden een bijzonder schaars artikel. In plaats daarvan ging men rubberslangen en hout gebruiken als vervanging voor de gewone fietsband. Benzine was nauwelijks te koop. Creatieve geesten ontwierpen installaties waarmee auto's op houtgasgeneratoren konden rijden. Door gebrek aan metalen en hout, werd allerlei afval waarin hout of metaal verwerkt was, omgetoverd voor een scala aan artikelen. Zo werden onder meer van beschuitblikken kleine kacheltjes gemaakt. Ondanks de schaarste was er op de zwarte markt tegen woekerprijzen, nog steeds van alles te koop.

1943 was voor het eerst een jaar waarin de geallieerden op alle fronten het initiatief weer stevig in handen hadden. Er kwam in de bezette landen weer licht in de tunnel. Maar hoe zouden de Duitsers verder reageren op die nieuwe situatie? Zouden ze tot het bittere eind doorvechten? Zou Hitler misschien door een interne revolutie van de generaals geliquideerd worden? In 1943 was er bepaald wat meer hoop en uitzicht op een einde aan de oorlog. Maar hoe en wanneer, bleef een groot vraagteken en aan het eind van het jaar was de nabije toekomst nog steeds erg schemerachtig en uiterst onzeker.

HOOFDSTUK 5

Een horizon met meer hoop 1943-1944

5-1 Veranderend oorlogstoneel

Het keerpunt was eindelijk gepasseerd. In de Verenigde Staten met zijn gigantische productiepotentieel, was inmiddels de industrie ruimschoots omgebouwd naar oorlogsproductie. Vanaf 1942 kwamen non-stop militaire uitrusting en bewapening in voortdurend grotere hoeveelheden van de productiebanden rollen. Engeland had die ombouwslag al twee jaar eerder gemaakt en produceerde op kleinere schaal de 'gereedschappen voor de overwinning'. Engeland was voor aanvoer van voedingsproducten en ruwe grondstoffen in hoge mate afhankelijk van import. Een groot deel hiervan werd aangevoerd over de Atlantische Oceaan. De scheepvaart over en de controle op het vervoer over deze oceaan, was een van de belangrijkste slagaders voor Groot-Brittannië om de oorlogsindustrie draaiende te houden en haar krijgsmacht en bevolking te kunnen voeden.

Onder Hitlers regime vóór het uitbreken van de oorlog, waren er ten behoeve van de Duitse marine hele series kleinere slagschepen, kruisers, onderzeeboten en torpedobootjagers van stapel gelopen. Het was een indrukwekkend nieuwbouwprogramma geweest, maar de *Kriegsmarine* was voor de Engelse en Amerikaanse marine – zelfs na al die nieuwbouw – geen partij. Tussen 1939 en 1943 verloren de Duitsers bij gevechten met de Britten vijf van hun moderne slagschepen. Om verdere verliezen van die grote schepen in de strijd op zee te voorkomen en om toch de Engelsen maximale verliezen te kunnen toebrengen, gingen de Duitsers zich intensiever concentreren op de onderzeevloot. Tussen 1938 en 1945, bouwden de Duitse werven circa 1160 onderzeeboten (U-boten). Met deze moderne boten zagen ze kans ruim 1 450 000 tonnage (bruto register ton) aan geallieerde koopvaardijschepen op zee te vernietigen. Het grootste deel van die slachtingen vond plaats in de Atlantische Oceaan op de vitale route Verenigde Staten-Engeland. De winter van 1941-1942 was het meest kritisch. In die periode waren de geallieerde verliezen aan transportschepen zó groot, dat de bevoorrading van Engeland in direct gevaar begon te komen. De Duitse propaganda over de geweldige successen van hun U-boten, werd in Nederland met zorg aangehoord. Veel gezinnen hadden familie en bekenden aan boord van koopvaardijschepen en maakten zich ernstig zorgen over het lot van hun mannen of zonen.

Gelukkig keerde het tij vanaf de tweede helft van 1943 en werd het verlies aan scheepstonnage geleidelijk aan minder. Nieuwe technologische uitvindingen voor onderzeebootopsporing (onder meer verbeterde radar en sonar) en een grotere actieradius van langeafstands maritieme patrouillevliegtuigen, dwongen de Duitse onderzeeboten in het defensief. De Duitse verliezen aan U-boten gingen in 1943 door de betere bestrijdingsmogelijkheden fors omhoog. Ondanks hun aanvankelijke successen, betaalde het Duitse onderzeebootwapen in de bittere strijd op de zeeën in de jaren 1939-1945 een extreem hoge tol. Omstreeks 28 duizend mannen van hun onderzeeboten, verdwenen in de diepte van de oceaan en vijfduizend bemanningsleden werden op zee gevangengenomen. Het blijft zelfs nu nog steeds onbegrijpelijk dat de onderzeebootbemanningen die voor het grootste deel géén nazi waren, tot aan het eind van de oorlog onder de meest barre omstandigheden zonder enig morren, loyaal hun plicht tot aan het bittere einde bleven vervullen.

De verliezen van Nederlandse bemanningen en koopvaardijschepen, waren ook aanzienlijk. Duitse, Italiaanse en Japanse schepen, brachten totaal ruim 380 Nederlandse koopvaardijschepen tot zinken (1 300 000 bruto register ton, waarvan de meeste schepen werden getroffen door torpedo's van vijandelijke onderzeeboten). Bij hun moeilijke, maar uiterst belangrijke werk, verloren ruim zestienhonderd bemanningsleden op zee het leven. Deze mensen deden hun gevaarvolle taak ver van huis en haard, (sommigen gedwongen) door de wettelijke vaarplicht. Op zee voeren ze voortdurend onder dreiging van aanvallen door de onzichtbare vijand onder water. Het is in feite schandalig, dat zelfs na de oorlog deze zeelieden nauwelijks de hun toekomende erkenning kregen of enigerlei redelijke financiële compensatie, voor de dappere rol die ze tijdens de gehele oorlog op de zeeën plichtsgetrouw uitvoerden. Op dit gebied – zoals ook geldt voor andere categorieën – bleef 'het vaderland' ernstig in gebreke ten opzichte van degenen die (bij de koopvaardij verplicht) een bijdrage leverden aan de geallieerde eindoverwinning. Het keerpunt van de 'slag op de Atlantische Oceaan' in de zomer van 1943, maakte het mogelijk dat de grote stroom van voorraden naar Engeland, de laatste jaren van de oorlog redelijk ongestoord kon plaatsvinden. Toch bleef ook in de jaren 1943-1945 voor de koopvaardijschepen het varen nog steeds een gevaarvolle zaak, vanwege zeemijnen en de nog altijd (zij het wat minder) aanwezige vijandelijke onderzeeboten.

Hoewel de Duitsers meer en meer op de terugtocht werden gedwongen, bleven ze tot het laatst toe geduchte en taaie tegenstanders. De door de Duitsers gecontroleerde radio-uitzendingen gingen door en probeerden de diverse nederlagen en de terugtocht aan de fronten zoveel mogelijk te bagatelliseren en ze bleven pochen over succesvolle tegenaanvallen. Helemaal wegpoetsen dat ze definitief op de terugtocht waren, lukte niet meer. Voor het geallieerden kamp ging het steeds beter met de oorlog. Een grote geallieerde strijdmacht landde in juli 1943 in Sicilië en de Engelsen en Amerikanen hadden daardoor voor het eerst weer Europese grond onder de voeten. Dat gaf nieuwe hoop in de bezette landen. In Italië ging het flink rommelen en door een interne revolutie, werd Mussolini afgezet en gevangengenomen. De Duitsers reageerden snel en stuurden extra troepeneenheden naar Italië, aangezien ze door die revolutie niet meer op het Italiaanse leger konden rekenen. Al in augustus landden

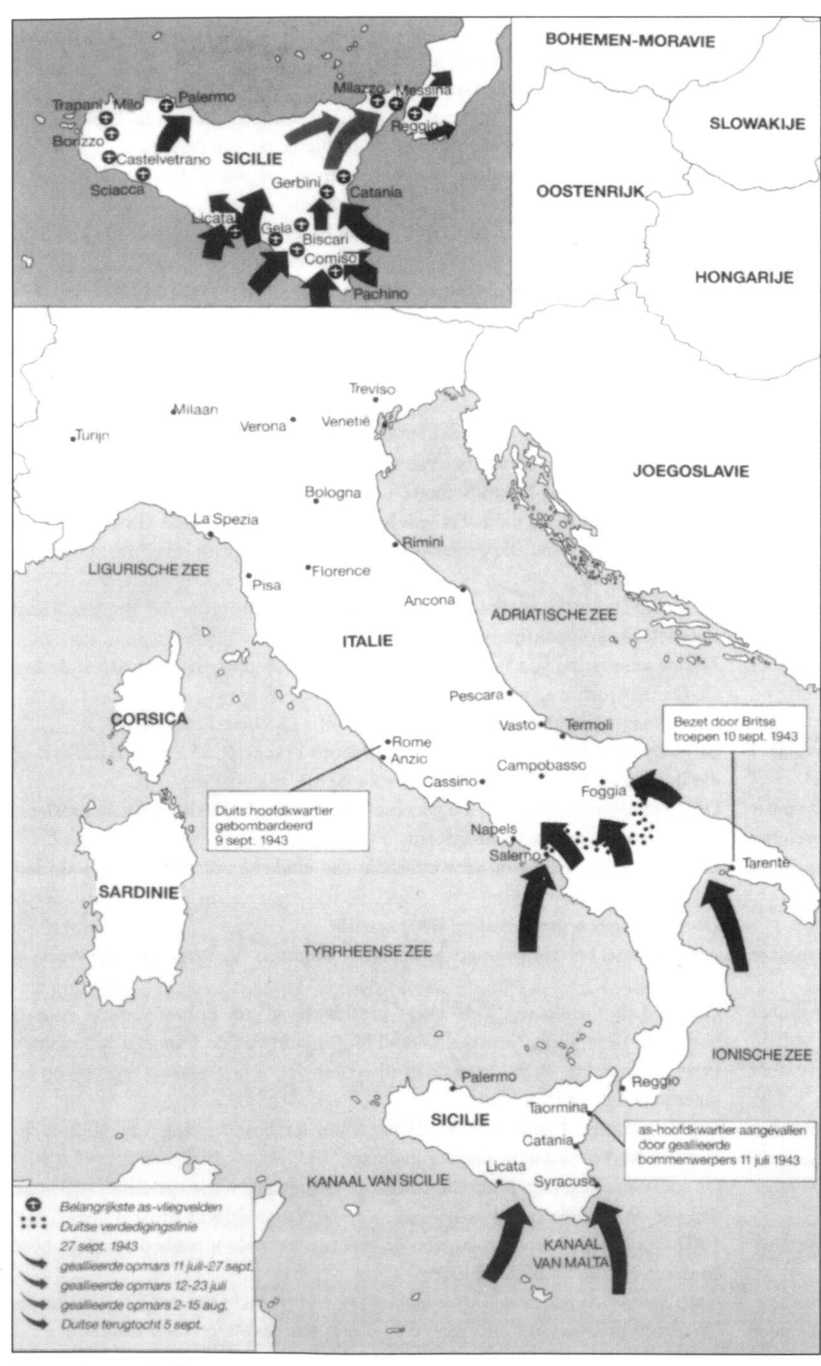

| *Invasie van Italië.*

Britten en Canadezen in de zuidelijke voet van Italië en begonnen hun moeizame opmars naar het noorden. De antifascistische, nieuwe Italiaanse regering vroeg aan de Duitsers om een wapenstilstand. Dit was genoeg reden voor de Duitsers om te trachten het Italiaanse leger te ontwapenen. Dat lukte maar gedeeltelijk en ettelijke Italiaanse militairen liepen over naar het geallieerde kamp. Britse troepen veroverden in oktober de brandende stad Napels, terwijl de Amerikanen oprukten naar de omgeving van Monte Cassino.

In november 1943 tekende de Italiaanse regering onder Badoglio een definitieve wapenstilstandsovereenkomst met de geallieerden. Ondanks dat ze hun fascistische Italiaanse bondgenoot verloren hadden, waren de Duitsers totaal niet van plan zich gewonnen te geven. Orders uit Berlijn gelastten de Duitse troepen in Italië zich hardnekkig te verdedigen. En dat deden ze met verve. Rond de dominante Gustav verdedigingslinie bij Monte Cassino, werd in eerste helft 1944 vier maanden verbitterd gevochten. Beide partijen leden bij die gevechten zware verliezen aan mensenlevens en gewonden. De Amerikanen en Britten probeerden in januari 1944 de impasse te doorbreken met een grote amfibische landing van vier divisies (circa zeventigduizend man) bij Anzio. Na aanvankelijk succes, dreven krachtige Duitse tegenaanvallen de geallieerden bijna weer de zee in. Bij de verbitterde gevechten die hier tot in mei doorgingen, verloren de Amerikanen en Engelsen meer dan 31 duizend man aan doden, gewonden en vermisten! Toen uiteindelijk Britse en Poolse troepen na de maanden van zware gevechten konden doorbreken bij de Gustav-linie, lag de weg naar Rome grotendeels open. Gelukkig werd Rome tot 'open stad' verklaard, waardoor de stad het lot ontliep van bombardementen en vernietiging van de vele prachtige historische gebouwen en kunstschatten. Augustus 1944 konden de geallieerden oprukken tot aan de volgende Duitse verdedigingslinie, die ruwweg lag in de lijn van La Spezia naar zuidelijk van Rimini.

In Oost-Europa was inmiddels het enorm grote sovjetleger goed geoefend en toegerust en had het in de strijd tegen de taaie vijand uitgebreide ervaring opgedaan. Op hun terugtocht pasten de Duitsers de beruchte verschroeide aardetactiek toe en vernietigden alles wat de Russen van dienst kon zijn. Langzaam maar gestaag werden ze van de oorspronkelijke frontlijn tussen Leningrad en de Zee van Azow bij felle gevechten in westelijke richting teruggedrongen. Met zijn steeds meer illusionaire ideeën die de werkelijkheid verdrongen, dwong Hitler zijn generaals om ieder stukje grond tot het uiterste te verdedigen. Dit kon niet voorkomen dat de wanhopig vechtende Duitse troepen zich moesten terugtrekken tot in de Baltische landen, Polen en Roemenië. Steeds grotere verliezen aan ervaren officieren, soldaten en uitrusting konden niet meer uit hun slinkende reserves vervangen worden. De generaals durfden Hitler – die alleen maar in de glorieuze eindoverwinning wilde geloven – voortdurend minder in te lichten over de werkelijke situatie van de Duitse legers op de terugtocht. Ook de Russen verloren gigantische hoeveelheden mensen en materiaal in de meedogenloze gevechten die plaatsvonden in de immense Russische gebieden. De sovjets hadden eindeloze reserves en die hadden de Duitsers nu juist niet meer. De Russische wapenindustrie draaide op volle toeren. Daar bovenop ontvingen de sovjets nog steeds via de ijsvrije haven in Moermansk veel militair materieel, vooral van de Amerikanen.

In zijn illusie en wanhoop om het initiatief weer te verkrijgen, gelastte Hitler in de omgeving van Koersk bij de rivier de Donets, een grootschalige aanval. De Russen hadden daar een sterke verdediging opgebouwd en zelf óók een tegenoffensief voorbereidt. Bij de slag die volgde toen beide legers elkaar te lijf gingen, waren totaal meer dan 2 miljoen militairen betrokken, ongeveer vierduizend tanks, 25 duizend kanonnen en meer dan vierduizend vliegtuigen. De tankslag – die in juli 1943 plaatsvond – was de grootse pantserslag in de hele wereldgeschiedenis. In een aantal aanvallen en tegenaanvallen die *twee volle weken duurden*, verloren de Duitsers uiteindelijk de slag. Na de gevechten zag het gebied er uit als een verschroeide woestijn. Iedere boom, iedere struik en elk huis was vernield of stond in brand. Duizenden vernielde tanks, voertuigen, kanonnen en wrakken van vliegtuigen lagen over een groot gebied verspreid. De stank van tienduizenden gesneuvelden benam de levenden bijna compleet de adem. De verliezen aan beide zijden, waren nauwelijks te bevatten. Een behoorlijk deel van het Duitse leger was hier letterlijk en figuurlijk doodgebloed. Schattingen geven aan dat aan de Duitse zijde circa zeventigduizend man sneuvelden en dat omstreeks tweeduizend tanks, circa twaalfhonderd vliegtuigen en duizend kanonnen verloren gingen.

De Russen hadden eveneens zware verliezen, maar hielden de aantallen geheim. Na deze gigantische veldslag, was het voor de Duitsers niet meer mogelijk om ooit aan het oostfront nog het initiatief te herkrijgen. Door de opdringende Russische legers, verloren de Duitsers ook het gebruik van de voor hen uiterst belangrijke Roemeense olievelden. Dit verlies van brandstoftoevoer zou hen bijzonder duur komen te staan.

De succesvolle Russische opmars in westelijke richting werd in Nederland via de illegale radio en kranten met vreugde vernomen. De pro-nazi's begrepen – ondanks de verhulling van Duitse nederlagen in de officiële pers – dat het met de Duitse legers niet erg goed ging en sommigen onder hen begonnen zich af te vragen of ze aan het begin van de oorlog niet 'de verkeerde kant' hadden gekozen. Goebbels en zijn propagandaministerie vermeldden breeduit hoeveel verliezen de vijand had geleden en zwegen wijselijk over de Duitse verliezen. Uit het officiële Duitse weermachtbericht dat in de Nederlandse courant *Het Nieuws van de Dag* in juli vermeld stond, citeren we letterlijk onder meer:

> *'28 000 gevangenen aan het Oostelijk front. In de slag bij Bjelgorod en Orel, gelukte het onze troepen een vrij grote vijandelijke strijdmacht in te sluiten en te vernietigen. Daarbij werden verscheidene duizenden gevangenen binnengebracht, 129 pantsers stukgeschoten en talrijke kanonnen en andere wapens buitgemaakt. Ontlastingsaanvallen, die de sovjets ten Oosten en Noorden van Orel ondernamen, werden afgeslagen. Sedert den 5de juli verloor de vijand 28 000 gevangenen, 1640 pantsers en 1400 kanonnen.'*

Wat de officiële pers en radio niet geheel verzwegen, waren de voortdurende luchtbombardementen op Duitsland. Nederland lag op de heen- en terugreis van deze vliegtuigen meestal op de route. Daardoor waren meestal bij helder weer overdag, de massale formaties bommenwerpers via condensstrepen hoog in de lucht, goed zichtbaar. De Duitse communiqués vermeldden dan 'terreurbombardementen' op hun grote steden en zwegen uiteraard over de industriële en militaire doelen die geraakt werden. Zo stond in december 1943 in het *Algemeen Dagblad* onder meer letterlijk:

> *'Berlijnsche Zoo ernstig getroffen. Tijdens de jongste terreuraanvallen op de Rijkshoofdstad, is de Zoologische Garten bijzonder ernstig getroffen. Talrijke dieren gingen verloren. Het olifantenhuis werd geheel vernield en van de negen olifanten werden er acht gedood. Ook het aquarium kreeg een voltreffer, zodat onder de puinhopen daarvan doode alligators, krokodillen en reuzenslangen liggen. Tijdens de terreuraanvallen werden behalve vele woonwijken ook gebouwen der diplomatieke vertegenwoordigingen getroffen.'*

De nazi's bleken een zeer selectief geheugen te hebben en waren kennelijk de bombardementen op civiele doelen in steden als Londen en Coventry, ruimschoots vergeten. Ook het bombardement op Rotterdam – waarbij de dierentuin in de Maasstad zwaar werd getroffen – was inmiddels kennelijk uit hun geheugen gewist!

Voor een deel is de benaming 'terreurbombardement' eigenlijk wel op zijn plaats. De geallieerde leiders zagen het inmiddels als een strategisch doel, om via dag en nachtbombardementen op bewoonde gebieden, de wil van de bevolking om de strijd voor te zetten, te breken. Uiteindelijk werd het tegendeel bereikt en werden de Duitse soldaten aan het front een soort 'desperado's' die bleven doorvechten, omdat hun 'thuisfront' in de steden door de bombardementen als het ware ook in de frontlinie lag. De grootschalige bombardementen op onder meer steden als Hamburg, Berlijn, Dresden, Frankfurt, Bremen en Neurenberg, maakten onder de Duitse bevolking een veelvoud aan burgerdoden en gewonden. De aantallen liepen in de vele honderdduizenden. Doordat de Duitsers grote hoeveelheden luchtdoelartillerie en jachtvliegtuigen inzetten om de geallieerde bommenwerpers uit de lucht te schieten, leden – vooral de Amerikanen met hun dagbombardementen – bijzonder hoge verliezen aan vliegtuigbemanningen en bommenwerpers.

De ideeën om vanuit de lucht een oorlog te kunnen winnen, gingen terug tot de Eerste Wereldoorlog. De Italiaanse luchtmachtgeneraal Douhet publiceerde in 1921 een boek, waarin hij dit propageerde. In Amerika was het onder meer de lucht machtofficier 'Billy' Mitchell die deze ideeën krachtig ondersteunde. In Engeland was onder meer de RAF-luchtmaarschalk '*Bomber*' Harris één van de ondersteuners van dit soort strategisch ideeën. Het is wel een keihard feit dat de luchtbombardementen van de geallieerden op vooral Duitse onderzeebootwerven, vliegtuigfabrieken, belangrijke infrastructuur (onder andere bruggen en spoorwegknooppunten), olieraffinaderijen en benzinefabrieken in belangrijke mate hebben bijgedragen aan de geallieerde eindoverwinning.

In Nederland werd het voortdurend duidelijker dat de nazi's op de terugtocht waren en niet meer konden zegevieren. Maar er was ook een schaduwzijde aan het kerende tij. Door de hoge verliezen aan militairen, werden voortdurend nieuwe lichtingen jongere en oudere Duitse mannen opgeroepen voor de dienstplicht. Hun arbeidsplaatsen in landbouw en industrie, moesten opgevuld worden door andere arbeiders en die moesten komen uit de bezette gebieden. De honger naar nieuwe en meer dwangarbeiders, werd daardoor iedere keer weer groter. Bovendien maakt een kat in het nauw rare sprongen. Naarmate de militaire tegenslagen opliepen, werden in de bezette landen de levensomstandigheden slechter en de nazi-terreur meedogenlozer.

Er was nog een andere schaduwzijde aan de Duitse terugtochten. Hitler en zijn generaals maakten in 1943 zich meer en meer zorgen over een omvangrijke geallieerde invasie in West-Europa. Het meest waarschijnlijke landingsgebied was de kust tussen Bretagne en Zeeland. Al in zomer 1940 had Hitler instructies gegeven voor versterking van sommige delen van de kust. In principe ging het zelfs om kustverdedigingswerken tussen de noordkaap in Noorwegen en de Spaanse noordgrens (omstreeks 5300 kilometer). Het zwaarste accent voor deze kustverdediging moest vanaf 1942 komen te liggen tussen Den Helder en Lorient in Bretagne. De kustverdedigingslinie werd *Atlantik Wall* genoemd en zou bestaan uit een stelsel van havenversterkingen, betonnen bunkers met zware kanonnen, versterkte loopgraven met mitrailleurs, mijnen, strandbarricades et cetera. Het was de bedoeling dat de *Atlantik Wall* door 300.000 militairen bemand zou worden en nog eens 150.000 man zouden achter de linie als reserve klaar moeten staan. Omstreeks 15.000 bunkers zouden volgens het oorspronkelijke plan, gebouwd moeten worden. De totale kosten voor de linie in de periode 1942-1944 bedroegen circa 4 miljard Duitse Mark (circa 2 miljard Euro). Voor de bouw van deze gigantische serie verdedigingswerken, werden in 1942 omstreeks 67.000 dwangarbeiders ingezet. Het volgende jaar werkten er zelfs ongeveer 250.000 arbeiders aan de linie. In diverse kustgebieden werd ook de plaatselijke mannelijke inwoners gedwongen om mee te werken aan de verdedigingswerken. Zij werden in het bijzonder ingezet bij het graven van tankgrachten en loopgraven en bij het omhakken van bomen.

Het moet wel gezegd worden, dat de gigantische hoeveelheid bouwconstructiewerken in Nederland voor verreweg het grootste deel uitgevoerd zijn door Nederlandse aannemers. Het ideële doel van hun handelen was, dat ze hun arbeiders daardoor konden vrijwaren van gedwongen arbeid in Duitsland. De materiële zijde was dat ze hun bedrijf konden redden. Daarbij konden ze doorgaans flinke 'oorlogs'winsten opstrijken en dat hebben diverse van deze 'bunkerbouwers dan ook ruimschoots gedaan. Het was een geluk voor de geallieerden, dat bij de invasie in 1944 slechts éénderde van de oorspronkelijk geplande verdedigingswerken gereed waren. Ondanks dat, hadden op D-day in juni 1944, de landingstroepen in Normandië bij het doorbreken van de daar aanwezige verdedigingswerken een harde noot te kraken.

De aanleg van de *Atlantik Wall* in Nederland, had veel onaangename aspecten voor de burgers die nog aan de kust woonden. Het grootste deel van hen werd gedwongen te evacueren. Waar ze naartoe moesten verhuizen, daar hadden de Duitsers geen boodschap aan. Dat moesten ze zelf maar regelen. Veel van de evacués vonden onderdak bij familie, vrienden of kennissen elders in het land. Sommige Nederlandse overheden hielpen de mensen om adressen voor onderdak te vinden. Vooral in Zeeland moesten veel kustbewoners verhuizen en ook de bewoonde kustgebieden bij onder meer Hoek van Holland, Den Haag, Zandvoort, IJmuiden en bij Den Helder moesten grotendeels ontruimd worden. Het kustgebied in Scheveningen en sommi-

| *Graven van een tankgracht in het Haagse Bos.*

ge delen van de stad Den Haag, werden eveneens omgetoverd tot een vestinggebied met bunkers, strandversperringen, mijnen, prikkeldraad en een diepe tankgracht van enkele kilometers lengte. Sommige regeringsdiensten moesten vanwege die kustverdediging zelfs van Den Haag onder andere naar Apeldoorn verhuizen. Uit de Haagse regio moesten circa honderdduizend mensen evacueren en elders onderdak zien te vinden. Vaak kregen de mensen pas vrij kort van tevoren bericht, dat ze hun huizen moesten verlaten. Dit ging dan met het volgende bericht:

> *'Ontruimingbevel.*
> *Op verzoek van den Weermachtsbevelhebber in Nederland heeft de Rijkscommissaris voor het bezette Nederlandsche gebied gelast dat Uw woning/Uw pand vóór 31 december 1942 moet zijn ontruimd en Uw gezin Uw woonplaats moet hebben verlaten. Eenige aanwijzigen welke voor U in verband met de gelaste ontruiming van belang zijn, doe ik U hiernevens toekomen.*
> *De Burgemeester van ....'*

Op diverse plaatsen langs de kust, werden voor de verdedigingswerken huizen en gebouwen volledige afgebroken en hele bossen omgehakt. Enerzijds waren veel Nederlanders verheugd dat de Duitsers zo in het nauw waren gebracht, dat ze alleen nog maar aan verdediging moesten denken. Anderzijds zorgde de gedwongen evacuatie van een paar honderdduizend mensen die huis en haard, buren, vrienden en scholen moesten achterlaten voor een onzeker onderdak ergens in het land, voor verschrikkelijk veel onrust, ongemak en persoonlijk leed.

5-2 Collaboratie

Leven onder een dictatoriaal regime, creëert altijd en overal conflicten die neerkomen op hoe met de onderdrukkers om te gaan en hoe onder die omstandigheden proberen te overleven. Vandaag aan de dag leven we in vredestijd in een welvarend land met een parlementaire democratie. Wanneer we dan comfortabel terugkijken, oordelen en veroordelen over en van het gedrag van mensen toen, is dat makkelijk, maar vaak gespeend van werkelijkheidszin. De rauwe werkelijkheid is, dat in een dergelijke oorlogstijd er niet alleen 'goed of fout', 'pro-' of 'anti-nazi'-gedrag was, maar heel veel gedragingen die afhankelijk van veelsoortige factoren daar tussenin zaten. Zelfs nu, zoveel jaren na 1945 lopen nog steeds discussies en is er kritiek op de houding van 'zich aanpassen aan' en 'collaboreren met' een onderdrukkend, autocratisch, fascistisch en racistisch regime. Ieder autoritair regime heeft bij de verovering van een land, vele uitvoerders en experts nodig van de 'zittende' overheid, om een land te kunnen besturen. Een bezettende macht heeft meestal niet genoeg eigen mankracht ter beschikking, om een natie met al zijn complexe besturen en overheden 'draaiende' te houden.

Toen Nederland in 1940 overrompeld werd, was het bijzonder slecht voorbereid op het leven onder een buitenlandse (bezettende) macht. De eerdergenoemde geheime 'Aanwijzing' uit 1937 was het enige stuk waar de vele tienduizenden ambtenaren van centrale en lagere overheden enige houvast uit konden distilleren. Deze aanwijzingen waren ruim vóór 1940 verspreid in dichtgelakte enveloppen en mochten pas geopend worden bij bezetting door een buitenlandse macht. Alleen enkele topambtenaren waren voor 1940 op de hoogte van de inhoud van de stukken in de verzegelde envelop.

Het kwam er in de loop van de bezettingsjaren meestal op neer, dat wat hogere ambtenaren bij de 'Haagse' overheden, de provincie of de gemeentes, bij nieuwe decreten die van het Duitse bestuur afkwamen, zich iedere keer weer moesten afvragen of ze die instructies naar eer en geweten konden of moesten uitvoeren. Net zoals veel Nederlanders in die jaren, hadden vooral ambtenaren daarbij nog een extra handicap. Nagenoeg iedereen was in die tijd langdurig opgevoed om met respect en gehoorzaamheid op te zien tegen de regering, hogere overheden en hun dienaren en grootgebracht in een christelijk-democratische traditie. Vanaf mei 1940 bestond het 'opperbestuur' uit mannen die voortkwamen uit een kwaadaardige, autoritaire en racistische ideologie. Anders dan in België en Frankrijk, had in ons land niemand enige ervaring met wat het betekende 'te leven met de vijand'.

De Zwitserse historicus Werner Rings heeft over de problemen van collaboratie en verzet in bezette Europese landen, in 1979 een interessant boek gepubliceerd. Daarin beschrijft hij de diverse gelijksoortige patronen die ten aanzien van 'collaboratie', passiviteit en verzet in de meeste landen voorkwamen.

Toen het nazi-regime geleidelijk aan het 'vriendelijke' masker had afgeworpen en harde en impopulaire decreten voortdurend indringend het dagelijks leven gingen beïnvloeden, werden de uitvoerende ambtenaren nog directer geconfronteerd met de vraag om de Duitsers te gehoorzamen en hun landgenoten te benadelen, óf om als alternatief ontslag te nemen. Wie ontslag nam, had geen salaris meer en raakte werkeloos. Werklozen hadden een goede kans om gedwongen arbeid in Duitsland te moeten verrichten. De enige andere mogelijkheid daarnaast was, om onder te duiken of zich bij de illegaliteit aan te sluiten. Dit probleem wordt in Nederland vaak het probleem van 'de burgemeester in oorlogstijd' genoemd. Op post blijven impliceerde voor burgemeesters, de verschillende Duitse decreten moeten uitvoeren. Daardoor kon het dagelijks leven, of misschien wel het leven van hun ingezetenen, op de tocht komen te staan of gevaar lopen. Ontslag nemen betekende meestal vervangen worden door een NSB- of andersoortige pro-nazi burgemeester, die doorgaans nog meer onheil over de burgers zou kunnen uitstorten. Bij dit soort uiterst moeilijke afwegingen en beslissingen, kon men alleen maar varen op het kompas van het eigen geweten en de raad van zeer goede en betrouwbare vrienden of familieleden.

Veel burgemeester en ambtenaren bleven om bovengenoemde redenen langere tijd op hun post, om heel discreet meer ellende voor hun medeburgers te verzachten. Maar ook dan kwam vaak het moment dat men niet nog langer kon aanblijven zonder het eigen geweten grof geweld aan te doen. Met deze problematiek werden vooral politiemensen en ambtenaren bij landelijke en gemeentelijke publieke diensten geconfronteerd. In de aanpassingsperiode 1940-1941, waren er maar weinig lagere ambtenaren die hiermee problemen hadden. Toen na 1941 de Duitse decreten steeds indringender en bedreigender werden, nam de stille tegenwerking van meerdere ambtenaren geleidelijk aan toe. Deze houding werd ook beïnvloed door het afnemen van de Duitse successen aan diverse fronten. Het is platvloers maar al te waar, dat in 1940 weinigen konden voorzien hoe lang de bezetting zou gaan duren en of de nazi's uiteindelijk zouden winnen of ten ondergaan. Ook is het een nuchtere realiteit, dat veel mensen een redelijke vorm van opportunisme niet vreemd is en overlevingsdrang is een sterk instinct. Nergens in de wereld bestaat een bevolking alleen maar uit helden en schurken.

Over het algemeen kan – zoals Werner Ringeen geschetst heeft – een bevolking ruwweg ingedeeld worden in drie hoofdgroepen. De ene is een minderheid van idealisten, die gevoed wordt door religieuze, politieke of anderzijds geïnspireerde ethische motieven. De tweede grote groep is de 'de mond houdende meerderheid' met doorgaans opportunistische en pragmatische motieven. Gelukkig de kleinste groep bestaat uit een kleine minderheid van fanatieke ideologisch, racistisch of sadistisch geïnspireerde figuren, gewetenloze meelopers en (vaak op geld beluste) verraders. De meeste kwalijke besturen en regimes trekken vaak de laatste categorie aan en *overal waar veel slachtoffers vallen, zijn er ook veel beulen.* Er zijn heel weinig dictators die het ruige en bloedige werk van martelingen en executies zélf uitvoeren. Dit soort 'leiders' heeft altijd (te) veel gewillige handlangers, die dit smerige werk wél willen uitvoeren. Ook in de bezette landen konden 'actieve en passieve collaborateurs' en de grijze massa in de ruwweg hiervoor beschreven drie groepen worden ingedeeld.

De eerste groep deed de 'samenwerking' geheel vrijwillig en met een redelijk enthousiasme. Die collaboratie met de Duitsers, ging meestal ten nadele van veel personen en het Nederlandse nationale (democratische) belang. Deze collaboratie werd dan meestal gevoed door een nazistische politieke overtuiging of heel pragmatisch, om de eigen zakken beter te kunnen vullen. Voor deze categorie zijn weinig excuses te bedenken. De benaming landverraders is voor hen nog het best op zijn plaats. Een tweede categorie 'aanpassers' (en dat was aanvankelijk de meerderheid van de bevolking) kan het best gekenschetst worden met de term 'onderwerping' aan de bezettende macht die alle (vaak brute) machtsmiddelen in zijn handen heeft. De houding die deze grote massa toonde, bestond uit 'aanpassing aan' of 'koppen weg houden voor' het nieuwe regime, omdat actieve weerstand groot gevaar, zelfs levensgevaar kon betekenen. In veel gevallen bleek (vaak achteraf) dat dit vermeende gevaar minder was, dan men aanvankelijk veronderstelde. Dikwijls werd dan 'overmacht' als excuus voor hun 'aanpassing/samenwerking' genoemd, terwijl de realiteit was dat men zelf geen enkel risico wilde of durfde te lopen, door zich niet helemaal aan te passen aan wat de bezetter opdroeg.

Deze categorie koos de gemakkelijkste en veiligste weg voor zichzelf en suste zoveel mogelijk het eigen geweten. Aangezien Nederland tot 1940 heel lang neutraal, ordelijk en democratisch geregeerd was, had eigenlijk niemand enig idee over, of benul van pijnlijke dilemma's als wel of niet samenwerken met de vijand, aan actief verzet of illegaliteit deelnemen, onderduiken, officiële overheidsmaatregelen dwarsbomen of saboteren et cetera. Beslissingen hoe onder deze nieuwe omstandigheden te handelen, werden genomen in een mengeling van factoren zoals heldhaftigheid, drang om te overleven, pragmatische, opportunisme, lafheid en angst, burgerlijke staat, godsdienst, opvoeding en sociale status. In andere Europese bezette landen, handelde men nauwelijks anders.

In Nederland werd gelukkig het gevoel voor verantwoordelijkheid ten aanzien van de medemens, sterk beïnvloed door de calvinistisch-christelijke mentaliteit van een groot deel van de toenmalige bevolking. Door deze complexe mengeling van verschillende factoren, is het moeilijk zuiver te oordelen over de grote groep van de grijze massa in termen van 'goed' of 'fout', als het gaat over begrippen als 'aanpassen' of 'collaboreren'. De derde categorie van 'samenwerkers' of 'zich aanpassenden', is verreweg de moeilijkste en meest controversiële groep. Deze mensen hadden vrij lang nog het idee dat een redelijke samenwerking met het Duitse bestuur nodig was in het belang van de bevolking over het algemeen, of speciale groepen in het bijzonder. Veel hogere ambtenaren, bestuurders, burgemeesters en hogere politiemensen behoorden tot deze categorie. Soms te goeder trouw, realiseerden ze zich helaas niet dat samenwerking met een autocratisch en racistisch regime, hen vroeger of later op een flink hellend vlak zou doen belanden, waardoor ze de eigen bevolking grote schade konden bezorgen.

De meerderheid van de secretarissen-generaal (SG) bleef geruime tijd op hun post. Enkelen werden door Duitsers ontslagen of namen zelf ontslag toen ze niet langer het Duitse bestuur wilden ondersteunen bij uitvoering van voor de bevolking steeds kwalijker decreten. Eén SG nam direct al in mei 1940 ontslag. Iedere SG die ontslagen werd of ontslag nam, werd spoedig vervangen door een NSB'er of anderszins pro-Duitse figuur. Gedurende de tijd dat de SG's van vóór de bezetting op hun post bleven, slaagden ze er soms in om de invoering van 'schadelijke' decreten wat te vertragen of zelfs enige tijd tegen te houden. Na enige tijd gingen ze dan vaak toch nog door de knieën. Bij diverse SG's kwam dan toch wat vroeger of later het onvermijdelijke moment, dat ze het niet meer met hun omgeving en geweten konden verantwoorden om nog langer op hun post te blijven.

De realiteit in die oorlogsjaren was dat de SG's in hun functie een hoop macht hadden gekregen. Ze werden niet – zoals voorheen – gecontroleerd en op de vingers gekeken door een minister of het parlement. De bevelen die ze moesten opvolgen (of dwarsbomen) kregen ze van Seyss-Inquart of de vier Duitse commissarissen-generaal. Hun enige kompas bij de uitvoering van de orders, was de eerdergenoemde 'Aanwijzing', het advies van hun hogere ambtenaren en hun eigen geweten. De SG van het departement van Binnenlandse Zaken Frederiks, had een van de moeilijkste functies. Hij moest heel veel impopulaire decreten implementeren. Vaak probeerde hij de scherpste kanten van diverse decreten af te vlakken. Na meer dan drie jaar op post te zijn gebleven, realiseerde hij zich dat hij niet langer kon en wilde doorgaan met het ondersteunen van de Duitse bestuurlijke maatregelen. Pas in 1944 nam hij ontslag en dook uiteindelijk onder.

Een andere nogal in opspraak gekomen SG, was de aan het departement van Economische zaken leidinggevende dr. Hirschfeld. De Duitsers kenden hem al goed van vóór mei 1940. Hij nam voor de oorlog regelmatig deel aan handelsmissies die in Duitsland voor de Nederlandse regering onderhandelden. Hoewel de nazi's wisten dat hij van joodse afkomst was, mocht hij vanwege zijn grote competentie tijdens de bezetting op zijn post blijven. Hirschfeld was een kundig en hard onderhandelaar. Waar mogelijk probeerde hij de roof van allerlei materiële zaken en goederen zoveel mogelijk – en regelmatig met enig succes – te vertragen of dwarsbomen.

Hoewel geen topambtenaar, was de inspecteur van het centrale bevolkingsregister van het ministerie van Binnenlandse Zaken de heer Lentz, een typisch en bijzonder controversieel voorbeeld van de derde categorie. Al ruim voor 1940 had hij zelf veel verbeteringen aan een centraal registratiesysteem voor de burgers ontworpen en dikwijls voorgesteld aan zijn superieuren. Voor uitvoering van zijn systemen, was een van de meer doelmatige gereedschappen de IBM Hollerith machine. Die werkte toentertijd met een nieuw systeem van ponskaarten. Het vooroorlogse kabinet nam zijn idee voor een algemene identiteitskaart (die nauwelijks nagemaakt zou kunnen worden) voor alle meerderjarige Nederlanders, *niet* over.

De SG's van Binnenlandse Zaken en Justitie, werd door het Duitse bestuur verzocht (niet opgedragen) om een persoonsbewijs te ontwerpen. De hogere ambtenaar Lentz was beslist geen nazi, maar in 1940 wel pro-Duits. Met dit Duitse verzoek, dat door de SG's op zijn bordje werd gelegd, was hij helemaal in zijn nopjes. Met zijn ambtenaren ging hij nu aan de slag om een *perfect* persoonsbewijs te ontwerpen. Helaas lukte dit door zijn hobbyisme en streven naar volmaaktheid, maar al te goed. Hij werd zelfs uitgenodigd om dit eindproduct te demonstreren aan de staf van Himmler in Berlijn. De SS- en SD-topmannen stonden perplex! Het persoonsbewijs van Lentz was na enige kleinere verbeteringen, *veel beter* dan het persoonsbewijs dat in die tijd in Duitsland in gebruik was. Het was zelfs zó perfect, dat de grafische experts van de illegale falsificatiecentrales van het Nederlands verzet, nooit kans hebben gezien een honderd procent waterdicht gelijkwaardig product te maken. SG Frederiks en vooral Lentz, wisten dat dit persoonsbewijs met een speciaal ontvangstbewijs (dat alle persoonlijke informatie van de houder inclusief een foto en vingerafdruk bevatte), werd opgeslagen in het centrale bevolkingsregister. Daarmee werd het ontvangstbewijs in feite een dodelijk wapen in handen van de Gestapo. De Gestapo gebruikte de gegevens in die centrale regelmatig voor de vervolging van joden, het natrekken van verdachte personen uit de illegaliteit, het opsporen van mannen die ontsnapt waren aan dwangarbeid et cetera. Door gebruikmaking van de IBM Hollerith apparatuur kon men snel zoekselecties maken uit het grote centrale bevolkingsregister. Lentz was gewoon een volijverige en perfectionistische ambtenaar met grote oogkleppen op, die niet wilde en kon inzien dat hij de verkeerde bazen diende. Door zijn blinde ijver en beroepstrots, collaboreerde hij op uiterst kwalijke wijze met de Duitsers. Deze houding werd veel van zijn landgenoten noodlottig.

Van dit soort waren er veel meer ijverige en soms eerzuchtige ambtenaren, die in hun functie nauwgezet en plichtsgetrouw de instructies en decreten van hogerhand uitvoerden. In hun ijver zagen ze daarbij dikwijls niet in dat ze eigenlijk direct met de vijand collaboreerden en daardoor hun landgenoten vaak grote ellende berokkenden. Gelukkig was het wel zo dat naarmate de onderdrukking toenam, meer en meer ambtenaren de ogen open gingen. Deze mannen probeerden daarna in alle stilte uitvoeringsmaatregelen van hogerhand te vertragen of te dwarsbomen. Ettelijken van hen gebruikten toen dikwijls hun functie om in het geheim het verzet zelfs actief te helpen. De samenwerking/collaboratie van veel politiemensen liep grotendeels parallel met de hiervoor beschreven houding van andere ambtenaren uit de derde categorie. Zij hadden het vaak extra moeilijk, aangezien vanaf het begin van de bezetting de politie een gereedschap was geworden van de hoogste SS- en politiebaas Rauter.

In zijn functie als commissaris-generaal voor Veiligheidszaken, controleerde Rauter zowel de Gestapo, als de Duitse én de Nederlandse politie. Bovendien had hij door zijn persoonlijk netwerk en door het grote belang dat de nazi's hechtten aan (hun eigen) 'veiligheid', een direct lijntje met Himmler in Berlijn. Hij kon daardoor zelfs zijn directe en officiële meerdere in Nederland Seyss-Inquart, passeren. Rauter zag kans binnen korte tijd de drie toen bestaande soorten Nederlandse politie (rijks-, gemeente- en militaire politie) te reorganiseren en de controle op hen te centraliseren. Politiemensen zijn opgeleid om toe te zien op de naleving van wetten en verordeningen. Daardoor werden veel niet pro-Duitse politiemensen al in het begin van de bezetting gedwongen om de vele nieuwe en weinig bevolkingsvriendelijk Duitse decreten, uit te voeren. Dit bracht voor hen al in een vroeg stadium bepaalde vormen van samenwerking/collaboratie met het Duitse bestuur met zich mee. In het bijzonder in de grote steden drukte de houding van de hoofdcommissarissen een flink stempel op de politiemensen. In hoeverre en hoe stipt ze allerlei onsympathieke decreten uitvoerden, hing voor een behoorlijk deel samen met de mentaliteit van de betrokken hoofdcommissaris. In 1942 was een groot deel van de anti-Duitse hoofdcommissarissen al vervangen door pro-Duitse en/of NSB-mannen. Dit maakte het plichtsgetrouw en stipt dienen voor de resterende anti-Duitse politiemensen steeds moeilijker.

Gedurende de stakingen in februari 1941, hadden de meeste Amsterdamse politiemensen weinig actie ondernomen tegen de stakers. De Amsterdamse hoofdcommissaris werd dan ook na het neerslaan van de staking door de Duitsers ontslagen. Zijn opvolger was de politieman Tulp. Tulp had voorheen als officier bij het KNIL gediend. Hij had als manager een hoop charismatisch gezag, een militaire trant van leidinggeven en veel persoonlijke aandacht voor zijn politieofficieren en agenten. Hij was duidelijk pro-Duits en lid van de NSB. Toch ventileerde hij deze politieke sympathie niet te erg indringend. Hij zag kans in vrij korte tijd een steviger cohesie te organiseren in het Amsterdamse politiekorps. Hij verwierf het nodige respect van zijn ondergeschikten, zélfs van de anti-Duitse politiemensen. Hij maakte van zijn korps een efficiënt instrument in de gezagshandhaving. Daardoor werden ook de anti-Duitse agenten gehoorzame uitvoerders bij het arresteren van joodse mensen en leden van het verzet. De succesvolle 'schoonmaking' van Amsterdam van de joden werd niet alléén door de Duitse politie uitgevoerd! Veel Amsterdamse politiemannen assisteerden bij het uitvoeren van dit vuile werk. Deze handelswijze was niet representatief voor alle Nederlandse politiemensen. Aan de ene kant waren de NSB'ers en pro-Duitse agenten vaak fanatieker dan de Duitse politie en de Gestapo in het oppakken van joden, leden van het verzet of gewone burgers die illegale activiteiten uitvoerden. Aan de andere kant waren er de nodige politiemannen die in het geheim het verzet waarschuwden. Die waarschuwingen betroffen onder meer toekomstige razzia's. Hun medewerking betrof ook het de andere kant opkijken bij illegale activiteiten of zij probeerden repressieve maatregelen gericht tegen patriottische landgenoten, te dwarsbomen.

Deze categorie mannen moest uiterst voorzichtig opereren, aangezien NSB-collega's of gemartelde gevangenen die 'doorsloegen', hen konden verraden. Politiemensen die botweg weigerden joden of verzetsmensen te arresteren, werden onmiddellijk ontslagen. Agenten die joden, verzetsmensen, geallieerde piloten en andersoortige onderduikers arresteerden, kregen een geldelijke beloning per gearresteerde. Dit belonings- en bestraffingsysteem, maakte over het algemeen in de eerste twee jaar van de bezetting, het gros van de niet pro-Duitse politiemannen tot een bruikbaar instrument in nazi-handen. De stakingen in 1941 en 1943, die gevolgd werden door veel arrestaties en executies, openden talrijke niet pro-Duitse politiemannen helemaal de ogen en deed hen inzien dat ze het verkeerd soort gezag ondersteunden. De Duitse nederlagen in Rusland en Noord-Afrika, het groeiende verzet, de kritische geluiden van de illegale pers en Radio Oranje, waren allemaal belangrijke signalen die de meeste niet pro-Duitse politiemensen begrepen en hun aanvankelijk coöperatieve houding deed veranderen. In 1943 nam het aantal politiemensen dat verdween en ging onderduiken, fors toe. In het voorjaar van dat jaar tijdens een bespreking in Berlijn, klaagde commissaris-generaal Fishböck – die in de jaren daarvoor zijn tevredenheid had uitgesproken over de samenwerking met de politie – dat de Nederlandse politie in zijn visie niet langer betrouwbaar was.

Bijzonder controversieel waren de twee leidende mannen van de Joodse Raad. Aanvankelijk hadden ze echt de hoop hun geloofsgenoten te kunnen redden van deportatie naar Oost-Europa. In hun argeloosheid realiseerden zij zich nauwelijks of in het geheel niet dat de nazi-planning inhield dat *alle* joden gedeporteerd en omgebracht zouden worden.

Hun ijdele hoop was mede gebaseerd op het feit dat zij veronderstelden dat de bezetting niet zo lang zou duren. Toen vanaf de tweede helft van 1942 en in 1943, de nazi's de jacht op de joden in de versnelling gooiden en de deportaties steeds vlugger gingen, beseften ze te laat iets van dit grootschalige en systematische duivelse plan. Wie kon in 1943 de werkelijkheid van wat later de *holocaust* is genoemd, echt bevatten of voorzien? Nooit eerder in de geschiedenis had er een dergelijke perfecte fabrieksmatige 'moordmachinerie' bestaan! In 1943 verloren Asscher en Cohen volledig de greep op de gebeurtenissen. Toen het zover was gekomen, probeerden ook zij de meest naaste medewerkers van de Raad en hun eigen familie te redden. Het was allemaal te laat en uiteindelijk werden ook zij toch gedeporteerd. Zij hadden geluk. Hun familieleden en zijzelf, overleefden via Theresiënstadt en later het concentratiekamp Bergen-Belsen, de oorlog.

Net zoals de vele ambtenaren, hadden de ondernemers in industrie en handel om te overleven onder een Duits bestuur, soortgelijke problemen met samenwerking en collaboratie. Duitsland was al heel veel jaren voor 1940 een grote handelspartner geweest. Daardoor was ons land door het wegvallen van overzeese handelspartners tijdens de bezetting, economisch in feite nóg afhankelijker van Duitsland geworden. Weigering om voor hen te produceren, betekende zoals eerder aangegeven meestal uitsluiting van toewijzing van ruwe grondstoffen en soms zelfs van de zo vitale energievoorziening. Erg veel te kiezen viel er dus niet. Het was een soort keuze met het pistool op het hoofd! Niet meedoen aan productie voor de Duitsers, resulteerde in de meeste gevallen in de onderneming beëindigen en hun arbeiders werkeloos maken. Weinigen hadden die moed. Met dit vooruitzicht, besloten veel industriële ondernemingen dan maar bewust voor samenwerking en collaboratie te kiezen. Daar kwam bovendien nog bij dat het in principe alleen aan bedrijven die voor de Duitsers werkten, was toegestaan ook voor de thuismarkt te produceren. Bedrijven die stopten met hun activiteiten, zagen doorgaans snel – behalve hun werknemers – ook de niet meer in gebruik zijnde machinerieën fluks afgevoerd worden naar Duitsland.

Na de oorlog werd regelmatig de coöperatieve houding van veel productiebedrijven bekritiseerd. Bij dit kritische standpunt moet toch voor een aantal zaken wat meer begrip gevraagd worden. Door de opstelling van veel directies, werd voorkomen dat hun bedrijf te snel in handen viel van NSB- of Duitse beheerders. Tevens werd voorkomen dat nog veel meer werknemers in Nederland of Duitsland allerlei soorten 'gewone' dwangarbeid moesten verrichten. Door het produceren voor de Duitse oorlogsmachine, liepen de bedrijven overigens een vrij grote kans om op de doelenlijst van de geallieerde bommenwerpers terecht te komen. Dat gebeurde dan ook regelmatig, met alle ellende die dat voor de werknemers en de fabrieken met zich meebracht. De gedwongen samenwerking resulteerde er cijfermatig in dat in 1943 omstreeks 50 procent van de bedrijven werkte voor Duitse opdrachtgevers. In 1944 was dit aantal zelfs gestegen tot 75 procent. Een groot deel van de productie betrof militaire zaken en het kan bepaald niet ontkend worden dat de Nederlandse industrie daardoor direct bijdroeg aan de Duitse oorlogseconomie. Als excuus kan – behalve eerdergenoemde argumenten – geconstateerd worden dat ook in België en Frankrijk op soortgelijke manier gedwongen geproduceerd werd voor de Duitsers. Het hoge percentage dat Nederland scoorde, werd in beide landen niet bereikt, maar die landen werden wel ruim een half jaar eerder bevrijd. In de eerste oorlogsjaren was de kwaliteit van de voor de Duitsers geproduceerde goederen op een redelijk hoog niveau. Toen de oorlog steeds langer duurde, werden meer en meer pogingen gedaan om het kwaliteitsniveau te verlagen en werd hier en daar zelfs geprobeerd de afleveringen te vertragen. Vooral in de metaalindustrie en in het bijzonder bij de scheepsbouw, zag men regelmatig kans de productie enigszins te saboteren en lagere normen van kwaliteit toe te passen.

Een specifieke groep van directe collaborateurs, vormden de Nederlanders die in Duitse krijgsdienst, in het bijzonder bij de Waffen SS, meevochten. Statistieken bevatten soms waardevolle, soms zeer misleidende gegevens wanneer ze niet in hun juiste context gebruikt en gelezen worden. Zo is in de statistieken te lezen, dat een veelvoud van jongemannen in Duitse dienst is getreden, versus het aantal Nederlanders dat meevocht aan geallieerde zijde. Daarbij moet heel nuchter in aanmerking worden genomen, dat er in bezet Nederland hier en der wervingskantoren en campagnes waren om in Duits krijgsdienst dienst te treden. Om zich bij de geallieerden aan te sluiten, moesten mannen illegaal per boot proberen Engeland te bereiken óf de gevaarvolle weg via Zwitserland of Spanje volgen (Engelandvaarders). Alleen langs die lange en bijzonder riskante wegen, was het mogelijk om in Groot-Brittannië te komen en in geallieerde krijgsdienst te treden.

De werving voor de Waffen SS startte direct al in 1940. De eerste groep van omstreeks vijftienhonderd man die zich meldde, was een allegaartje van pro Duits gezindten, ex-militairen, NSB'ers en avonturiers. Later volgden ook nog maatschappelijke mislukkelingen, asocialen, huurlingen en avontuurlijk aangelegde, langdurige werklozen. Toen de oorlog met de Sovjet-Unie begon, kon dit palet van vrijwilligers nog aangevuld worden met idealisten die de bolsjewisten wilden bestrijden. De grootste militaire eenheid die uiteindelijk totstandkwam, was het Nederlandse legioen, daarna brigade en uiteindelijk de Waffen SS divisie 'Nederland'. Deze vocht aan het oostfront tegen de Russen. Die eenheden hadden grotendeels Duitse officieren en onderofficieren. De historicus Pierik heeft daar een interessant boek over geschreven. Daarnaast hebben ook Nederlanders in groepjes in niet-Nederlandse onderdelen meegevochten bij andere multinationale Waffen SS eenheden.

Het juiste aantal Nederlanders in Duitse krijgsdienst is niet bekend, maar in de periode 1940-1945 geven schattingen ruim twintigduizend man aan. Bij de strijd aan het oostfront hebben zij flinke verliezen geleden. Hun strijd eindigde aan het verdedigingsfront bij de wanhopige verdediging van Berlijn in april 1945. In hoofdstuk 3 is uitgebreider aangegeven hoeveel mannen van de NSB, in pro-Duitse semi-militaire eenheden terechtkwamen en de NSB onder Duitse pressie min of meer continu diende als 'toeleverancier' voor Duitse militaire eenheden in het algemeen en de Waffen SS in het bijzonder.

Na de bevrijding werden vele tienduizenden Nederlanders opgepakt voor collaboratie. Uit vrij recente gegevens blijkt, dat aanvankelijk circa driehonderdduizend Nederlanders werden verdacht van allerlei soorten actieve collaboratie en daardoor in handen vielen van de naoorlogse justitionele bijzondere rechtspleging. In hoofdstuk 7 wordt daar uitgebreider op ingegaan.

5-3 Het einde van het *England Spiel* en meer verzet

De twee ontsnapte agenten Dourlein en Ubbink waren na hun lange en gevaarvolle reis bijzonder onaangenaam verrast toen ze bij aankomst in Engeland in februari 1944 achter slot en grendel werden gezet. Zij werden intensief en langdurig verhoord. Op zijn minst hadden ze een ander soort van welkom verwacht. Ze hadden niet in de gaten dat de truc van Giskes en Schreider zijn werk deed en de Engelsen veronderstelden dat zij misschien wel dubbelspionnen konden zijn. Hun lot werd nog aanmerkelijk vervelender, toen ze in mei 1944 zelfs in een gevangenis werden opgesloten. Er werd hun natuurlijk niet verteld dat de Engelsen in verband met de nabije operatie *Overlord* (invasie in Normandië) dit om veiligheidsredenen absoluut noodzakelijk vonden.

De diverse inlichtingendiensten in Londen kregen eind 1943, begin 1944 eindelijk serieus in de gaten dat de contacten via SOE/*Dutch* zwaar waren geïnfiltreerd en niet meer betrouwbaar bleken. Er werd toen besloten via dit SOE-kanaal geen nieuwe agenten meer in Nederland te droppen. Gelukkig waren er inmiddels genoeg diverse andere wegen gecreëerd om Nederlandse agenten voor sabotage en spionage, in bezet gebied te droppen. Het apart opererende Nederlandse Bureau Inlichtingen (BI) in Londen, waarschuwde zijn agenten om alle contacten met Nederlanders die werkten voor en met SOE/*Dutch*, te vermijden. Helaas werd een van de door BI gedropte agenten opgepakt en door de Duitsers stevig verhoord. De Duitsers kregen hierdoor berichten en codes in handen, waaruit bleek dat Londen wist dat SOE/*Dutch* door de Duitse contra-inlichtingendiensten bestuurd werd. Het zal duidelijk zijn dat Schreider en Giskes hevig teleurgesteld waren dat aan hun succesvolle *Spiel* nu een einde kwam. Via één van de vele zenders die contact met Londen hadden, stuurden ze begin april het volgende ironische laatste bericht naar Engeland:

> *'Aan "de heren Blunt, Bingham en opvolgers n.v. Londen"; De laatste tijd probeert u in Nederland zaken te doen zonder onze hulp – stop – Wij vinden dit nogal onbillijk gezien onze lange en succesvolle samenwerking als uw alleenvertegenwoordiger – stop – maar dat doet er niet toe: wanneer u ooit een bezoek aan het vasteland wil brengen kunt u er van verzekerd zijn dat u met dezelfde zorg en hetzelfde gevolg ontvangen zult worden als al degenen die u ons eerder heeft gezonden – stop – tot ziens.'*

Schreider, Giskes en andere Duitse inlichtingen en contra-inlichtingendiensten realiseerden zich nog niet, dat dit in het laatste bericht ironisch genoemde 'bezoek' heel vlug (in feite twee maanden later al) met de invasie in Normandië zou beginnen. Ondanks de vele negatieve gevolgen van het *England Spiel*, zoals onder meer de honderden tonnen wapens en munitie die in Duitse handen vielen, was het hoofddoel van het *Spiel* door hen *niet* bereikt. Uiteindelijk was door de Duitsers de hele zaak opgezet, om er achter te komen waar en wanneer de grote invasie op de West-Europese kust zou gaan plaatsvinden. Toch hadden de Duitsers behoorlijk grote schade en desorganisatie aangericht bij de diverse verzetsorganisaties in Nederland, België en zelfs in Frankrijk. Honderden (misschien zelfs wel duizenden) moedige mannen en vrouwen die hun nek durfden uit te steken in het verzet, werden ten gevolge van het *England Spiel* opgepakt, verhoord, gemarteld, geëxecuteerd of naar een concentratiekamp gezonden. Weinigen van hen overleefden de oorlog. Boven op deze grote verliezen aan mensenlevens, kwamen nog twaalf RAF bommenwerpers met totaal vijftig bemanningsleden, die de droppings uitvoerden. Zij werden door de exacte informatie die de Duitsers van tevoren kregen, opgewacht en neergeschoten door de *Luftwaffe*.

Giskes en Schreider hadden in 1942 de gearresteerde agenten die wilden meewerken, beloofd dat hun leven gespaard zou worden. Verder hadden ze toegezegd dat ze *niet* voor een militair tribunaal veroordeeld zouden worden en dat ze een fatsoenlijke behandeling zouden krijgen. Deze twee officieren hielden zich aan hun woord gedurende de periode dat het *England Spiel* operationeel succesvol werkte. In de gevangenis te Haaren werden de gearresteerde agenten netjes behandeld. Al vóór het *Spiel* flopte in april 1944, was de positie van Giskes en Schreider wankeler geworden en wilde de Gestapo deze agenten in handen krijgen. Toen het langzaam maar zeker mis ging, konden ze de agenten niet langer beschermen. Al in eind 1943 namen Rauter en zijn sinistere helpers de controle over, beëindigden de voorkeursbehandeling en lieten de meeste van deze gevangenen overplaatsen naar de gevangenis in Assen. Hun leven lag nu in de handen van de SD en werd een droeve gang naar de dood. Van de 57 door SOE en MI-6 gedropte geheime agenten, werden er na een mislukte uitbraakpoging al spoedig twee geëxecuteerd. Elf mannen stierven in een van de vele ellendige Duitse concentratiekampen. In het afschuwelijk wrede concentratiekamp Mauthausen stierven 41 mannen. Slechts drie van de gearresteerde agenten overleefden uiteindelijk de oorlog.

De meeste details van het zo droevig afgelopen *England Spiel* kwamen na 1945 boven water bij de onderzoekingen door een parlementaire enquêtecommissie. In kranten en bij politici gingen in 1945-1946 verhalen dat de Nederlandse geheime agenten opgeofferd zouden zijn door de Britse geheime diensten. Na veel onderzoekingen en verhoren was de eindconclusie van de parlementaire enquêtecommissie een anticlimax. In die eindconclusie werd geconstateerd dat de mislukking van het *Spiel* veroorzaakt werd door 'ernstige fouten', onachtzaamheid en gebrek aan dubbele controles bij SOE/*Dutch*. Overmoedigheid, grove onderschatting van de gewiekste vijand, gebrek aan inzicht en gebrek aan betrouwbare inlichtingen over de toestand in het bezette gebied waren oorzaken van deze grote tragedie. Het klonk allemaal behoorlijk acceptabel en redelijk. In het totale oorlogsverloop was het *England Spiel* slechts een heel klein radertje in de strijd van de geheime diensten aan beide zijden. Daarbij werden over en weer grove fouten gemaakt en veel agenten stierven daarbij. Menselijke fouten en mislukkingen komen bij spionage minstens evenveel voor als in diverse andere beroepen. Dat kan natuurlijk best waar zijn, maar tot op heden zijn er nog steeds onderzoekers en journalisten die de formele eindconclusies *niet* zonder meer aannemen. Zij blijven zoeken naar andere en betere verklaringen voor deze wel erg grote mislukking van de geallieerde inlichtingendiensten. Zij blijven zoeken naar wat misschien de *echte* waarheid is. Er werden bij die naspeuringen her en der ettelijke hoopvolle sporen ontdekt. Bij die onderzoeken liepen de speurders vaak tegen veel tegenwerking en stilzwijgen op. Sommige archieven zouden door brand zijn verwoest of nu – ruim vijftig jaar later – nog steeds geheim zijn! Het is een feit dat geheime diensten zelden open staan om ruimere informatie te verschaffen of bereid zijn om uit zichzelf in de publiciteit te treden.

Bepaalde delen van de SOE- en MI-6-archieven zijn inderdaad door brand vernietigd, onvindbaar, spoorloos verdwenen of nog niet geheel toegankelijk. Interessant zijn de zeer uitgebreide onderzoekingen en de studie van de Britse inlichtingen en spionage expert professor M.R.D. Foot. Hij heeft zijn naspeuringen vastgelegd in het in 2001 verschenen lijvige boek *SOE in the Low Countries.* Hierin komt hij tot de conclusie dat het Duitse succes van het *England Spiel* inderdaad het gevolg was van fouten, slordigheden en blunders bij de Britse en Nederlandse inlichtingendiensten.

Of de echte en volledige waarheid ooit boven water zal komen, valt nog steeds te betwijfelen. Nuchter bekeken is het best mogelijk dat het *England Spiel* inderdaad één van de meerdere operaties was om het geheim van het waar en wanneer de invasie van D-day zou plaatsvinden, te versluieren of de vijand op een verkeerd been te zetten. Dat zou neerkomen op een *Spiel* binnen een veel groter *Spiel.* Dat is dan ook dus uitstekend gelukt. In dit licht moet achteraf nuchter geconstateerd worden, dat in de Tweede Wereldoorlog vele tientallen miljoenen militairen en burgers zijn omgekomen. In een dergelijk geval tellen helaas – ruim vijftig mensenlevens van wellicht opgeofferde geheime agenten – nauwelijks mee, als het einddoel zou zijn om tienduizenden militairen die op D-day deelnamen aan operatie *Overlord,* het leven te redden.

Ondanks de grote schade die het *England Spiel* aan het verzet had toegebracht, ging de strijd gewoon door. De OD, LO, LKP en vele andere verzetsgroepen zoals onder meer de groep Albrecht, dienst Wim, groep Kees, groep Packard, groep CS-6 en groep *Luctor et Emergo* deden hun werk met steeds meer professionalisme. Naast SOE/Dutch, hadden MI-6 en BI andere wegen geopend om met succes agenten en wapens in het geheim te droppen in bezet Nederland. De verliezen aan mensen door infiltranten zoals Van der Waals en Ridderhof, werden opgevuld door nieuwe vrijwilligers die hun leven op het spel durfden te zetten. Langs verschillende wegen slaagde het verzet er steeds beter in om Londen te informeren over de Duitse kustverdediging, grootschalige troepenbewegingen, de voor de Duitsers werkende oorlogsindustrie et cetera.

De meer frequente en gevaarlijke verzetsactiviteiten waren overvallen op gevangenissen om opgepakte kameraden te bevrijden. Daarbij werd vaak in het geheim hulp geboden door anti-Duitse gevangenisbewaarders. Daarnaast gingen overvallen op distributiekantoren en drukkerijen die voor de Duitsers werkten, ook stug door. Veel tijd en aandacht van verzetsgroepen werd ingezet om de steeds groeiende stroom van onderduikers te voorzien van (meestal gestolen) distributiekaarten en vervalste documenten. Het drukken en distribueren van de enorme aantallen illegale kranten, vergde ook steeds meer mankracht.

Ook de liquidatie van zeer gevaarlijke nazi's, NSB'ers en actieve daden van sabotage namen toe. Voor iedere liquidatie of grotere sabotageactie, werd lang gewikt en gewogen of het te bereiken doel opwoog tegen het op het spel zetten van de levens van opgepakte verzetsmensen en van een aantal gijzelaars. Dit waren vaak bijzonder moeilijke beslissingen, want ze gingen over leven en dood van patriotten. Men wist van tevoren dat de Gestapo er niet voor terugdeinsde om voor ieder geliquideerde man of voor elke sabotageactie die de nazi's flinke schade toebracht, een meervoud van gijzelaars onherroepelijk tegen de muur te zetten. In september 1944 was het aantal mannen en vrouwen dat direct betrokken was bij de actieve illegaliteit, toegenomen tot circa 25 duizend. Van hen werden daarna omstreeks tienduizend opgepakt en uiteindelijk stierven daarvan door executies of overlijden in een concentratiekamp circa zesduizend mensen. Een hoge tol, die aangeeft hoeveel risico's de mannen en vrouwen in het verzet op hun schouders namen! De meerderheid van de mensen in het *actieve* verzet waren jongere mensen (gemiddelde leeftijd 26 jaar) die meestal niet gehuwd waren. Een hang naar avontuur of hoge stress, een zekere vorm van agressiviteit, gecombineerd met idealistische vaderlandsliefde en haat tegen nazi's en NSB'ers, waren doorgaans de motieven om zich aan te sluiten bij dit uiterst gevaarlijke werk. Bijna allen die zich bij dit soort verzet aansloten, wisten van tevoren dat hun bestaan en zelfs leven, continu in direct gevaar was.

Minstens even belangrijk, was het morele verzet van leiding- en richtinggevende groepen in de samenleving. De protestantse en rooms-katholieke geestelijken speelden daarbij een belangrijke rol in de vorm van preken in de kerken en protesten tegen de racistische nazi-ideologie en gewelddadige schending van mensenrechten. De nazi's kregen nooit echt greep op die christelijke oppositie. De invloed van de groeiende illegale pers gaf eveneens veel informatie en tegengif tegen de nazi-propaganda en andere pogingen om de geestesgesteldheid van de Nederlanders te beïnvloeden.

Maar er waren meer groeperingen die door solidariteit en volharding kans zagen om successen te boeken in het ongewapend verzet of in de oppositie. Eén van de meest succesvolle acties werd uitgevoerd door de artsen. In 1941 dwong het Duitse bestuur in het kader van de nazificatie, het bestuur van de Nederlandse Vereniging ter Beoefening van de Geneeskunst (NVBG) een NSB-lid op te nemen als adviseur voor het bestuur. Als reactie hierop richten de artsen in de zomer van dat jaar in het geheim een verzetsorganisatie op van artsen met de naam Medisch Contact (MC). De meerderheid van de huisartsen en medische specialisten (totaal ruim 6500 mannen en enige vrouwen) sympathiseerden hiermee en betaalden een soort lidmaatschapsgeld. Het Duitse bestuur wilde de artsen dwingen lid te worden van de door hen bedachte (en natuurlijk gecontroleerde) organisatie genaamd 'Artsenkamer'. Het MC

NUMERO 27

DE GEUS
onder studenten

11 JULI 1944

„In weemoed en deemoed gedenkt de helden,
De vromen gekomen om lijf en bloed
Die in de onzeekren strijd ons vergezelden,
Maar niet meer deelen in 't gewonnen goed."
Boutens.

MEMENTO
1940 – 1944

Geëxecuteerd werden:

J. van Assenbergh, Delft, April '42.
H. A. de Beaufort, Leiden, April '42.
G. Joekes, Delft, April '42.
L. van Leeuwen, Delft, April '42.
W. B. J. Olland, Delft, April '42.
Ch. Pahud de Mortanges, Utrecht, April '42.
H. J. Bolt, Delft, Mei '42.
E. P. van Groningen, Delft, Mei '42.
J. T. H. van den Honert, Delft, Mei '42.
H. F. van Kilsdonk, Delft, Mei '42.
R. A. de Vries, Delft, Mei '42.
J. Woltjer, Delft, Mei '42.
H. J. van Zadelhoff, Delft, Mei '42.
J. C. Meyer, Delft, Mei '42.
J. M. van Sloten, Delft, Mei '42.
C. N. de Vries, Amsterdam, Juli '42.
P. C. van Groenewegen, Delft, Eind '42.
C. van der Berg, A'dam. Febr. '43.
S. B. Schuit, Leiden, April '43.
A. L. Frederiks, Nijmegen, Mei '43.
P. M. A. Huurman, Delft, Mei '43.
M. H. H. König, Delft, Mei '43.
W. Th. Pahud de Mortanges, Delft, Mei '43.
Ch. O. van der Plas, Delft, Mei '43.
E. E. van Raalte, Delft, Mei '43.
A. G. Smit, Delft, Mei '43.
W. Wagenaar, Leiden, Juli '42.
P. de Koning, Leiden, Juli '43.
R. Bloemgarten, Amsterdam, Juli '43.
K. B. P. Groeger, Amsterdam, Juli '43.
C. Hartogh, Amsterdam, Juli '43.
E. S. A. van Musschenbroek, Leiden, Juli '43.
G. A. C. J. Reitsma, Leiden, Juli '43.
R. Blaauw, Leiden, Juli '43.
E. van de Borgh van Verwolde, Utr. Juli '43.
Ir. W. van Hattum, Delft, Juli '43.
J. v. Hattum, Delft, Juli '43.
Ir. K. L. Kamp, Delft, Juli '43.
J. W. van Pienbroek, Delft, Juli '43.
C. Wegerif, Leiden, Juli '43.
A. W. M. Abbenbroek, A'dam, Aug. '43
A. Pleyte, Delft, Sept. '43.
S. Kuyper, Delft, Sept. '43.
W. 't Hart, Leiden, Najaar '43 (?).
L. Frijda, Amsterdam, Oct. '43.
L. Kalshoven, Amsterdam, Oct. '43.
H. Katan, Amsterdam, Oct. '43.
J. Kemper, Amsterdam, Oct. '43.
A. C. Kuyper, Amsterdam, Oct. '43.
M. Raben, Rotterdam, Oct. '43.
J. Roemer, Amsterdam, Oct. '43.
H. Ruys, Delft, Oct. '43.
J. Schimmel, Amsterdam, Oct. '43.
O. Th. Thomsen, Amsterdam, Oct. '43.
M. Pronk, Leiden, Jan. '44.
F. Bergsma, Delft, Febr. '44.
C. Burger, Febr. '44.
C. C. Dutilh, Leiden, Febr. '44.
H. van Koetsveld, R'dam, Febr. '44.
J. A. Martens, Febr. '44.
R. Veenendaal, Febr. '44.
P. Verhagen, R'dam, Febr. '44.
A. H. A. Goldberg, Leiden, Mrt. (?) '44.
G. F. Smits, Amsterdam, April '44.
J. Moorman, Nijm. (?), Mei '44.
W. Jorritsma, Rotterdam, Mei '44.
L. T. de Haan, Delft, Mei '44.
S. S. de Koe, Delft, Juni '44.
Th. Kramer, Amsterdam, Datum onbek.
A. Broches, Amsterdam, Datum onbek.
J. F. van Walsem, Leiden, Eind '42.
A. J. H. Maassen, Delft, Begin '43.
G. A. Beerling, Wagen Febr. '43.
C. L. Kwak, Amsterdam, Nov. '43.
W. Smit, Amsterdam, Nov. '43.
W. Frech, Rotterdam, Nov. '43.
A. A. Veenendaal, Utrecht, Dec. '43.
G. H. M. Vierling, Delft, Dec. '43.
P. A. J. M. van der Wegen, Delft, Dec. '43.
Ch. J. Nijst, Tilburg, Jan. '44.
Th. J. Stapels, Rotterdam, Jan. '44.
G. J. van der Laan, Utrecht, Febr. '44.
F. Erdtsieck, V.U. Febr. '44.
H. J. W. Debets, Rotterdam, Febr. '44.
H. J. Brons, Delft, April '44.
M. Monshouwer, Rotterdam, April '44.
H. Gieskes, Delft, April '44.
J. C. Kolff, Delft, April '44.

Tijdens of door hun verblijf in een concentratiekamp zijn gestorven:

H. de Kadt, Rotterdam, 1941.
W. A. Hoek, Gron. Oct. (?), '42.
J. R. Wiersum, Delft, Mei '42.
J. B. F. van Hasselt, Delft, Sept. '42.
M. Sidartawan, Leiden, Oct. '42.
D. van der Knaap, Wagen, Dec. '42.
M. A. Tinkelenberg, Wagen, Eind '42.

Op andere wijze kwamen in of door het verzet om het leven:

E. M. von Baumhauer, Delft, Begin '41.
Mr. W. Tj. Hepkema, Leiden, Beg. '42.
C. W. v. Holst Pellecaan, Delft, '42
D. van Swaay, Delft, Febr. '43.
J. W. Schouten, Wagen, Mei '43.
C. T. de Iongh, Delft, Juni '43.
C. J. C. Hugenholtz, Delft, '43.
H. Gelder, Leiden, Jan. '44.
J. Gootjes, Gron. Febr. '44.
P. Gootjes, Gron. Febr. '44.
F. Jordens, Utrecht, April '44.
G. Muskens, Nijm. April '44.
Mr. D. Verloop, Utrecht, Mei (?), '44.
A. A. Roosa, Delft, Mei '44.
J. den Dulk, Leiden, Datum onbekend.
G. G. van Grootgheest, Utrecht, Datum onbekend.
B. Kuipers, Amsterdam, Datum onbek.
Tutein Nolthenius, Utrecht, Dat. onbek.

Deze lijst bevat uitsluitend namen van hen, die in Mei '40 of daarna studeerden en IN EN DOOR HET VERZET zijn gevallen. Wij wijzen er nadrukkelijk op, dat zij niet de minste aanspraak op volledigheid kan maken en dat in de namen, voorletters of data onjuistheden kunnen voorkomen, hetzij door verkeerde opgave, hetzij ten gevolge van drukfouten.

| *De Geus onder studenten.*

| *Artsenprotest.*

organiseerde dat duizenden artsen een gelijkluidende brief stuurden aan de NSB-arts, die leiding had over de nieuwe Artsenkamer. In die brief schreven zij dat ze verder afzagen van uitoefening van het beroep van arts. De artsen verwijderden ook daadwerkelijk de aanduiding 'arts' van hun straatgevelbord en van hun receptenbriefjes. Ze bleven wél hun beroep voor hun eigen patiënten 'illegaal' uitoefenen. Hier en daar werden diverse artsen door de Duitsers opgepakt, maar door protesten van hun collega's later weer vrijgelaten. Uiteindelijk bond het Duitse bestuur onder invloed van de massaliteit van dit artsenprotest in en werd de Artsenkamer een lege huls. De artsen hadden gewonnen. Zij konden hun beroep hierna weer gewoon uitoefenen en werden *geen* lid van de nazi-Artsenkamer. Het massaal dwarsliggen van de artsen is een van de ettelijke succesvolle verzetsdaden die, ondanks krachtige Duitse intimidatie, de anti-nazi houding van de meerderheid van deze beroepsgroep duidelijk demonstreerde.

5-4 Vesting Europa en D-day

Het dagelijks leven was in 1943-1944 niet direct om blij mee te zijn. Men voelde zich meestal nog het veiligst en plezierigst in eigen huis of boerderij. Men had vaak wel geld, maar er viel buiten de bloeiende zwarte markt nauwelijks meer iets behoorlijks in de gewone winkels te kopen. Samenleving en burgers verarmden langzaam maar zeker steeds meer. Enige hoop op het einde van de oorlog en het idee om ooit later een beetje fatsoenlijk eten te kunnen krijgen dan het magere rantsoentje via de distributiekaarten, deed vooral in de steden de mensen in hun vrij armzalige bestaan voortsukkelen. Aangezien het aantal mannen dat zich voor verplichte arbeid meldde ver onder de maat bleef, begonnen de Duitsers aanvankelijk met kleinere razzia's. Door de grotere verliezen van soldaten, werden in Duitsland steeds jongere en oudere mannen opgeroepen voor de dienstplicht. Om de open gaten in hun industrie op te vullen, werd de behoefte aan dwangarbeiders almaar groter. De razzia's in de steden om mannen te vangen werden frequenter en uitgebreider.

Een nieuw decreet in februari 1944 bepaalde dat voortaan verzetsmensen die gearresteerd werden in verband met overvallen op distributiekantoren of bevolkingsregisters, gestraft konden worden met de doodstraf. Het verzet had het al lang gemunt op het Centrale Bevolkingsregister in het Kleykamp-gebouw in Den Haag. Dit gebouw was helaas zó goed beveiligd, dat een overval pure zelfmoord zou zijn. Via Londen riep het verzet de hulp in van de RAF. Met een knap uitgevoerd precisiebombardement slaagde de RAF er in het gebouw grondig te raken. Veel persoonsgegevens gingen door het bombardement verloren en veel verzetsmensen en onderduikers die voorzien waren van vervalste documenten, konden nu wat opgeluchter ademhalen.

Het door de Duitsers bezette gebied in Europa werd door de opmars van de Russen in het oosten en de andere geallieerden in Italië, kleiner en kleiner. In mei 1944, kreeg de geallieerde luchtmacht opdracht om zoveel mogelijk rijdende locomotieven van de rails te schieten. Helaas werden daardoor ook regelmatig in eigen land de overvolle treinen met gewone passagiers het slachtoffer. In Nederland werden circa 75 treinen aangevallen en daarbij vielen 55 doden. Reizen met de trein was een gevaarlijke zaak geworden, maar er waren domweg geen alternatieven. De illegale Londense radio-uitzendingen waarschuwden de mensen in de kuststreken dat in de toekomst zware bombardementen in dat gebied mogelijk waren. Hoe vervelend ook, deze berichtgeving stoelde niet op de werkelijkheid, maar werd gebruikt om de Duitsers te misleiden ten aanzien van de echte plaats van de toekomstige invasie.

Het was Hitler en zijn militaire top begin 1944 duidelijk dat D-day er spoedig zat aan te komen. Door spionage en afluisteren van het geallieerd militaire berichtenverkeer, wisten ze dat het ergens op de kust tussen Calais en Cherbourg zou gaan gebeuren. Waar precies was voor hen nog steeds een groot vraagteken. Veldmaarschalk von Rundstedt en een aantal andere generaals dachten dat het bij de Pas de Calais zou zijn. Hitler en onder andere Rommel vermoedden dat het invasiegebied wat zuidelijker zou zijn. Felle discussies en argumenten vlogen over en weer. Uiteindelijk kwam men er uit met een soort compromis over de dislocatie van de strategische

| *Bij gebrek aan benzine stadstransport van 2 pk.*

reserves. Van deze reserves moesten pantsereenheden de belangrijkste tegenoffensiefkracht leveren. Dit compromis en de daarmee samenhangende opstelling van de reserves, zou later fataal blijken te zijn. Ondanks de vroege start van de bouw van de *Atlantik Wall*, waren veel van de geplande verdedigingswerken eind 1943 nog steeds niet klaar. Hitler benoemde daarom veldmaarschalk Rommel speciaal tot Inspecteur van de Kustverdedigingen. De energieke Rommel nam deze benoeming zeer serieus en ging onmiddellijk de vorderingen en stand van zaken tussen de Noordkaap en de Spaanse grens, persoonlijk inspecteren. Zijn bevindingen waren onthutsend. Ondanks eerdere meningsverschillen, waren de topgeneraals het er over eens dat het zwaartepunt van de kustverdedigingswerken moest liggen tussen Den Helder en Bretagne, met extra aandacht voor het gebied van de Pas de Calais. Rommel werd vervolgens benoemd tot commandant van Legergroep B. Deze legergroep moest het gebied tussen Nederland en Lorient in Bretagne verdedigen. Bij de constructie van de verdedigingswerken was ernstige vertraging ontstaan door de geallieerde bombardementen, door gebrek aan beton, hout, mijnen, werkkrachten, transportmiddelen et cetera.

In Hitlers illusionaire brein bestond de *Atlantik Wall* uit een onneembare verdediging. In werkelijkheid was het slechts een vrij smalle strook van (zware) kanonnen in bunkers, mijnen, loopgraven en strandhindernissen met weinig diepte. Er waren her en der flinke gaten in die verdediging. Merkwaardig genoeg is Hitler nooit persoonlijk komen kijken hoe de vorderingen aan deze lange, dunne linie van kustverdedigingen er bij lag. De Duitsers achtten de kans op een invasie op de Belgische en Nederlandse kust niet erg groot. De toegangen tot de Antwerpse en Rotterdamse haven moesten wél extra versterkt worden. De toegangen tot deze havens (Zeeuwse kust, Hoek van Holland en IJmuiden) kregen ook extra aandacht bij de constructie van verdedigingswerken. Die extra aandacht ging ruimschoots ten koste van de plaatselijke bevolking. Rommel wilde de kustverdediging meer diepte geven. Daardoor moest een groot deel van de bewoners langs de kust verdwijnen. Om diepte te verkrijgen, werd gebruik gemaakt van zowel Hollands sterke als zwakke punt, namelijk inundaties van polders en laaggelegen gebieden achter de kustlijn.

De 'ontvolking' van de kust en de inundaties kwamen er op neer dat meer dan vierhonderdduizend mensen en vele tienduizenden stuks vee in 1943-1944 gedwongen moesten verhuizen. Men kan zich voorstellen hoe deze maatregelen veel persoonlijk leed, ongemak en ellende met zich meebrachten! Hoewel men begrip had dat dit allemaal gebeurde omdat een geallieerde invasie steeds dichterbij kwam, zal het duidelijk zijn dat het verlaten van huis en haard en ergens in het land maar zien terecht te komen, veel woede en verdriet veroorzaakte bij de getroffenen. Veel tijd om het vertrek voor te bereiden kreeg men meestal niet. Doorgaans moest het vertrek binnen een paar weken of maanden gebeurd zijn. Een speciale overheidsinstantie genaamd 'Evacuatie Burgerbevolking', trachtte zoveel mogelijk te assisteren bij het vinden van nieuw onderdak voor deze tienduizenden gezinnen. De meeste ontheemden gingen naar de grotere steden en de provincies Noord-Brabant en Groningen. Ettelijke gezinnen vonden op eigen initiatief onderdak bij familie elders in het land.

Zodra de gebieden ontvolkt waren ging de Duitse (semi-militaire) staatsbouwmaatschappij *Organisation Todt* in het geweer. Met veel Nederlandse onderaannemers startte men snel met sloopwerk en de constructie van verdedigingswerken, versperringen en hindernissen. Daarbij werd op grote schaal gebruik gemaakt van gedwongen arbeidskrachten. De Nederlandse onderaannemers werden deels gedwongen om mee te werken. Een groot deel van deze onderaannemers zag het wel zitten om mee te werken. Het betekende veel omzet en winst. Ettelijke aannemers werden aardig rijk door het bunkerbouwen aan de *Atlantik Wall*. Een veel naar voren gebracht excuus van die aannemers was, dat door dit meewerken voor de vijand, hun arbeiders niet gedwongen werden om in Duitsland te werken en dat was op zich wel waar. Ten behoeve van de bouw van de *Atlantik Wall* werkten onder de vleugels van organisatie *Todt*, in de topperiode 38 duizend man van Nederlandse aannemers in Nederland, België en Frankrijk. Een groot deel van de vele miljoenen aan kosten die deze bouwwerkzaamheden vergden, moesten door speciale belastingen in de bezette landen zelf opgebracht worden!

Toen de inundaties van landerijen begonnen, was vrij snel 19 procent van het boerenland in het westen onder water gezet en daardoor onttrokken aan de landbouwproductie. De Nederlandse stranden waren al gauw bezaaid met allerlei hindernissen van mijnen, onderwater obstakels, tankhindernissen en prikkeldraad. De

| *Atlantik Wall Nederlandse kust te Scheveningen (1945).*

duingebieden en kustplaatsen werden ontsierd door betonnen bunkers en dikke muren, loopgraven en tankhindernissen. Om de werken te bespoedigen, werden via de burgemeesters veel mensen die in de omgeving woonden, gedwongen om mee te werken bij het graven van de verdedigingswerken. Sommige burgemeesters werkten gelaten mee, anderen probeerden zoveel mogelijk de boot af te houden voor inzet van hun burgers bij deze dwangarbeid.

Voor de bemanning van deze lange lijn van kustverdediging, hadden de Duitsers aan de Franse, Belgische en Nederlandse kust 54 divisies ingedeeld (totaal circa 550 duizend man). Direct aan de kust waren veel tweederangs troepen opgesteld. Daarbij zaten aardig wat ex-Russische krijgsgevangenen (Armeniërs, Georgiërs, Wolga Tartaren, Turkmenen et cetera) die 'vrijwillig' in Duitse dienst waren getreden om aan 'gewone' slavenarbeid te ontkomen. Deze eenheden hadden als kader wel Duitse officieren en onderofficieren. Andere divisies in de westelijke bezette landen, bestonden uit troepen die aan het oostfront hadden gevochten en herstelden van hun verwondingen of kwalen. Slechts een paar divisies in Frankrijk, België en Nederland waren redelijk op sterkte, volledig gezond en goed geoefend. De meeste

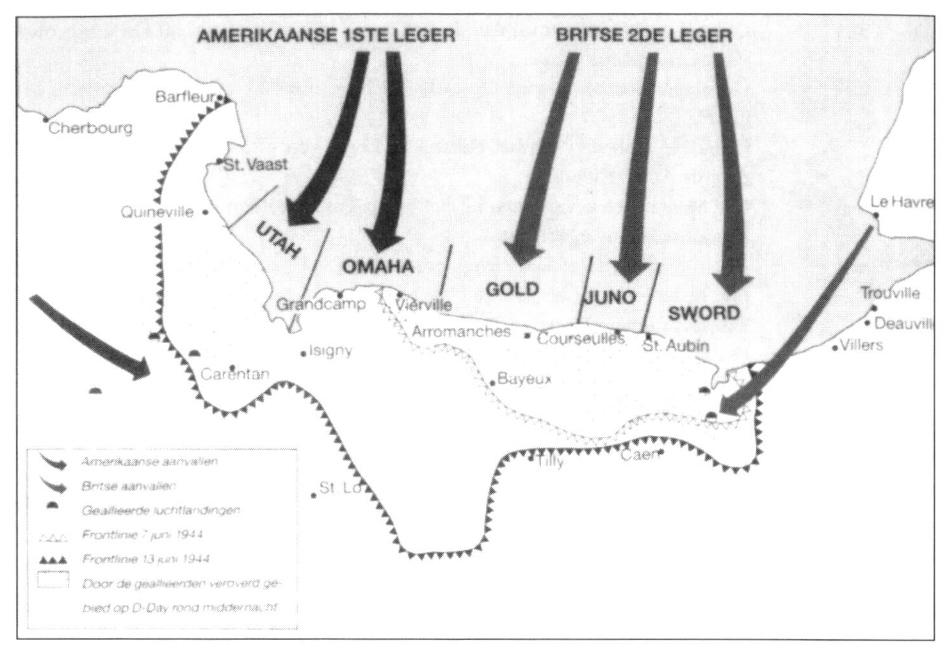

| *Operatie* Overlord, *landingen in Normandië.*

van deze 'betere kwaliteit eenheden', waren bestemd voor de strategische reserve in geval van een invasie.

Door allerlei signalen werd in het voorjaar 1944 duidelijk dat de grote invasie dichtbij kwam. Er was waarneembare versnelling bij de bouw van verdedigingswerken voor de *Atlantik Wall.* Er kwamen meer en meer berichten over een aanstaande invasie via de illegale radio en de kranten. De geallieerde bombardementen werden heviger. De Duitse propaganda pochte dat zij iedere invasie kon weerstaan. Voor het late voorjaar was het op 5 juni bar slecht weer met zeer krachtige wind en veel regen. De Duitsers die ieder moment de invasie verwachtten, waren er met dat extreem slechte weer vrij zeker van dat er die dagen niets zou gebeuren. Rommel ging daarom met verlof naar zijn gezin in Duitsland. De volgende dag zou hij een bespreking met Hitler in Beieren te Berchtesgaden hebben.

Toen op 6 juni de eerste voorhoede van het enorm grote invasieleger (sterkte ruim driehonderdduizend man) op de Franse stranden en duizenden luchtlandingstroepen bij de monding van de rivier de Vire landden, had veldmaarschalk Von Rundstedt er geen idee van dat dit de *hoofdlanding* was. Hij dacht dat het een afleidingsmanoeuvre en een nevenlanding was en dat de hoofdlanding ieder moment kon plaatsvonden in de omgeving van het Nauw van Calais. Rommel was gealarmeerd en kwam onmiddellijk terug van verlof. Toen beide veldheren constateerden dat zij zich vergist hadden, was het in feite al te laat. Ondanks heftige Duitse tegenstand aan de Normandische stranden, zagen de geallieerden (die in de eerste uren enorme verliezen leden) toch kans landinwaarts een paar kilometer op te rukken en een bruggenhoofd te vestigen. Hitler gaf ook toen nog steeds geen toestemming om de strategische reserves met pantsereenheden, in te zetten. Een laatste kans om het invasieleger de zee in te drijven, was daardoor verkeken.

In Nederland was 6 juni een dag zoals alle anderen. In de ochtenduitzending van 08.00 uur, meldde de radio de landing in Normandië en de Duitse successen om die aanval af te slaan. Om 09.30 uur kwam het invasienieuws over de BBC. Later op de dag kwam minister Gerbrandy met een toespraak gericht aan de Nederlandse bevolking. In de nacht van 7 juni gooiden geallieerde vliegtuigen vele duizenden pamfletten boven Nederland uit. Daarop stond de toespraak van de opperste bevelhebber over de geallieerde strijdmacht, generaal Eisenhower en de tekst van de toespraak van Gerbrandy gedrukt. Mussert speelde zijn rol als loyale leider van Nederlands grootste nazi-partij perfect. Hij zond aan Hitler een telegram waarin hij zijn eeuwige trouw betuigde. Het nieuws van de langverwachte invasie, gaf de Nederlanders een warm gevoel en nieuwe hoop op snelle bevrijding. Eén van de eerste Duitse reacties was een haastig overbrengen van vijftienhonderd politieke gevangenen uit de Scheveningse gevangenis naar het concentratiekamp te Vught. In september 1944 werden er vierhonderd van deze mensen geëxecuteerd. Onder druk van de tumultueuze gebeurtenissen van Dolle Dinsdag (5 en 6 september), werd ook kamp Vught haastig geëvacueerd. Enige gijzelaars en politieke gevangenen werden toen vrijgelaten. De meerderheid van de 3400 gevangenen in Vught, werden door de SS-bewakers in treinwagons geperst en afgevoerd naar concentratiekamp Sachsenhausen. Binnen twee dagen hadden de Duitsers het kamp ontruimd en gingen gevangenen en de hele inventaris op transport naar Duitsland.

In juni 1944 gonsde het in het hele land van de geruchten. Er werd verteld dat de geallieerden geland waren bij Vlissingen en Den Helder. Veel Duitse militairen in het land werden opgetrommeld om onmiddellijk hun stellingen te betrekken. Toen de opwinding wegzakte, bleek de werkelijkheid somberder te zijn. In Normandië werd heftig gevochten om iedere vierkante kilometer. Met taaie verbetenheid vochten de Duitsers fel tegen de langzaam oprukkende geallieerde troepen. De mooie stad Caen werd door intensieve bombardementen bijna geheel van de kaart geveegd. De Franse bevolking in het invasiegebied had zwaar te lijden van de gevechten en veel burgers kwamen daarbij om. Het werd al vrij snel duidelijk dat in Nederland de bevrijding nog lang op zich kon laten wachten. De greep van de Duitsers werd straffer en de terreur nog harder. De geallieerde bombardementen werden talrijker. Het aardappelrantsoen werd verlaagd. Het verzet werd veel actiever. Nu de geallieerde legers dichterbij kwamen en er duidelijker zicht was op het einde, meldden veel idealisten, maar ook de nodige opportunisten, zich voor het actieve verzet. Het aantal overvallen op distributiekantoren, de bevrijding van gearresteerde verzetskameraden uit gevangenissen en de liquidaties van gevaarlijke en gehate nazi's namen toe. Gelukkig was er ook heel ander nieuws.

In het verleden waren er een aantal (mislukte) aanslagen op het leven van Hitler geweest. Ze werden ieder keer door Himmlers SS in bloed gesmoord. In 1944 waren een kleine groep officieren (voor het grootste deel afkomstig uit de Duitse adel) en een aantal belangrijke burgers op hogere posities, in het diepste geheim bij elkaar gekomen. Zij waren er van overtuigd dat de oorlog inmiddels verloren was. Ze vonden het daarom het juiste moment om zich van de duivelse, en zich steeds waanzinniger gedragende Hitler, te ontdoen. Als deze coup zou slagen, wilden ze een tijdelijk bestuur instellen. Dit bestuur zou onderhandelingen met de geallieerden kunnen beginnen en een eind kunnen maken aan de zinloze slachtingen aan de frontlinies. De samenzweerders hadden de bomaanslag zorgvuldig gepland. De aanslag zou op 20 juli plaatsvinden in het militaire hoofdkwartier van Hitler te Rastenburg in Oost-Pruisen. Helaas ging er door een samenloop van pech en andere zaken, van alles mis met die bomaanslag en de steun die men zou krijgen van reservelegereenheden in Berlijn en andere steden. De bom explodeerde wel, maar doodde Hitler niet. Hij raakte slechts licht gewond en was zo snel bij zijn positieven, dat hij kans zag om Himmler in Berlijn te waarschuwen. Himmler kreeg opdracht om ieder nieuws over de aanslag naar buiten tegen te houden en noodzakelijke acties tegen de samenzweerders te nemen. Er waren een flink aantal hogere officieren bij de coup betrokken en in korte tijd arresteerde de Gestapo vele samenzweerders.

De moedige man die de bom geplaatst had, kolonel graaf Von Stauffenberg, was daar ook bij. Met nog vier andere officieren werden ze door een haastig bij elkaar getrommelde krijgsraad snel ter dood veroordeeld en een paar uur later geëxecuteerd. Ettelijke hoge generaals die bij de samenzwering betrokken waren, pleegden zelfmoord. Vele duizenden anderen werden opgepakt, langdurig ondervraagd en daarbij vaak gemarteld. Sommigen van hen werden opgehangen, anderen werden doodgeschoten of langdurig opgesloten in de Gestapo-gevangenis in Berlijn. Voor het front van een schertsvertoning in de vorm van een 'Volkstribunaal', werden kort na de aanslag veel samenzweerders vernederd en veroordeeld. Tweehonderd bij de samenzwering betrokkenen kregen de doodstraf. Eén van de verdachten was de fameuze veldmaarschalk Rommel. Hij kreeg de in het geheim de keuze tussen 'vrijwillige' zelfmoord of terechtstaan. Hij koos voor het eerste. Hij kreeg een eervolle staatsbegrafenis en kon daardoor onbezoedeld voor het Duitse volk, de geschiedenis ingaan als een van meest glorieuze generaals van Hitler. De mislukte samenzwering maakte Himmler en zijn Gestapo nog machtiger en nog achterdochtiger ten aanzien van iedere vorm van oppositie en verzet tegen het nazi-regime.

Voor de vele miljoenen anti-Duitse Nederlanders was het mislukken van de aanslag op Hitler een grote teleurstelling. Gelukkig stond daar een hoop goed nieuws tegenover. In Oost-Europa walsten de sovjetlegers steeds verder westwaarts over de uitgedunde Duitse divisies. Ze bereikten in augustus 1944 Roemenië. De Roemenen hadden zwaar moeten boeten voor hun keuze om de Duitsers te steunen. Hun leger hadden grote verliezen geleden bij de strijd in Rusland en er was inmiddels nog maar weinig motivatie over om door te vechten aan de Duitse kant. De Roemeense koning Michael beval de onmiddellijke beëindiging van de vijandelijkheden en verklaarde in augustus 1944 de oorlog aan Duitsland. De Bulgaren, die nauwelijks militaire steun aan Duitsland hadden gegeven, verklaarden even later ook de oorlog aan Duitsland.

Onder Duitse pressie had indertijd ook Finland hun zijde gekozen. In hun moeizame strijd tegen de Russen op het Karelische schiereiland verloren ze steeds meer terrein. Ze vroegen in september 1944 de oprukkende sovjets om een wapenstilstand. In één maand tijd hadden de nazi's nu drie bondgenoten verloren! In de Baltische staten werden – omdat Hitler ten stelligste had verboden de frontlinie in te korten – omstreeks dertig Duitse divisies ingesloten. In de stad Warschau begon het Poolse verzet met een opstand. Om puur politieke redenen kwamen de Russische troepen die al tot vlak bij de stad waren opgerukt, *niet* te hulp. In de nu volgende dramatische en bloedige strijd tegen de Waffen SS troepen, leed het Poolse verzet in die stad zware verliezen. Bij de gevechten en door gerichte moordpartijen verloren meer 150 duizend verzetsmensen en burgers het leven. De stad Warschau lag voor de tweede maal in vijf jaar, wederom grotendeels in puin.

Door de gestage Russische opmars in Roemenië hadden de Duitsers geen oliebevoorrading meer vanuit de voor hen uiterst belangrijke Roemeense olievelden bij Ploesti. De geallieerde bombardementen op de synthetische oliefabrieken in Duitsland zelf, bleken steeds meer resultaat te hebben. In augustus 1944 was de totale brandstofvoorraad voor hun *Luftwaffe* geslonken tot één week! Ook de brandstofvoorraden voor de geduchte Duitse tanks, slonken tot een minimumniveau.

Dichter bij huis was er ook goed nieuws. De verbeten vechtende Duitse legers in Normandië werden opgesloten in de 'zak' van Falaise. Na felle strijd (tienduizend gesneuvelden) gaven circa vijftigduizend man zich met al hun wapens en uitrusting over. De weg naar Parijs lag nu open. De dappere Duitse militaire commandant van de stad, generaal Von Coltitz, weigerde het 'verschroeide aarde'-bevel van Hitler om de stad op te blazen, uit te voeren. Daarmee redde hij die prachtige stad van de complete vernieling. Zonder grote gevechten en met steun van het Franse gewapende verzet, konden de pantsertroepen van de vrije Fransen onder commando van generaal Leclerc eind augustus de stad innemen. Een dolzinnige Parijse bevolking omhelsde hun bevrijders. De verovering van Parijs resulteerde in een volledig ineenstorting van de Duitse verdediging in Noord-Frankrijk. Bij de slag om Normandië hadden de Duitsers totaal ongeveer vijftienhonderd van hun kostbare tanks verloren, sneuvelden circa 210 duizend man en werden 240 duizend Duitse militairen krijgsgevangen genomen.

Ondertussen waren midden augustus de geallieerden op de Zuid-Franse kust bij Cannes geland (operatie *Anvil/Dragoon*). Ondanks de nodige tegenstand, rukten ze snel op en bereikten Lyon twee weken later. Met steun van het Franse verzet konden ze vlot verder oprukken en maakten nabij Dyon medio september contact met de geallieerde legers die in Normandië waren geland. Ondanks strategische meningsverschillen tussen de generaals Eisenhower en Montgomery, werd besloten de situatie uit te buiten en snel verder noordwaarts op te rukken. Die breedfrontstrategie koerste aan op Antwerpen, Nederlands Limburg en de westelijke oevers van de rivier de Rijn. Eind augustus startte de snelle opmars noordwaarts met twee geallieerde legergroepen (ongeveer honderdduizend man). De opmars werd krachtig ondersteund door een grote aantal jachtvliegtuigen en bommenwerpers. Ook het Franse en Belgische gewapend verzet leverde een belangrijke bijdrage aan de snelle opmars. Zware tegenstand werd ontmoet bij de Kanaalhavens Le Havre, Duinkerken en Zeebrugge. Pantser- en gemotoriseerde voorhoedes bereikten zonder

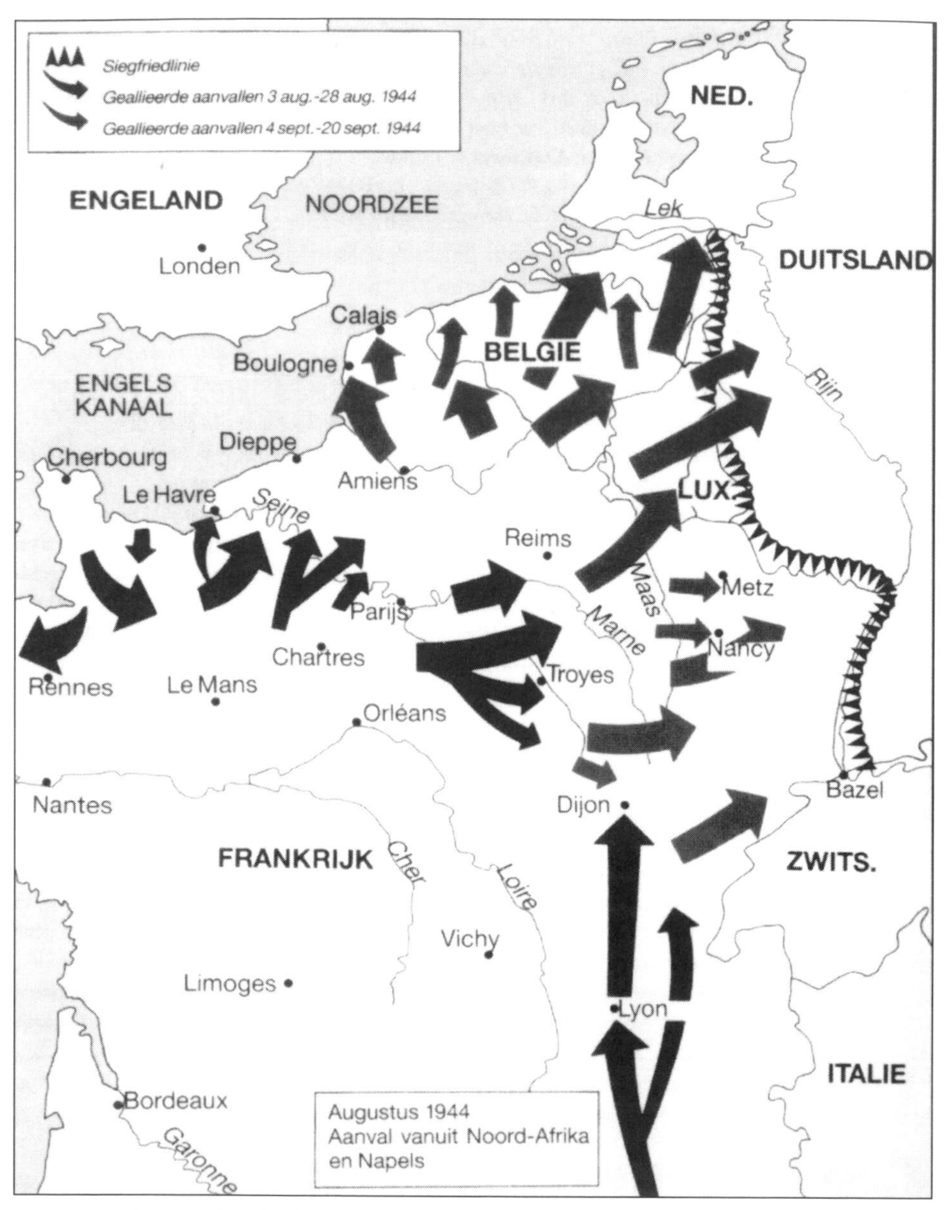

| *Bevrijding van Frankrijk.*

veel tegenstand Antwerpen al op 4 september. Brussel werd bevrijd op 3 september, de stad Luxemburg op 10 september en de eerste stad op Nederlands grondgebied Maastricht, op 14 september.

Door die fantastisch snelle opmars werden de Duitsers bij Antwerpen zodanig verrast, dat ze geen tijd kregen de geplande vernieling van de havens uit te voeren. De havenwerken vielen gelukkig onbeschadigd in handen van een Britse pantserdivisie! De ongelooflijk vlotte opmars had ook een keerzijde en was een nachtmerrie voor de logistieke troepen. Met een maximum aan improvisatie en creativiteit, zagen ze met heel veel moeite kans om de grote legers toch te bevoorraden van de allernoodzakelijkste behoeften. Tijdens de opmars werd bij de her en der voorkomende verspreide gevechten, slechts lichte verliezen geleden. Nabij de Nederlandse grens kwam op 1 oktober een einde aan de gigantische sprong voorwaarts van de geallieerde pantser- en gemotoriseerde troepen. De infanterietroepen bleven te ver achter bij de voorhoedes en de logistieke aanvoerlijnen waren te veel opgerekt. De infanterietroepen konden de snelle opmars niet bijhouden. Bovendien constateerden de militaire inlichtingendiensten, dat de Duitsers ondertussen aan het reorganiseren waren en versterkingen stuurden naar hun uitgeputte en uitgedunde divisies. Bij het Albertkanaal organiseerden de Duitsers inderhaast een nieuwe verdedigingslinie.

De geallieerde generaals Eisenhower, Montgomery en Bradley, waren zelf ook verbaasd over hun onvoorstelbare vlugge opmars en hun successen. Er moest onmiddellijk uitgebreid overleg komen om te bepalen hoe nu verder. Zou het einde van de oorlog misschien in 1944 mogelijk zijn? Moest de breedfrontstrategie voortgezet worden? Was het wellicht met een smalle geconcentreerde aanval mogelijk om over de Rijn te trekken en het vitale Roergebied te veroveren? Er kwam na de nodige vijven en zessen, een compromis uit de bus. Dit leidde tot de haastige voorbereidingen voor de operatie *Market Garden*. Eén van de andere belangrijke opdrachten voor de geallieerde legers was het veroveren van het kustgebied in België en eventueel ook in Nederland. Het ging daarbij in eerste instantie om de zo broodnodig bruikbare zeehavens. Bij deze noodzaak kwam nog een ander en wel speciaal Brits verzoek. Dit verzoek was om de lanceerbasis voor de Duitse vergeldingswapens, uit te schakelen.

Vanaf juni 1944 teisterde het nieuwe Duitse raketwapen V-1 het gebied van groot Londen. Eind juni hadden de Duitsers omstreeks tweeduizend V-1's richting Engeland gelanceerd. Circa 370 van deze raketbommen kwamen neer op Londen en zaaiden daar dood en verderf onder burgerbevolking. Al eind 1942 had de Britse inlichtingendienst hierover informatie verzameld en gerapporteerd dat de Duitsers intensief bezig waren aan de ontwikkeling en het testen van enige zeer geheime wapens. Luchtverkenningen en luchtfoto's toonden aan dat bij Peenemünde aan de Duitse Oostzeekust, een rakettestbasis in gebruik was. Augustus 1943 veroorzaakte een bombardement van zeshonderd Britse bommenwerpers grote schade aan deze testbasis. Ondanks het succes van dit bombardement, werden enige tijd daarna omstreeks zestig lanceerbases ontdekt langs de Franse Kanaalkust. Het Franse verzet bevestigde waarnemingen vanuit de lucht en meldde dat daar de nodige constructiewerkzaamheden aan de gang waren. Door bombardementen probeerden nu de

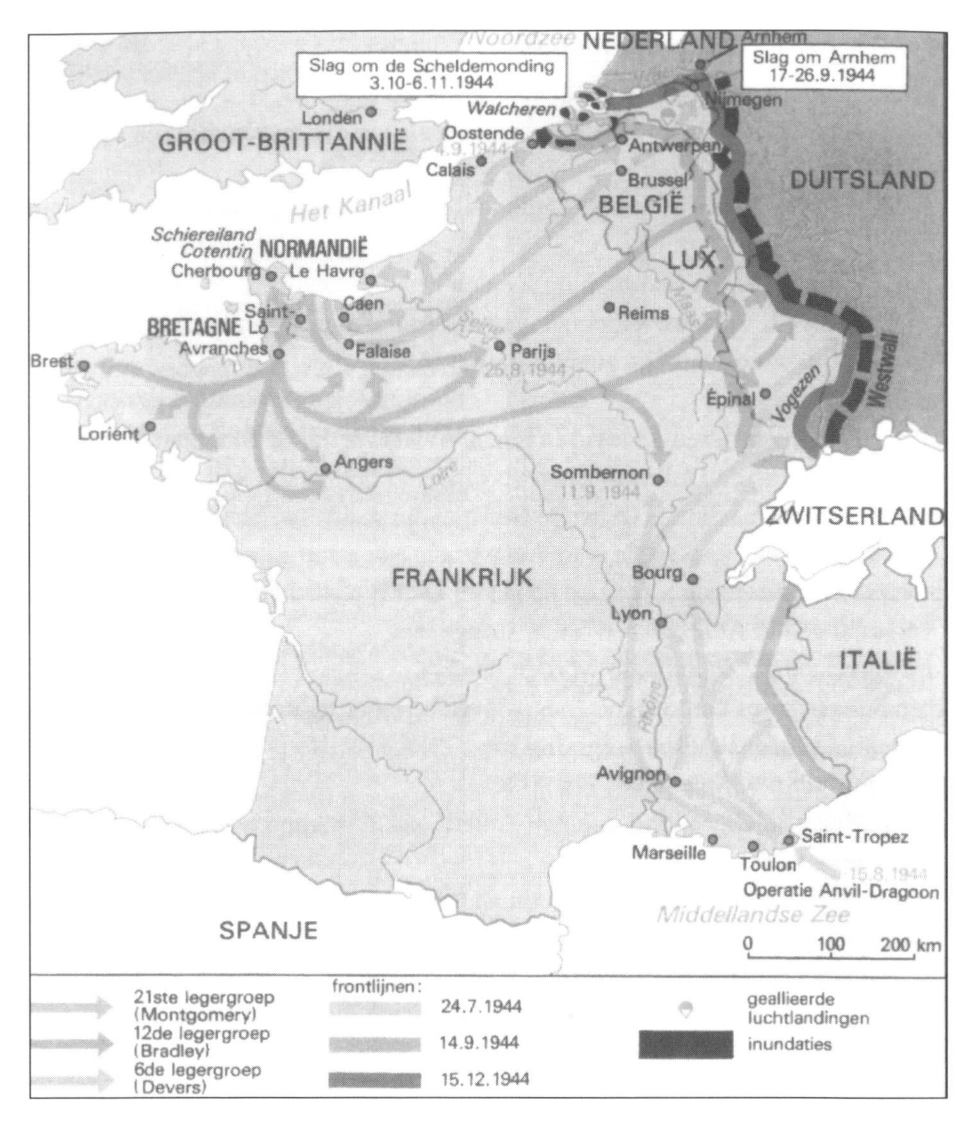

| *Westelijk front juni-november 1944.*

| *V-1 in volle vlucht op weg naar Londen 1944.*

Engelsen deze ettelijke lanceerbases uit te schakelen. De Duitsers gingen daardoor de lanceerbases zó goed camoufleren, zodat ze via luchtfotografie praktisch niet meer opgespoord konden worden.

Toen de bombardementen op Londen begonnen, slorpte het vernietigen van de V-1's in de lucht, veel capaciteit van de RAF-jachtvliegtuigen en luchtdoelartillerie op. Ondanks de steeds kundiger onderscheppingen van de V-1's door de RAF, bereikten circa 2400 V-1's doelen in Londen. De situatie werd nog veel erger, toen de Duitsers de veel snellere V-2 gingen gebruiken. De V-2 was een veel geavanceerdere raket met een bomlading van duizend kilogram. Door zijn veel hogere snelheid konden noch luchtdoelgeschut, noch jachtvliegtuigen de V-2 uit de lucht schieten. De V-2's veroorzaakten steeds meer schade aan de bevolking en gebouwen in de Londense regio. Toen de geallieerde troepen een flink aantal lanceerbases aan de Noord-Franse en Belgische kust veroverd hadden, weken de Duitsers voor nieuwe lanceerbases uit naar de Nederlandse kust. Die bases lagen in het bijzonder in de omgeving van Den Haag. Doordat de *Luftwaffe* ernstig verzwakt was, had Hitler nu een gloednieuw wapen waarmee hij wraak kon nemen op de Engelsen. In zijn vertroebelde brein meende hij zelfs, dat deze nieuwe V-wapens het tij van de in feite al verloren oorlog in zijn voordeel zou kunnen keren!

Alle geallieerde successen aan de fronten in Oost- en West-Europa, maakten dat de patriotten in Nederland het idee kregen dat de oorlog wellicht gauw voorbij zou zijn. De werkelijkheid was echter anders en veel bitterder. Ondanks de enorme Duitse verliezen en ondanks de geallieerde troepen vlak aan de Nederlandse grens en in Zuid-Limburg, veranderde de ijzeren greep van de nazi's in Nederland niet. Het tegendeel bleek waar. Er was wel meer hoop op een einde aan de oorlog, maar de kwaliteit van het dagelijks leven in de steden ging voortdurend verder achteruit. De magen van de mensen werden steeds leger. Doordat de frontlijn nu aan de Belgisch-

Nederlandse grens lag, namen de bombardementen en beschietingen van hoofdwegen en spoorwegen sterker toe. Ook de jacht op dwangarbeiders nam in juni 1944 toe. Er brak een tijd aan van systematische razzia's van mannen tussen de zestien en 55 jaar. Het uitgaansverbod voor iedereen zonder speciale pas, werd verscherpt en lag van nu af aan om 22.00 uur. Begin augustus was er – na verraad – een inval op het onderduikadres van Anne Frank en haar familie. Ze werden allen opgepakt en naar kamp Westerbork afgevoerd.

De Duitsers brachten in allerijl driehonderd ton kostbaar Nederlands zilvergeld naar Duitsland. Veel NSB-families voelden zich in het westen niet meer veilig en verhuisden naar het oosten van het land. De Raad van het Verzet kreeg van het geallieerde militaire hoofdkwartier opdracht om actieve sabotage te gaan plegen op de Nederlands spoorweginfrastructuur. De vele en nog steeds vrij individualistisch opererende verzetsgroepen vernamen op 3 september via illegale kranten en Radio Oranje, dat prins Bernard was benoemd tot bevelhebber van de Nederlandse strijdkrachten. Twee dagen later volgde het Koninklijk Besluit van de oprichting van de Binnenlandse Strijdkrachten (BS). Het gehele Nederlandse verzet werd hierin ondergebracht. Radio Oranje deelde ook mede: 'Het uur der bevrijding waarop Nederland zo lang heeft gewacht, is nu zeer nabij.' Nieuwe hoop vlamde op bij de bevolking. Het leek er op dat de bevrijding ieder moment in de lucht zat! Het leek er even zelfs op dat Duitsland op instorten stond en er een snel einde zou komen aan de nazi-terreur. De loop van de geschiedenis liet helaas zien dat het heel anders zou lopen. Gelukkig realiseerde men zich in september niet dat er nog een heel lange lijdensweg voor de boeg lag. Het laatste halfjaar van de oorlog, zou voor Nederland nog het grootste onheil gaan brengen. Dat was nu juist iets wat men zich in zijn dromen over de bevrijding nooit had kunnen voorstellen.

5-5 Dolle Dinsdag

Begin september was het Duitse bestuur door de flitsende geallieerde opmars knap nerveus geworden. Seyss-Inquart kondigde voor het hele land de noodtoestand af. Samenkomsten van meer dan vijf personen werden verboden. Het uitgaansverbod gold daardoor nu van 20.00 tot 04.00 uur. Iedere daad van oppositie tegen de bezetter, iedere verstoring van de openbare orde of hulp aan de geallieerde strijdkrachten, kon gestraft worden met de doodstraf of langdurige gevangenisstraf. Door sabotageacties van het verzet, was het treinverkeer in het oosten van het land behoorlijk ontregeld. Op dinsdag 5 september stroomden in het westen van het land, vele Duitse bestuursambtenaren en NSB'ers met hun gezinsleden, naar de stations om vervoer te krijgen naar het oosten van het land. In het zuiden waren er zelfs Duitse militaire kantoren en troepen die hun biezen pakten, met onbekende bestemming vertrokken of met spoed op weg gingen naar hun vaderland. In diverse grote steden leek het zelfs of de Duitse eenheden van de aardbodem verdwenen waren. De grote menigten van Duitse burgers en Nederlandse nazi-gezindten bij de stations, vielen natuurlijk op.

De burgerij verkneuterde zich over dit haastige vertrek van de vertegenwoordigers van het zogenaamde 'superras'. De plotselinge exodus was natuurlijk niet voorbereid. Ironisch genoeg werd voor tijdelijk onderdak ten behoeve van de NSB'ers uitgeweken naar het bijna lege joodse doorgangskamp Westerbork. Deze 'Westerbork' NSB'ers en vele andere NSB'ers die naar oostelijk Nederland uitweken (totaal omstreeks 45 duizend mannen, vrouwen en kinderen), werden uiteindelijk opgevangen in kampen in Duitsland. Door de Duitsers werden deze 'politieke vrienden' behoorlijk behandeld, maar hun vrouwen werden min of meer gedwongen om mee te werken in de Duitse oorlogsindustrie. De NSB-mannen van deze exodus werd vriendelijk, maar vooral dringend verzocht dienst te nemen bij de Waffen SS of soortgelijke Duitse militaire eenheden. De grote 'leider' Mussert bleef nog in zijn hoofdkwartier in Utrecht. Hij trof wel voorbereidingen voor verhuizing van dit hoofdkwartier naar een landhuis bij Almelo. Hij kon nu maar al te goed zien dat veel NSB-leden bij dit eerste gevaar op de vlucht sloegen. De hele NSB sloeg als partij een modderfiguur, zowel bij het Duitse bestuur als bij alle anti-Duitse Nederlanders. Deze lafhartige houding van veel NSB'ers, heeft Mussert de ogen geopend. Hij bleek de leider te zijn van een stel idealisten en een grote bende van lafaards, opportunisten en profiteurs. De haastige ontruiming begin september 1944 van concentratiekamp Vught, werd reeds eerder beschreven.

Op deze tumultueuze dinsdag 5 september zond Radio Oranje (naar later bleek een niet van tevoren gecontroleerd) bericht de ether in, dat de geallieerde strijdmacht de Nederlandse grens had overschreden en Breda had bereikt. In onzekere tijden is er altijd een geweldige voedingsbodem voor geruchten en dat gebeurde ook nu weer. Het (niet juiste) bericht over troepen bij Breda, kwam in een oncontroleerbare geruchtenstroom terecht. Binnen korte tijd vertelden opgewonden burgers dat Britse pantsereenheden Dordrecht bevrijd hadden en oprukten naar Rotterdam en Den Haag. De ontwrichting van een deel van het telefoonverkeer veroorzaakte nog meer geruchten. Een Rotterdammer schreef die dagen in zijn dagboek:

> *'Er heerste een enorme spanning. Winkels gingen dicht. Werknemers van warenhuizen, winkels, bars en restaurants, bleven thuis. Scholen gingen dicht. Overal zijn Duitsers te zien die vertrekken met volgepakte koffers en pakken met gestolen goederen. De Duitse politie was nergens meer te zien.'*

Terwijl Rotterdam en Den Haag de 'bevrijding' vierden (zonder dat één ooggetuige ook maar één Engels pantservoertuig of één geallieerde militair had gezien), werden de geruchten steeds flamboyanter en gekker.

In Amsterdam ging spoedig het gerucht dat de geallieerden al voorbij Den Haag en in de buurt van Haarlem waren gesignaleerd. In het westen stonden langs de hoofdwegen bij dorpen en steden mensenmenigten met Nederlandse vlaggetjes, oranjeversieringen en bloemen. De mensen juichten en zongen allerlei vaderlandse liederen. Bij de Berlagebrug in Amsterdam, stond een grote menigte urenlang te wachten op de Britse voorhoede van de bevrijders. In diverse andere steden speelden zich soortgelijke tonelen van ongetemde vreugde af. Na uren tevergeefs wachten en met schorre kelen van het zingen, was de euforie en gekte snel over. De menigte

| *Dolle Dinsdag. Wachten op de bevrijders in Den Haag.*

besefte op een gegeven moment en na al die uren wachten, dat er helemaal geen bevrijders in aantocht waren. Sommigen hoorden via de illegale zender dat het bericht van 'geallieerden bij Breda' gerectificeerd was. De rauwe werkelijkheid van de noodtoestand en spertijd vanaf 20.00 uur, drong weer tot de mensen door. Door deze complete verwarring begin september, werd zelfs de SD aangestoken. Ze waren alvast begonnen met het verbranden van archieven en dossiers.

Seyss-Inquart en zijn Duitse bestuur waren volledig verrast door de massieve reacties van de bevolking op deze Dolle Dinsdag. Toen ze in de gaten kregen dat de geruchten van de geallieerde opmars naar het noorden onjuist waren, reageerden ze op die dinsdag snel. Om de menigtes te ontmoedigen en de mensen duidelijk te maken dat ze om 20.00 uur binnenshuis moesten zijn, stuurden ze goed bewapende Duitse politiepatrouilles, militairen en uiteindelijk ook Nederlandse politie de straat op. Om 20.00 uur viel overal de stilte in en werden de mensen zich met een kater ervan bewust dat de bevrijding nog ver weg was. Met de nodige somberheid keek men tegen de volgende dag aan. De hoop was helemaal verdwenen en men maakte zich weer zorgen over de nabije, en erg onzekere toekomst.

De eerste tekenen dat de nazi's tot het bittere einde wilden doorvechten, bleek in de omgeving van Den Haag. Drie dagen na Dolle Dinsdag werden de mensen in Den Haag opgeschrikt door een donderend lawaai. Het leek wel of het onweerde. Het was een bewolkte en winderige dag en daardoor onmogelijk om te zien waar dat onweer toch vandaan kwam. Het bleek één van de eerste V-2 raketten die vanaf Wassenaar richting Londen gelanceerd werden. De bevolking die dicht bij de lanceerbasis woonde, werd op korte termijn gedwongen om te verhuizen. Snel daarop werd de helft van de bevolking van Wassenaar gedwongen om te verhuizen. Dit moest zo haastig, dat ze nauwelijks tijd kregen om een deel van hun spullen mee te nemen. Deze nieuwe lanceerbasis aan de Hollandse kust maakten de geallieerde commandanten extra duidelijk dat hun opmars naar Nederland en West Duitsland geen lang uitstel mocht hebben. Eisenhower en zijn generaals realiseerden zich dat het ineenstorten van nazi-regime door de wil van de Duitsers om – ondanks hun grote nederlagen – hun huid duur te verkopen, nog lang niet was gekomen. Bovendien kon het wel eens zo zijn, dat Hitler misschien nog wel meer onverwachte en gevaarlijke ideeën zou kunnen hebben in zijn gestoorde brein.

5-6 Operatie *Market Garden*

Door de snelle ineenstorting van de Duitse verdediging en de daaropvolgende ongelooflijk verrassende, snelle opmars van de geallieerde troepen in Noord-Frankrijk en België, liep de geallieerde planning nu achter bij de werkelijkheid. Men had geen duidelijke en heldere blauwdruk hoe de opmars op korte termijn strategisch moest worden voortgezet. Door fricties en verschillen in strategisch inzicht tussen de meer diplomatieke en bedachtzame Eisenhower en de eigengereide, arrogante Montgomery, was er wel een vrij vaag plan. Dit plan zweefde tussen de keuze voor een 'breed front'-aanvalsstrategie en een op een smaller front krachtige speerpuntconcentratie. Het ging er om een gat te slaan in de Duitse verdediging om de Rijn te kunnen oversteken. Zelfs nu, veel jaren later, zijn er discussies of het niet beter geweest zou zijn om direct in september 1944 door te stoten naar het Roergebied en daarna naar Berlijn. In dat geval zou de oorlog al eind 1944 te beëindigen zijn geweest. Bij dit soort vruchteloze discussies wordt te veel voorbij gegaan aan de toentertijd aanwezige grote logistieke problemen. De voor grote legers benodigde gigantische hoeveelheden benzine, munitie, voeding en allerhande andere soorten uitrusting en goederen, moesten in september 1944 nog steeds helemaal vanaf Normandië tot diep in België (afstand ruim 350 kilometer) worden aangevoerd!

Na veel heen en weer gepraat, gaf Eisenhower het groene licht voor een zeer gedurfde geconcentreerde aanval noordwaarts. De operatie kreeg de naam *Market Garden*. De doorgaans zeer voorzichtige Montgomery zou in dit plan met één doorstoot van een uitgebreide strijdmacht over een smal front, een aantal vitale bruggen in Noord-Brabant en Gelderland proberen te veroveren. De belangrijkste twee van die bruggen, waren die over de Rijn bij Nijmegen en bij Arnhem. Ondertussen zouden de Amerikaanse troepen onder commando van de generaals Bradley, Hodges en Patton die aanval ondersteunen door vanuit Luxemburg en Noordoost-Frankrijk, oostwaarts op te rukken tot aan de Rijn. Op deze manier verwachtte men het Roergebied te kunnen omcirkelen en af te snijden van de rest van Duitsland.

Het plan voor *Market Garden* was bijzonder gedurfd en vol risico's. Gedurfd, omdat – als het slaagde – in één grote sprong de Rijn kon worden overgestoken en kon worden doorgestoten richting Berlijn. Het was ook bijzonder gedurfd, vanwege de gigantische hoeveelheid luchtlandingstroepen die zouden worden ingezet. Het blijft nog steeds verbazingwekkend, hoe de altijd voorzichtige en zorgvuldige Montgomery nu ineens en dergelijk riskante aanval wilde en durfde uit te voeren. Was het om de Amerikanen af te troeven en te laten zien dat de Britten superieur waren in planning en uitvoering van grote risicovolle militaire operaties? Was het om de show te stelen om als eerste de opmars naar Berlijn te voltooien? Was het wellicht om de Britse para's de kans te geven geschiedenis te schrijven door hun een glorieuze overwinning te laten behalen? De Britse luchtlandingsdivisie had namelijk al vele malen klaargestaan voor grote operaties. Die waren steeds op een laat moment niet doorgegaan en dat was hun aanvankelijk hoge moreel zeker niet ten goede gekomen. *Market Garden* was nu duidelijk een goede kans om hun hoge graad van geoefendheid en durf te laten zien.

Het risicovolle van *Market Garden* was onder meer dat de opmars in eerste instantie langs een heel smal front (in feite maar *langs één weg*) in een zeer kort tijdsbestek moest geschieden. Het risicovolle was ook, dat de Duitsers na de aanvankelijke instorting van hun verdediging in Frankrijk, zich inmiddels aardig van de schrik hadden hersteld. Ze hadden allerlei versterkingen aangevoerd en daarmee een nieuwe verdediging opgebouwd, die ongeveer liep van het noorden van Antwerpen naar zuidelijk Nederlands Limburg. Daar kwam nog bij, dat luchtverkenningen en inlichtingen van het Nederlandse verzet meldden, dat nabij Arnhem Duitse zware pantsereenheden aanwezig waren. Ondanks al deze signalen en problemen, was Montgomery niet van zijn plan af te houden en wist hij uiteindelijk toch de steun van Eisenhower te krijgen. Voor de detailplanning bleven maar *zes dagen* over! Voor de uitvoering kreeg Montgomery twee Amerikaanse en één Britse luchtlandingsdivisie plus een Poolse luchtlandingbrigade (totaal circa 35 duizend man), ter beschikking. Voor ondersteuning op de flanken wanneer de smalle corridor zou zijn opengebroken, zou een Brits leger (circa 150 duizend man) en in Limburg een Amerikaans leger van soortgelijke sterkte, worden ingezet.

De dag van de aanval (zondag 17 september) was een rustige dag met wat lichte bewolking. De bekende en bekwame paratroepengeneraal Student, zat achter zijn bureau in een tijdelijk hoofdkwartier te Vught te werken. Hij hoorde een intens gebrom van veel vliegtuigen en keek vanaf zijn balkon naar de lucht. Waar hij ook keek, was de lucht bezaaid met transporttoestellen en grote zweefvliegtuigen. Hij was diep onder de indruk en realiseerde zich aanvankelijk niet dat wat hij zag, de vijand was. Later moest hij toegeven dat hij volledig was verrast door een dergelijke unieke, grootschalige geallieerde luchtlandingsoperatie. Diezelfde ervaring en verrassing onderging veldmaarschalk Model in zijn hoofdkwartier te Oosterbeek. Toen Model de Britse parachutisten omlaag zag zweven, kwam hij heel snel tot zijn positieven en waarschuwde direct de Duitse garnizoenscommandant in Arnhem.

| *Amerikaanse luchtlandingen in Noord Brabant.*

Kort daarna informeerde hij de commandant van de Waffen SS pantserdivisie die noordelijk van de stad lag. Die divisie was daar om te herstellen van de zware verliezen die ze bij gevechten in Frankrijk hadden opgelopen. Model schudde zijn volledig verraste militairen in figuurlijke zin goed wakker en coördineerde persoonlijk de eerste verdedigingsacties. Hij waarschuwde eveneens de commandant van de andere Waffen SS pantserdivisie, die in de omgeving van Zutphen eveneens aan het bijkomen was van de gevechten in Frankrijk.

Behalve het negeren van de waarschuwing over de Duitse pantserdivisies, hadden de geallieerde ook nog pech. Nabij Vught vond een Duitse patrouille in een neergeschoten zweefvliegtuig een aantal dode Amerikanen. Een gesneuvelde officier bleek kaarten en operatieorders over *Market Garden* in zijn tas te hebben! De gegevens werden onmiddellijk doorgegeven aan generaal Student, die daardoor gerichte tegenacties in gang kon zetten.

Bij de eerste golf luchtlandingstroepen waren die eerste dag door gebrek aan voldoende transporttoestellen, 16 500 man geland in een soort smal tapijt tussen het noorden van Eindhoven en het westen van Arnhem. Twee Amerikaanse luchtlandingsdivisies daalden zonder veel tegenstand neer bij de geplande locaties in Grave, Veghel en Son. De Amerikanen bezetten snel vijf kleine onbeschadigde bruggen bij Veghel. De vijfde en belangrijke brug bij Son, werd vlak voor hun neus door snel reagerende Duitse troepen opgeblazen. Generaal Gavins mannen van de andere divisie, veroverden de grote onbeschadigde brug over de Maas bij Grave. Ook de brug bij Heumen over het Maas-Waalkanaal, werd door hen veroverd. Met een doortastende opmars rukten ze vervolgens op naar het heuvelachtige gebied bij Groesbeek. Daar kregen ze vrij gauw forse tegenstand van Duitse troepen, die vanuit het Reichswald in westelijke richting aanvielen. Bij de hevige gevechten die toen ontstonden, kregen de Amerikanen versterking van bijna achttienhonderd nieuw gelande kameraden en twintig extra kanonnen. Ze zagen uiteindelijk kans de keihard opdringende Duitsers af te slaan en de dominante hoge grond vast te houden. Minder succesvol waren die eerste dag andere troepen van deze divisie bij de aanval op de grote brug over de Rijn bij Nijmegen. De Duitse verdediging voorkwam dat de Amerikanen de brug in handen kregen.

Toen de luchtlandingstroepen resoluut bezig waren om in de smalle corridor alle bruggen in handen te krijgen, startte bij de Belgisch-Nederlandse grens de opmars in noordelijke richting van het Britse 30ste legerkorps (circa 75 duizend man). Met ondersteuning van veel artillerie en jachtvliegtuigen werd de grens ten zuiden van Valkenwaard overgestoken. Vanwege heftige Duitse tegenstand, vorderde het Britse legerkorps erg langzaam. Toen eindelijk Valkenswaard moeizaam bereikt was, zetten de Britten de aanval tijdens de nacht *niet* door. Daardoor konden ze pas de volgende dag contact maken met de Amerikanen bij Eindhoven. In Eindhoven werden de bevrijders met enorm enthousiasme door de opgeluchte burgers ontvangen. Tot nu toe was de Duitse tegenstand zeer fel en kundig geweest. Daardoor lag men al gauw achter op het geplande strakke tijdschema. De ondersteunende twee andere Britse legerkorpsen, ondervonden eveneens hevige Duitse tegenstand.

In allerijl hadden de Duitsers extra bataljons naar het gevechtsgebied gezonden. Op veel plaatsen gebruikten de Duitsers het bijzonder effectieve 88 mm kanon en het met de hand af te vuren antitankwapen, genaamd *Pantserfaust*. Met deze wapens schakelden ze vele Britse tanks uit en vertraagden de Britse aanval aanmerkelijk. Hier en daar gingen de Duitsers zelfs over tot kleinere tegenaanvallen. De juist bevrijde stad Eindhoven kreeg het ook nog flink voor zijn kiezen. De gehavende *Luftwaffe* schraapte meer dan tachtig bommenwerpers bij elkaar en bombardeerde in de avond het centrum van de stad. Een massa Britse voertuigen werd vernietigd en de nog feestvierende burgerij had een paar honderd doden te betreuren. Een deel van het centrum werd door dit bombardement tot een puinhoop omgetoverd. Noordelijk van Eindhoven werd de Britse opmars weer ernstig vertraagd. Dit kwam doordat eerst een noodbrug voor tanks en zwaar materiaal, over het vrij brede Wilhelminakanaal moest worden geconstrueerd. Duitse tegenaanvallen probeerden voortdurend de smalle corridor af te snijden. Daardoor kon pas op 19 september het

| *Bevrijding Eindhoven.*

30ste Brits legerkorps contact maken met de bedreigde Amerikaanse luchtlandingstroepen bij de diverse bruggen. Door dichte mist konden versterkingen vanuit de lucht pas een dag later gedropt worden in de omgeving van Nijmegen. Onder een regen van Duits vuur landden – om hun kameraden hulp te bieden – aldaar omstreeks 2600 Amerikanen en 145 jeeps.

De Duitsers hadden inmiddels een stevige verdediging opgebouwd bij de zuidelijke opritten van de Waalbruggen. Veldmaarschalk Model had – in plaats van het opblazen van deze bruggen – de troepen zuidelijk van de bruggen opgedragen de Amerikanen tegen te houden. Om de verdediging te vergemakkelijken, hadden de Duitsers alle huizen en gebouwen in de omgeving in brand gestoken. Het centrum van de stad was daardoor al gauw een zee van vlammen. Veel burgers verborgen zich in een absolute staat van angst en vrees, in de kelders van de boven hun hoofd brandende huizen. In hevige man tot man gevechten, probeerden de Amerikaanse luchtlandingstroepen de fanatieke Duitsers te verdrijven uit het centrum en nabij de bruggen. Onder meer door een zeer moedige aanval van de Amerikaanse luchtlandingstroepen, die met rubberboten de rivier overstaken, vielen uiteindelijk de nog

| *Overleg met generaal Gavin van de Amerikaanse luchtlandingsdivisie.*

| *Veroverde Waalbrug bij Nijmegen.*

onbeschadigde bruggen op 20 september in geallieerde handen. Heel snel hierna rolden de eerste Britse tanks over de bruggen noordwaarts richting Elst en Arnhem.

Op 21 september hadden de aanvallers nog steeds een smalle corridor, lopend van de Belgische grens tot voorbij Nijmegen, redelijk stevig onder controle. Op sommige plaatsen was de corridor nauwelijks breder dan de verkeersweg! De corridor lag regelmatig onder Duits artillerievuur en werd voortdurend bedreigd door Duitse tegenaanvallen. De Nijmeegse bevolking had een hoge prijs voor hun bevrijding moeten betalen. Toen vier maanden later alle Duitse tegenstand in de omgeving was opgeruimd, kon de balans worden opgemaakt. Er waren in en nabij de stad 2200 burgers omgekomen, 5500 waren blijvend invalide en tienduizend burgers werden gewond. Aan materiële schade waren vijfduizend huizen en gebouwen volledig aan puin. In de hele stad waren van de totaal 22 duizend huizen en gebouwen, er maar vierduizend geheel onbeschadigd gebleven!

Ongeveer tegelijkertijd met de Amerikaanse luchtlandingstroepen bij Grave en Groesbeek, werd de Britse 1ste luchtlandingsdivisie gedropt westelijk van Arnhem. De landing van de allereerste golf bestaande uit circa zesduizend man parachutisten en luchtlandingstroepen in zweefvliegtuigen, verliep voorspoedig. De afstand van het landingsgebied naar de Rijnbruggen, was omstreeks *tien kilometer*. Deze grote afstand was mede een gevolg van (onjuiste) inlichtingen, die beweerden dat het terrein dichter bij de bruggen te drassig was voor landing van parachutisten. De Britten moesten grotendeels die tien kilometer te voet oprukken om de stad en de bruggen

| *Engelse luchtlandingen nabij Arnhem.*

te bereiken. Er waren wel diverse jeeps, maar niet genoeg, aangezien ettelijke van deze voertuigen onderweg naar Arnhem door luchtdoelartillerie en bij de landingen verloren waren gegaan. De Britten waren goed getraind en uiterst gemotiveerd. Ze hadden dat hard nodig, want al kort na de landingen liep een deel van de bataljons op tegen heftige Duitse tegenstand. Het bataljon (omstreeks zevenhonderd man) van luitenant-kolonel Frost had een andere route genomen en bereikte na een snelle opmars vóór het invallen van de duisternis de noordelijke toegang tot de verkeersbrug. Zijn bataljon zocht posities in de huizen nabij de brug en hij wachtte daar op de aankomst van de andere bataljons. De Duitsers hadden inmiddels de spoorbrug al opgeblazen. De verkeersbrug was bij de aankomst van Frost en zijn bataljon nog intact. De Duitse verdedigers aan de noordkant trokken zich terug. Aan de andere zijde van de brug richtten Waffen SS troepen een stevige verdediging in. Het bataljon van Frost werd door andere Duitse eenheden al vrij snel ingesloten.

De twee andere Britse bataljons raakten verwikkeld in hevige gevechten met onder meer een van twee Waffen SS pantserdivisies. Ondanks felle gevechten, konden ze de vijand die met tanks en artillerie veel zwaarder bewapend was, niet verdrijven. De Britten zagen daardoor geen kans hun belegerde kameraden bij de brug te bereiken. Door slecht weer en daardoor ver achter op het schema, landden de volgende dag versterkingen van ruim tweeduizend man onder commando van brigadier Hackett. Ook deze versterkingen raakten spoedig verwikkeld in felle gevechten met de beter bewapende Duitsers van de Waffen SS divisie. Zij slaagden er helaas niet in door te breken naar het bataljon van Frost bij de verkeersbrug. Maar de Britten hadden nog meer pech. De divisiecommandant generaal Uruquart met een deel zijn mannen van de divisiecommandopost, raakte op weg naar de bruggen hopeloos verdwaald en kon alleen dankzij hulp van Nederlandse burgers, ternauwernood ontsnappen aan krijgsgevangenschap. Daardoor kon hij gedurende twee cruciale dagen geen leiding geven aan zijn divisie en wist niemand waar hij zich ophield. De ellende werd nog verder vergroot, doordat de luchtlandingsdivisie vanwege diverse technische oorzaken nauwelijks radioverbinding kon krijgen met hun hogere commandant generaal Browning (die zich ophield ten zuiden van de Rijn) en ook niet met Engeland. Mede hierdoor werd veel aanvullend materieel door de RAF op verkeerde plaatsen gedropt en viel direct in Duitse handen.

De Duitsers stuurden voortdurend extra troepen naar dit frontgebied. Daardoor was vrij spoedig de verhouding drie Duitsers tegenover één Engelsman. De toestand van de zich hevig werende Britten, werd steeds wanhopiger. Ze werden meer en meer terugdrongen richting rivier. Het bataljon van Frost leed hevige verliezen en had door het niet arriveren van de versterkingen grote moeite zich nog te handhaven bij de brug. De overige bataljons werden fel vechtend en met zware verliezen aan doden en gewonden, teruggedrongen op een klein gebied rondom hotel Hartenstein in Oosterbeek. De wanhopige situatie werd nog beroerder, toen ze hoorden dat door slecht weer en gebrek aan transporttoestellen, de dropping van de beloofde versterking met de Poolse parachutistenbrigade, uitgesteld moest worden. Deze parachutisten van generaal Sosabowski zouden in het oorspronkelijke plan in de buurt van de brug gedropt worden.

Bij de gevechten was luitenant-kolonel Frost zelf zwaargewond geraakt. Na dagen verbitterde strijd waren nog maar 150 man niet-gewonden over en raakten de munitie, medicamenten, de noodrantsoenen en het water op. De overlevenden van dit bataljon hadden iedere Duitse aanval over de brug tot dan steeds kunnen afslaan. Bijna zonder munitie moesten ze zich uiteindelijk overgeven. In de planning hadden ze 24 uur hun positie moeten vasthouden. Het werden *vier nachten en drie dagen*! Er kwam toch nog versterking van een onderdeel van de Poolse parachutistenbrigade. Ze landden noordelijk van Wolfheze en leden zware verliezen, omdat ze midden tussen de strijdende partijen terechtkwamen. Slechts een handjevol van hen kon zich uiteindelijk bij de Britten aansluiten. De Britse bataljons werden in de hevige gevechten verder en verder teruggedrongen tot een klein bruggenhoofd bij hotel Hartenstein. Dit bruggenhoofd bestond toen nog maar uit een gebied van slechts anderhalf bij twee kilometer. Uruquart, en zijn nu nog slechts omstreeks drieduizend mannen vochten hier als leeuwen om de van drie kanten met tanks, artillerie en massa's infanterietroepen agressief aanvallende Duitsers van zich af te houden. De meeste door de RAF gedropte ammunitie en voeding bleven in Duitse handen vallen. In de steeds wanhopiger toestand rapporteerde Uruquart op 24 september aan zijn legerkorpscommandant Browning:

> *'All ranks now exhausted. Lacks of rations, water, ammunition and weapons. High officer casualty rate. Even slight enemy offensive may cause complete disintegration. If this happens, all will be ordered to break towards the bridgehead if anything rather than surrender. Any movement at present in face of enemy is not possible.'*

Uruquart had inmiddels de hoop opgegeven dat Britse grondtroepen op tijd de zuidelijke oprit van de verkeersbrug bij Arnhem zouden bereiken.

Onderdelen van het Britse legerkorps waren over de brug bij Nijmegen inmiddels opgerukt tot Elst. Daar liepen ze tegen een Duitse Waffen SS pantserdivisie op, die versterkt werd met de zware en moderne Koningstijger tanks. De Britten zagen geen kans de Waffen SS direct terug te slaan. Ondertussen was een ander onderdeel van de Poolse parachutistenbrigade gedropt zuidelijk van de Rijn in de omgeving van Driel. In de nacht van 23 en 24 september slaagden ruim 270 Polen en enige Britten erin, om noordoostelijk van Driel de rivier over te steken. Deze kleine versterking kon in dit stadium Uruquart met zijn volledig uitgeputte mannen niet meer redden uit zijn steeds hachelijker positie. Hij vroeg daarom toestemming, om met het kleine restant van de overgebleven mannen van zijn trotse divisie (omstreeks 2500 man), te mogen evacueren.

Gedurende nacht van de negende dag in die heroïsche strijd van de 'Rode Duivels' werd deze riskante operatie uitgevoerd. De Britten moesten hun gewonde en gesneuvelde kameraden in de inmiddels tot vijfhonderd bij vijftienhonderd meter geslonken perimeter bij Hartenstein, achterlaten. In ijzige stilte en onder dekking van de diepe duisternis, trokken de parachutisten naar de rivieroever. De uiterst riskante terugtocht werd vanuit het zuiden over de rivier ondersteund door Engelse artillerie. In deze stikdonkere regenachtige nacht, werden ze door Britse stormboten overgezet naar de zuidoever. Bij het eerste daglicht was het allemaal voorbij. Gedurende de tien dagen van verbeten gevechten, waren meer dan zevenduizend man van de 1ste luchtlandingsdivisie gesneuveld, gewond of krijgsgevangen genomen. Nederlandse burgers en het verzet verborgen in Oosterbeek en Arnhem nog circa tweehonderd man. Vele maanden later konden deze ondergedoken parachutisten door assistentie van het verzet en via diverse sluikse wegen, alsnog ontsnappen naar het zuiden, over de rivier. Ook de Duitse verliezen tijdens operatie *Market Garden* logen er niet om. Minstens tweeduizend Duitsers waren gesneuveld en naar schattingen omstreeks vierduizend gewond. De dappere overlevenden van de Engelse luchtlandingsdivisie, likten hun vele wonden. Ze hadden hun missie niet met succes kunnen afronden, maar wel hun welhaast eeuwige glorie bevochten. Zelfs vele jaren na het einde van de wereldoorlog, werd iedere paratroeper die kon zeggen 'ik was bij Arnhem', met respect en grote bewondering bejegend!

Het droeve einde van de slag om Arnhem, vernietigde in één klap de enige kans

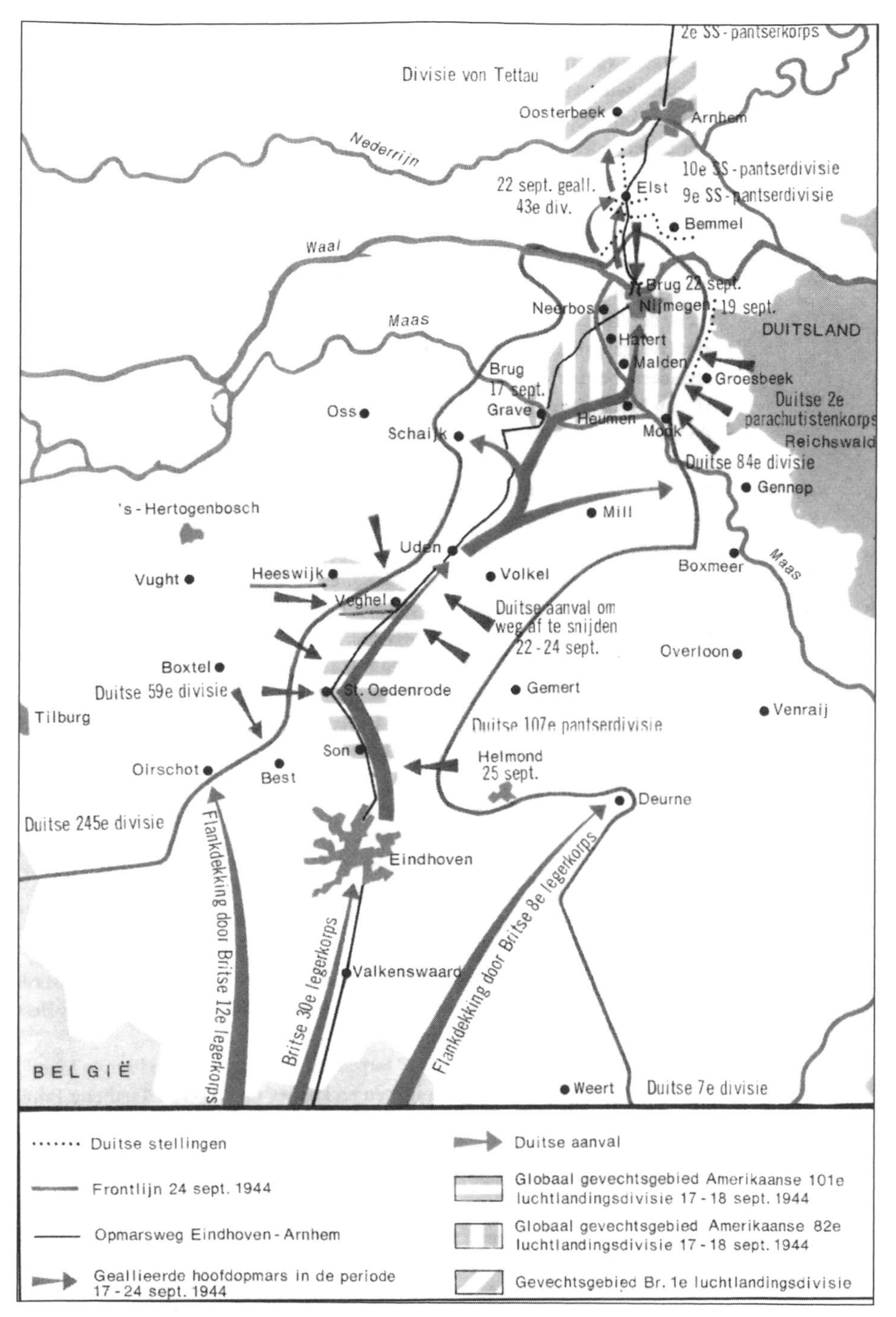

| *Operatie* Market Garden, *opmars naar Nijmegen en Arnhem.*

op een snelle overwinning in het westen. Er was wel een negentig kilometer lange corridor bevochten in Nederland beneden de rivieren. De strategische doelstelling om ook de laatste Rijnbrug bij Arnhem in handen te krijgen, was jammerlijk mislukt. De ambitieuze doelstelling om in één klap met een riskante operatie over de Rijn te springen, was niet gehaald. De kans om in het westen in 1944 de oorlog te beëindigen, was nu verkeken. De rivier de Rijn bleef nu een effectieve barrière die het Nederland boven de rivieren, nog een moeilijk halfjaar langer in de greep van de nazi's zou houden. Het Britse 2de leger van generaal Dempsey kon en moest zich nu concentreren om de smalle corridor tussen Eindhoven en Nijmegen, steviger in handen te krijgen. Dat was hard nodig, aangezien de agressieve Duitsers met aanvallen enige malen de kwetsbare corridor zelfs konden afsnijden. Met voortdurende aanvallen en tegenaanvallen en met veel verliezen, konden uiteindelijk de Britten en Amerikanen, de Duitse troepen bij Eindhoven, Driel, Elst, Groesbeek Nijmegen en Weert terugslaan en deze gebieden in Noord-Brabant en het zuiden van Gelderland stevig in handen krijgen.

De Britse luchtlandingstroepen hadden bij Arnhem een heel zware tol betaald, maar hoe was het de plaatselijke bevolking tijdens en na de strijd vergaan? Op 17 september hadden ze de Engelsen als bevrijders juichend binnengehaald. Het zag er heel even naar uit dat ze nu eindelijk bevrijd waren. Die euforie was gauw over toen de Duitsers hard en fel terugsloegen. Een groot deel van de bevolking moest al vlug de kelders in, toen de strijd rondom hun huis en haard ontbrandde. Kanon- en tankgranaten plus ontstane branden, vernielden de meeste huizen. Straatgevechten met veel doden en gewonden, was het toneel waar ze middenin zaten. Diverse burgers en het lokale verzet, hielpen en verborgen gewonde Engelsen of wezen de Britten de weg in de stad. Negen dagen lang was het voor een deel van de Arnhemse en Oosterbeekse burgers compleet hel.

Toen het stof na die paar dagen enigszins neerdwarrelde en het geweer- en kanonvuur was opgehouden, verordonneerden de Duitsers dat het gehele gebied ontruimd moest worden. Het ging daarbij om *alle* bewoners van de gemeentes Arnhem, Oosterbeek, Heelsum, Renkum en Wageningen. Het totaal aantal van deze gedwongen evacuatie was 180 duizend mensen. Zij moesten hun huis of boerderij op korte termijn verlaten. De meesten van hen dachten dat het om een tijdelijke evacuatie ging en namen alleen de meest essentiële spullen mee. Het was een droeve exodus van zwaar beladen karren, fietsen, kinderwagens, andersoortige voertuigen met wielen, huisdieren en vee, waarmee vrouwen, kinderen en mannen de meest noodzakelijke goederen lopend vervoerden. Ze waren op weg om ergens in de provincies Gelderland en Utrecht een dak boven het hoofd te zoeken bij familie, vrienden, kennissen of gemeentelijke instanties die hen tijdelijk konden huisvesten. Het was een eindeloze stroom van wanhopige ontheemden die bijna alles hadden moeten achterlaten wat hen dierbaar was. Ze waren nu noodgedwongen aangewezen op hulp en liefdadigheid van anderen. Wat de toestand nog wranger maakte, was dat later bleek dat de onbewoonde huizen en boerderijen grondig en systematisch werden leeggeroofd door de Duitsers. Ook sommige Nederlanders van elders, hadden er geen moeite mee om aan deze plunderingen mee te doen. Kort na de gedwongen

| *Evacuatie van burgers tijdens de strijd in Arnhem.*

evacuatie, werd Rauter op de hoogte gesteld van de roofpartijen van zijn landgenoten. Hij gaf toen een strikte order uit, dat zijn ondergeschikten uitdrukkelijk verbood mee te doen met deze rooftochten uit de leegstaande huizen. Al vrij spoedig na het mislukken van de slag om Arnhem, gingen in het geallieerde kamp allerlei verhalen rondzingen. Die geruchten beweerden dat het allemaal mis was gegaan door verraad. Als belangrijkste verrader werd de naam van Chris Lindemans (bijnaam King Kong vanwege zijn grote kracht en gestalte) genoemd. Lindemans was een man van het type dat in de stroom van gebeurtenissen in een oorlog, was voorbestemd om een held, crimineel, verrader of een mengeling van al deze extremen te worden. Als geboren Rotterdammer werkte hij in 1940 in een garage. Hij werd in dat jaar als burger vrachtwagenchauffeur voor de Duitse luchtmacht en reed op tankauto's in België en Frankrijk. Hij hielp anti-nazi's met ontvluchten, sloot zich aan bij het verzet en deinsde er niet voor terug om liquidaties uit te voeren. Het was een man die behoorlijk ijdel was en nogal van vrouwen hield.

Zijn opzichtige en extravagante optreden, wekte weinig vertrouwen bij het verzet en daarom werd hij na enige tijd hier en daar zelfs gewantrouwd. Begin 1944 werd zijn jongere broer, die zich ook bij het verzet had aangesloten, door de SD opgepakt. Zijn broer werd vrij spoedig tot de doodstraf veroordeeld. Door deze schok en het ondervonden wantrouwen van sommige mannen van het verzet tegenover hem, besloot hij over te stappen naar de andere partij. Hij kwam via via in contact met

Giskes van de *Abwehr* en stemde erin toe voor de Duitse contraspionage te gaan werken. In ruil hiervoor vroeg hij de SD protectie voor zijn broer en zijn vrouw. Als dubbelspion kon hij nu op en neer reizen tussen bezet Nederland en het bevrijde België. Toen de Nederlandse V-man Verloop in bevrijd Nederland gearresteerd werd, sloeg die bij ondervragingen door. Verloop verklapte dat Lindemans een dubbelspion was. Lindemans werd vervolgens gearresteerd en in Engeland langdurig ondervraagd. Daarna werd hij aan de Nederlanders overgedragen. Onder beschuldiging van verraad werd hij in de Bredase gevangenis opgesloten. Zorgvuldige naspeuringen brachten aan het licht dat Lindemans inderdaad aan een door de inmiddels overgeplaatste Giskes opgegeven *Abwehr* medewerker (Richard Kerstman), op 15 of 16 september in het landhuis Heidesteyn te Driebergen had verteld over de ophanden zijnde aanval in het gebied Eindhoven-Arnhem. Details wist hij niet en kon hij dus ook niet verraden. Vlak voor de berechting van Lindemans in juli 1946, pleegde hij een geslaagde zelfmoord in de Scheveningse gevangenis. Gezien de grote verrassing van de generaals Student en Model bij de geallieerde luchtlandingen op 17 september en een aantal andere factoren, is het hoogst onwaarschijnlijk dat het mislukken van de operaties bij Arnhem alleen te wijten zou zijn aan het verraad van Lindemans.

Op 15 september had Model via ettelijke en heel andere (militaire) inlichtingenbronnen informatie ontvangen dat er een grote geallieerde aanval op korte termijn zou plaatsvinden in het gebied tussen Eindhoven en het zuiden van Gelderland. Ondanks deze informatie wist Model niet hoe of waar precies de aanval zou plaatsvinden. Een feit is ook dat verantwoordelijke officieren bij SHAEF regels over geheimhouding met voeten traden. Zij lieten een paar dagen vóór de aanval aan een groot publiek van oorlogscorrespondenten bij een persconferentie los dat een grote luchtlandingsoperatie gelanceerd zou worden in het gebied tussen Eindhoven en Arnhem. Daarbij werd niets verteld over de juiste datum, maar men wist of kon ten minste weten, dat de Duitsers informanten hadden in het al bevrijde gebied in België. Deze persconferentie toonde aan dat er een te groot zelfvertrouwen was bij de geallieerden en dat men te veel het idee had dat de vijand bijna verslagen was. Bovendien stond een dergelijke openheid richting oorlogscorrespondenten wel erg schril in contrast met de bijzonder scherpe geheimhouding die in acht werd genomen voorafgaand aan D-day!

Na de oorlog en zelfs tot op de dag van vandaag, zijn er een onnoemelijk aantal studies en analyses geweid aan de mislukking van het vormen van een bruggenhoofd noordelijk van de Rijn bij Arnhem. Historici in vredestijd hebben een comfortabele positie om in alle rust rapporten, documenten, verslagen et cetera na te spitten en ooggetuigen te horen. De meeste van deze wetenschappers hebben nooit ervaren wat het is om de kogels te horen fluiten; handgranaten, bommen of artilleriegranaten rondom te zien exploderen; rook, stof of duisternis om zich heen te hebben die het zicht moeilijk of onmogelijk maken; de hitte, kou, regen te voelen, het eindeloos moeten wachten op het moment van de aanval; het kreunen of de doodsrochel van gewonde kameraden te horen; voortdurende te weinig informatie over de vijand te hebben en allerlei andere fysieke en psychische kwellingen moeten ondergaan, die militairen meemaken op het slagveld.

In het bijzonder bij Arnhem tijdens *Market Garden* ging er heel veel mis. Juist bij een dergelijke gedurfde en riskante onderneming, moeten vooral de hogere officieren de primaire tactische en strategische principes goed kennen en toepassen. Daar is bij Arnhem zwaar tegen gezondigd. Zonder uitputtend te zijn, zal ik een paar belangrijke veronachtzaamde principes noemen.

Voor een dergelijk grootschalige en complexe operatie, was de planning veel en veel te kort en te haastig. Verbindingen en de radiocommunicatie-uitrustingen waren van tevoren nauwelijks behoorlijk getest. Vooral de Britse grond- en luchtlandingstroepen waren er onvoldoende van doordrongen dat de snelle verovering van de belangrijkste bruggen, uiterst vitaal was voor het succes van de *gehele* operatie. De afstand tussen de landingsgebieden en het doel bij Arnhem was veel te groot en dat werd mede veroorzaakt omdat er geen grondige terreinstudie was verricht. De inlichtingen van recente luchtverkenningen en het verzet, dat er in het gebied Duitse tanks aanwezig waren, werden niet serieus genomen. Er waren nauwelijks behoorlijke kaarten van het gebied beschikbaar voor de luchtlandingeenheden.

Toen in het begin nog versterkingen konden worden ingevlogen, werd daar door een hoger echelon op gereageerd met 'niet nodig'. De logistieke planning was vrij armzalig. In militaire strategie en tactiek, moeten bij voorbaat tegenslagen zijn ingecalculeerd. De strateeg generaal Von Clausewitz, noemde dat in zijn standaardwerk *Vom Kriege* uit 1832 *Friktion*. Bij operatie *Market Garden* was er heel veel *Friktion* en daar was bij de haastige planning veel te weinig rekening mee gehouden. Er lagen te veel eieren in één mandje en als eindresultaat was de complexe operatie inderdaad 'een brug te ver'.

Het was ook een dure les. Er werden totaal omstreeks 35 duizend man ingezet. Daarvan werden dertienduizend man gedood, gewond of krijgsgevangen gemaakt. Meer dan de helft van dit aantal slachtoffers viel bij de Britse luchtlandingsdivisie. Ter vergelijking van aantallen is het vermeldenswaard dat het complete Britse legerkorps bij hun opmars vanaf de Belgische grens naar zuidelijk van Arnhem, slechts vijftienhonderd man verloor. Wat nog erger was, is dat de unieke kans om in één grote aanval door te breken over de Rijn en door te stoten naar Duitsland, voorlopig verkeken was. Er zouden nu nog ruim zeven maanden van harde gevechten met veel doden en gewonden, plus een hoop ellende en ontberingen voor de burgerbevolking in Nederland volgen, voordat de Duitse tegenstand in elkaar zou klappen.

5-7 Spoorwegstaking en meer ontberingen

De eerste spoorweg tussen Amsterdam en Haarlem werd in het jaar 1839 in gebruik genomen. Vijftig jaar later was het huidige dichte spoorwegnet aangelegd. Geleidelijk aan werden de enkelspoortrajecten verdubbeld. Toen in 1940 de oorlog uitbrak, waren de aanvankelijk particuliere spoorwegmaatschappijen, inmiddels overgegaan in staatshanden. Ondanks de langzame groei van het aantal auto's en de aanwezigheid van vele vaarwegen voor de binnenvaart, waren de spoorwegen van groot nationaal belang voor het landelijke personen- en vrachtvervoer.

Toen het Duitse bestuur in het zadel kwam, sloot de hoofddirectie van de Nederlandse Spoorwegen (NS) een zakelijke overeenkomst met de Duitsers. Daarbij kwamen ze overeen dat de NS alle binnenlandse transporten zouden uitvoeren, die de Duitse spoorwegen via de Duitse toezichthouder op de NS, hen zou opdragen. Deze overeenkomst werd beslist niet gesloten uit sympathie voor de bezetter, maar uit puur eigenbelang om het NS-bedrijf in eigen handen te houden. De NS-hoofddirectie wilde trachten met al het personeel en materieel, de oorlog zo ongeschonden mogelijk door te komen en te overleven. De overeenkomst betekende wel dat de NS verplicht waren om allerlei soorten 'onsympathieke' transporten ook uit te voeren. Deze houding was overduidelijk meer pragmatisch dan ethisch geïnspireerd! Daardoor voerden de NS in de periode 1941-1942 omstreeks 630 extra ritten uit om dwangarbeiders naar Duitsland te vervoeren en bijna 150 ritten om joodse mensen naar Westerbork te transporteren. De NS vervoerden eveneens Duitse militaire eenheden en grote hoeveelheden oorlogsbuit naar Duitsland. Er waren veel NS-werknemers die met dit soort ritten moeite hadden. De NS waren echter een gedisciplineerde organisatie en de werknemers gehoorzaamden daarom toch hun bazen. Het is begrijpelijk dat de illegale pers veel kritiek had op dit vervoer van de NS voor de vijand. Wat slechts weinigen wisten, was dat de NS in het geheim voor het verzet illegale kranten, wapens, munitie, explosieven, koeriers, en dergelijke vervoerden. Eigenlijk was de NS naast zijn normale publieke functie, tevens een belangrijke vervoerder voor zowel mensen als goederen voor het verzet.

Tijdens de bijna landelijke staking in 1943 had de NS-hoofddirectie zeer serieus bekeken of ze wel of niet mee zouden doen met die staking. Uiteindelijk deden ze weloverwogen niet mee, omdat ze zich hadden gerealiseerd dat in staking gaan voor een bedrijf met dertigduizend werknemers, *maar één keer mogelijk zou zijn.* Wanneer ze met een staking zouden meedoen, moesten ze dat daarna noodgedwongen volhouden tot het einde van de oorlog! Een staking van de NS, zou bovendien vérgaande consequenties voor het hele land hebben. Een andere belangrijke overweging was, dat het staken van transporten voor de Duitsers, alleen maar op de korte termijn enig negatief effect voor die Duitsers zou hebben.

In september 1944 waren in Nederland omstreeks tweeduizend man van de *Reichsbahn* werkzaam. Dit Duitse personeel was ruimschoots bekwaam genoeg en in staat om de NS te laten doorwerken *zónder Nederlands personeel.* Deze wetenschap heeft zeker bijgedragen aan de beslissing van de hoofddirectie van de NS, om in 1940 een overeenkomst met de Duitsers aan te gaan, waardoor ze zo lang mogelijk het bedrijf in eigen handen konden houden. De NS-directie nam daarbij op de koop toe dat ze 'onsympathieke' transporten zouden moeten uitvoeren. Dit betekende later, dat de NS noodgedwongen betrokken werden in de nationale transporten voor het vervoer van de joodse bevolking, dwangarbeiders, afvoer van geroofde goederen et cetera. Ook zonder deze NS-collaboratie zouden toch de joodse mensen en andere groepen slachtoffers, met NS-treinen bemand door *Reichsbahn*-personeel, afgevoerd zijn!

In geheime besprekingen tussen de NS-directie, Londen en het verzet, hadden de NS duidelijk naar voren gebracht, dat ze een algemene staking maar een paar weken zouden kunnen volhouden. De NS meenden dat een staking succesvol zou kunnen zijn, als een bevrijding zéér nabij was. Toen begin 1944 het duidelijker werd dat een einde aan de bezetting in het zicht kwam, werden er door de NS-directie voorbereidingen getroffen 'in het geval dat' een algemene staking afgekondigd zou worden. De top van de NS en de managementlaag daaronder werkten in het geheim de details voor dit 'project' uit. In principe werd besloten dat als de Londense regering het sein voor de staking gaf, de NS hieraan zouden gehoorzamen. Mei 1944 ontvingen alle werknemers een extra maandsalaris voor bijzondere omstandigheden. Het Duitse bestuur kreeg hier lucht van en gelastte dat dit geld teruggestort moest worden. De NS-directie voerde deze order uit, maar liet het geld opslaan in de kluizen van ieder spoorwegstation. Begin september 1944 vroeg SHAEF uitdrukkelijk aan de Londense regering in ballingschap, dat er in verband met een aanstaande grote militaire operatie, een algemene staking door de NS noodzakelijk was. Op 17 september gaf de regering in Londen het bevel voor die staking. Op dat moment was operatie *Market Garden* al in volle gang en waren sommige bruggen inmiddels door geallieerde troepen veroverd.

Maandag 18 september – toen de gevechten in Noord-Brabant en Gelderland aan de gang waren – verlieten bijna alle spoormannen de stations, de treinen en het hoofdkantoor in Utrecht en doken onder. Veel spoorwegmensen namen hun gezin mee naar een onderduikadres om te voorkomen dat hun familieleden als gijzelaars konden worden gebruikt. Binnen een week was de spoorwegstaking landelijk en compleet. De meeste van de dertigduizend NS'ers dachten dat de oorlog spoedig voorbij zou zijn en dat het onderduiken maar een paar weken zou duren. De Duitsers werden ook deze keer, volledig verrast door de staking.

Door de massaliteit van de staking hadden de SD en de Duitse politie niet genoeg mankracht om op de in het verleden eerder vertoonde brute wijze te reageren. Toen door het mislukken van de verovering van de brug bij Arnhem, de bevrijding van noordelijk Nederland uitbleef, moest noodgedwongen de staking toch volgehouden worden. De Duitsers reageerden vrij vlug en adequaat door bovenop de al aanwezige tweeduizend Duitse spoorwegmensen, nog eens drieduizend man naar Nederland te halen. Met deze mankracht konden ze het Nederlandse spoorwegvervoer voor hun eigen doeleinden zonder veel moeite gaande houden. Hoewel de staking niet effectief was om de spoorwegen voor militaire doeleinden lam te leggen, was het in morele zin een fantastisch staaltje van grootschalig verzet. Achteraf is strategisch gezien de spoorwegstaking niet van veel militair belang geweest, dit omdat de snelle doorstoot naar het noorden in 1944, *niet* plaatsvond.

Helaas was een andere Duitse reactie uitermate nadelig voor de bewoners van de grote steden in de Randstad. De bezetter kondigde vanwege de staking, een voedselembargo af en dat hield in dat geen treinen of andere transportmiddelen, meer ingezet zouden worden voor voedselaanvoer naar die steden. Op het platteland werd men door dit embargo veel minder direct getroffen, aangezien men daar bij de boerenbedrijven met melk-, tarwe- en vleesproducten voor eigen gebruik, veel meer kon sjoemelen. Enige tijd later werd het voedselembargo enigszins verzacht. Toch was met dit gedeeltelijke embargo het eerste zaad gezaaid, wat daarna zou lijden tot de verschrikkelijke hongerwinter in de steden van het westen. Wat grotendeels overeind bleef staan, was de Duitse weigering om de met hun landgenoten

| *Affiche over gevolgen van spoorwegstaking.*

bemande treinen te gebruiken voor aanvoer van voeding en kolen ten behoeve van de Nederlandse bevolking. De NS-spoorwegstaking was en bleef een pad, waarvan terugkeer niet mogelijk was. Bovendien drongen zowel SHAEF als de regering en Londen er krachtig op aan dat de staking tot het bittere eind moest worden volgehouden. De NS directie realiseerde zich maar al te goed, dat ze hun personeel niet konden bewegen om naar hun werk terug te keren. Bij terugkeer naar hun werk, zouden ze hoogstwaarschijnlijk blootgesteld worden aan allerlei zeer onaangename selectieve strafmaatregelen van de Duitse politie. Door de Duitse embargo's betaalde in feite een flink deel van de bevolking in bezet Nederland de onaangename indirecte rekening voor de spoorwegstaking.

Toen de staking begon, had niemand eigenlijk benul dat die meer dan *zeven maanden* zou gaan duren. Door het veel langer dan voorzien voortduren, was het gereserveerde geld voor het spoorwegpersoneel in de kluizen van de stations, vrij snel verbruikt. Er moest langs allerlei creatieve en slinkse wegen dringend veel meer geld voor de salarissen van de spoormannen en hun gezinnen komen. Er werd van alles gedaan om in het geheim fondsen bij elkaar te krijgen. Na besprekingen met de NSF bankier van het verzet en de LO voor de distributie van de gelden, werd een oplossing gevonden. Er werd overeengekomen en georganiseerd, dat voor de verdere duur van de oorlog het stakende NS-personeel en hun gezinnen hun salaris doorbetaald zou krijgen. Het ging daarbij uiteindelijk om een bedrag van 6 miljoen gulden (thans vergelijkbaar met circa 28 miljoen euro) per maand. Het zal duidelijk zijn dat het een enorme inspanning van het verzet vergde om al dit geld in het diepste geheim op de juiste tijd en op de juiste plaats te krijgen bij de tienduizenden (voor een deel nog steeds ondergedoken) NS-werknemers. Naast de voorzieningen voor de salarissen, organiseerde het verzet eveneens dat de stakers in het geheim voorzien werden van echte of vervalste distributiekaarten. Na een paar weken durfden veel ondergedoken spoormensen en hun gezinnen, weer naar hun huizen terug te keren. Door het grote aantal stakers, zagen de SD en de Duitse politie er toen ook van af om deze stiekem teruggekeerden, op te sporen en alsnog te arresteren. Al met al toch een fantastisch staaltje van massaal en geslaagd verzet! De bevrijding van het deel van Nederland beneden de rivieren, veranderde verder niets aan de repressieve houding van de Duitsers tegenover de bevolking van het noordelijk deel van het land.

Ondanks dat de nazi's op alle fronten op de terugtocht waren, werd het regime niet milder. Wel werden de Duitsers steeds nerveuzer en hun terreur had de trend om nog verder te verharden. Op bevel van Hitler, werden een paar dagen na aanvang van de spoorwegstaking de havens van Rotterdam en Amsterdam volledig opgeblazen! Eerst werden alle dokwerkers ontslagen. Binnen een paar dagen werden vervolgens beide havens en hun installaties grotendeels ontmanteld. De meest waardevolle machinerieën, kranen, bruikbare voorraden en andere uitrustingen van scheepswerven, dokken, machinefabrieken, opslagloodsen et cetera, werden op binnenvaartschepen gestouwd en naar Duitsland gezonden. De explosies van de systematische vernietiging van de havens waren zo intens, dat bij veel woonhuizen in de buurt, de ruiten aan barrels vlogen. Er werd totaal *circa 21 kilometer aan kademuren* opgeblazen. Meer dan tweehonderd hijskranen plus de meeste droogdokken en opslagtanks, werden vernietigd. Beide havens zagen er na de vernielingen uit of ze door een flinke aardbeving waren getroffen. De bevolking van in het bijzonder Schiedam, Rotterdam en Amsterdam, was diep geschokt. Wat in circa honderd jaar was opgebouwd, ging nu binnen één week de lucht in.

De terreur bleef hard toeslaan. Van de vele rauwe terreuracties, noemen we er enkele. In Apeldoorn werden acht mannen van het verzet in oktober verraden. Na hun arrestatie, werden ze onmiddellijk doodgeschoten. Ter waarschuwing en afschrikking, bleven hun dode lichamen enige tijd op straat liggen. Dezelfde maand werd ook door verraad een geheime zender van de OD in het bezette deel van Noord-Brabant opgespoord. Dit drama eindigde door de executie van zeventien mensen, onder wie een vrouw en drie kinderen. Een paar dagen na de slag om Arnhem, vond er in Putten een nog veel groter drama plaats. Het gewapend verzet was inmiddels wat beter georganiseerd en uitgerust. Men had meer zelfvertrouwen gekregen nu het einde van de oorlog in zicht kwam.

Een kleine verzetsactie met dramatisch grote gevolgen, vond plaats in het Veluwse dorp Putten. De lokale commandant van een verzetsgroep in de omgeving

| *Vernielingen door opblazen kades en kranen in haven van Amsterdam.*

van Putten, had opdracht gegeven om een Duitse stafauto aan te vallen. Putten was in die dagen een klein boerendorp met strikt belijdende christelijke inwoners. In de late avond van 30 september opende de verzetsgroep in het maanlicht met een paar man het vuur op de Duitse auto, waar naar bleek vier militairen in zaten. Twee Duitse officieren en twee korporaals werden door het schieten gewond. Twee van de gewonden, zagen kans te ontsnappen en zich verborgen te houden. Eén van de gewonde officieren werd door een boer de volgende dag in een passerende Duitse auto gezet. Deze bracht de gewonde onmiddellijk naar een hospitaal.

Diezelfde nacht werd de commandant van het Hermann Göring regiment in Harderwijk, op de hoogte gebracht van de aanslag. Deze kolonel Fullriede, was geen nazi en te kwalificeren als een 'gewone officier'. Na enig overleg zond hij eenheden van het regiment naar Putten, teneinde de omgeving af te grendelen en de daders van de aanslag te zoeken. Ook generaal Christiansen, Rauter en Seyss-Inquart, werden geïnformeerd over de aanslag. Christiansen ontstak in grote woede en brulde tegen zijn chef-staf dat 'het hele dorp moet worden platgebrand en de bevolking tegen de muur gezet'. ('Das gansze Nest musz angesteckt werden und die gansze Bande an die Wandt gestellt.') Deze woede-uitbarsting werd in concrete vergeldingsmaatregelen omgezet, door de order dat alle weerbare mannen uit het dorp in de leeftijd van zeventien tot vijftig jaar, naar Duitsland voor tewerkstelling moesten worden afgevoerd. Wanneer de daders van de aanslag zouden worden gevonden, moesten die onmiddellijk ter plaatse worden doodgeschoten. Het dorp moest na het afvoeren van de bevolking, geheel platgebrand worden. Fullriede kreeg die order later schriftelijk, maar zat er enigszins mee in zijn maag. Hij vond het wel erg extreem ten opzichte van de geleden (Duitse) schade door deze aanslag. Uiteindelijk zou hij na het nodige overleg en smeekbeden van sommige burgers, de uitvoering van het platbranden wat verzachten. Rauter had ervoor gezorgd dat ook de nodige mannen van de SD en SS zouden assisteren bij het onderzoek en de afvoer van de mannelijke bevolking. Ondanks alle grondige zoekslagen, werden de plegers van de aanslag niet gevonden.

De paar honderd Puttense mannen werden allemaal ondervraagd, maar konden naar waarheid zeggen dat ze niet wisten wie de aanslag had gepleegd en waar die verzetsmannen zich ophielden. Die bewuste mensen waren inmiddels al ver weg van Putten en bleven onvindbaar. Van de Puttense mannen waren ondertussen bijna veertig mannen aangewezen als eventuele gijzelaars. In groepen van honderd, moesten 660 mannen met bewapende Duitsers ernaast, afmarcheren naar gereedstaande spoorwegveewagens die hen naar kamp Amersfoort afvoerden. Hartverscheurende tonelen speelden zich in het dorp af toen de vrouwen en andere familieleden hun vaders en zonen zagen vertrekken. In het doorgangskamp Amersfoort werden uiteindelijk nog circa zestig man om diverse redenen losgelaten. Ruim een week later gingen de zeshonderd man in goederenwagens op transport naar het 'mildere' concentratiekamp Neuengamme. Ruim tien man zagen kans om vóór de trein de Duitse grens bereikte, van de trein te springen en te ontsnappen. De overigen werden vanuit Neuengamme verspreid over een aantal dwangarbeiderskampen. Na de bevrijding keerden van deze honderden maar weinigen levend terug in het vaderland. Ze overleden ergens in Duitsland door de gevolgen van zware dwangarbeid, ondervoeding, ziekte, uitputting en bombardementen.

Fullriede liet het platbranden van het dorp op 'milde' wijze uitvoeren. Van de 750 woningen in de kom van de gemeente, gingen er 'slechts' 84 in vlammen op. De rest van het dorp bleef gespaard. Dat bij dit platbranden nog in grove mate werd vernield en geroofd, moesten de zwaar getroffen burgers op de koop toenemen. Toen Nederland bevrijd was, kwamen bijna 550 afgevoerde mannen (85 procent) niet meer terug. Bijna ieder gezin uit dit kleine dorp had een familielid verloren. De traumatische gevolgen en littekens van dit drama, werken daar op de Veluwe, tot de dag van vandaag nog door!

De aanhoudende terreur hield ook in de grote steden aan. Zo werd in oktober te Amsterdam op de prachtige en brede Apollolaan het gewapend verzet een belangrijke en gevreesde SD officier, overdag doodgeschoten vlakbij een mooie villa. De bewoners van dit huis moesten onmiddellijk het huis verlaten. Twee villa's werden hierna in brand gestoken. 29 gijzelaars werden opgetrommeld en ter plekke voor de villa's ter afschrikking doodgeschoten. Ter nagedachtenis aan die gefusilleerden, is vlak bij de plek van de aanslag na de oorlog een stijlvol monument opgericht.

Nog een ander groot drama in het sombere najaar van 1944, verdient een aparte vermelding. Begin november lag het vriendelijke dorp Heusden aan de Bergsche Maas, in het oorlogsgebied. Doordat daar regelmatig artilleriebeschietingen plaatsvonden, zochten omstreeks 150 mensen uit het dorp bescherming in de kelders van het fraaie oude raadhuis. Een Duits explosievencommando blies zonder enige voorafgaande waarschuwing, de toren van het raadhuis boven hun hoofd op. De gevolgen waren verschrikkelijk. Meer dan honderd burgers werden door het instorten van het gebouw gedood. Nooit is bekend geworden wat de precieze redenen van deze slachtpartij is geweest.

Het dagelijkse leven in de steden boven de rivieren werd najaar 1944 van maand tot maand moeizamer en zorgelijker. De razzia's op mannen voor gedwongen arbeid, werden talrijker en intensiever. Dit betrof zowel steden als dorpen. Berucht is vooral de grote razzia in november te Rotterdam. Ondanks de vele oproepen en maatregelen sinds 1942, was het aantal mannen tussen de zeventien en veertig jaar die zich hadden gemeld voor verplichte arbeid, iedere keer weer onder de maat gebleven. De diverse kleinere razzia's tot nu toe, leverden niet genoeg mannen op. De grote behoefte aan mankracht, was door de grote verliezen aan de fronten, verder toegenomen. De nazi's hadden extra handen voor hun oorlogsindustrie hard nodig en ook waren veel extra handen nodig voor de aanleg van steeds meer nieuwe verdedigingslinies.

Vanaf het allereerste begin was de *Arbeitseinsatz* bij de Nederlanders impopulair geweest. In 1944 waren de verliezen aan militairen opgelopen tot omstreeks 2 miljoen man. Berlijn preste voortdurend hun zetbazen in de bezette gebieden voor aanvoer van meer arbeiders. Het Duitse bestuur besloot nu de jacht op arbeiders grootschalig aan te pakken. Rotterdam en Schiedam werden vervolgens als eerste steden uitgekozen voor een massale aanpak. Diverse Duitse troepeneenheden (totaal omstreeks achtduizend man) werden in het geheim geconcentreerd in de

Rotterdamse regio. Op 10 november werd tijdens de duisternis een compleet cordon rond deze steden gelegd. Alle wegen naar en van de steden, werden door militairen afgesloten. Toen het licht was, werd met veel militair machtsvertoon aangekondigd, dat alle mannen zich op straat moesten melden voor de arbeidsinzet. Op het officiële pamfletten die huis aan huis werden afgegeven, stond het volgende:

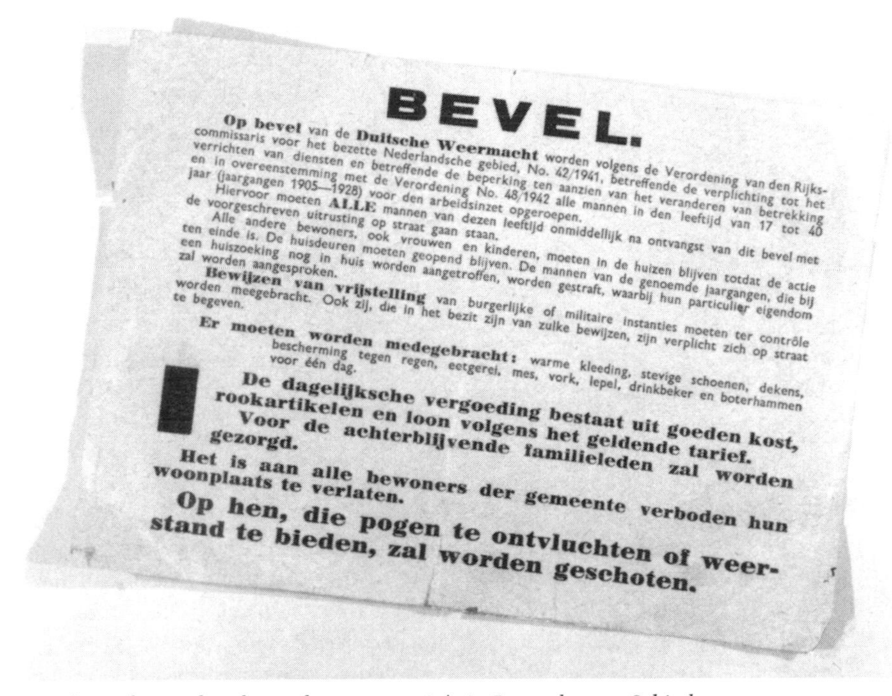

BEVEL.

Op bevel van de **Duitsche Weermacht** worden volgens de Verordening van den Rijkscommissaris voor het bezette Nederlandsche gebied, No. 42/1941, betreffende de verplichting tot het verrichten van diensten en betreffende de beperking ten aanzien van het veranderen van betrekking en in overeenstemming met de Verordening No. 48/1942 alle mannen in den leeftijd van 17 tot 40 jaar (jaargangen 1905—1928) voor den arbeidsinzet opgeroepen.

Hiervoor moeten **ALLE** mannen van dezen leeftijd onmiddellijk na ontvangst van dit bevel met de voorgeschreven uitrusting op straat gaan staan.

Alle andere bewoners, ook vrouwen en kinderen, moeten in de huizen blijven totdat de actie ten einde is. De huisdeuren moeten geopend blijven. De mannen van de genoemde jaargangen, die bij een huiszoeking nog in huis worden aangetroffen, worden gestraft, waarbij hun particulier eigendom zal worden aangesproken.

Bewijzen van vrijstelling van burgerlijke of militaire instanties moeten ter contrôle worden meegebracht. Ook zij, die in het bezit zijn van zulke bewijzen, zijn verplicht zich op straat te begeven.

Er moeten worden medegebracht: warme kleeding, stevige schoenen, dekens, bescherming tegen regen, eetgerei, mes, vork, lepel, drinkbeker en boterhammen voor één dag.

De dagelijksche vergoeding bestaat uit goeden kost, rookartikelen en loon volgens het geldende tarief.

Voor de achterblijvende familieleden zal worden gezorgd.

Het is aan alle bewoners der gemeente verboden hun woonplaats te verlaten.

Op hen, die pogen te ontvluchten of weerstand te bieden, zal worden geschoten.

| *Bevel in verband met de grote razzia's in Rotterdam en Schiedam.*

De intimidatie en verrassing was compleet. De oproep liet weinig aan duidelijkheid over! Volledig overrompeld, pakten de meeste mannen hun spullen en gingen de straat op. Daar stonden Duitse soldaten met het geweer in de aanslag hen op te wachten. Andere soldaten kamden huis voor huis, blok na blok, de woningen helemaal uit. Naarmate de razzia vorderde, werden de patrouilles die huizen uitkamden, gelukkig van al dat trappenlopen, steeds vermoeider en onzorgvuldiger bij hun zoekslagen. Maar de intimidatie deed vanzelf zijn werk. Er waren maar betrekkelijk weinig mannen die de moed hadden zich tijdig te verbergen.

Het succes van de volledig onverwachte massale razzia, was gigantisch. Meer dan vijftigduizend mannen werden naar de diverse verzamelpunten gedreven. Daar waren, ondanks de mooie woorden in het 'BEVEL', nauwelijks genoeg voorzieningen voor deze grote massa's. Toen men op de verzamelplaatsen enige tijd moest wachten, werd de toestand vanwege het gebrek aan voorzieningen (vooral toiletten, slaap- en wasgelegenheid) onhoudbaar.

De Duitsers waren zelf ook helemaal overrompeld door het grote succes van deze mensenjacht. Het duurde drie dagen om circa twintigduizend man te voet, tienduizend per trein, twintigduizend met binnenvaartschepen en vijfhonderd per fiets af te voeren. De stemming onder de mannen varieerde van uiterst neerslachtig, tot vrolijk. Overal waar de mannentransporten langskwamen, deden zich hartverwarmende en dramatische tonelen voor. Vrouwen, kinderen en ouderen, probeerden een groet te wisselen of opbeurende woorden te spreken. Men probeerde de slachtoffers nog wat eten, snoep of kleding toe te stoppen. Uiteindelijk werden tienduizend man ingezet in het oosten van Nederland. Die mensen moesten meestal vooral verdedigingswerken graven. Veertigduizend mannen werden afgevoerd naar Duitsland voor andersoortige dwangarbeid. Ongeveer eenderde van deze mannen in het desintegrerende Duitsland, vonden vóór het einde van de oorlog slimme en soms gevaarlijke wegen, om te ontsnappen en naar huis terug te keren. De grote razzia in Rotterdam en Schiedam, was een dure les voor veel andere steden. Het verzet trok hieruit zijn lessen en regelde informanten, die in de toekomst tijdig konden waarschuwen als grote razzia's er aan zaten te komen. Door dit waarschuwingssysteem konden de Duitsers bij volgende razzia's nimmer meer het grote succes van deze eerste massarazzia bereiken.

Het door Seyss-Inquart afgekondigde gedeeltelijke voedselembargo, begon steeds meer kwalijke gevolgen te krijgen voor de bewoners van de grote steden in de Randstad. Van de bijna 9 miljoen landgenoten, woonden er toentertijd ongeveer 4 miljoen in die steden. Aangezien de frontlijn zich had gestabiliseerd in de omgeving van de grote rivieren, verwachtten de Duitse commandanten in Nederland eind 1944 geen grote aanval in het gebied van de provincies Utrecht en Zuid- en Noord-Holland. Dit dichtstbevolkte deel van Nederland werd daardoor het speciale jachtterrein voor roof en jacht op arbeiders. Na Rotterdam volgden her en der meer intensieve razzia's. De actieve en passieve medewerking door lagere overheden en politie aan het Duitse bestuur, was inmiddels danig geslonken. In die regionen ging men er steeds meer toe over om Duitse maatregelen voor de jacht op arbeiders te vertragen of zelfs in alle stilte tegen te werken. Het 'vuile werk' bij de razzia's, moest daardoor meer en meer door de Duitsers zelf gebeuren. Het gebrek aan genoeg mankracht van Duitse militairen en SS'ers om hele steden uit te kammen, begon hen op te breken. Meer succes boekten ze in het tegenwerken van voedsel- en brandstofbevoorrading voor de grote steden. Daarbij beriepen zij zich heel simpel op het feit dat de Nederlanders dit door de spoorwegstaking over zichzelf hadden afgeroepen. Wat schaamteloos en onverminderd doorging, was de systematische roof in vooral de Randstadregio.

Machinerieën, vaartuigen, nog aanwezige resterende voorraden, elektrische installaties, kantooruitrustingen, al het nog aanwezige zilver bij de Utrechtse Munt, sleepboten, hijskranen, locomotieven, spoor- en tramrijtuigen, machinegereedschappen et cetera die gebruikt konden worden voor de Duitse industrie, werden overal vandaan gehaald en subiet op transport naar de *Heimat* gezonden. Juiste getallen over deze strak georganiseerde roof, zijn moeilijk te achterhalen. Het is wel bekend dat tot december 1944 ongeveer 165 duizend ton per schip en 230 duizend ton goederen grotendeels per trein richting Duitsland zijn verdwenen. De totale schatting van deze

| *Ruilcentrale.*

nazi roof is ongeveer 1,3 miljard gulden (naar huidig prijspeil ongeveer 6 miljard euro). Door deze roofpartijen kwam het grootste deel van de Nederlandse handel en industrie stil te liggen. De werkloze arbeiders werden daardoor nieuwe mogelijke slachtoffers van de jacht op dwangarbeiders. Veel jongeren onder deze nieuwe werklozen, doken onder en ettelijken van hen versterkten de gelederen van de illegaliteit. Eén van de weinige installaties waar de Duitsers uit eigenbelang met hun vingers van afbleven, waren de waterbouwkundige installaties. Ze begrepen bijzonder goed, dat die noodzakelijk bleven om ook hun eigen voeten droog te houden!

Wat in najaar 1944, begin 1945 het dagelijks leven in het dichtbevolkte westen extra beïnvloedde en veel moeizamer maakte, was het feit dat de Limburgse kolenmijnen zich inmiddels in het bevrijde deel van het zuiden van Nederland bevonden. Daar waar voorheen een deel van deze kolen voor nationaal gebruik diende, was die aanvoer nu geheel afgesloten. Slechts mondjesmaat waren de Duitsers bereid het westen te bevoorraden met Duitse kolen. Het grootste deel van de aanvoer uit

Zeer tot onze spijt blijkt het soms noodzakelijk
behalve van 2-5 uur
HET GAS REEDS VÓÓR 2 UUR AF TE SLUITEN
omdat er veel meer gas wordt verbruikt dan de fabriek kan leveren.

Ik dring dus op sterke beperking aan!
Elke overschrijder van het rantsoen zal onverbiddelijk worden afgesneden!

BAARN, 24 MAART '44 — DE DIRECTEUR VAN HET GEM. GASBEDRIJF

Zorgt, dat de kraan gesloten is, als het gas niet brandt.

| *Beperking gasdistributie.*

de Duitse mijnen, werd gebruikt voor hun eigen militairen en burgers in bezet Nederland en voor de meest vitale onderdelen van de samenleving, zoals ziekenhuizen en poldergemalen.

In Amsterdam stopte daardoor de elektriciteitsvoorziening voor de burgerij, reden er geen trams meer en eindigde de gasvoorziening. In de andere grote steden was het sombere beeld ongeveer hetzelfde. De voedselaanvoer naar de steden zakte in tot een uiterst minimum. In plaats van per trein, ging het grootste deel van die aanvoer nu per vrij gering aantal binnenschepen. Het broodrantsoen ging omlaag naar twaalfhonderd gram per persoon per week. Het aardappelenrantsoen zakte naar twee kilo per hoofd per week De prijzen op de toch al florerende zwarte markthandel, schoten nog verder omhoog. Daar moest je zeker minstens 75 gulden (35 euro) voor één brood neertellen. Mensen met wat meer geld, konden hun uiterst magere officiële rantsoenen enigszins aanvullen met kopen en ruilen op de zwarte markt. Het zal niemand verbazen dat de meeste nazi-collaborateurs extra voedselrantsoenen kregen verstrekt.

Door al deze beperkingen van energievoorziening en voeding, stopte het grootste deel van de nog overeind staande sociale activiteiten en recreatieve mogelijkheden in de steden. De weinige zaken die nog konden doorgaan, was het familieleven binnenshuis. Daar kon men zich (als er daglicht was) bezighouden met lezen, musiceren, gezelschapspelen et cetera. In de herfst en winter ging men noodgedwongen heel vroeg naar bed. Onder de dekens was het zonder verwarming, een van de weinige plaatsen waar je nog een beetje warm kon worden.

De ongeveer 2 miljoen 'modale' landgenoten in de Randstad, werden het zwaarst getroffen door de minimale voedselrantsoenen. Zij hadden niet de financiële middelen om op de zwarte markt wat bij te kopen. Najaar 1944 begonnen daardoor in het westen de 'hongertochten' op gang te komen van de steden naar het platteland. De boeren op het platteland verbouwden genoeg voedselgewassen en hielden meestal wat vee. Zij konden, ondanks de verplichte leveringen voor de Duitsers, in die maanden van grote voedselschaarste veel gemakkelijker het hoofd boven water houden, dan de stedelingen. Aan de hongertochten konden nauwelijks mannen tussen de zeventien en veertig jaar meedoen. Zij konden zonder papieren voor vrijstelling, ieder moment opgepakt worden voor de beruchte *Arbeitseinsatsz*. Daardoor bestonden de mensen die op het platteland probeerden nog wat extra voedsel te bemachtigen, grotendeels uit vrouwen, kinderen en ouderen. Het was vaak een droevig gezicht al die hongerigen te zien, die langs de boerderijen bedelden om wat extra voedsel. Men liep met versleten schoeisel afstanden van twintig, vijftig, soms zelfs zeventig kilometer, om een beetje eten te bemachtigen. In die stoeten hongerigen, zag men afgetobde magere mensen, die karren of kinderwagens voorduwden en mensen op fietsen en bakfietsen, met houten of zelfs helemaal geen banden.

De eerste bezettingsjaren waren niet erg gemakkelijk geweest. Nu was voor de stadsbevolking in het westen helemaal het moment aangebroken, waar het fysiek overleven nog een van de resterende drijfveren was om overeind te blijven. Toen de strenge vorst in de winter 1944-1945 toesloeg, werd de hongersnood nog erger en de dagelijkse levensomstandigheden nog erbarmelijker. De kanalen en vaarten bevroren, waardoor ook binnenschepen, niet meer konden varen. Zelfs onder deze extreme omstandigheden, probeerden de meeste burgers toch nog enige humor overeind te houden. De meeste moppen en grappen gingen natuurlijk over NSB'ers, andere collaborateurs en hun Duitse vrienden en vriendinnen.

5-8 Toegang tot de Antwerpse haven

Het schamele bestaan in het westen boven de rivieren, betekende niet dat ten zuiden van de rivieren het leven rozengeur en maneschijn was. Het tegendeel was waar. In september 1944, was pas een klein deel van Brabant en Limburg bevrijd. Beide provincies werden nu frontgebied en dat maakte op veel plaatsen voor de bevolking het leven tot een hel. Toen Montgomery aan operatie *Market Garden* begon, had hij van Eisenhower tevens het strategische verzoek gekregen om de toegang tot de haven van Antwerpen voor geallieerd gebruik zo snel mogelijk vrij te maken. Er werd daarbij niet duidelijk aangegeven wat de hoogste prioriteit had en Montgomery zette alles op alles voor de doorstoot over de Rijn. Na het debacle bij Arnhem, werd het vrijmaken van de toegang tot die grote haven hoogst urgent. De bevoorrading van de grote geallieerde legers in Noord-Frankrijk, België en Zuid-Nederland, gebeurde nog steeds vanuit de havens in Bretagne en Normandië en werd meer en meer een logistieke nachtmerrie. Antwerpen met zijn grote dokken, hijskranen en lange kademuren, kon de oplossing geven om de bevoorrading van de legers voor de sprong over de Rijn mogelijk te maken. De haven was nagenoeg onbeschadigd in geallieerde handen gevallen. De toegangswegen via de Westerschelde waren in oktober 1944 nog altijd stevig in Duitse handen. De Duitsers begrepen volledig het strategisch belang om het gebruik van de Antwerpse haven aan de geallieerden te ontzeggen en hadden zowel de noord- als de zuidoever van de Westerschelde grondig versterkt. Ze konden met hun kanonnen ieder schip dat wilde naderen, de grond in boren.

In Zeeuws-Vlaanderen was een complete infanteriedivisie (omstreeks veertienduizend man) onder de fanatieke generaal Eberding gepositioneerd. In 'Vesting Walcheren' hadden de Duitsers een infanteriedivisie onder generaal Daser gelegerd. Deze divisie was van een mindere kwaliteit en had veel soldaten met kleinere ziektes, zoals maagkwalen en maagproblemen. Op beide kusten (en vooral op Walcheren) waren in het kader van de *Atlantik Wall* veel bunkers met kanonnen, loopgraven en machinegeweeropstellingen gebouwd. Om hun soldaten te inspireren, hadden de Duitse commandanten de volgende dagorder uitgegeven: 'Op dit moment spelen de fortificaties bij de Schelde een beslissende rol in de toekomst van ons volk.'

Om de eigenwijze Montgomery te doordringen van het grote belang van de Antwerpse haven, schreef Eisenhower hem medio oktober:

> *'Indien wij de haven van Antwerpen operationeel midden november niet kunnen gebruiken, komt onze gehele aanvalsoperatie tot stilstand. Ik moet benadrukken dat bij alle operaties aan het front tussen Zwitserland en Het Kanaal, Antwerpen de hoogste prioriteit heeft.'*

De uiterst moeilijke opdracht voor de verovering van de Scheldekusten, ging naar het 2de Canadese leger. Die aanval viel uiteen in drie subaanvallen. Eén aanval was gericht op de verovering van Zeeuws-Vlaanderen. De tweede aanval moest de toegang tot Zuid-Beveland openbreken en de laatste (en moeilijkste) aanval moest Vesting Walcheren veroveren. Deze hele operatie was na de invasie op D-day een van de meest gecompliceerde en moeilijkste van alle geallieerde aanvallen in het westen

Toen de ellende van de gevechten in Zeeland in mei 1940 achter de rug was, kon de bevolking van Zeeuws-Vlaanderen, Walcheren en Zuid-Beveland, de vier volgende bezettingsjaren in betrekkelijke rust doorkomen. Duitse troepen waren wel aanwezig, maar minder prominent en talrijk, dan in Noord- en Zuid-Holland. In oktober 1944 was dit geluk voor de Zeeuwen helemaal voorbij en werd hun provincie een hectisch frontgebied. Het geallieerde offensief begon in oktober vanuit België. Langzaam en moeizaam, rukten de Canadezen – die regelmatig tegen forse Duitse tegenstand aanliepen – op door het vlakke en natte Zeeuws-Vlaanderen. Bij Fort Breskens boden de Duitsers fel en verbeten tegenstand. De omgeving daar was voor een deel geïnundeerd en de aanvallende Canadezen moesten vaak in het vlakke land onder vijandelijk vuur tot hun middel door het water oprukken. Het weer was constant koud en regenachtig. De hevige Duitse tegenstand stortte na verscheidene heftige Canadese aanvallen pas begin november ineen.

Gedurende deze moeilijke campagne, sneuvelden circa achthonderd geallieerde en omstreeks dertienhonderd Duitse militairen. Ruim twaalfduizend Duitsers werden krijgsgevangen gemaakt. De gevechten hadden de burgerij verre van ongemoeid gelaten. Gedurende de één maand durende strijd, waren de dorpen Aardenburg, Sluis, Oostburg, IJzendijke en Breskens-stad, geheel of gedeeltelijk door lucht- en artilleriebombardementen zwaar getroffen en veel huizen en boerderijen werden daarbij vernield. Veel burgers waren toen de strijd in alle hevigheid losbarstte, gevlucht. Ze hadden bijna alles moeten achterlaten. De enkelen die niet gevlucht waren, moesten zich in hun huizen en boerderijen zonder elektriciteit, weinig voedsel en vaak geen drinkwater, dagenlang schuilhouden in kelders, terwijl de granaten rondom hen explodeerden. De burgerij in Zeeuws-Vlaanderen had veel doden te betreuren. Voor hun bevrijding hadden ze de hoge tol van zeshonderd mensenlevens moeten betalen.

Toen de aanval op Zeeuws-Vlaanderen begon, ging ook de opmars van de 2de Canadese infanteriedivisie richting Kreekrakdam van start. Generaal Model had dit zien aankomen en de Duitse troepen in dit gebied versterkt. Na tien dagen van zware gevechten, veroverden de Canadezen eind oktober Woensdrecht. Het kostte hen meer dan tweehonderd gesneuvelden. Door deze verovering waren de Duitse troepen in Zuid-Beveland en Walcheren nu over land helemaal afgesneden en konden hun versterkingen langs die weg niet meer bereiken. Moeizaam rukten de Canadezen in het open land westwaarts op. Zware tegenstand dwong hen de vijand door infanterie te voet te bevechten. Tanks werden door het Duitse geschut weggeschoten. Na bijna drie weken harde strijd tussen Woensdrecht en de Kreekrakdam, werd de dam uiteindelijk ten koste van meer dan vijftienhonderd gesneuvelden veroverd. Negenhonderd Duitsers werden gevangengenomen en hun aantal gesneuvelden was niet bekend.

De verdere opmars door het gedeeltelijk geïnundeerde Zuid-Beveland ging ook uiterst langzaam. Waar mogelijk, probeerden de Duitsers de geallieerden te vertragen met wegversperringen en mijnen. Om de opmars te versnellen, kregen de Canadezen via amfibische voertuigen versterking van een Schotse infanteriedivisie die vanuit Zeeuws-Vlaanderen aangevoerd werd. Op 30 oktober bereikten de Schotten en Canadezen de zwaar verdedigde en smalle Sloedam, die toegang gaf tot het uiteindelijk doel, Vesting Walcheren.

Een groot deel van de vrij religieuze en nijvere bevolking van Walcheren, verdiende een redelijke boterham op de vruchtbare landbouwgronden van het eiland. Toen in september de eerste gevechten voor het openen van de toegang tot de Scheldemonding begonnen, vielen veel bommen en granaten op ettelijke dorpen in Walcheren. Daarbij werden tien burgers gedood. Het grootste deel van Walcheren ligt onder zeeniveau en alleen de duinrand rondom een groot deel van het eiland, steekt daarbovenuit. Een onderbreking in de duinrand bij Westkapelle, was toen en is nu nog steeds versterkt, met een negen meter hoge zeedijk.

Begin oktober 1944 wierpen geallieerde vliegtuigen pamfletten uit boven Walcheren en werd via radio-uitzendingen vanuit Londen de bevolking geadviseerd het eiland te verlaten. Daarbij werd geen reden opgegeven waarom deze evacuatie nodig zou zijn. De Duitsers verboden de bevolking om het eiland te verlaten. De meeste burgers zagen ook geen noodzaak om zomaar huis en haard in de steek te laten. Wél wist de bevolking dat het eiland als belangrijk onderdeel van de *Atlantik Wall*, aan de noord- en westkust zwaar versterkt was met allerlei bunkers, kanonnen, loopgraven, mijnen et cetera. Vijftien stukken kustgeschut waren in die betonnen bunkers opgesteld. Ook in het binnenland waren een flink aantal Duitse kanonnen gesignaleerd. De kustartillerie had een dracht van bijna veertig kilometer en bestreek nagenoeg de gehele zee-ingang van de Schelde. Een geallieerde landaanval via de smalle en goed verdedigde Sloedam, zou zelfs met steun vanuit de lucht, een uiterst hachelijke zaak zijn. Doordat het grootste deel van het eiland onder de waterspiegel lag, baseerden de geallieerden daarop hun aanvalsplan. De Nederlandse regering in Londen werd over die plannen *niet* van tevoren ingelicht. Toen na de uitvoering van het eerste luchtbombardement op de dijken, minister Gerbrandy dit nieuws hoorde, was hij razend. Hij besefte onmiddellijk, dat bij een inundatie met zout zeewater, het eiland jarenlang voor landbouw totaal ongeschikt zou zijn.

Op 3 oktober bombardeerde de RAF met alle macht de Westkappelse zeedijk. Daarbij kwamen 190 burgers om en het zeewater stortte zich op het lager gelegen polderland door het gat van 350 meter. Drie nieuwe luchtbombardementen bij Veere, Ritthem en Vlissingen, bespoedigden het onder water lopen. Medio oktober was 90 procent van Walcheren door zeewater geïnundeerd. De dagelijkse eb en vloed getijden, vergrootten voortdurend de gaten in de dijken. De inundatie ontregelde het gehele leven op het eiland. Duizenden boeren en burgers vluchtten inderhaast naar de schaarse hogere gronden. Bij die gehaaste vlucht verdronken ettelijke mensen in het koude zeewater. Zoals de bedoeling was, liepen ook verscheidene Duitse bunkers half of geheel onder water en spoelden mijnen en versperringen weg. De bevolking van het wat hoger gelegen Middelburg, verdubbelde binnen een paar dagen door de snelle toestroom van vluchtelingen.

Deze onverwachte inundatie betekende helaas niet dat de Duitse verdediging plotsklaps was verslagen. Het grootste deel van de kanonopstellingen was nog intact. Men had daar genoeg munitie en was daarmee in staat de aanvallers het leven erg zuur te maken. Men had in het geallieerde plan daar wel rekening mee gehouden. In dit plan waren amfibische landingen door goedgetrainde commando's en mariniers voorbereid. Voor die amfibische aanval was een speciale brigade van drie marinierscommandobataljons plus twee commandobataljons en een infanteriedivisie beschikbaar. Deze strijdmacht van totaal omstreeks negenduizend goedgetrainde mannen met een hoog moreel, bestond uit Britten, Schotten, Canadezen, Fransen, Belgen, Nederlanders en Noren. Door het slechte weer konden helaas een aantal geplande luchtbombardementen niet doorgaan. Na een inleidend artilleriebombardement van driehonderd stukken geschut die opgesteld stonden bij Breskens, landden een commandobataljon en een infanteriebrigade, op 1 november bij Vlissingen. Na twee dagen van zware gevechten, hadden ze de stad en directe omgeving veroverd. Na deze harde strijd was er nauwelijks nog een onbeschadigd huis in Vlissingen overgebleven.

Dezelfde dag en ondanks vier Duitse stukken kustgeschut in betonnen bunkers, landden bataljons van de speciale brigade in het gat van de dijk bij Westkapelle. Deze landingen werd ondersteund met geschut van een oud *Royal Navy*-slagschip,

| *Walcheren onder water. Huisraad in veiligheid brengen.*

kanonnen van een aantal kleinere marineschepen en jachtvliegtuigen, die raketten afvuurden. De kleinere schepen trokken veel vuur aan van de vijand en leden daardoor zware verliezen. Mede hierdoor, kon de brigade grotendeels ongedeerd landen en snel de Duitse stellingen aan de landzijde aanvallen. Sommige Duitse stellingen boden hevige weerstand, andere gaven zich snel gewonnen.

Twee dagen later hadden de twee mariniersCommandobataljons alle weerstand tussen Westkapelle en Vlissingen opgeruimd en waren de gevaarlijke kustbatterijen in dit gebied uitgeschakeld. Een ander mariniersCommandobataljon samen met het commandobataljon, rukte vanaf het gat in de dijk op naar Domburg. Zij veroverden dit dorp. Hierna liepen ze tegen heftige Duitse tegenstand op. Na drie dagen van gevechten in het duingebied en de bossen noordelijk van Domburg en met steun van een paar tanks, slaagden beide bataljons er in de laatste kustbatterijen te veroveren en de resterende Duitsers in het noordelijk deel van Walcheren, op 8 november uit te schakelen.

Vlak voor het bombardement op de dijk bij Westkapelle, zetten de Canadezen over de open Sloedam frontale aanvallen in. Ze leden zware verliezen en het lukte hen niet de sterke verdediging te doorbreken. Op advies van mensen van het Nederlandse verzet, werd in de nacht van 2 op 3 november door een Schotse infanteriebrigade deels met stormboten, deels wadend door de drassige slikken, een aanval gewaagd via het slikkengebied aan de zuidoostelijke zijde van het eiland. Dit lukte en een bruggenhoofd was gevestigd. Dit bruggenhoofd werd verder versterkt en nu

| *Oppassen voor natte voeten in het ondergelopen Walcheren.*

kon opgemarcheerd worden tot fort Rammekens.

Via mannen van het verzet en een lokale huisarts, werd de commandant van de 52ste Lowland divisie ingelicht dat de overvolle stad Middelburg (de bevolking was door de talloze evacués gegroeid tot veertigduizend mensen) niet sterk verdedigd was en dat de Duitse commandant generaal Daser, geneigd leek om zich met zijn paar duizend soldaten over te geven. Voor alle zekerheid zond de Britse generaal in de nacht via het geïnundeerde gebied, een paar amfibievoertuigen met een verkenningsgroep naar de stad. Deze verkenners stuitten niet op tegenstand. De volgende dag werd de gok genomen. Er ging een handjevol mannen van een Schotse compagnie met elf Buffalo amfibievoertuigen op pad door het half onderwaterstaande terrein. Eén Buffalo liep op een mijn, een paar andere raakten onklaar. Met de resterende acht voertuigen werd aan de zuidwestelijke zijde de hogergelegen stad binnengereden. Met een donderend ratelend geluid van de indrukwekkende grote rupsvoertuigen, werd zonder tegenstand rechtstreeks doorgereden naar het volgepakte centrum. De bluf lukte. Generaal Daser – die inzag dat een slachtpartij met veel militaire – en burgerslachtoffers voorkomen kon worden- was na enige onderhandelingen bereid om zich over te geven. Uiteindelijk werden in de stad tweeduizend Duitsers krijgsgevangen genomen. Op 8 november hadden alle Duitse troepen in Walcheren de wapens neergelegd en was het eiland volledig in geallieerde handen.

De verliezen aan geallieerde zijde waren aanzienlijk, maar kleiner dan de aanvankelijke schatting. De verliezen bleken geringer te zijn dan bij de moeizame aanvallen in Zeeuws-Vlaanderen. De Zeeuwse bevolking had wel een hoge prijs moeten betalen voor haar zwaar bevochten bevrijding. Omstreeks veertigduizend mensen in de provincie waren gevlucht of gedwongen om te evacueren. Meer dan duizend burgers waren verdronken of omgekomen bij de bombardementen en gevechten. Ruim 50 procent van de huizen en boerderijen was beschadigd of vernield. Bovendien was het polderland in Walcheren door het zoute water, jarenlang onbruikbaar voor het verbouwen van landbouwgewassen en het begrazen door vee. In het Zeeuwse wapen staat 'Ik worstel en kom boven' (*Luctor et Emergo*). En dat deden de zwaar getroffen Zeeuwen. Ze likten hun vele wonden en begroeven hun doden. Ze bouwden hun vernielde huizen en boerderijen weer op, toen na geruime tijd het eiland weer was drooggemaakt.

Begin november was na deze strijd de Scheldemonding helemaal onder geallieerde controle. Er werd snel begonnen met het vegen van de circa driehonderd Duitse zeemijnen die de vaarroute naar Antwerpen blokkeerden. Op 28 november kon het eerste vrachtschip de haven bereiken. In korte tijd was het nu mogelijk om veertigduizend ton per dag aan materialen en uitrustingen aan te voeren. Hierbij was de brandstofaanvoer van tienduizenden tonnen per dag voor de immer dorstige tanks en tienduizenden motorvoertuigen van de geallieerden, niet meegerekend. Hitler en zijn generaals beseften maar al te goed, dat met de Antwerpse haven in geallieerde handen, een enorme morele en strategische klap was toegebracht aan nazi-Duitsland.

Door de snellere en kortere logistieke aanvoerlijnen voor de enorme Britse en Amerikaanse legers, waren de finale route naar Berlijn en de ineenstorting van het Duizendjarige Duitse Rijk een stuk dichterbij gekomen. De Duitsers probeerden hun gram te halen en wraak te nemen. Ze deden dat door het intensief met V-1's bestoken van Antwerpen. Deze vliegende bommen veroorzaakten wel de nodige schade, maar hadden strategisch nauwelijks enig effect op de vitale en omvangrijke aanvoer voor de geallieerde legers aan het westelijk front.

HOOFDSTUK 6

Hongersnood en bevrijding 1944-1945

6-1 Duitslands taaie en wanhopige verdediging

Er was veel fout gegaan bij de bruggen van Arnhem en de bevrijding van Zeeland was een moeizame operatie geweest. Dit deed niets af aan het feit, dat najaar 1944 de Britten en Amerikanen zich stevig hadden genesteld op Nederlands grondgebied. Langzaam, maar gestaag werden de Duitsers in het nog niet bevrijde deel van Brabant, verder teruggedrongen richting grote rivieren. Zowel boven als beneden de rivieren, was het besef doorgedrongen dat de totale bevrijding van het land kon betekenen dat huis en haard in een frontgebied zouden kunnen komen te liggen, met alle nare gevolgen en gevaren van dien. Ondanks dit sombere vooruitzicht, was het duidelijk dat de bevrijding steeds dichterbij kwam. Het was dan ook met gemengde gevoelens dat de mensen in het nog bezette deel van het land, de jaarwisseling 1944-1945 beleefden.

Ondanks de groeiende hoop, bleek nergens uit dat de welhaast criminele top van de nazi's bereid was om de strijd te staken en zich wilde overgeven. December 1944 beloofde opperbeul Heinrich Himmler in een toespraak het Duitse volk dat Duitsland in deze oorlog zou overwinnen! Hij wist zelf wel dat het pure onzin en illusie was, maar gebruikte deze retoriek om het platgebombardeerde Duitse volk op te zwepen in de in feite toen al hopeloze strijd. De maand ervoor vond Himmler de militaire situatie in Polen zo hopeloos, dat hij de SS had opgedragen de vergassingen in het vernietigingskamp Auschwitz te beëindigen. Hij had zelfs het bevel gegeven voorbereidingen te treffen om de crematoria en gaskamers op te blazen. Hij wilde daarmee, voordat de sovjets dit gebied zouden bereiken, zoveel mogelijk sporen van deze gigantische vernietigingsfabriek uitwissen. De nog in het kamp aanwezige gevangenen, werden grotendeels te voet naar het westen verplaatst. Veel van deze uitgeputte mensen bezweken onderweg of werden afgemaakt met een nekschot.

In Oost-Europa verloren de uitgedunde Duitse legers steeds meer terrein en moesten zich uitzichtloos al vechtend stap voor stap terugtrekken. In oktober 1944 waren de Russen een stuk opgerukt in Hongarije en stonden de volgende maand aan de poorten van Boedapest. Britse troepen landden in Griekenland in oktober en diezelfde maand moesten de Duitsers al Athene verlaten. De Russen veroverden inmiddels Riga, hoofdstad van Letland. In Italië rukten de Britten noordwaarts op en veroverden begin december Ravenna. Dichter bij huis bereikten de Amerikanen in november de buitenwijken van Metz en diezelfde maand vielen Franse troepen Straatsburg aan. De Amerikanen vochten hun weg oostwaarts en bereikten medio december de Rijn, noordelijk van Straatsburg.

Ondertussen gingen de dag- en nachtbombardementen van de Amerikaanse en Britse luchtmacht op de Duitse industrie en steden dagelijks door. Zowel Churchill en Roosevelt als hun luchtmachtgeneraals, hingen nog steeds de filosofie aan dat deze bombardementen de Duitsers sneller op de knieën zouden dwingen. Pas na de oorlog zou blijken dat die bombardementen op de burgerbevolking een averechts effect hebben veroorzaakt. De bombardementen op hun huis en haard, stijfden de Duitse soldaten aan het front extra, om tot het bittere einde door te vechten. Na de capitulatie in 1945 bleek dat ondanks de continue bombardementen, de Duitsers tot aan het einde van 1944 zelfs nog kans zagen om hun oorlogsproductie op te voeren!

In Nederland probeerde de pers en radio met allerlei naïeve fraaie frases en kreten een beeld te scheppen dat de Duitse legers in de gevechten de zaken goed onder controle hadden. Men deed het voorkomen alsof de geallieerden voortdurend flinke verliezen leden en zelf terugtochten uitvoerden. Via de illegale radio-uitzendingen wist men wel beter en verkneuterden zich over het constante Duitse terreinverlies aan de oostelijke en westelijke fronten. Ondanks het positieve nieuws, ging bezet Nederland een kaal, donker en zorgelijk kerstfeest tegemoet.

Toen gebeurde er iets dat niemand voor mogelijk had gehouden! In het diepste geheim en tegen het advies in van het grootste deel van zijn generaals, had de inmiddels volledig doorgedraaide Hitler een krachtig tegenoffensief in het westen georganiseerd. In zijn niet meer redelijk werkende brein, had hij het idee gekregen dat wanneer hij Antwerpen zou heroveren, hij de geallieerden van hun aanvoer kon afsnijden. Daardoor was hij er volledig van overtuigd, dat vervolgens de Duitsers de geallieerde legers in België en Nederland zouden kunnen vernietigen en ze het initiatief aan het westelijke front weer in handen zouden krijgen. Voor dit weinig realistische plan werden alle inmiddels uiterst schaarse militaire reserves aan materieel, brandstoffen, vliegtuigen en mankracht, bij elkaar geschraapt. De nieuwste en beste tanks en kanonnen, allerlei restanten van diverse elite-eenheden, werden van her en der gehaald en in het geheim geconcentreerd voor deze desperate grote tegenaanval. De Duitse militaire inlichtingendiensten hadden geconstateerd dat in de Belgische Ardennen op een frontbreedte van tweehonderd kilometer slechts vijf Amerikaanse divisies waren opgesteld. De Duitsers lanceerden hun aanval vanaf Monschau en Echternach met twee pantserlegers (elf divisies) en één leger van veertien divisies. Het was in dat gebied medio december somber, mistig en vrij koud weer. De verrassing was volledig. Ondanks dappere tegenstand, werden de dun bezette linies van de Amerikanen volledig overspoeld. De Duitsers maakten in korte tijd omstreeks zevenduizend Amerikanen krijgsgevangen.

In het begin had de geallieerde staf geen idee waarop die grote aanval gericht was. Doordat circa duizend Duitse saboteurs (in Amerikaanse uniformen!) achter de frontlinie vitale telefoonverbindingen doorsneden, was de eerste dag van de Duitse

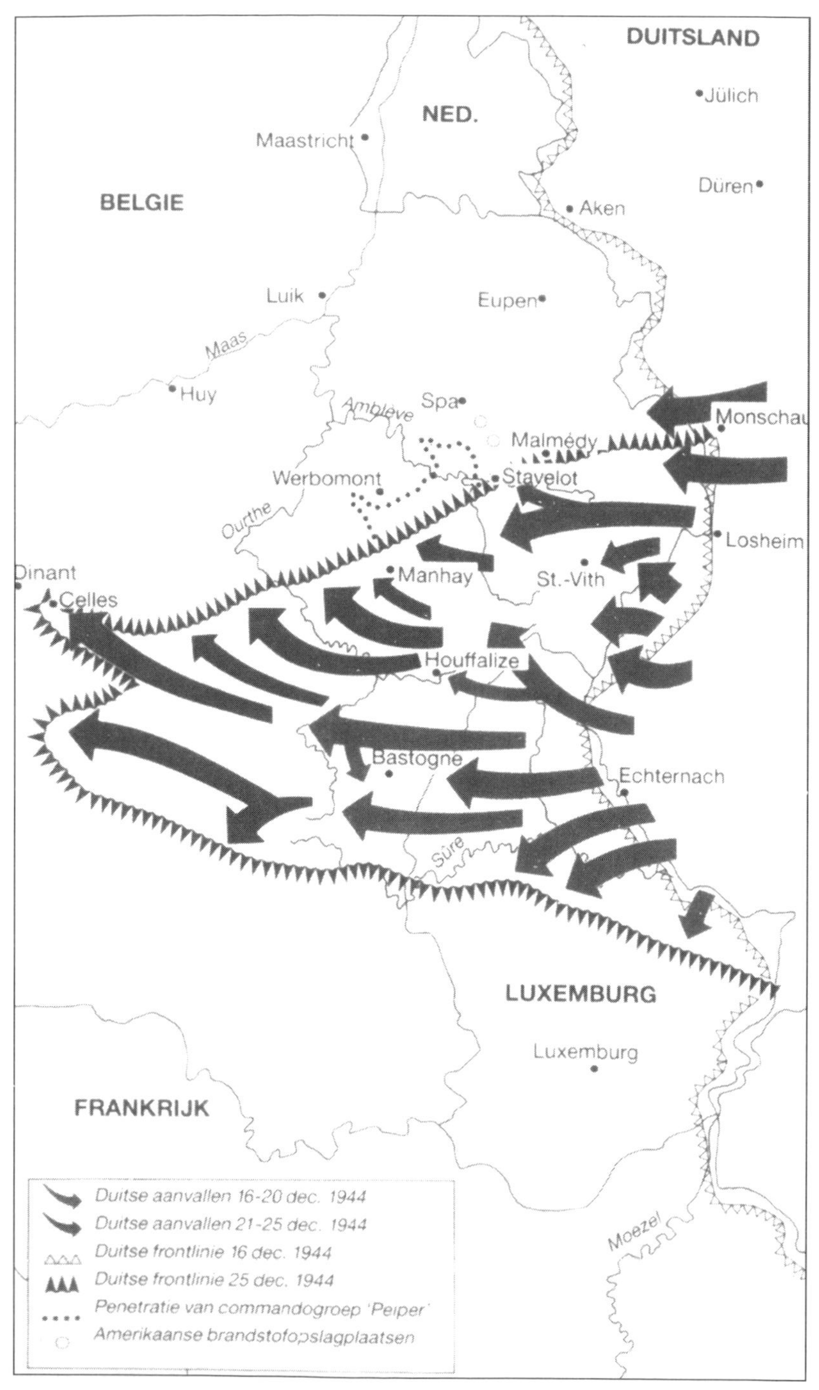

| *Ardennenoffensief.*

aanval de verwarring gigantisch. Deze speciale eenheid stond onder bevel van de door de wol geverfde Waffen SS luitenant-kolonel Skorzeny. Die had al eerder opzienbarende huzarenstukjes uitgehaald. Het vervolgstuk van de geplande acties van deze eenheid (voor een deel bemand door Engelssprekende Duitsers), mislukte. Zij moesten namelijk ook bij verrassing een aantal bruggen over de Maas veroveren en een heel groot Amerikaanse brandstofdepot in handen zien te krijgen. Het zal duidelijk zijn dat door het misbruiken van Amerikaanse uniformen en gebruikmaking van de Engelse taal, in het begin hun succes om absolute chaos te scheppen, enorm groot was.

Het duurde enige tijd voor de geallieerden actief reageerden, maar toen dat op gang kwam, ging het wel heel snel. Eisenhower gaf aan twee Amerikaanse pantserdivisies noordelijk van de Ardennen en een pantserdivisie in het zuiden, opdracht om hun op de terugtocht gedwongen landgenoten, onmiddellijk te hulp te snellen. Bovendien gaf hij aan twee Amerikaanse luchtlandingdivisies bevel om hun kameraden bij het uiterst belangrijke kruispunt van wegen Bastogne, te versterken. Door slecht weer met veel regen en bewolking, was de overmachtige geallieerde luchtmacht niet in staat hun fel vechtende grondtroepen met bevoorrading en luchtsteun te helpen. Montgomery reageerde vrij snel op de plotselinge aanval. De Britten hadden via hun militaire inlichtingendienst vlug in de gaten wat het uiteindelijke aanvalsdoel van de Duitsers zou zijn. Hij zond het Britse legerkorps en het 1ste Canadese leger, richting rivier de Maas. Daar moesten deze troepen Duitse pogingen, om vanaf de westelijke oever eventueel op te rukken richting Brussel en Antwerpen, blokkeren.

Behalve de saboteurs onder leiding van Skorzeny, veroorzaakten andere Duitsers nog meer verwarring. Die verwarring ontstond, doordat omstreeks twaalfhonderd parachutisten werden gedropt achter de Amerikaanse linies. Gelukkig werd deze dropping grotendeels een mislukking. Er kwamen maar tweehonderd man terecht op de juiste plaats nabij Baraque St. Michel. Een weerzinwekkende en tragische gebeurtenis vond plaats, toen zuidelijk van Malmedy de aanvallende Waffen SS in koelen bloede 130 ongewapende krijgsgevangen Amerikanen doodschoot. Slechts een enkeling overleefde dit bloedbad door – hoewel gewond – zich dood te houden onder hun geëxecuteerde kameraden. Het grootste succes had het verassende offensief in het midden van de Ardennen. De voorhoede van de 2de Duitse pantserdivisie, werd rond 25/26 december pas gestopt bij de heuvels van Dinant. De opmars van hun pantsereenheden in dit middengebied was zo snel gegaan, dat ze op de meeste plaatsen zelfs geen tijd hadden gehad om krijgsgevangenen te maken. Toen ze hun verste punt van de opmars nabij Celles hadden bereikt, hadden ze nagenoeg geen brandstofvoorraad meer voor hun tanks. Ondanks al deze successen, zagen de Duitse troepen geen kans om het uiterst belangrijke kruispunt bij Bastogne in handen te krijgen.

De bijna uitgeputte Amerikanen bij dit stadje, die door het slechte weer verstoken bleven van aanvoer van munitie, medicijnen, voeding et cetera, verdedigden zich tot het uiterste. Daardoor bleef Bastogne als het ware een grote zweer *achter* de Duitse linies. Toen de Duitse commandant van de pantsertroepen en infanterie, de Amerikaanse commandant van de 101ste luchtlandingsdivisie generaal McAuliffe vlak voor Kerstmis probeerde over te halen zich vanuit zijn wanhopig lijkende positie over te geven, was het laconieke antwoord van McAuliffe '*Nuts*' (loop naar de hel). Gelukkig voor de geallieerden, keerde het tij snel toen op 23 december het weer opklaarde. Met transporttoestellen konden de volledig in het nauw gebrachte Amerikanen vanuit de lucht weer bevoorraad worden. Bij Bastogne werd tweehonderd ton aan de meest urgente artikelen gedropt. De bommenwerpers en jachtvliegtuigen stortten zich bij het nu heldere weer genadeloos op de Duitse tanks en voertuigen. Generaal Pattons pantsertroepen bereikten Bastogne rond 26 december en konden de wankelende en uitgeputte verdedigers toen ontzetten.

Met versterking van snel aangevoerde 22 Amerikaanse divisies in het Ardennengebied, werden de rollen omgekeerd en de jagers werden nu de opgejaagden. De Duitse tanks kwamen her en der steeds vaker zonder brandstof te zitten en werden constant belaagd door de geallieerde luchtmacht en grondtroepen. Hitler gaf zoals altijd de onmogelijke opdracht om de aanval voort te zetten en niet terug te trekken. Het tij was nu niet meer te keren en de Duitsers moesten zich al terugtrekkend nagenoeg overal hardnekkig verdedigen. Laroche werd door de geallieerden heroverd op 10 januari. Houffalize werd medio januari heroverd en St. Vith de laatste week van die maand. In februari 1945 was de oorspronkelijke frontlijn weer geheel hersteld. Het Ardennenoffensief was een bittere en bloedige strijd geweest onder extreme condities van sneeuw, vorst, soms regen en mist. Ongeveer achtduizend Amerikanen waren bij de gevechten gesneuveld. Veel meer (omstreeks 69 duizend) man waren gewond geraakt, vermist of krijgsgevangen genomen. Toch waren de Duitsers de grootste verliezers. Zij hadden circa 120 duizend gesneuvelden, gewonden, vermisten en krijgsgevangenen, bij hun schaarse en goed geoefende aanvalseenheden.

Behalve deze hoge personele verliezen, waren de Duitse materiële verliezen eveneens aanzienlijk. Meer dan zesduizend voertuigen, zeshonderd van hun meest moderne tanks en zestienhonderd van hun schaarse vliegtuigen waren verloren gegaan. In feite was tijdens dit offensief het laatste restant van hun minimale strategische reserve aan tanks vernietigd. Het was Hitlers laatste grote militaire gok en stuiptrekking. Na de oorlog noemde veldmaarschalk Von Rundstedt het zelfs 'hun tweede Stalingrad'. De geallieerden konden hun verliezen makkelijk aanvullen, de Duitsers niet meer. Dit Duitse wanhoopoffensief in het westen, leverde de sovjets aan het oostelijk front, een groot voordeel op.

Doordat de Duitsers bij het offensief een groot deel van hun kostbare reserves hadden verbruikt, werd het de Russen gemakkelijker gemaakt om met alle kracht op de uitgedunde Duitse eenheden in het oosten te beuken. In februari 1945 veroverden de Russen, na zware en bloedige gevechten, Boedapest in Hongarije. In dat land maakten ze meer dan 125 duizend Duitsers krijgsgevangen. In Polen versterkten de sovjets hun legers tot honderd infanteriedivisies. Daarmee zetten ze medio januari, richting Berlijn een groot offensief in. Op 17 januari veroverden ze – mede door de steun en opoffering van het Poolse verzet – het zwaar gebombardeerde Warschau. Krakow werd diezelfde maand veroverd. Ondanks heftig verzet van de Duitsers, bereikten de massieve legers van de maarschalken Zjoekov en Konjev in februari de Oder en Neisse rivier op Duits grondgebied. Langs die rivieren bereidden ze zich nu voor op de finale gevechten voor de verovering van Berlijn. Door de voortdurende opmarsen van de geallieerde troepen, had Hitler zijn vooruitgeschoven hoofdkwartieren in het westen en oosten, al lang moeten verlaten. Hij probeerde vanuit het veilig gewaande bunkercomplex in het centrum van Berlijn, koppig, verbeten en warrig leiding te geven aan zijn geslonken en wanhopig vechtende legers. Daarbij wilde hij nauwelijks luisteren naar zijn professionele generaals. Die trachtten hem heel omzichtig duidelijk te maken, dat veel divisies die op stafkaarten vermeld stonden, dikwijls slechts bestonden uit niet meer dan een paar honderd tot een paar duizend soldaten. De vele jaknikkers bij zijn militaire staf, durfden hem eigenlijk niet de volle waarheid te vertellen over de niet te vermijden en aanstaande ondergang van de volkomen uitzichtloze Duitse verdediging aan het oostfront.

Het onverwachte en krachtige Duitse decemberoffensief in de Ardennen, veroorzaakte grote beroering en angst onder de bevolking, zowel in het bevrijde als in het nog bezette deel van Nederland. Vooral in het bevrijde deel van het land, was lichte paniek. Op eerste kerstdag verlieten duizenden burgers Nijmegen, toen geruchten rondgingen dat Duitse troepen een aanval voorbereidden op het gebied rond Nijmegen. Medio januari 1945 meldde de SHAEF-missie bij de Nederlandse regering:

> *'Civilian morale has not yet recovered from the initial shock of the German counter-offensive. There is a noticable nervousness among civilians in all sections of the front along the Maas River.'*

Toen in januari de Duitsers in België en Luxemburg uiteindelijk teruggeslagen waren tot aan hun posities bij de Siegfriedlinie (Westwall op Duits grondgebied) en de Russen steeds dichter naar Berlijn oprukten, ebde die angst weg. De hoop vlamde weer op in de harten van de mensen. Het einde van de oorlog met zijn vele beproevingen leek nu echt heel dichtbij te komen. Via de radio-uitzendingen van de BBC en Radio Oranje, druppelde ook het bericht binnen van de topontmoeting in februari 1945. Daar besprak Roosevelt met Churchill en Stalin te Jalta in de Krim de te volgen strategie. Er werd vooral gesproken over politieke aangelegenheden in Europa, wanneer Duitsland gecapituleerd zou hebben. Zoiets gaf de geplaagde bevolking weer meer moed en het besef dat het einde van nazi-Duitsland nu echt binnen het directe bereik zou komen.

6-2 Toenemende terreur en meer verzet

Zoals eerder beschreven, was na het mislukken van operatie *Market Garden*, de strijd tegen de Duitse troepen beneden de rivieren een langdurige, moeizame en soms bloedige worsteling. Verovering van Nederland boven de rivieren, had voor de geallieerde legers *geen enkel strategisch belang*. Vernietiging van de resterende Duitse legers (in het bijzonder op Duits grondgebied) en uitschakeling van de nazi-top in de regio Berlijn, was het primaire strategische einddoel waar de inspanningen volledig op waren gericht. De Duitse generaals begrepen dit maar al te goed en lieten daarom in het Randstadgebied voornamelijk tweedelijns troepen achter. Ondanks dat, verminderde zelfs nu de ijzeren greep van SD en de Duitse politie in het geheel niet. Aangezien op bevel van Londen het gewapend verzet zich actiever mocht opstellen en dat ook deed, werden de Duitse reacties hierop harder en meedogenlozer. Vanaf najaar 1944 leidde dit vooral in de grote steden in het westen, tot een voortdurend ondragelijker situatie.

Om kort te schetsen hoe gewelddadig de situatie was, citeren we enige zinsneden uit politierapporten in de Rotterdamse regio:

> *'Het ontzielde lichaam van een hogere NSB-functionaris werd in een kanaal gevonden, een PTT vrachtwagen werd in Den Haag gestolen, twee Nederlandse gijzelaars werden doodgeschoten als represaille voor een hoge NSB'er, een gewone burger werd op straat door twee Duitse militairen doodgeschoten, het dode lichaam van een NSB-politiecommissaris werd in een sloot gevonden.'*

De gevangenissen zaten overvol met gijzelaars en gearresteerde mensen van het verzet en de illegaliteit. Veel van die mensen waren aangewezen als 'kandidaten voor executies'. Rauter en zijn fanatieke tweede man dr. Schoengarth, wilden een flink reservoir van gijzelaars bij de hand hebben. Daaruit konden ze naar believen putten ten behoeve van represailles. Dit was de manier van de SD, om te proberen de steeds krachtiger Nederlandse oppositie onder de duim te houden. Ondertussen ging de jacht op dwangarbeiders gewoon door. Ten behoeve van de constructie van allerlei verdedigingswerken in oostelijk Nederland, werden vele gewone burgers gedwongen om daaraan te mee werken. De Duitsers wilden een verdedigingslinie opwerpen langs de rivieren de Maas en de IJssel. Ze hadden daarvoor veel mankracht nodig. Een andere reden voor de jacht op arbeiders, was gestoeld op hun onaangename ervaringen met de *maquis* in Frankrijk. Ze hadden goed in de gaten, dat een voortdurend groeiend aantal jongere (ondergedoken) mannen zich aansloot bij het gewapend verzet en de illegaliteit. Ze vonden dat knap beangstigend. Door de toename van droppings van wapens en explosieven voor de BS, zat het verzet eind 1944 wat ruimer in de wapens. Een geluk bij een ongeluk was, dat ze door de grote Duitse militaire verliezen, minder soldaten hadden dan voorheen (zoals bij de grote razzia in Rotterdam). Hierdoor werd het voor hen steeds moeilijker om hele gebieden uit te kammen ten behoeve van georganiseerde jachten op mannen. Bij kleinere razzia's hadden ze er soms geen moeite mee om '*en passant*' burgers gewoon van kostbare bezittingen te beroven.

Vanaf het begin van de spoorwegstaking had Londen onder meer verzocht om vitale onderdelen van de spoorweginfrastructuur te saboteren en knooppunten van militaire telefoonverbindingen onklaar te maken. Met dit soort acties boekte het verzet regelmatig successen.

Een zeer succesvolle overval, vond plaats in Almelo bij een vestiging van de Nederlandse Bank. Er werd ruim 45 miljoen gulden (21 miljoen euro) buitgemaakt. Helaas werden een maand later enige mannen van deze overval opgepakt en daarna gemarteld. Ze bezweken onder de martelingen en sloegen door. Met deze informatie probeerde de SD een schikking te treffen met het verzet. In ruil voor teruggave van het buitgemaakte geld, zouden de opgepakte mannen niet geëxecuteerd worden.

Met veel pijn in het hart en na lange beraadslagingen, ging het verzet akkoord met deze schikking. De SD hield zich aan zijn woord en de opgepakte mannen werden in plaats van doodgeschoten, afgevoerd naar een concentratiekamp in Duitsland. Tragisch genoeg overleden ze daar toch nog vóór de capitulatie. Een gedurfde overval door de KP op de gevangenis in Leeuwarden lukte geheel. Daarbij werden 51 politieke gevangenen bevrijd. Een soortgelijke overval op de Assense gevangenis bevrijdde 29 man (voor het grootste deel verzetstrijders). Bij een aantal overvallen op politiebureaus in Rotterdam en Den Haag, zag het verzet ook kans een aantal van hun opgepakte kameraden te bevrijden.

Een heel bijzondere operatie vond eind november 1944 plaats in Amsterdam. Het SD-gebouw van een *Einsatzkommando* in de stad, was berucht als tijdelijke gevangenis en martelcentrum. Het gebouw werd zó goed bewaakt, dat een overval geen enkele kans van slagen zou hebben. Men wilde daar enkele beruchte SD'ers liquideren en de gevangen verzetsmensen bevrijden. Ondanks de risico's voor de burgers in deze woonwijk, nam het verzet via een geheime zender contact op met Londen en verzocht om een precisiebombardement door de RAF. Het bombardement vond plaats en slaagde grotendeels. Het gebouw liep grote schade op, maar triest genoeg werden behalve vier SD'ers, ook 65 burgers gedood. In maart 1945 vond een andere tragedie in de hongerende stad plaats. De SD deed een inval in een huis aan de Stadhouderkade. Dit huis was geruime tijd als hoofdkwartier gebruikt door een lokale verzetsgroep. Er werden diverse documenten gevonden. De volgende dag probeerden verzetsmensen de verborgen code voor deze documenten alsnog uit het huis te halen. Ze stuitten bij die actie op enige SD-mensen en in het vuurgevecht kwam een SD'er om het leven. Als represaille werden terstond 36 politieke gevangenen in het Weteringplantsoen op klaarlichte dag gefusilleerd. In de provincie Gelderland, nabij Varsseveld, woedde ook de terreur. Bij een aanslag door het verzet, werden vier Duitse militairen gedood. Toen de dode lichamen werden gevonden, werden als represaille 46 gevangenen uit de nabije gevangenis doodgeschoten.

Ondanks allerlei pogingen om acties van het gewapend verzet (dat nu officieel onder de BS ressorteerde) landelijk te coördineren, lukte dat nauwelijks. Veel lokale verzetsgroepen gingen nog steeds hun eigen gang en ondernamen op eigen gezag veel (soms erg gevaarlijke) initiatieven. Op een hoger niveau in het verzet, was het wél gelukt om de krachten meer te bundelen en beter te coördineren. Ondanks dat had men ook toen, vooral op het platteland, nog immer weinig greep op de vele kleinere verzetsgroepen. Door dit eigenmachtige optreden, kon in maart 1945 het grote drama in Gelderland, bij Woeste Hoeve (halfweg tussen Arnhem en Apeldoorn) plaatsvinden.

Een Apeldoornse verzetsgroep had voor het vervoer van hun wapens en munitie, een vrachtwagen nodig. De weinige groeperingen die nog over voertuigen beschikten, waren logischerwijs de Duitsers. Daarom besloten de mannen van deze groep, om een Duits militair voertuig te stelen. Gedurende de nacht hielden ze (gekleed in Duitse uniformen) langs de provinciale weg Apeldoorn-Arnhem, een Duitse auto aan. In het pikkedonker zagen ze niet dat het geen vrachtwagen, maar een personenauto was. Er ontstond in het duister een vuurgevecht met de inzittende Duitsers. De

Bekanntmachung	**Bekendmaking**
Der Höhere ᛋᛋ- und Polizeiführer Nordwest gibt bekannt:	De Höhere ᛋᛋ- und Polizeiführer Nordwest maakt bekend:
Wegen des feigen und hinterhältigen Mordanschlags auf einen Angehörigen der Besatzungsmacht am 10. März 1945 wurde am 12. d. M. eine Anzahl Terroristen und Saboteure öffentlich standrechtlich erschossen.	Ten gevolge van den laffen en arglistigen moordaanslag op een lid der bezettingsmacht op 10 Maart 1945 werd op 12 dezer een aantal terroristen en saboteurs in het openbaar standrechtelijk doodgeschoten.

| *Bekendmaking over executies op 12 maart 1945.*

| *Vernielde auto van Rauter na aanslag bij Woeste Hoeve.*

verzetsmensen dachten dat alle inzittenden van de auto bij het gevecht waren gedood. De auto was helemaal doorzeefd en ze vertrokken. De (veronderstelde) lijken werden in de auto achtergelaten. De volgende dag bleek dat inderdaad twee Duitsers waren gedood en een andere niet dood, maar zwaargewond was. Helaas was de zwaargewonde Duitser de hoogste politiechef Rauter. Toen hij gevonden was, werd hij snel naar een ziekenhuis gebracht en overleefde daardoor de overval.

Schoengarth en Rauter waren er begrijpelijkerwijs absoluut van overtuigd dat de aanslag alleen was opgezet om Rauter te vermoorden. Op de bekende *rücksichtslose* SD-manier, besloten ze daarom snel afschrikwekkende represailles uit te voeren. Op de plaats van de aanslag werden de volgende dag 117 gijzelaars (waaronder de belangrijke verzetsman Thijssen, die een grote rol had gespeeld bij de OD en later de RVV) gefusilleerd. Het bleef daar niet bij, want uit allerlei gevangenissen in de grote steden van de Randstad, werden nog eens 146 gevangenen gesleurd, die direct werden doodgeschoten. De mislukte aanslag voor één voertuig en twee Duitsers, kostte daardoor totaal 263 Nederlandse slachtoffers. Al met al voelden in winter 1944 en voorjaar 1945, zelfs Duitse militairen zich niet meer erg veilig buiten de steden. Er ging daarom een order uit dat ze bij verplaatsingen per voertuig langs wegen tussen de steden, niet meer mochten halt houden!

De commandant van de BS in het nog bezette deel van het land, kolonel Koot, veroordeelde scherp dit soort eigenmachtige en desastreuze acties. Ook kleine verzetsgroepen konden, en moesten, weten, dat bepaalde zelfstandige acties veel onnodige slachtoffers konden veroorzaken. Terecht meende hij dat betere coördinatie en selectiviteit bij overvallen, veel gijzelaars kon behoeden voor executies. Liquidaties van Duitse militairen en politiemensen, brachten te veel risico's met zich mee voor de levens van gevangenen. Overvallen op gevangenissen, distributiekantoren, banken et cetera, waren wel uiterst gevaarlijk voor de uitvoerende verzetsmensen, maar leverden veel minder risico's op voor represailles. Een duidelijk voorbeeld hiervan waren enige verzetsacties in Rotterdam. Zo was de Rotterdamse Maastunnel door de Duitsers voorbereid om eventueel te worden opgeblazen. In het diepste geheim zag een verzetsgroep kans de ontstekingen voor de explosieven weg te halen en voorkwam daarmee de mogelijkheid om de tunnel te vernietigen.

Toen de Duitsers in september de Rotterdamse en Amsterdamse havens vernietigden, hadden ze een aantal grotere schepen voorbestemd om als blokkadeschepen te gebruiken. Die schepen moesten aan de zeezijde de toegang tot de haven van Rotterdam eventueel gaan blokkeren. Het verzet kreeg lucht van dit geheime plan. Door middel van explosieven lieten ze het grootste blokkadeschip (de *Westerdam* van de Holland-Amerikalijn) zinken langs de Wilhelminakade in Rotterdam. Behalve deze meer tot de verbeelding sprekende acties van het gewapend verzet, gingen het 'gewone' illegale werk onverminderd door. De inmiddels ondergedoken *honderdduizenden* joodse mensen, stakende spoormannen en hun gezinsleden, studenten, mannen die ondergedoken waren vanwege de *Arbeitseinsatz*, neergeschoten vliegtuigbemanningen en nog diverse andere categorieën, moesten regelmatig van onderduikadres wisselen, van andere valse papieren, distributiekaarten en geld worden voorzien. De inmiddels heel grote illegale organisaties die werden geassisteerd door duizenden mannelijke en vrouwelijke koeriers en hiervoor zorgdroegen, hadden daar dikwijls een volledige dagtaak aan. Al deze vele, vele dappere en anonieme tienduizenden koeriers en helpers, liepen ieder moment van de dag en nacht de kans door verraad of bij razzia's tegen de lamp te lopen. In dat geval wachtte hen de gevangenis of nog erger, een concentratiekamp.

In de frontlijngebieden bij de rivieren hadden de burgers die niet waren gevlucht, een uiterst gevaarlijk en somber bestaan. Vaak moesten ze tijdens de bombardementen en artilleriebeschietingen, soms uren, soms dagen in hun kelders dekking zoeken. De Duitsers trachtten in december 1944 hun verdedigingen te versterken door in het Betuwegebied grote inundaties uit te voeren. Daardoor moest de plaatselijke bevolking hun huizen en boerderijen op korte termijn verlaten. Er kwam een nieuwe stroom van duizenden evacués op gang. Ook de razzia's op dwangarbeiders gingen als maar door. Omdat de razzia's niet genoeg gedwongen arbeiders opleverden, kwam in december het zoveelste nieuwe decreet af.

Deze *Liese Aktion*, verplichtte alle mannen tussen de zeventien en vijftig jaar, om zich in december te laten registreren. Het Duitse bestuur had een berekening gemaakt dat er omstreeks 650 duizend mannen van deze leeftijdscategorie in Nederland zouden moeten zijn. Na registratie zouden mensen die bepaalde bijzondere werkzaamheden verrichtten bij onder meer de politie, voedselvoorziening, ziekenhuizen et cetera, een speciale vergunning krijgen voor uitzondering van de *Arbeitseinsatz*. Zowel het verzet als de Londense regering adviseerde de mannen die zich moesten melden, om dit niet te doen. De meeste mannen volgden dit advies op en meldden zich niet. Voor de velen die dit decreet negeerden, betekenden het wel, dat ze vervalste documenten nodig hadden. Er werd door de illegaliteit georganiseerd dat ze die inderdaad kregen. Aangezien het eindresultaat van deze *Liese Aktion* voor de Duitsers vrij weinig arbeiders opleverde, werden ze gedwongen hun razzia's weer uit te breiden. In januari 1945 was hun oogst bij razzia's in de steden en op het platteland, slechts 7500 mannen. Een deel van de mannen die werden opgepakt, moest meestal onder erbarmelijke condities dwangarbeid in Duitsland verrichten. Het andere deel van hen, werd voor graafwerk aan de nieuwe verdedigingswerken ingezet in het oosten van het land.

Na het verlies van delen van de Kanaal- en Belgische kust, intensiveerden de Duitsers het lanceren van V-1's en V-2's vanaf de Nederlandse kustgebieden. Voor de bevolking die nabij de lanceergebieden woonde, bracht dat grote risico's voor geallieerde bombardementen met zich mee. Eén van de vele tragische gebeurtenissen op dit gebied, vond plaats in maart 1945. Het verzet had aan Londen vrij gedetailleerd gerapporteerd over de locaties van een aantal V-2 lanceerplatformen in de omgeving van Den Haag. De RAF plande naar aanleiding hiervan, een bombardement op deze doelen met ruim vijftig Mitchell tactische bommenwerpers. De briefing voor de bemanningen omtrent de doelen, was vrij haastig en weinig gedetailleerd. In de vroege ochtend van 3 maart, werd het bombardement uitgevoerd. De meeste doelen werden succesvol geraakt. Helaas werden voor een enkel doel verkeerde coördinaten gebruikt.

Het resultaat hiervan was schokkend. In plaats van de V-2 opstelling nabij

Wassenaar, werden de bommen abusievelijk afgegooid boven het dichtbevolkte Haagse Bezuidenhoutkwartier. Daardoor werden ruim vijfhonderd burgers gedood en bijna 350 gewond. Meer dan tienduizend burgers werden dakloos en verloren al hun have en goed. De brandweer kampte met een groot tekort aan brandstoffen voor hun brandweerauto's en pompen en had een groot tekort aan mankracht. Tweederde van de brandweermannen was ondergedoken of afgevoerd voor dwangarbeid. Door het grote gebrek aan mankracht en pompen, konden de grote branden niet effectief bedwongen worden. Meer dan drieduizend huizen werden volledig verwoest en vele honderden huizen werden ernstig beschadigd Het gebombardeerde gebied was getransformeerd in één grote smeulende puinhoop. De gemeente Den Haag, buurgemeentes en de kerken, organiseerden zoveel mogelijk hulp voor opvang van de duizenden daklozen. Deze ramp kwam nog eens bovenop de honger en de koude, die toen in deze grote stad al hard had toegeslagen.

6-3 Verovering en bevrijding van het zuiden

Sinds september 1944 controleerden de geallieerden de smalle strook grondgebied en de bijbehorende bruggen, die liepen van België, via Eindhoven en Grave naar noordelijk van Nijmegen. Zuid-Limburg was eveneens bevrijd en Zeeland was tijdens de moeizame slag om de Scheldemonding in november, grotendeels bevrijd. In andere delen van de zuidelijke provincies gaven de Duitsers nog steeds geen krimp en boden taaie tegenstand. Met alle kracht probeerden ze te voorkomen dat de geallieerde troepen de Rijn konden oversteken. Daardoor zou de weg open komen liggen voor de opmars richting Berlijn. Hierdoor waren de Britten en Amerikanen gedwongen, om alle Duitse weerstanden ten zuiden en westen van de rivieren Maas en Rijn op te ruimen. Bij Overloon was een krachtige verdediging opgebouwd. In september probeerde een Amerikaanse pantserdivisie aldaar een doorbraak te forceren. Het lukte niet en de Amerikanen leden aanmerkelijke verliezen. Medio oktober probeerde een Britse divisie het opnieuw. Met ondersteuning van veel artillerie en tanks, lukte het eindelijk de Duitsers nabij Overloon te verdrijven.

Duitse tegenstand leverde ook een fors obstakel bij het belangrijke wegenkruispunt in Venray. Door gevechten in deze regio, was in die kleine stad het aantal burgers verdubbeld. De vele burgers aldaar hadden door de continue gevechten van infanterietroepen, artilleriebeschietingen en luchtbombardementen, het zwaar te verduren. Ze moesten vaak hele dagen in de kelders doorbrengen, terwijl boven hun hoofden de gevechten stug doorgingen. Bij de felle gevechten, werden ettelijke dorpen in die omgeving nagenoeg met de grond gelijkgemaakt. De Duitsers maakten bij hun krachtige tegenstand zeer bekwaam gebruik van veel mijnen en artillerie. Toen uiteindelijk het sterke Duitse bruggenhoofd bij Blerick, na intens artillerievuur en inzet van tanks en infanterie begin december opgeruimd werd, was het gedaan met verdere Duitse tegenstand ten westen van de rivier de Maas. Zelfs Montgomery moest achteraf toegeven dat hij de felle tegenstand van een paar Duitse bataljons, zwaar onderschat had. Deze eenheden hadden kans gezien door hun professionele

| *Opmars van Britse troepen in het vernielde Overloon.*

verdediging, om vier geallieerde divisies meer dan twee maanden tegen te houden! Na hun overwinning zetten de geallieerde troepen niet meteen hun opmars naar het oosten voort. Het Ardennenoffensief veroorzaakte vertraging van de verdere opmars in het gebied Cuijk-Venlo-Roermond.

In de breedfrontstrategie van Eisenhower, was het de bedoeling om in januari 1945 de Maas over te steken en op te rukken richting rivier de Roer. De Duitsers hadden langs de Maas tussen Roermond en Susteren, een sterk bruggenhoofd en een verdediging in diepte ingericht. Voor deze verdediging waren (door dwangarbeiders en Russische krijgsgevangenen) mangaten, loopgraven en tankvallen gegraven. Twee Duitse divisies moesten dit gebied tot het uiterste verdedigen. Daarbij hadden ze steun van veel mijnen en artillerie. Het 12de Britse legerkorps zette met twee infanteriedivisies, een pantserdivisie en veel artillerie, medio januari 1945 de aanval in. Het was zoals in dit kwartaal in Nederland gebruikelijk, koud en nat weer met af en toe wat lichte vorst. Na tien dagen van constante gevechten, trokken de Duitsers zich uiteindelijk terug achter de rivier de Roer. In een Engels gevechtsrapport werd over de gevechten letterlijk vermeld:

> *'The Germans have brought delaying actions of small bodies of infantry, backed by self propelled guns (kanonnen op een tankonderstel) to a fine art.'*

Het waren bittere gevechten geweest in de modder en de ijskoude regen. De Engelsen hadden in die korte periode vijftienhonderd doden en gewonden te incasseren en maakten drieduizend Duitsers krijgsgevangen.

Dit deel van Limburg was nu voor het grootste deel bevrijd en de belangrijke Limburgse kolenmijnen konden kort daarna weer gebruikt worden voor het bevoorraden van het zuiden van Nederland. De bevolking in dit gebied had een zware tol moeten betalen voor hun bevrijding. De dorpen Susteren, Sint Joost en Montfort waren door het massieve lucht- en artilleriebombardement nagenoeg van de kaart verdwenen. Er stond daar nog nauwelijks iets wat leek op huizen, overeind. Meer dan 180 burgers waren gedood. In een gevechtsrapport van één van de Britse divisies, stond achteraf de kritische zelfkritiek:

> *'Het bombarderen van de huizen veroorzaakte meer slachtoffers aan de burgers, dan aan de Duitse verdedigers en vernielde allerlei potentiële huisvesting, die we later hard nodig hadden. Artilleriebeschietingen veroorzaakten weliswaar ook schade aan ramen en muren, maar viel in het niet bij de puinhopen die de RAF-bombardementen veroorzaakten.'*

Het gebied oostelijk van Nijmegen-Cuijk-Boxmeer was begin 1945 nog steeds in Duitse handen.

Na de mislukking van *Market Garden* was de geallieerde strategie er niet meer op gericht om via het gebied ten noorden van de Rijn op te rukken. In februari was de aanval erop gericht om vanuit het zuiden van Nederland oostelijk door te stoten. In een groot offensief vanuit de lijn Nijmegen-Roermond, viel een Brits legerkorps aan en veroverde het Nederlandse grondgebied tussen de Maas en de Duitse grens. Daarna werd de aanval in een aantal bloedige gevechten, dwars door het net over de grens gelegen Reichswald, voortgezet. Begin maart was geheel Limburg bevrijd en eind maart waren de Duitsers onder druk van de aanvallers, gedwongen zich terug te trekken achter de Rijn. De geallieerde bevrijding van dit stuk Nederland en de volgende strijd om een deel van het Duitse Rijnland te veroveren, waren door de professionele en taaie Duitse tegenstand behoorlijk moeilijk en kostbaar geweest. De Duitsers verloren door de gevechten zestigduizend man aan gesneuvelden en gewonden en 250 duizend Duitsers werden krijgsgevangen gemaakt. In Limburg waren naast de grote schade in ettelijke dorpen, ook de steden Roermond en in het bijzonder Venlo, het slachtoffer van de harde strijd geworden. Vóór de eigenlijke gevechten begonnen, was het grootste deel van de burgers uit die twee steden geëvacueerd. Vooral Venlo werd zwaar beschadigd door drie maanden intensieve RAF- en artilleriebombardementen.

In september 1944 waren ten westen van de corridor Eindhoven-Nijmegen, nog steeds delen van Noord-Brabant en Zeeland onder controle van het 15de Duitse leger. Generaal Eisenhower maakte zich zorgen over dit aantal vijandelijke troepeneenheden op de flank van zijn eigen legers. De mogelijkheid dat ze tegenaanvallen zouden willen uitvoeren, moest beslist niet worden uitgesloten en dat kon gevaar opleveren voor het onbelemmerde gebruik van de haven van Antwerpen. Eisenhower maakte de vaak eigenzinnige Montgomery keer op keer duidelijk, dat in het licht van zijn breedfrontstrategie het hoogst noodzakelijk was die dreiging weg te nemen. Daarom was het absoluut noodzakelijk de Duitsers in het zuiden van ons land terug te drijven tot boven de rivieren.

In de strategische planning was in herfst 1944 zelfs even overwogen om het westelijk deel van Nederland te veroveren. Minister Gerbrandy had in Londen aan de Britten dringend verzocht om mogelijkheden te vinden om de hongerende bevolking in de grote steden van Noord-, Zuid-Holland en Utrecht, te bevoorraden. Aangezien de bevrijding van het westen van Nederland niet paste in de strategie van SHAEF om aan te vallen richting Berlijn, werd dit plan al vrij snel losgelaten. Daar kwam bovendien nog bij, dat gezien eerdere ervaringen, men aan geallieerde zijde bijzonder weinig voelde voor gevechten in het westen. In dergelijke laaggelegen drassige poldergebieden, konden tanks buiten de wegen nauwelijks effectief ingezet worden en waren verdedigers altijd in een veel gunstiger positie dan aanvallers.

Na dit herhaalde aandringen van Eisenhower, besloot Montgomery eindelijk begin oktober zijn prioriteiten wat te verleggen en gaf hij bevel aan het Britse 1ste legerkorps, om op te rukken richting Tilburg en Den Bosch. Een Canadese pantserdivisie van dit legerkorps kreeg opdracht om in westelijk Brabant aan te vallen en bevrijdde eind oktober Bergen op Zoom. Een Engelse divisie viel vanaf Oss aan en veroverde Rosmalen. Ondanks hevig Duits artillerievuur, zette ze de aanval verder door en bereikte de buitenwijken van Den Bosch. Om die stad te veroveren, waren vier dagen van felle straatgevechten nodig om de vijand eind oktober te verdrijven. Voor hun bevrijding, moesten de Bossenaren een hoge prijs betalen. Door de gevechten, verloren in de stad 250 mensen het leven, werden 2100 burgers gewond en werden achttienhonderd huizen en gebouwen vernield of ernstig beschadigd. Toen de Duitsers zich terugtrokken, bliezen ze en passant nog gauw de spoorbrug en verkeersbrug bij Hedel op. Meer zuidelijk rukten twee Britse infanteriedivisies op en veroverden eind oktober Oisterwijk op de krachtig weerstand biedende Duitsers. Vanuit het zuiden nabij Hilvarenbeek, rukte nu een Britse pantserbrigade op richting Tilburg. In de voorhoede van deze brigade, was de Prinses Irene Brigade ingedeeld. Bij gevechten tijdens hun opmars naar Tilburg, liep de Nederlandse brigade flinke verliezen op aan doden en gewonden.

De Duitse legercommandant generaal Von Zangen, zag in dat hij de krachtige Engelse en Canadese aanvallen op den lange duur niet kon tegenhouden. Hij vroeg en kreeg permissie van zijn hogere chef veldmaarschalk Von Rundstedt, om zich verder noordelijk terug te trekken. Tilburg kwam nu zonder strijd in geallieerde handen. Door onjuiste inlichtingen kreeg de stad vlak voor zijn bevrijding, toch nog per ongeluk een stevig geallieerd artilleriebombardement te verduren. Eveneens vanuit het zuiden, rukte de 1ste Poolse pantserdivisie op naar Breda en bevrijdde deze stad. Eind oktober hadden de Polen ook de controle over de weg Breda-Tilburg in handen gekregen. Hoewel de Duitsers zich georganiseerd terugtrokken, gaven ze de tegenstand niet geheel op. Zuidelijk van Waalwijk en Drunen hadden ze bij het kruispunt van wegen Loon op Zand een sterke verdediging opgebouwd. Hoofddoel van deze zware verdediging was om de aanvallers zo lang mogelijk te vertragen, zodat andere onderdelen van Von Zangens leger zich ongestoorder konden terugtrekken tot voor-

| *Noodbrug in het veroverde St.-Michielsgestel (N.Br.).*

bij de noordelijke zijde van de Rijn. De eerste aanval van de Britten op het kruispunt Loon op Zand liep vast. De volgende dag lukte het de Engelsen met gebruik van veel artilleriesteun, het kruispunt te veroveren. Met bekwaam uitgevoerde vertragende gevechten, trokken de Duitsers verder terug naar het noorden. Na het overschrijden van de bruggen over de Maas bij Keizersveer en Heusden, lieten ze beide belangrijke bruggen in de lucht vliegen. Bij de gevechten rond Drunen en Waalwijk, werd door zware artilleriebombardement bij diverse dorpen in die omgeving, een spoor van vernieling achtergelaten. Meer dan vijftig burgers verloren daarbij het leven.

Al eerder werd beschreven, dat in het rivierstadje Heusden bij het opblazen van het raadhuis, omstreeks 130 mensen waren omgekomen. In westelijk Noord-Brabant werd Roosendaal eind oktober zonder tegenstand bevrijd. De gecombineerde Britse, Canadese en Poolse strijdmacht van het 1ste Britse legerkorps, rukte vervolgens in westelijk Noord-Brabant over een breed front noordwaarts op langs de as Bergen op Zoom, Roosendaal en Breda. Een krachtige Duitse gevechtsgroep van meer dan drie infanteriedivisies, bood heftige en bekwaam uitgevoerde tegenstand. Begin november werd Zevenbergen bevrijd en Geertruidenberg volgde kort daarna. Spoedig

| *Schijndel (N.Br.) toen de strijd voorbij was.*

hierna, bereikten Britse troepen het verlaten stadje Willemstad, waar inmiddels een Duitse divisie net vertrokken was.

Langs de weg van Breda naar het noorden, voerden de Duitsers ook een taai vertragend gevecht, waarbij de oprukkende Poolse pantsertroepen en infanterie, het zwaar kregen te verduren door de Duitse mijnen, het aanvalsgeschut en de betonnen hindernissen. Na felle gevechten bereikten de Polen op 9 november het grotendeels vernielde dorp Moerdijk. De laatste troepen van het Duitse 15de leger, bliezen na het bereiken van de noordelijke oever van het Hollandsch Diep, de vitale spoor- en verkeersbrug bij Moerdijk achter hun rug op. Al met al was na bijna twee maanden van veel heftige en bloedige gevechten, op die 9de november nu uiteindelijk geheel Noord-Brabant in geallieerde handen.

Jarenlang hadden de Nederlanders smachtend uitgekeken naar hun bevrijding. Eind 1944 was het grootste deel van Zeeland, Noord-Brabant en Limburg, niet meer onder het juk van de Duitse bezetter. Het was geen makkelijke bevrijding geweest. In grote delen van die provincies had de bevolking zwaar te lijden gehad van inundaties, bombardementen en allerlei andere ellende die gevechtshandelingen met zich meebrengen. In de laatste maanden van 1944 werden duizenden burgers gedood of gewond, hele stukken boerenland waren tijdelijk niet meer bruikbaar, veel huizen en boerderijen waren beschadigd of vernield. Vóór de gevechten plaatsvonden, hadden de Duitsers allerlei goederen en machinerieën geroofd, bijna alle joodse mensen waren gedeporteerd naar Polen en veel mannen voor dwangarbeid afgevoerd naar Duitsland.

In de frontlijngebieden hadden de burgers dagen-, soms zelfs wekenlang, in kelders weggedoken geleefd, terwijl de strijd rondom hen woedde.

Onder dat soort omstandigheden kan men zich nauwelijks meer voorstellen, dat er zoiets als een normaal leven bestaat. Maar dit najaar 1944 was er in het zuiden van het land ondanks alle doorstane ellende en ontberingen ook de grote vreugde van de bevrijding. Er was nu weer uitzicht op een normaler leven zonder willekeur, decreten, censuur, terreur, grote onzekerheden, dwangarbeid, bombardementen en schaarste. De allereerste vreugde van de bevrijding ebde wel weg, toen spoedig bleek dat de schaarste aan voeding, brandstoffen en allerlei andere artikelen die het leven veraangenamen, nog geruime tijd aanhield.

Eind 1944 was Nederland letterlijk in tweeën gedeeld in een bevrijd zuiden en een nog bezet noorden. De grens van de gebieden liep langs het frontgebied in het vlakke land aan de rivieren Maas en Rijn. Wat voorheen niet mogelijk was, maar nu wel, was dat het mogelijk werd om op allerlei slinkse manieren contacten te onderhouden tussen het bezette en bevrijdde stuk Nederland. Daarvoor werden kleine bootjes gebruikt, die onder dekking van het nachtelijke duister, heimelijk de Rijn overstaken tussen Arnhem en Wageningen en verder westelijk bij de Bergsche Maas. Verreweg de meest gebruikte andere verbindingsroute, liep door het moerassige Biesbosch deltagebied. In dit onoverzichtelijke en nauwelijks controleerbare moerasgebied, onderhield het verzet al geruime tijd radioverbindingen met Londen. Vanaf 1944 werd daarvandaan tevens de verbinding onderhouden met het bevrijde zuiden. Ook werd de Biesbosch veel gebruikt voor het tijdelijk onderbrengen van onderduikers. Vanaf najaar 1944 werd het daar nóg drukker. Er gingen met kleine boten en kano's, continue stromen wapens, munitie, inlichtingenrapporten, koeriers, medicijnen, piloten et cetera tussen noord en zuid en vice versa. Deze *crossings* geschiedden bijna altijd onder dekking van de duisternis en werden begeleid door een beperkt aantal gidsen die dit gebied als hun broekzak kenden. Najaar 1944-begin 1945, werden omstreeks 450 *crossings* uitgevoerd.

De Duitsers wisten wel degelijk dat dit gebeurde. Zij waren niet bij machte met patrouilles dit moerassige gebied onder controle te houden. Een heel enkele keer werd men door patrouilleerde Duitsers gesnapt en opgepakt. In één geval werd de gids eerst na zijn arrestatie zwaar ondervraagd en daarna doodgeschoten. Vooral in het laatste jaar van de oorlog hebben veel mensen hun leven te danken gehad aan de Biesbosch. Vooral in dat laatste jaar van de oorlog was, voor zowel geallieerden als het verzet, het gebied een uiterst belangrijke schakel in het schemergebied van spionage en sabotage.

6-4 De regering in Londen

Vanuit Londen kon de regering in ballingschap in de jaren 1940-1942 nog niet erg veel betekenen voor de mensen in het vaderland. In Engeland was men nog te veel bezig met het pure overleven in de strijd tegen de toen nog oppermachtige Duitse legers in Europa en Japanse legers in Zuidoost-Azië. Toen de Amerikanen in de oorlog betrokken werden en door de successen van de geallieerden in Rusland bij Stalingrad en in Noord-Afrika bij El Alamein het tij keerde, veranderde geleidelijk deze situatie.

Na het ontslag van de weifelende minister-president De Geer in 1940, kreeg de meer dynamische Gerbrandy de leiding over de Londense regering in ballingschap. Hij genoot het vertrouwen van koningin Wilhelmina. Met haar dominante karakter probeerde zij de wankelmoedigen in de regering te inspireren en stimuleren. Door het ontbreken van een controlerend parlement, was zij in een unieke positie. Zij had nu de gelegenheid deze regering ook in bepaalde mate te beïnvloeden. Wel moet worden toegegeven dat Wilhelmina vanaf het allereerste begin van haar ballingschap, het onverzettelijke symbool was van de Nederlandse onbuigzaamheid tegenover de Duitse tirannie. In juli 1940 opende de koningin de eerste uitzending van Radio Oranje en hield zij voor deze officiële spreekbuis van de Londense regering, regelmatig vlammende anti-nazi toespraken.

Begin 1941 benoemde de regering een commissie. Deze commissie moest de eerste voorbereidingen regelen voor de terugkeer naar het vaderland wanneer het land bevrijd zou zijn. In maart 1942 vaardigde de regering een nieuwe wet uit, die zeelieden buiten Nederland *verplichtte te blijven varen* op de Nederlandse koopvaardijvloot. Meer dan achthonderd schepen, met een totaaltonnage van omstreeks 2,8 bruto register ton, vielen (indirect) onder controle van de Nederlandse regering. Door deze vaarplicht, vielen de zeelieden in een categorie die het zwaar voor zijn kiezen kreeg tijdens de oorlog. In de jaren 1940-1945 werd *46 procent* van de Nederlandse koopvaardijvloot tot zinken gebracht tijdens het varen voor de geallieerde overwinning. Veel schepen werden getorpedeerd en gingen met hun bemanning ten onder gedurende de slag op de Atlantische Oceaan of op andere wereldzeeën. Het is daarom uiterst droevig te moeten constateren, dat deze zeelieden na de oorlog nauwelijks die erkenning en waardering hebben gekregen, die ze ruimschoots verdiend hadden. Zij deden hun gevaarlijke werk voor de bevoorrading van de vrije wereld gedurende vijf zware jaren. Zij droegen er in hoge aan bij, dat de grote stroom goederen, zoals ruwe grondstoffen, voedsel, wapens, munitie, brandstoffen, militaire uitrustingen et cetera, zo constant mogelijk en tijdig op de juiste plaats kwam. Dit risicovolle karwei werd uitgevoerd onder voortdurend grote druk, ver weg van huis en haard en zonder enig contact met hun familie in het bezette Nederland.

Een groot en voortdurend probleem voor de Londense regering, was vooral in het begin, het gebrek aan betrouwbare informatie over het dagelijkse leven en de levensomstandigheden in het bezette vaderland. Het kleine aantal 'Engelandvaarders' en naar Engeland terugkerende geheime agenten, waren de belangrijkste bronnen van recenter nieuws uit Nederland. De moeilijke en zorgelijke toestand van het joodse deel van de bevolking, was in Londen wel bekend, maar daar bleef het bij. Koningin Wilhelmina uitte in oktober 1942 in een emotionele radiotoespraak onder meer de verontwaardiging van alle Nederlanders, over de onmenselijke nazi-terreur tegen de joodse landgenoten. Kennelijk ging de koningin het lot van de niet-joodse Nederlandse haar toch nog meer aan het hart dan het lot van ruim honderdduizend direct vervolgde joodse burgers.

Toen in 1943 de kansen op een geallieerde eindoverwinning duidelijker zichtbaar werden, nam de regering meer concrete stappen hoe te handelen bij de bevrijding. Begin 1943 werd het Bureau Militair Gezag in Londen opgericht. Het hoofd van het bureau werd de landmachtgeneraal Kruls. Dit bureau moest de uitvoering van het militaire gezag over de bevrijde gebieden voorbereiden. Vanwege de steeds brutere Gestapo-represailles op gijzelaars, riep Radio Oranje het verzet in februari 1943 op geen liquidaties meer uit te voeren op verraders. De verzetsgroepen namen hiervan kennis en de meeste verzetsmensen vonden dat ze zelf wel konden bepalen óf en wanneer liquidaties wel of niet moesten worden uitgevoerd.

Ondertussen werd via een geheim agent de OD ingelicht, dat hun organisatie in de bevrijde gebieden in Nederland deel zou gaan uitmaken van en ondergeschikt zou zijn aan, het Militair Gezag. Koningin Wilhelmina's radiotoespraak in september 1943 over de bevoegdheden en instructies voor het Militair Gezag in de bevrijde gebieden, veroorzaakte veel irritatie bij de diverse verzetsorganisaties. Deze organisaties en hun leiders waren in de afgelopen jaren gewend hun eigen beslissingen te nemen. Ze waren daardoor nauwelijks gediend van een soort 'politiekachtige' autoriteit, die hun bevoegdheden en acties wilde inperken. In diezelfde maand bevestigde de Londense regering een besluit, dat de uitgebreide en speciale bevoegdheden van het Militair Gezag aangaf. Dat besluit bevatte de bepaling dat het Militair Gezag *boven* het burgerlijk gezag werd gesteld Het MG kreeg in dit besluit de bevoegdheid wetten buiten gebruik te stellen, censuur uit te oefenen, vergaderingen te verbieden, werkkrachten te vorderen, mensen in hechtenis te nemen en nog een aantal andere vergaande maatregelen te mogen nemen. In december 1943 kondigde de eerste minister aan, dat wanneer het Militair Gezag in Nederland zou arriveren, dit gezag de officiële vertegenwoordiger van de regering zou zijn. Door al deze directe bemoeienissen vanuit Londen, realiseerden het verzet en vele burgers en ambtenaren zich, dat de bevrijding misschien eerder zou geschieden dan men aanvankelijk dacht. Ondanks dit positieve toekomstbeeld, veroorzaakten de bemoeienissen uit Londen in brede kringen van het bezette land, de nodige wrevel. Het bleek, dat er in die afgelopen jaren toch een soort verwijdering was ontstaan tussen de mensen in het bezette en verarmde Nederland en de regering die zetelde in een democratisch land aan de overkant van Het Kanaal.

De activiteiten van de Londense regering ten aanzien van spionage en sabotage, was – zoals eerder geschetst – tot dan toe bepaald niet een blij verhaal. Men had met dezelfde problemen te kampen als hun Engelse bondgenoten van de inlichtingendiensten zoals SIS, de *Security Service*, MI-5 en 6 en SOE. Daar werkte de Londense regering nauw mee samen. De Nederlanders waren daar in hoge mate van afhankelijk. Bij het uitbreken van de oorlog in 1939-1940, waren de financiële fondsen voor het werk van de diverse inlichtingendiensten, vrij beperkt geweest. Er was een zekere mate van gebrek aan expertise ten opzichte van hun Duitse tegenhangers van de *Abwehr*, Gestapo et cetera. In korte tijd moesten de Engelse en Nederlandse inlichtingendienst hun operaties in die uiterst gevoelige en kwetsbare sectoren, sterk uitbreiden

Al in juli 1940 werd in Londen het bureau Centrale Inlichtingen Diensten (CID) opgezet. Dit bureau had als belangrijkste taak informatie te verzamelen over de situatie in bezet Nederland. Wegens gebrek aan resultaten, werd dit kleine bureau in die toenmalige structuur in 1941 opgeheven. Datzelfde jaar startte het Bureau Inlichtingen, waarbij in mei 1942 de kolonel der mariniers De Bruyne aantrad. Dit bureau werkte nauw samen met de militaire inlichtingendienst MI-6. Kolonel De Bruyne was ook betrokken bij de rekrutering van geheime agenten voor SOE/*Dutch*. Eén van de vele problemen die de Londense regering had en bleef houden, was dat de diverse Engelse inlichtingendiensten vaak elkaar beconcurreerden, in plaats van nauw samen te werken. Deze rivaliteit geschiedde helaas op grote schaal tussen de verschillende Engelse organisaties, die zich bezighielden met contra-inlichtingenactiviteiten, sabotage, spionage en het vergaren van inlichtingen. Rivaliteit, gebrek aan coördinatie, tekorten aan ervaren mensen, te beperkte financiële middelen et cetera, maakten vooral in de eerste jaren van de oorlog, dit wereldje van sabotage en spionage bepaald niet het toonbeeld van grote doelmatigheid.

Een geluk bij een ongeluk was, dat ook bij de vijand gelijksoortige problemen te zien waren. Het Duitse leger, de marine en de luchtmacht, hadden allemaal hun eigen inlichtingen- en contra-inlichtingendienst. Behalve de geallieerden, bespioneerden ze ook elkaar. Daarenboven was de oppermachtige Himmler met zijn uitgebreide ministerie, zijn Gestapo en SD, continu bezig om ook de eigen krijgsmacht inlichtingendiensten te infiltreren, controleren en bespioneren. Waar Himmler het met zijn wantrouwige aard nodig achtte, grepen zijn mensen bij die andere inlichtingendienst zelfs hardhandig en rechtstreeks in!

Behalve de hiervoor geschetste problemen, kampte de Londense regering nog met een andere hoofdpijn. Die hoofdpijn werd veroorzaakt door de enorme versplintering van het verzet in het vaderland. De meeste verzetsgroepen opereerden autonoom. Ondanks herhaalde pogingen vanuit Londen voor een betere coördinatie, samenwerking en een zekere vorm van hiërarchische structuur, lukte dit nauwelijks. De individualistische en wat calvinistisch-achtige Hollanders bij het verzet, hadden weinig trek in een meer van boven opgelegde structuur en hiërarchie. Men had een zeker wantrouwen ten opzichte van de Londense 'politiekelingen'. Het gebrek aan meer structuur en hiërarchie, heeft achteraf wél het voordeel gehad dat bij infiltraties van V-mannen bij verzetsgroepen, de schade die veroorzaakt werd door deze verraders, enigszins beperkt bleef. Wanneer verzetsmensen werden gegrepen en gemarteld door de SD, konden ze wanneer ze doorsloegen weinig bekennen. Dit kwam doordat ze meestal alleen iets wisten over hun eigen kleine verzetsgroep. Na de grote klappen die het verzet in het eerste jaar door argeloosheid en zorgeloosheid had opgelopen, was het standaardparool bij het verzet '*need to know*' en vooral niet '*nice to know*' geworden.

Medio maart 1944 werd in Londen het Bureau Bijzondere Opdrachten (BBO) opgericht. Hun taak was om – geheel los van het geïnfiltreerde SOE/*Dutch* – geheime agenten, wapens en sabotagemiddelen boven bezet gebied te droppen. Later dat jaar trainde en bewapende dit bureau de BS. Helaas werden aan het eind van die maand drie door de zorg van dit bureau gedropte nieuwe geheime agenten, vrij spoedig door de Duitsers opgepakt. De Duitse contra-inlichtingendienst probeerde nu opnieuw een *Spiel* met Engeland te beginnen. Die opzet werd deze keer gelukkig snel door Londen doorzien. Men had door het drama van het *England Spiel* inmiddels een harde en kostbare les geleerd. Gelukkig kwamen er na de tegenvaller van de eerste dropping door BBO, geen nieuwe mislukkingen voor bij de droppings. Vele geheime agenten konden – na de gepasseerde blunders in het verleden – met succes hun karwei in bezet Nederland tot aan de bevrijding uitvoeren.

Na de geschetste eerdere pogingen kon in juli 1944 de Londense regering het grootste deel van het verzet ervan overtuigen dat meer en betere coördinatie noodzakelijk was. De wens voor betere coördinatie tussen de veelheid van verzetsgroepen, leefde trouwens ook binnen de leiding van verschillende groepen. In Amsterdam werd in een geheime bespreking van diverse leiders van het verzet, besloten om een contactcommissie van vijf man te formeren. Die Contact Commissie, vertegenwoordigde de belangrijkste groeperingen van het gehele verzet. Kort daarna had de contactcommissie zijn eerste bespreking onder leiding van Willem Drees. Later was hij ook één van de leden van het College van Vertrouwensmannen. (Drees was na de oorlog verscheidene jaren minister van Sociale Zaken en eerste minister. Hij was toen de initiatiefnemer van de Noodwet Ouderdomsvoorziening, die uitmondde in de huidige AOW.)

Het pad van de Londense regering ging in de vijf oorlogsjaren weinig over rozen. Er waren intern vele, soms zelfs ernstige conflicten. In Engeland ontbrak een controlerend parlement. Men had in Londen maar een heel beperkt en klein ambtenarenapparaat ter beschikking. Er was een constant gebrek aan betrouwbare en recente informatie over het bezette vaderland. Bovendien was de Londense regering, één van de vele regeringen in ballingschap, die in Engeland zetelden. Het belang van de bevrijding van Nederland, liep meestal niet parallel met de militair-strategische missie van generaal Eisenhower en zijn staf. Daar kwam nog bij, dat koningin Wilhelmina niet het type monarch was dat veel vertrouwen had in, en ontzag had voor ruziënde politici. Zij was alleen geïnteresseerd in het wel en wee van 'haar volk' in het bezette Nederland en de continuïteit van haar huis van Oranje. Zij had nogal wat persoonlijk ideeën.

Na de oorlog zou het politieke parlementaire democratie systeem van vóór 1940, veranderd moeten worden. In een dergelijk nieuw systeem, zou dan de monarch meer directe invloed moeten hebben. Via directe radio-uitzendingen en zonder directe invloed van de ministers, had zij in Londen de mogelijkheid het Nederlandse volk in het vaderland direct te kunnen toespreken en inspireren. Door haar sterke en dominante karakter, kreeg zij eveneens de ruimte om de Londense regering te beïnvloeden en zelfs hier en daar naar haar hand zetten. Voor de energieke en vastberaden koningin, was het na al haar inspanningen vanuit Londen, een bijzonder emotioneel moment om weer voor het eerst sinds 1940 de Nederlandse bodem te betreden. Dat gebeurde medio maart 1945, toen zij in het grotendeels verwoeste kleine dorp Eede in Zeeuws-Vlaanderen, de Nederlands-Belgische grens overstak.

In aanvulling op de al bestaande LO, LKP, OD, RVV en de brandnieuwe Contact Commissie, besloot minister-president Gerbrandy een College van Vertrouwensmannen in te stellen. Dit college zou de regering moeten vertegenwoordigen in de bevrijde gebieden. Deze vertegenwoordiging zou nodig zijn tot het moment dat de regering fysiek in die gebieden zou arriveren. Het college vergaderde in het geheim voor het eerst in Utrecht eind augustus 1944. De benoeming van prins Bernhard als hoogste commandant van de Binnenlandse Strijdkrachten in september 1944, trachtte een eind te maken aan de rivaliteit tussen diverse en vele verzetsgroeperingen. Zijn benoeming zou een eenhoofdige leiding moeten bewerkstelligen. Het gehele verzet stond in principe achter deze benoeming. Er werd in september nóg een coördinatie orgaan, te weten het 'Delta Centrum' (coördinatiecommissie bestaande uit de topmensen van de verschillende verzetsorganisaties) opgericht. Ondanks al die coördinatie-instituties op hoog niveau, was prins Bernhard al in november genoodzaakt een telegram te sturen naar de verschillende verzetsorganisaties. Hierin drong hij met klem aan te stoppen met de onderlinge rivaliteit en verdeeldheid. Eind november streek prins Bernard met zijn staf neer in het inmiddels bevrijde Breda.

Dezelfde maand arriveerde generaal Kruls met zijn inmiddels tot circa 750 vrouwen en mannen uitgegroeide staf van het MG, in Brussel. Van daaruit vingen ze aan met hun activiteiten voor het reeds bevrijde deel van Nederland. Ze werkten onder de paraplu van de SHAEF-missie voor civiele aangelegenheden. Het oorspronkelijke plan van de Londense regering was, om het MG te laten functioneren als een vooruitgeschoven instrument van die regering. Later zou blijken dat generaal Kruls met zijn krachtige persoonlijkheid en zijn bureaucratische staf, zijn eigen weg ging. Hij trok zich niet al te veel aan van de controle door de ministers in het verre Londen. In april 1945 verplaatste Kruls zich met zijn staf van Brussel naar Breda en vestigden zich in het 'Kasteel'. Aldaar hadden vóór mei 1940, de cadetten van de Koninklijke Militaire Academie (KMA) hun domicilie.

Voor het MG viel er meer dan genoeg te regelen, coördineren en organiseren. Een groot deel van Brabant en Zeeland had door de gevechten ernstig te lijden gehad onder het oorlogsgeweld. Bovendien had het gehele ambtenarenapparaat gedurende jaren naar de pijpen van het Duitse bestuur moeten dansen. Ze moesten nu weer wennen aan het gezag van hun eigen Nederlandse autoriteiten. Tevens moeste ze ervoor zorgdragen dat er geen machtsvacuüm zou ontstaan. Een belangrijke taak van het MG in het bevrijde gebied, was het handhaven van openbare orde en veiligheid en het voorkomen dat de volkswoede zich vergreep aan collaborateurs en verraders. Daarnaast had het MG de handen vol aan opvang van de vele vluchtelingen en evacués, het op gang brengen van de voedsel- en brandstofdistributie, het openbaar vervoer, onderwijs, vrije pers, rechtspleging et cetera. Er was veel kritiek op het MG. Dat bestond er onder meer uit, dat ze beticht werden van vriendjespolitiek en baantjesjagers (gedeeltelijk was dat ook zo). Het kon ook niet uitblijven dat er wrijving ontstond met de mensen van het verzet. Die groepering had er grote moeite mee dat hun belangrijke rol was uitgespeeld en men hen nauwelijks meer nodig had. De fricties van het MG met vooral de OD en het politieapparaat, betroffen in het bijzonder de bevoegdheden ten aanzien van de arrestaties van collaborateurs en nazi's. Eén van de vele taken die het MG ter hand moest nemen, was het voorbereiden van de drooglegging van het eiland Walcheren. Hiertoe werd een speciale dienst in het leven geroepen, die met voortvarendheid dit grote project ging voorbereiden. Ondanks hier en daar terechte kritiek, mag achteraf gesteld worden dat het MG – terwijl de oorlog elders gewoon doorging – in de periode 1944-1945 daadwerkelijk heeft bijgedragen aan het moeilijke werk om het normale leven in het bevrijde zuiden, weer redelijk op gang te krijgen.

6-5 Een winter met hongersnood in West-Nederland

Ondanks de bevrijding, bleef in het zuiden schaarste aan voedsel, brandstof en andere artikelen, langere tijd troef. De grootse vooruitgang was dat de mensen weer in vrijheid konden ademen en dat het afgelopen was met de terreur. Dit was in schrille tegenstelling met het niet bevrijde deel van het land, waar onderdrukking en honger in de grote steden het dagelijks leven nog steeds grotendeels beheersten. Op het platteland kon men zich nog redelijk redden met het extra voedsel dat de boeren illegaal achterhielden. Over het algemeen waren de meeste boeren niet te beroerd om tegen een redelijke prijs familie, vrienden en bekenden, mee te laten profiteren van het illegale voedselcircuit. Verreweg de ergste nood zat bij de ruim 4 miljoen burgers in de grote steden en directe omgeving. In die steden waren er nog maar weinig banen overgebleven. De razzia's op mannen gingen continu door. Liquidaties en contraterreur met executies van gijzelaars waren meer regel dan uitzondering. De voedselrantsoenen in Amsterdam, Utrecht, Den Haag en Rotterdam waren eind 1944, begin 1945 teruggelopen tot een niveau dat zelfs lag *beneden* het niveau dat de gevangenen in de meeste Duitse concentratiekampen verstrekt kregen.

Door de spoorwegstaking voelden de Duitsers die het hele spoorbedrijf in eigen hand hadden genomen, er nog steeds weinig voor om hun treinen in te zetten voor voedsel- en brandstoftransport naar de grote steden. De kolenaanvoer vanuit de mijnen in Limburg was door de geallieerde verovering van die provincie volledig gestopt. De Duitse treinen voerden uit hun eigen mijnen slechts zoveel kolen aan, als nodig was voor vooral hun eigen behoeften. Mondjesmaat kregen enkele elektrische centrales in Holland een hoeveelheid kolen voor stroomlevering aan gebouwen van de bezetters, ziekenhuizen, gaarkeukens, bakkerijen, gemalen en dergelijke. Vanaf oktober 1944 was de gasvoorziening aan 'gewone' huishoudens gestopt. Veel telefoonlijnen en de stroomvoorziening voor de meeste mensen, werkten ook niet meer. In diezelfde maand stopten de trams in de steden met hun dienstverlening. Door gebrek aan stroom moesten bijna alle theaters en bioscopen stoppen met hun bedrijf. Door de aanvankelijke wraak van de bezetter vanwege de spoorwegstaking, was tijdelijk de voedselaanvoer naar de grote steden per trein helemaal gestopt.

De SG's Hirschfeld en Louwes protesteerden krachtig tegen deze desastreuze maatregel. Uiteindelijk stond in november Seyss-Inquart toe, dat de 'Duitse' treinen mondjesmaat wat voedsel mochten aanvoeren. Naast dit schaarse treinvervoer, geschiedde het grootste deel van de aanvoer vanaf september nog wel met binnenvaartschepen. De meeste binnenvaartschippers waren niet ten onrechte beducht dat de Duitsers hun schepen zouden vorderen en hen zouden inschakelen voor dwangarbeid. Daardoor was de aanvoer per binnenschip ook bijzonder mager. Hirschfeld zag kans in december van de Duitsers toestemming te krijgen om een Centrale Rederij voor de Voedselvoorziening op te zetten. De schippers die hieraan meededen, kregen een garantie dat hun schepen *niet* in beslag zouden worden genomen en dat zij *niet* opgepakt zouden worden voor dwangarbeid. Met deze schepen, kon enige voedselaanvoer van vooral aardappelen uit Noordoost-Nederland, via het IJsselmeer georganiseerd worden. Via dit traject verbeterde de voedselaanvoer een klein beetje. Toen dit net op gang was gekomen, sloeg in december voor de Kerst, de strenge winter toe. In korte tijd bevroren alle kanalen en vaarten en werd zelfs het IJsselmeer door ijsgang grotendeels onbevaarbaar. De voedselaanvoer naar de steden kwam nu weer knarsend tot stilstand. De Duitsers hadden voor zichzelf en hun nazi-vrienden, een eigen aanvoer geregeld en werden goed voorzien van voedsel en zelfs van dranken. De onbarmhartige koudeperiode hield aan tot het eind januari 1945, toen het eindelijk na vele weken vrij strenge vorst, weer ging dooien.

Het wegvallen van de gas- en elektriciteitsvoorziening, maakte de mensen bijzonder vindingrijk. Door de grote nood vielen de gewone sociale verschillen grotendeels weg. De notaris, vuilnisman, onderwijzer, bediende, productiewerkman et cetera, werden allemaal even hard getroffen door het gebrek aan voedsel en brandstof. De meest gezonde en sterkste mensen, gingen in die barre winter op weg om te overleven en dat betekende voedsel en brandstof bij elkaar zien te scharrelen. Al gauw sneuvelden de meeste bomen in de steden. In Amsterdam verdwenen uit straten en parken in een paar maanden tijd omstreeks 22 duizend van de totaal 42 duizend bomen. In andere steden was het percentage omgehakte en omgezaagde bomen

| *Winkelsluiting door gebrek aan goederen.*

nauwelijks minder. In de steden hadden de mensen al gauw ontdekt dat tussen de tramrails djatihouten blokjes lagen. Die waren snel verdwenen en opgestookt in de kille, onverwarmde huizen. Houten brugleuningen en banken in parken, werden gesloopt. Bijna alles wat uit hout bestond, werd een prooi voor de kachels. Leegstaande huizen (in Amsterdam waren er talrijke, vooral in de voormalig joodse buurt) werden ontdaan van houten vloeren en balken. Na deze stripperijen stortten veel huizen in elkaar. Een groot deel van de mooie Hollandse bossen en verdere bomenrijkdom, ging er aan en werd opgestookt. De Duitse politie, de NSB Landwacht en de gewone politie, trachtte dit omzagen en kappen te stoppen, maar het mocht niet baten. Zelfs na de avondklok, ging de massale illegale houtjacht stiekem door. Men had er amper het leven voor over om een beetje hout voor verwarming en koken te bemachtigen. Om zo zuinig mogelijk met het hout om te gaan, maakte vooral in de steden de 'wonderkachel' een grote vlucht. Die kleine kacheltjes werden van een beschuitblik of een grotere metalen buis gemaakt. Ze werden gebruikt voor zowel het koken als om een beetje warmte te geven.

De extreme koude maakte in die droeve winter minstens evenveel slachtoffers als de honger. In de steden daalde het voedselrantsoen dat verstrekt werd op de

| *Laatste boompjes verdwijnen uit de straten.*

| *Aanbieding van noodkachels.*

distributiebonnen, aanvankelijk tot zestienhonderd calorieën per dag. Per oktober ging dit rantsoen omlaag tot veertienhonderd calorieën en in december 1944 werd het minder dan achthonderd calorieën per persoon per dag. In de steden werden vanwege het stoppen van de elektriciteitsvoorziening aan particulieren, gaarkeukens opgezet. In ruil voor een aantal distributiebonnen, werd daar dagelijks een warme kop soep en soms een soort stamppot verstrekt. Meestal bestond dit voedsel uit een waterig mengsel van aardappel, een beetje groente en uiterst kleine stukjes vlees. Voor dit magere rantsoentje, moesten de mensen vaak soms uren in de vorst, sneeuw of ijskoude regen, in de rij staan. Bij gebrek aan beter, waren er dagelijks vele tienduizenden die van deze gaarkeukens gebruik maakten. Hongerige kinderen met ingevallen smoeltjes en dunne armpjes en beentjes, bedelden op straat voor een stukje brood. Het werd een gewoon verschijnsel. De honger dreef sommige mensen ertoe om bakkerskarren te plunderen. De politie was vaak genoodzaakt om winkels en voedseltransporten te beschermen tegen plunderaars. Begrijpelijkerwijs ging het in de steden snel achteruit met de volksgezondheid. In Amsterdam doken de eerste mensen met tyfus, luizen, schurft en hongeroedeem op. Dit beeld was spoedig ook in de andere steden zichtbaar. Bij al deze doffe ellende, waren de ouden van dagen en jonge kinderen, de groepen waar het grootste aantal slachtoffers vielen.

De prijzen op de zwarte markt explodeerden door de schaarste nog meer. Om enig idee te geven: 510 gulden (232 euro) voor een brood was normaal. Een pak suiker

| *Hongertocht 1944/45, vervoer van voedsel en zieke.*

kostte zwart 125 gulden (56 euro), een kilo braadvet 245 gulden (110 euro), één ei 8 gulden (3,5 euro), een pakje (vooroorlogse) sigaretten 5 gulden (2,30 euro) en een liter sterke drank 140 gulden (65 euro). Deze prijzen konden maar weinigen betalen in een tijd dat een normaal gemiddeld maandloon circa 115 gulden (53 euro) bedroeg. De zwarthandelaars hadden gouden tijden en maakten forse winsten over de ruggen van hun hongerende landgenoten. In alle tijden en overal, bloeit wanneer 'geld' niet veel echte waarde meer heeft, de ruilhandel op. Herenknippen bij de kapper was goed voor één grote aardappel, juwelen waren goed voor een brood, een stuk vlees voor een mooi stuk bont et cetera. Wie tijdens hongersnood wat meer wil eten dan datgene wat niet genoeg was om te sterven en te weinig om van te overleven, doet vanzelf vrij gemakkelijk afstand van materiële goederen.

Het aantal doden steeg in die barre maanden dramatisch. In Rotterdam bedroeg het aantal overledenen in het eerste kwartaal 1944 1736 mensen. Het eerste kwartaal 1945 was dit aantal omhooggeschoten naar circa 4280. In de andere grote steden was een ruime verdubbeling van het aantal doden ook het algemene beeld. In veel gevallen was er zelfs geen hout voor een normale doodskist. Van pure ellende en armoede, werden dan de doden ter aarde besteld in een deken, een laken of in karton. De van oudsher schone steden in het westen, gingen in netheid hard achteruit. De meeste vuilnisophaaldiensten hadden hun werkzaamheden moeten stoppen door het ontbreken van brandstof. Het huisafval (en dat was al veel minder dan in normale tijden) bleef gewoon in straten en parken liggen. In Amsterdam werd in arren moede afval in de grachten gedumpt. De armste mensen gingen hier en daar over tot het opstoken van hun eigen houten meubilair of houten delen van hun huurhuis. Door de afwezigheid van elektriciteit, werden olielampen en kaarsen zeer gewild, duur en schaars. Een populair en betaalbaar artikel voor het geven van een beetje licht in de lange, donkere winteravonden, was een klein olielampje dat brandde met een pit die dreef in de raapolie. De goedkoopste en makkelijkste manier om honger, koude, gebrek aan verwarming en verlichting te ontlopen, was om heel vroeg naar bed te gaan en onder een paar dikke dekens lekker lang te slapen

Het is opmerkelijk, maar ook toch wel begrijpelijk, dat mensen zelfs onder dit soort extreme condities, proberen een zo normaal mogelijk leven te blijven leiden en hun gewone dagritme vast te houden. Zelfs enig gevoel voor – zij het vooral wrange – humor ging onder deze omstandigheden niet helemaal verloren. De meeste grappen en moppen bleven gaan over Duitsers, nazi's en NSB'ers. De weinige winkels die nog open waren, hadden hun openingstijden zo lang er daglicht was. Onderwijzers en leraren, probeerden door hun doorzettingsvermogen en plichtsbetrachting, zelfs onder die omstandigheden in de onverwarmde scholen, toch een paar dagen in de week les te geven. Er waren wel veel kinderen die lessen verzuimden. Dat was niet omdat men geen les wilde hebben, maar omdat door ziekte, zwakheid of gebrek aan behoorlijk schoeisel en/of kleding, men fysiek niet in staat was om naar school te lopen. Menselijke vindingrijkheid zag zelfs onder deze extreme omstandigheden nog kans om voor artikelen en goederen zoals sigaretten, sterke drank, fietsbanden, petroleum et cetera, substituten te vinden. Suikerbieten en bloembollen vervingen als voedingsmiddel gedeeltelijk granen en aardappelen. Sommige mensen vonden in hondenvlees of konijn een substituut voor rund- en varkensvlees. Door ondervoeding en koude ging in de steden de geslachtsdrift van zowel mannen als vrouwen, flink achteruit. De geboortecijfers daalden daardoor tot ver in 1945 aantoonbaar.

Geplaagd door de gierende honger namen de 'voedseljacht' tochten naar het platteland nog meer toe. Alleen de kinderen, vrouwen en oudere mannen die nog kracht genoeg hadden om grotere afstanden te lopen, konden die tochten volbrengen. De meeste jongere mannen die zich alleen maar met vervalste identiteitsbewijzen op straat konden vertonen, durfden doorgaans het risico van een langere hongertocht met eventuele controles onderweg, niet aan. Om het beetje voedsel – dat door bedelen of ruilhandel (door sommigen ook door diefstal) bij boerderijen te pakken kon worden gekregen – te vervoeren, werd alles gebruikt dat wielen had. Langs de provinciale en dorpswegen, zag men de lange stoeten meestal sjofel geklede stedelingen zich voortbewegen met fietsen voorzien van houten banden, tuinslangen of zelfs helemaal niets om de velgen. Kinderwagens, bakfietsen, kleine of grotere karren, paard en wagens, kruiwagens et cetera. werden moeizaam voortgeduwd of getrokken. Tarwe, rogge, haver, aardappelen, knollen, wortelen, suikerbieten, kaas, boter, rundvet en worsten, was meestal de kostbare lading.

In het begin richtten de tochten zich op de boerderijen in de directe omgeving van de steden. Geleidelijk aan was daar de zaak 'afgegraasd' en konden of wilden de boeren niet meer voorzien in de nood van de eindeloze stroom van vele tienduizenden hongerigen. Voor een deel werd de negatieve houding van de boeren beïnvloedt door wangedrag van sommige stedelingen. Er waren er helaas genoeg die er niet

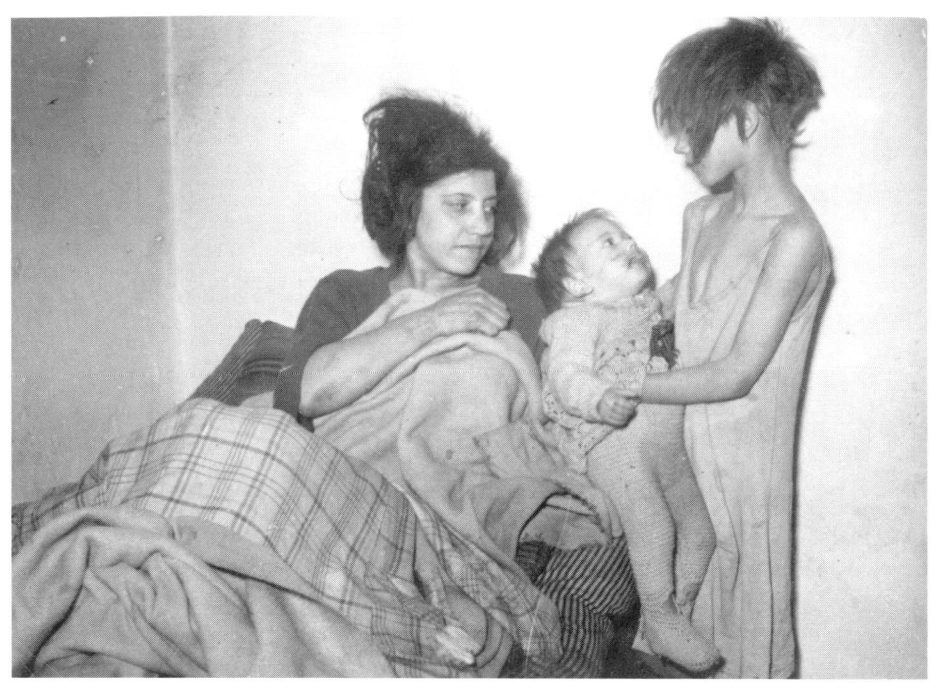

| *Familie ellende door honger en kou in de hongerwinter.*

voor terugdeinsden om te stelen of zelfs boeren te bedreigen. Hoe groter de nood werd, hoe verder de stedelingen op pad gingen. De tochten gingen zich uitstrekken van vijftig tot honderd kilometer van huis. Noord-Holland, Zuid-Holland en Utrecht waren na een paar maanden grotendeels 'afgegraasd'. Er viel daar na enige tijd nauwelijks meer wat te halen. In de bar koude winter gingen de hongerenden die nog genoeg kracht hadden, steeds verder van huis (te voet) naar Gelderland, Overijssel en zelfs Friesland. Bij die tochten legde men vice versa lopend of op gammele fietsen, dan afstanden af van ruim honderd tot tweehonderd kilometer! Het zal niemand verbazen dat bij de verzwakte stedelingen onderweg ettelijke mensen van uitputting stierven. Zo kwam het meermalen voor, dat men met een kar terugkeerde met een beetje eten en een overleden familielid erop. Over het algemeen gedroegen ook veel verder van het westen, de meeste boeren zich vrij fatsoenlijk bij de ruilhandel met de stedelingen. Maar net zoals er bij de stadsmensen wangedrag voorkwam, waren er ook boeren die zich grof verrijkten en alleen nog maar juwelen, gouden en zilveren sieraden aannamen, als ruilmiddel voor voedsel.

Behalve honger, koude en uitputting, waren er nog andere bedreigingen bij de hongertochten. In de provincie Gelderland en de oostelijke provincies boven de rivieren, patrouilleerde de RAF met zijn jachtvliegtuigen. De hoofdwegen werden bij goed zicht vanuit de lucht in de gaten gehouden en *alle* verkeer werd met hun boordmitrailleurs van de weg geschoten. Ook mensen op hongertocht waren vaak niet veilig voor deze jachtvliegtuigen. Ook zij moesten bij beschietingen wegduiken in de mangaten. Die mangaten waren langs de grotere wegen uit voorzorg overal gegraven. Een van de ergste dingen die de hongerigen op de terugtocht kon overkomen, waren controles door de Crises Controle Dienst (CCD) en de Landwacht.

Het was de burgers toegestaan om wat extra voedsel buiten de distributiebonnen te verwerven. Om zwarte handel tegen te gaan, was het niet geoorloofd een grote hoeveelheid extra voedsel particulier te vervoeren. Wanneer naar de (vaak subjectieve) mening van de controleurs men 'te veel' bij zich had, werd het grootste deel hiervan in het zicht van de thuishaven, in beslag genomen! Zo raakten mensen die met veel moeite meer dan 150 kilometer hadden gelopen voor de aanvulling op hun hongerrantsoenen, soms vlak voor hun thuiskomst toch nog het moeizaam verkregen extra voedsel kwijt. Wanneer dit gebeurde, wisten de ongelukkigen nooit of de controleurs het in beslag genomen voedsel inleverden bij hun dienst óf het voor eigen gebruik stiekem mee naar huis namen. In deze noodtoestand, namen de kerken de verantwoordelijkheid, om zoveel mogelijk hulp te bieden aan de meest kwetsbare categorie, de jonge kinderen. Hun bijzondere hulp strekte zich ook uit naar de allerarmsten, zieken, invaliden en ouden van dagen.

Na diverse vergaderingen gaf Seyss-Inquart eindelijk toestemming voor wat extra voedselverstrekkingen en hulp, aan deze christelijke organisaties. In het eerste kwartaal van 1945 mochten de kerkelijke organisatie met veel creativiteit, transporten voor vele duizenden jonge kinderen naar de noordelijke en oostelijke provincies organiseren. Daar werden ze tot aan de bevrijding liefderijk opgenomen in gezinnen. Dit was mede mogelijk, aangezien in die provincies de voedselschaarste lang niet zo erg was als in het hongerende westen. In het westen zagen de kerkelijke organisaties ook nog in april 1945 kans per week een kwart miljoen maaltijden te verstrekken aan omstreeks 75 duizend zuigelingen, kinderen en volwassenen. Dit was een geweldige inspanning en door deze zorg werden veel levens gered.

In Londen probeerde minister Gerbrandy bij Churchill gehoor te krijgen voor de alarmerende situatie van de hongersnood, in wat de Duitsers inmiddels 'Vesting Holland' gingen noemen. Het antwoord van Churchill in najaar 1944 was, dat hij geen speciale maatregelen wilde nemen om de blokkade van het niet bevrijde deel van Nederland op te heffen. Dit zou te veel ingrijpen op de aan de gang zijnde militaire operaties in Noordwest-Europa. In oktober hield Gerbrandy een persconferentie, waar hij journalisten informeerde over de alarmerende voedselsituatie in westelijk Nederland. Diverse gerenommeerde dagbladen in Londen en New York, publiceerden hierover in hun krant. Diezelfde maand hield koningin Wilhelmina voor de BBC een radiotoespraak voor de Engelse luisteraars. Hierin bracht zij het wanhopige lot van de hongerende Nederlanders in Holland onder de aandacht. Gerbrandy kreeg die maand de kans een bezoek te brengen aan het SHAEF-hoofdkwartier te Versailles. Hij zou daar een gesprek hebben met Eisenhower. Aangezien die op het laatste moment verhinderd was, sprak hij nu met de chef-staf generaal Bedell Smith. Die bleek vrij goed op de hoogte te zijn over de noodlottige toestand van de bevolking in West-Nederland. Bedell Smith maakte Gerbrandy duidelijk dat, als de Nederlandse regering zelf mogelijkheden vond om extra voedsel naar Nederland te zenden, hij dit zou toestaan, zelfs al zouden de Duitsers hiervan eventueel voordeel hebben. SHAEF zelf kon niets doen om te helpen, aangezien dat de militaire operaties te veel zou verstoren.

De Londense regering startte na deze bespreking initiatieven, om contact op te nemen met het Internationale Rode Kruis in Genève.

Er volgden de nodige weigeringen, vele bezwaren en lange conferenties. Ten langen leste gingen Churchill en zijn militaire staf, SHAEF en zelfs Seyss-Inquart, er mee akkoord dat onder toezicht van het Zweedse Rode Kruis, schepen met voedsel van Zweedse havens naar Delfzijl mochten varen. Twee schepen arriveerden eind januari in Delfzijl. Het duurde nog een maand voordat eindelijk eind februari 1945 het eerste Zweedse voedsel de hongerende stedelingen bereikte. In maart en april kwamen er nog enkele scheepsladingen aan. De Duitsers probeerden gelukkig niet de diverse voedseltransporten te traineren. Van het Zweedse meel, werden wittebroden gebakken en het smaakte de hongerige mensen alsof het cake was! Deze Rode Kruis voedseltransporten redden ettelijken het leven. Jammer genoeg was het toch maar een druppel op de gloeiende plaat bij een dergelijke massale hongersnood.

Zelfs nu zag het geallieerde hoofdkwartier nog geen militaire redenen om het hongerende westen snel te bevrijden. Men vond het zelfs juister de Duitse troepen in 'Vesting Holland' volledig af te snijden. Men kon zich dan concentreren op de vernietiging van de uitgedunde, maar nog steeds vechtende Duitse legers in hun vaderland. Daarmee verwachtte men op korte termijn de vernietiging van de Duitse krijgsmacht, de totale en onvoorwaardelijke overgave én het ineenstorten van het nazi-regime te bewerkstelligen. Militair en politiek gezien, was het een begrijpelijke beslissing. Uit humanitair oogpunt was het een ramp voor de stervende burgers in de grote steden. Daar kwam nog bij dat Churchill (veel meer dan Roosevelt) wilde voorkomen, dat de Russische legers het grootste deel van het Duitse grondgebied zouden veroveren.

Minister Gerbrandy en koningin Wilhelmina probeerden op alle manieren de Britse en Amerikaanse militaire en politieke leiders te overtuigen, dat de bevrijding van het leeggeplunderde en hongerlijdende westen, wél urgent was. Het was allemaal tevergeefs. De in de conferentie van Jalta in februari 1945 door Roosevelt, Churchill en Stalin uitgezette en overeengekomen strategische lijn over een onvoorwaardelijke overgave van Duitsland, prevaleerde boven het lot van het langzaam stervende deel van de burgers binnen 'Vesting Holland'.

6-6 Bevrijding boven de rivieren

Gedurende de bar koude winter van 1944-1945 liep de frontlijn tussen het noorden en zuiden nog steeds grotendeels langs de grote rivieren. De frontlinie was de meeste tijd vrij stabiel en de gevechten bleven beperkt tot lokale schermutselingen. Het was voor de troepen aan beide zijden, een miserabel gebied om oorlog te voeren. Geografisch gezien bevoordeelde het terrein duidelijk de verdedigers. Het terrein was vlak, open, drassig en gedeeltelijk onder water gezet. Het gebied lokte de geallieerde troepen niet uit om moeilijke en kwetsbare offensieve operaties voor te bereiden, om de rivieren over te steken. Voor zowel Duitsers als Britten was de winter langs de dijken, in de loopgraven en andere schuilplaatsen, saai, mistig, koud en nat. De meeste burgers daar waren naar elders gevlucht om een veiliger onderkomen te vinden. De enkele achtergebleven boeren waren daar nog om hun bedreigde veestapel te verzorgen en beschermen. Ze hadden een moeizaam leven en brachten noodgedwongen veel tijd door in hun kelders. Aan beide zijden liet de artillerie zijn stem horen en vlogen regelmatig granaten ratelend door de lucht op weg naar geselecteerde doelen. Ook mitrailleurvuur maakte van tijd tot tijd het zich verheffen boven het maaiveld, behoorlijk gevaarlijk

Ondanks eerdergenoemde verzoeken van de regering in Londen en koningin Wilhelmina aan de geallieerde leiders met het verzoek om West-Nederland te bevrijden, bleven deze onvermurwbaar. Churchill antwoordde steeds diplomatiek, maar duidelijk: 'Ik laat het over aan de generaals.' De generaals hielden onverkort vast aan het hiervoor genoemde strategische concept. De geallieerde strijdkrachten waren in februari en maart 1945 succesvol geweest. Hun zorgvuldig voorbereide offensieve operaties, om eindelijk de Rijn te kunnen oversteken, gingen van start. Door het slagen hiervan, konden ze een grote Duitse strijdmacht in het industriële Roergebied omsingelen en gevangennemen. Montgomery's 21ste leger, ondersteund door massieve lucht- en artilleriebombardementen, inzet van vele infanterie-, gepantserde en luchtlandingsdivisies, was op 23 maart de Rijn overgestoken bij Rees en Wesel. Ze zagen kans zonder veel verliezen een stevig bruggenhoofd te vestigen op de oostelijke Rijnoever.

Een verkenningseenheid van generaal Bradley's US 12de legergroep had op 7 maart ontdekt dat één spoorbrug bij Remagen per ongeluk nog niet was opgeblazen. Duitse genisten probeerden wanhopig alsnog de brug de lucht in te laten vliegen. Ondanks verwoede pogingen lukte dat niet. Een besluitvaardige Amerikaanse compagniescommandant, die werd ondersteund door enige tanks, rook zijn kans. Niettegenstaande forse Duitse tegenstand, wist een aantal van zijn mannen met een resolute aanval een klein bruggenhoofd te vestigen aan de oostzijde van de brug. Door snel te reageren op dit onverwachte succes, konden een aantal Amerikaanse eenheden het kleine bruggenhoofd versterken en uitbreiden. Ondanks vele Duitse pogingen om met artillerie en vliegtuigen brug en bruggenhoofd te vernietigen, lukte dit niet. Toen op 17 maart uiteindelijk de brug in elkaar stortte, hadden in een paar dagen tijd de Amerikaanse genisten kans gezien in de buurt van de spoorbrug, een aantal noodbruggen aan te leggen.

De eigenzinnige en flamboyante Amerikaanse generaal Patton stal graag de show en hield van huzarenstukjes. Hij zag met zijn troepen kans om tijdens een gedurfde operatie in de nacht van 22 maart, een van zijn regimenten de Rijn te laten oversteken in de buurt van Oppenheim. Door deze vermetele actie, staken zijn mannen de Rijn één dag eerder over dan zijn rivaal, de voorzichtige Montgomery. Eind maart waren de Duitse *Westwall* en de verdedigingslinie aan de oostelijke Rijnoever, definitief doorbroken Daardoor lag de weg naar het hart van Duitsland, helemaal open. Bij de gevechten aan de Rijn, verloren de Duitsers in enkele weken tijd ruim honderdduizend man aan gesneuvelden, gewonden en krijgsgevangenen. Het vitale hoogge-

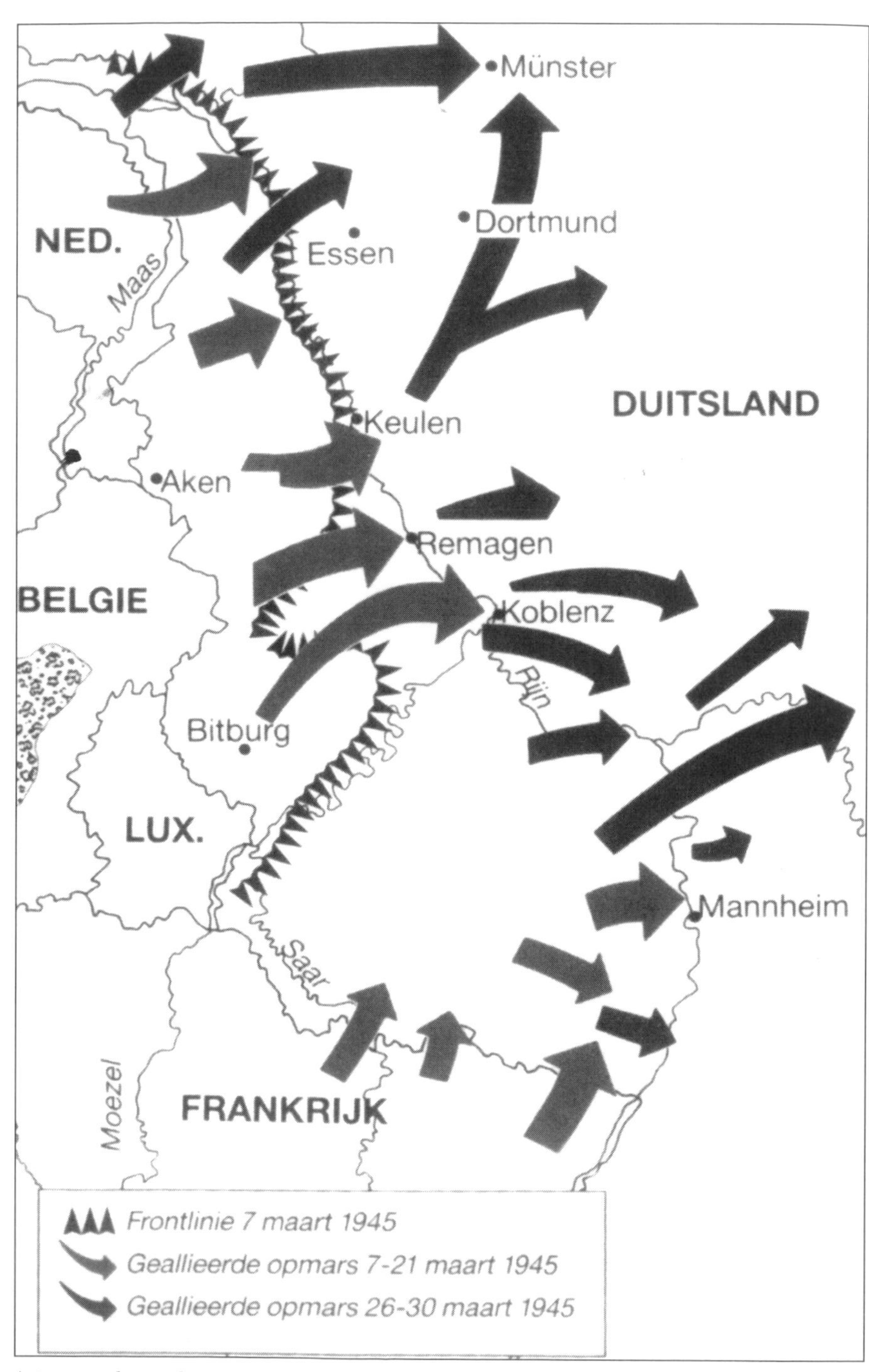

| *Oversteek van de Rijn.*

industrialiseerde Roergebied was spoedig stevig in geallieerde handen.

In Nederland kwam dit nieuws over de geallieerde successen via de BBC en Radio Oranje binnen, als 'Gods woord in een ouderling'. De officiële pers en radio, vermeldden zoals gebruikelijk slechts succesvolle Duitse verdedigende acties en zwegen zoveel mogelijk over de geallieerde geslaagde, snelle veroveringen. De bevolking boven de rivieren, begreep dat de bevrijding nog slechts een kwestie van tijd was, maar had geen idee of het om een paar weken of een paar maanden zou gaan. Men kon slechts vurig hopen, dat het heel spoedig zou gebeuren.

Ondanks hun hoge verliezen, hadden de Duitsers in bezet gebied nog altijd een compleet leger met drie uitgedunde legergroepen. Het 30ste legerkorps bevond zich binnen 'Vesting Holland'. Het 88ste legerkorps met vier divisies op halve sterkte, een SS mini grenadierdivisie en ruim 125 tanks, was gelegerd in de provincie Gelderland. In het oosten en noorden waren een mini-luchtlandingsleger en een legerkorps, met een aantal tanks en artillerie gelegerd. De kwaliteit van de meeste Duitse soldaten was vrij matig. Er waren veel heel jonge en tamelijk oude militairen bij. Hun uitrusting en wapens waren vrij schamel. Door de vele klappen die de Duitse legers hadden opgelopen, varieerde hun moreel van gelaten tot soms fanatiek. Al met al waren ze nog steeds in staat om weerstand te bieden. De totale sterkte van de Duitse troepen boven de rivieren, was in voorjaar 1945 ruim 120 duizend man! Hitler bleef ook in dit stadium van zijn verloren oorlog weigeren zijn troepen terug te trekken uit Nederland. Hij had hiervoor een aantal redenen. De belangrijkste redenen voor het handhaven van de verdediging in het 'Vesting Holland'-gebied, waren de marinebases (ondermeer in Rotterdam voor hun onderzeeboten) en de lanceeropstellingen voor de V-1 en V-2 raketten. Daarbij kwam nog, dat in Nederland de afgelopen jaren een sterke luchtdoelartillerieverdediging gevestigd was, die de geallieerde bommenwerpers op weg naar Duitsland, het leven zuur had gemaakt.

Zelfs toen in maart de geallieerde troepen met succes hun sprong over de Rijn hadden gerealiseerd, vonden zowel Montgomery als Eisenhower het te riskant om een militaire operatie voor de bevrijding van '*Festung Holland*' te initiëren. Ze zagen er geen heil in om in een dichtbevolkt gebied, het risico van zware gevechten te lopen. Zou dat wel gebeuren, dan was de kans zelfs groot, dat de burgerbevolking door de gevechten meer slachtoffers zou kunnen oplopen aan doden, dan door de nog steeds heersende hongersnood.

In zijn diep onder de grond gelegen bunker in het centrum van Berlijn, bleef Hitler voortdurend hele legers, legerkorpsen, divisies en militaire commandanten, heen en weer schuiven en verplaatsen. Zijn militaire staf (grotendeels bestaande uit jaknikkers) kon hem niet overtuigen dat de meeste van die 'legers' grotendeels alleen nog op papier bestonden. Als die troepeneenheden al niet helemaal weggevaagd waren, bestond de mankracht doorgaans uit niet meer dan een uitgedund regiment, een bataljon of zelfs nog minder (*de facto* dus tussen de vijfhonderd en circa vijftienhonderd man).

In dit soort verwarde geestestoestand, stuurde hij generaal Student naar oostelijk Nederland om een nieuwe verdediging te leiden. Er was onderkend dat daar een zwakke plek zat voor de verdediging van de *Heimat*. Aan mankracht had Student ter plaatse niet veel meer dan een onderbemand stel troepeneenheden, waaronder een korps luchtlandingstroepen. Een week later werd Student van deze taak ontheven en met spoed overgeplaatst, om oostelijk van de rivier de Weser een verdediging op te zetten voor de regio Hamburg.

In een zelfde soort paniek, werd de door de geallieerde opmars in Nederland overbodig geworden generaal Christiansen (aanvankelijk militair commandant van geheel Nederland) afgelost door generaal Blaskowitz. De aflossing vond plaats in Delfzijl. Blaskowitz ging hierna via de Afsluitdijk zo snel mogelijk naar Hilversum en nam daar het bevel over het 25ste Duitse leger op zich. Zijn opdracht was om de 'Vesting Holland' tot het uiterste te verdedigen en hij was zeker van plan dit ook te doen. Hij was bepaald geen nazi. Hij werd in zijn taakuitoefening gedreven door het plichtsbesef en de eed van trouw aan de *Führer*. Veel meer niet-nazi-officieren, voelden zich er tot aan de capitulatie toe geroepen om op die gronden de hen opgedragen taken (zelfs soms tegen beter weten in) nauwgezet uit te voeren. Zo gaf hij medio april ter verdediging van de kop van Noord-Holland, het bevel de vruchtbare Wieringermeerpolder te laten onderlopen. Daardoor kwam vlak voor de capitulatie alsnog circa twintigduizend hectare vruchtbare landbouwgrond, onder water te staan.

Het Canadese legerkorps onder leiding van generaal Foulkes, kon na Montgomery's succesvolle doorbraak bij Wesel over de Rijn, zich voorbereiden op de verovering van de provincies Gelderland, Overijssel, Drenthe, Friesland en Groningen. Foulkes kreeg uitdrukkelijke opdracht *niet* verder naar het westen op te rukken dan tot aan de in hoofdstuk 1 en 2 omschreven Grebbelinie (ruwweg de lijn Rhenen-Amersfoort-IJsselmeer). Begin april begonnen ze het gebied noordelijk en oostelijk van Nijmegen aan te pakken. In dit drassige terrein lukte thans wél, wat bij operatie *Market Garden* niet was gelukt. Zonder veel tegenstand, werd in twee dagen de Over-Betuwe veroverd. Bij Pannerden maakten de Canadezen contact met hun landgenoten, die ondertussen Emmerich hadden ingenomen.

Het 30ste Britse legerkorps had tot taak om de Noord-Duitse laagvlakte, tot aan de rivier de Elbe te veroveren. Hun opmarsroute liep via het oostelijk deel van de provincies Gelderland en Overijssel. Hierdoor veroverden de Britten en niet de Canadezen, zonder al te veel tegenstand Varsseveld, Ruurlo en Lochem en begin april Enschede. De Britten bogen voor hun verdere opmars, oostelijk af richting Oldenzaal en Nordhorn. Van daar uit, stootten ze door tot diep in Duitsland. De rest van de opmars in noordelijke richting, werd overgelaten aan het 1ste en 2ste Canadese legerkorps. Bij het Twentekanaal nabij Delden, werd nog een dag zwaar gevochten. De Canadezen hadden bij deze strijd bijna zeventig doden en gewonden. Begin april werd Almelo door een Canadese pantserdivisie veroverd en die divisie trok hierna verder richting Coevorden. De snelle opmars creëerde bij de bevrijders het idee dat het bijna afgelopen was met de oorlog. De opmars in Oost-Nederland, leek soms meer op een triomftocht, dan op een militaire operatie. Toch was dit van tijd tot tijd erg misleidend en gevaarlijk. De vijand bood alleen hier en daar taaie tegenstand en dat maakte de situatie voortdurend onberekenbaar en onvoorspelbaar. Men moest steeds op zijn hoede blijven. In een Canadese geschiedenisbeschrijving,

| *Ondergelopen boerderij in de Wieringermeerpolder.*

werd dat goed verwoord met 'April was the cruellest month; while the war was won, the killing did not stop'.

De gedachte van veel geallieerde soldaten, om in het zicht van het einde, toch op het laatst nog te sneuvelen of gewond te raken, maakte het extra moeilijk om de soms nog fanatieke Duitse weerstand te lijf te gaan. Voor de burgerbevolking in het oosten was de bevrijding meestal een feest, maar daar waar gevechten plaatsvonden, ook een beproeving. Bij tegenstand maakten de geallieerden ruim gebruik van bombardementen met artillerie en soms van vliegtuigen. Waar ze die nog hadden, lieten de Duitsers eveneens hun kanonnen spreken. Voor de bevolking betekende dat dan uren, soms dagen de schuilkelders in en dan angstig afwachten wat er overeind bleef staan na afloop van de beschietingen en gevechten.

De verovering van de steden langs de IJssel, ging lang niet overal vlekkeloos. Begin april bereikte een Canadese infanteriedivisie Doesburg. In dit mooie vestingstadje hadden de Duitsers zich verschanst en namen na de nodige vernielingen, pas medio april de benen en staken de rivier over. Zutphen kwam na flinke gevechten begin april in Canadese handen. De tegenstanders daar, waren onder meer Duitse jongens in de leeftijd van veertien tot zeventien jaar, die ingelijfd waren bij een schoolbataljon parachutisten. Ze beten een paar dagen fel van zich af, waarbij de stad aanzienlijke schade opliep. Dit soort pubers, dat in de laatste weken van de oorlog soms verbeten tegenstand bood, waren de 'producten' van twaalf jaar nazi-opvoeding en indoctrinatie. Opgegroeid in de jaren dat Hitler aan de macht was, waren ze jarenlang op school en bij de *Hitler Jugend* vergiftigd met de racistische nazi-ideologie en ideeën over de superioriteit van het Germaanse 'ras'.

Deventer werd op 10 april zonder veel tegenstand ingenomen. Helaas hadden de Duitsers de brug over de IJssel tijdig opgeblazen. Bij de zuivering van deze stad, maakten de mannen van BS zich – zoals gebeurde op veel andere plaatsen – verdienstelijk als hulptroepen. Tragisch genoeg bleek daarbij, dat zelfs twee dagen voor de bevrijding, de Duitsers niet terugdeinsden voor standrechtelijke executies. Zo raakte een deel van een kleine lokale verzetsgroep die op 8 april de Twentolbrug wilde beschermen tegen opblazen, in gevecht met een Duitse patrouille. De Duitsers wisten vier mannen en een jonge vrouw van die verzetsgroep, te pakken te krijgen. Na een kort verhoor, werden de vijf verzetsmensen door een inderhaast opgetrommeld vuurpeloton, direct geëxecuteerd. Een Canadese infanteriedivisie zag kort na 10 april nabij Gorssel, kans met behulp van amfibievoertuigen vrij ongeschonden de rivier de IJssel over te steken.

Het kwam er nu op aan Gelderland te veroveren op de toch nog behoorlijke hoeveelheid Duitse troepen in die provincie. Een Britse divisie zag kans om bij Westervoort de IJssel over te steken. Deze operatie werd ondersteund door luchtaanvallen van jachtvliegtuigen en bijzonder zware artilleriebeschietingen op de Duitse posities die in en om Arnhem aanwezig waren. Bij deze beschietingen werden triest genoeg, nog zwaardere verwoestingen aan de veel geteisterde stad veroorzaakt, dan tijdens de gevechten bij operatie *Market Garden*. Bij de verovering, was de tegenstand van de Duitse infanteriedivisie in en nabij die stad, gelukkig minder dan men had verwacht. Na enkele verbeten gevechten bij ondermeer het AKZO-fabrieksterrein, konden de Canadezen de verlaten en spookachtige stad innemen.

De Arnhemmers die in september 1944 gedwongen waren om te evacueren, ontdekten bij hun terugkeer in 1945, dat niet alleen de Duitsers alles geplunderd hadden, maar dat beschietingen tijdens de verovering in april, weer veel schade aan hun geteisterde stad had berokkend. Een van de volgende belangrijke doelen was Apeldoorn. Tussen Arnhem en Apeldoorn kon tegenstand verwacht worden van een *Volksgrenadierdivision*. Aanvankelijk slaagden deze Duitse troepen er in een oversteek van een Canadese infanteriedivisie over het Apeldoorns Kanaal te verhinderen. Eén van de aanvallende Canadese brigades tastte een andere oversteekplaats af en zag kans bij Dieren medio april ongehinderd over dit kanaal te komen. De Canadezen maakten zich gereed om de aanval op Apeldoorn in te zetten, maar werden door twee verzetsmannen ingelicht dat de Duitsers inmiddels de stad Apeldoorn hadden verlaten. Behalve dat dit de Canadezen de nodige gevechten met verliezen bespaarde, ontkwam de stad aan het lot dat artillerievuur schade aan stad en omgeving zou hebben kunnen veroorzaken. De burgers van Apeldoorn ontvingen hun bevrijders uitbundig. De Duitse troepen bij Apeldoorn waren terecht bevreesd geweest, afgesneden te worden en trokken zich nu snel terug richting 'Vesting Holland'.

Die angst was zeker niet ongegrond, aangezien een Canadese pantserdivisie vanuit Arnhem oprukte richting Barneveld en Nijkerk. Dwars door het park De Hoge Veluwe bereikte de voorhoede van die divisie Otterlo en op 17 april Voorthuizen. De Duitsers die aanvankelijk drie divisies op de Veluwe hadden, begrepen maar al te goed dat ze dreigden 'in de tang te worden genomen'. Om deze dreiging af te wenden, leverde een parachutisteneenheid onder meer bij Voorthuizen en Putten, felle tegenstand. Ondanks de verspreide tegenstand her en der, bereikten de eerste Canadese tanks op 18 april het IJsselmeer bij Nulde. De in het nauw gedreven Duitse troepen, probeerden nu op allerlei manieren naar het westen terug te trekken tot binnen 'veilige gebied' van 'Vesting Holland'. Die terugtocht verliep behoorlijk chaotisch en ongecoördineerd. De terugtochtopzet van de drie divisies (naar schatting omstreeks twintigduizend man) slaagde grotendeels en er werden maar een paar duizend Duitse soldaten door de Canadezen krijgsgevangen gemaakt. Ruim duizend Duitse militairen hadden op het nippertje via Harderwijk, per schip Amsterdam weten te bereiken. Toen de laatste Duitsers op de Veluwe krijgsgevangen werden gemaakt, waren de Britse legers in Duitsland inmiddels met hun oostelijke opmars al gevorderd tot aan de rivier de Elbe.

Voor de geplaagde hongerende bevolking in de steden in het westen, was het een bittere ontgoocheling, toen men in de gaten kreeg dat de Canadezen hun opmars stopten bij de Grebbelinie. Zou het einde van hun lijden en de bevrijding waar men zo lang naar smachtte, nog meer dagen of misschien zelfs één of meer weken duren?

Het 1ste Canadese legerkorps had het gebied westelijk van de IJssel medio april geheel veroverd. Hun landgenoten van het 2de legerkorps, zetten gelijktijdig vanuit het door de Britten bevrijde gebied van de Achterhoek en Twente, hun opmars naar het noorden in. Een geluk voor de geallieerden was, dat Noordoost-Nederland inderdaad een zwakke plek was in de Duitse verdediging. De noodgreep van Hitler om Student naar dit gebied te zenden, was door Hitlers bemoeienis al snel ongedaan gemaakt en er bleven alleen enige marine- en *Luftwaffe* troepen, plus een (onderbemand) luchtlandingkorps over om dit vrij uitgestrekte gebied te verdedigen. De Duitsers hadden op het allerlaatst nog gepoogd het noorden beter geschikt te maken voor de verdediging. Hiertoe hadden ze een 'Assense Stelling' laten aanleggen met gebruik van veel gedwongen graafwerk door burgers uit de omgeving. Deze stelling bestond uit een aantal verdedigingswerken, die langs de kanalen de plaatsen Meppel, Groningen en Delfzijl met elkaar verbond. Toen het er echt op aan kwam, stelde de linie niet veel voor. Er waren te weinig troepen om deze verdediging voldoende te bemannen. Ook de vele haastige inundaties in het noorden, konden de aanvallende Canadezen en Polen nauwelijks tegenhouden. Ondanks dat de aanvallers geen grote tegenstand verwachtten, werd op het laatste moment toch een bijzonder 'instrument' in de strijd geworpen.

Dit instrument bestond uit inzet van de elite-eenheid *Special Air Service* (SAS). In 1945 bestond die eenheid uit een SAS-brigade van één Belgisch, twee Britse en twee Franse regimenten. Bij de invasie in Normandië hadden in Bretagne deze zwaar geselecteerde en getrainde mannen die in principe in kleine groepjes opereerden, *achter* de vijandelijke linies successen geboekt. Toen de opmars van de geallieerden in het oosten redelijk vlot verliep, werd deze operatie met de codenaam *Amherst*, vrij haastig in elkaar getimmerd. De bedoeling was dat in het gebied Meppel-Emmen-Coevorden, parachutisten van de twee Franse SAS regimenten in vijftig groepjes van tien tot vijftien man, gedropt zouden worden. Door het slechte weer en de wel erg snelle voorbereiding, kwamen in de nachten van 7 en 8 april veel van die groepjes ruim twee tot vijf kilometer van hun geplande landingsterreinen neer.

Ondanks dat, wisten de Franse parachutisten tussen de geschrokken Duitse troepen de nodige verwarring te stichten. Zij legden hinderlagen, vielen vijandelijke posities aan, bezetten een aantal bruggen en wegen en verhinderden Duitse pogingen om een gesloten verdedigingsfront te formeren. Bij hun optreden kregen de Fransen veel steun van de BS en de plaatselijke bevolking. Van hen kregen zij voedsel en onderdak. Het duurde langer dan gepland was, voordat de oprukkende Canadese en Poolse grondtroepen contact konden maken met de parachutisten. Die hadden met hun felle acties omstreeks 260 Duitsers gedood, 220 gewond en ruim 180 man krijgsgevangenen gemaakt. Maar ook zij hadden op het eind van de oorlog nogal wat verliezen. 29 Franse parachutisten sneuvelden, 35 werden gewond en 29 man werden vermist. Op zich was deze operatie geslaagd en vergemakkelijkte het de Canadese en Poolse opmars. Of het dit aantal slachtoffers waard was geweest, valt achteraf te betwijfelen.

Ondertussen had de 2de Canadese infanteriedivisie vanuit Overijssel er de vaart in gezet. Ze rukten langs de as Ommen-Beilen op naar Assen. Op 13 april werden de bewoners van die stad bevrijd. De bevrijders waren zelf enigszins beduusd van de geweldige ontvangst die de uitzinnige bewoners van de Drentse hoofdstad hen bezorgden. Tijdens hun opmars stuitten de Canadezen voornamelijk op plaatsen waar de SAS parachutisten hun doelen niet hadden kunnen veroveren, op soms felle tegenstand. Dit was onder meer het geval bij Beilen en het Oranjekanaal. Behalve vernielde bruggen en verstopte wegen, vertraagden soms drommen feestvierende mensen de opmars. De 3de Canadese infanteriedivisie die westelijk van de 2de divisie vanuit Zwolle naar Meppel oprukte, bereikte een dag later zonder veel tegenstand Steenwijk. Hierna konden ze zonder veel georganiseerde vijandelijke weerstand doorstoten naar de Friese hoofdstad. Bij onder meer Drachten en Heerenveen, werd het Duits verzet gebroken. Zonder een schot te hoeven lossen, kon deze divisie daarna op 15 april Leeuwarden binnentrekken.

De rest van Friesland werd vrij snel gezuiverd. Veel steun ondervonden de Canadezen daarbij van lokale BS-mannen. Alleen bij de in hoofdstuk 2 beschreven Wonsstelling aan de kop van de Afsluitdijk nabij Pinjum en Makkum, bood een Duitse troepenonderdeel een paar dagen fel tegenstand. Toen deze verdediging met behulp van artillerie en jachtvliegtuigen uitgeschakeld werd, was de toegang tot 'Vesting Holland' volledig afgesloten. De daar aanwezige Duitse divisies onder commando van generaal Blaskowitz, zaten nu definitief als ratten in de val.

Minder gladjes verliep de verovering van de provincie Groningen. Na de bevrijding van Assen, rukte een deel van de 2de divisie op naar Zoutkamp bij de Waddenzee. Dit plaatsje werd op 15 april bereikt. Een brigade van dezelfde divisie, bereikte op 13 april de rand van de stad Groningen. In die stad waren een paar duizend Duitse troepen van allerlei soort. Er waren ook Nederlandse SS'ers, die overwegend vastbesloten waren zich niet zomaar over te geven. De zwaarste bewapening van deze vijand, was niet erg indrukwekkend. Het bestond uit mitrailleurs, 20 mm luchtdoelgeschut, mortieren en de antitankpantservuisten. Een flink deel van de Duitse troepen wachtte een gunstig moment af om zich of over te geven, of om de benen te nemen. Helaas waren er bij de verdedigers ook een stel fanatiekelingen die door overtuiging of misplaats plichtsbesef, de ongelijke strijd aangingen. De fanatici maakten het de Canadezen knap moeilijk. Tijdens straatgevechten moesten de aanvallers soms in enkele dagen durende gevechten van huis tot huis de stratenblokken zuiveren van deze fanatieke verdedigers. Scherpschutters en in souterrains opgestelde mitrailleurs maakten vooral in de binnenstad, het leven van de Canadezen erg moeilijk.

Om de burgerbevolking te sparen, besloot de Canadese commandant *geen* artilleriebombardement op de binnenstad uit te voeren. Ondanks deze positieve humanitaire beslissing, gingen tijdens taaie gevechten in vooral het centrum bij de Grote Markt, talloze historisch gebouwen in vlammen op. Het moedige optreden van de lokale brandweer, kon die trieste branden niet voldoende stoppen. Op 16 april zag de plaatselijke Duitse commandant eindelijk het nutteloze van verdere strijd in en capituleerde. De Groningers hadden zich hun bevrijding wel heel anders voorgesteld. Ze kwamen na de gevechten uit hun schuilplaatsen te voorschijn, aanschouwden de forse schade. Ze konden daarna toch alsnog hun bevrijders vreugdevol in de armen sluiten.

Het laatste stuk Noordoost-Nederland veroveren, ging triest genoeg nog minder vlot dan de bevrijding van de stad Groningen. In Delfzijl waren honderden *Wehrmacht*-soldaten, die zich op dit stadje hadden teruggetrokken in de hoop over de Eems hun vaderland te kunnen bereiken. De meerderheid van de militairen in Delfzijl, bestond uit omstreeks vijftienhonderd mannen van de *Kriegsmarine*. Zoals op meer plaatsen in de laatste maand van de oorlog voorkwam, had de plaatselijke Duitse commandant een (wat misplaatste) mentaliteit van 'eer en plicht'. Dit plichtsgevoel deed hem besluiten zich niet over te geven, maar Delfzijl *hardnekkig* te verdedigen! Van de omstreeks tienduizend burgers, waren maar weinigen geëvacueerd. De meerderheid van de bevolking was gewoon gebleven in afwachting van de verwachte snelle bevrijding. Helaas was dit een grote misrekening.

Al in september 1944 hadden de Duitsers door het openen van de zeesluizen, grote stukken land langs het Eemskanaal en het Damsterdiep, onder water gezet. Daardoor was het stadje vanuit het westen nagenoeg onbenaderbaar en konden voertuigen en tanks zich alleen over de wegen verplaatsen. De Duitsers hadden hun verdediging versterkt met een ring van loopgraven, mijnenvelden, prikkeldraadversperringen en zij hadden ook enkele stevige bunkers. Voor de aanvallers was het dezelfde situatie die ze al vele malen elders in de Nederlandse poldergebieden waren tegengekomen. Ook hier weer moest de infanterie te voet, het grootste deel van het moeilijke karwei klaren. Vuursteun van artillerie, mortieren, tankkanonnen en jachtvliegtuigen moesten zoveel mogelijk de aanvallende troepen bijstaan. Op 25 april zette de Canadese infanteriebrigade met een tangbeweging vanuit het zuidoosten en noordwesten de aanval in.

De Duitsers riepen voor ondersteuning de hulp in van enkele kustbatterijen bij het eiland Borkum en Termunten. Zelfs een kustbatterij in Duitsland nabij Emden, werd ingezet. Moeizaam vorderden de aanvallers onder dit onophoudelijke kanonvuur. Nabij Holwierde en Krewerd werd zwaar gevochten tegen de taaie weerstand. Op 29 april veroverden de Canadezen, geassisteerd door luchtsteun, deze twee dorpen. Een dag later ging de aanval door naar Delfzijl. Ook hier gebruikte de Canadese commandant (om de burgerbevolking te sparen) geen grootschalig artilleriebombardement. De strijd woedde voort en op 1 mei bereikten na de nodige gevechten, de aanvallers het station aan de rand van de stad. Hierna stortte de georganiseerde tegenstand snel in elkaar. Aan de overkant van het Eemskanaal bij Farnsum, werd nog tot 2 mei verzet geboden. Toen het schieten verstomde, kwamen de Delfzijlers enigszins verdwaasd weer te voorschijn uit hun benauwde schuilplaatsen. De haven was gelukkig nog intact, maar onder de bevolking vielen ettelijke doden te betreuren. In de kleine stad was flink wat vernield en beschadigd. Delfzijl had hierdoor de twijfelachtige eer, de laatste bezette stad in Nederland te zijn die gewapenderhand veroverd moest worden. Zo was nu binnen één maand zowel Midden, als Oost- en Noord-Nederland, veroverd en bevrijd!

Vergeleken met de vrij langzame en soms bloedige bevrijding van Zuid-Nederland, was het met het midden en noordoosten van het land, relatief gezien bijzonder vlot verlopen. Een aantal oorzaken had dit mogelijk gemaakt. Een belangrijk punt was dat de Duitsers niet voldoende tijd en mankracht hadden, om goed gecoördineerd sterke defensieve posities op te bouwen. In die laatste maanden van de oorlog ging het hun er primair om het eigen vaderland tegen de overmachtige geallieerden te verdedigen. Nederland was in die cruciale periode een puur zijtoneel.

De 'kwaliteit' van de Duitse troepen was begin 1945 nog sterker achteruitgegaan dan in al de jaren daarvoor. Veel hele jonge (tussen vijftien en zeventien jaar) en oudere mannen (boven de 45 jaar) bevolkten de uitgedunde Duitse legereenheden. Die soldaten hadden bovendien vrij weinig militaire opleiding en training gehad. Daar was geen tijd meer voor geweest. Het grote overwicht aan artillerie, vliegtuigen en pantsereenheden bij de Britten, Canadezen en Polen, maakte snelle opmarsen mogelijk. Bovendien hadden de meeste geallieerde troepen inmiddels de zo belangrijke gevechtservaring opgedaan. Zeker is alleszins het vermelden waard, dat de BS met koeriers, gidsen, militaire inlichtingenverzamelaars, informanten, assistenten voor beveiliging van vitale punten (onder andere kleinere bruggen) et cetera, bijzonder nuttig werk heeft verricht om de oprukkende geallieerden krachtig bij te staan. Ondanks deze factoren, moest zelfs in die laatste maanden de vijand niet onderschat worden. Daar waar de Duitse troepen het na ruim tien jaar Hitler-bewind en de daarbij behorende indoctrinatie, het in hun hoofd kregen om zich hardnekkig te verweren, waren het militairen die door hun grote plichtsgevoel en Duitse *gründlichkeit*, het hun tegenstanders behoorlijk moeilijk konden maken.

Behalve de eerdergenoemde drama's van Duitse terreur in de laatste maanden voor capitulatie, speelde zich in begin april een geheel ander drama af. De Waddeneilanden waren tot april 1945 de oorlog redelijk goed doorgekomen. De bevolking had veel minder dan in andere delen van het land, last gehad van nare bijverschijnselen van de bezetting, zoals bombardementen, hongersnood, gevechten aan de frontlijn et cetera. Op het eiland Texel was een Duits garnizoen van totaal omstreeks twaalfhonderd man en er waren twee zware kustbatterijen. Die batterijen bestreken het eiland en het gehele zeegebied. Het Duitse bataljon op Texel bestond uit vierhonderd Duitse en achthonderd Russische militairen. Deze, voor een groot deel Georgiërs, waren ex-Russische krijgsgevangen. Zij hadden voor de weinig aantrekkelijke keuze gestaan van zware dwangarbeid óf dienstneming in het Duitse leger. Over het algemeen wantrouwden de Duitsers deze ex-Russische krijgsgevangenen. Ze gebruikten hen voor diverse militaire hulpdiensten. Daardoor konden ze Duitse mannen vrijmaken voor frontdienst.

De Texelse bevolking had niet veel last gehad van de Georgiërs. Men stond vrij sympathiek ten opzichte van hen. De rust werd verstoord, toen eind maart de Duitsers een deel van de Georgiërs wilden inzetten voor *frontdienst* in Oost-Nederland. Dit bevel (met het spoedige eind van de oorlog in zicht) deed het Georgische deel van bataljon besluiten in opstand te komen. Met hun numerieke overwicht, hadden ze goede hoop dat de opstand kon slagen. De Nederlandse verzetsgroep op het eiland, werd door hen *niet* ingelicht over hun voornemens. In de nacht van 6 april viel het eerste schot. In het begin van de opstand was het al een behoorlijke tegenslag, dat het de Georgiërs niet lukte om de circa 190 Duitsers bij de kustbatterijen te overmeesteren. Toen de opstand al begonnen was, vroegen de Georgiërs alsnog het plaatselijk verzet om hen te assisteren. Tweehonderd man wilden meedoen en vijftig mannen met enige militaire ervaring, kregen wapens van de Georgiërs.

De Duitsers openden de volgende dag al met hun kanonnen het vuur op het hoofdkwartier van de opstandelingen, dat in de buurt van Den Burg was gesitueerd. In die eerste nacht waren namelijk een aantal Duitsers ijlings met een boot het Marsdiep overgestoken om in Den Helder hulp te vragen. Vanuit Den Helder werden snel versterkingen aangevoerd. De eerste honderd man versterking, kwamen de eerste dag van de opstand in het zuiden van het eiland aan land. Er werd de volgende twee weken verbitterd, meedogenloos en barbaars gevochten. Krijgsgevangenen aan beide zijden werden meestal direct afgemaakt. Reeds op 6 april, kregen de Duitsers veertien Nederlanders in handen van wie ze vermoedden dat ze de opstand hadden gesteund. Vier van hen wisten te ontvluchten. De tien anderen werden neergeschoten en hun lichamen werden in zee gegooid. De Duitsers maakten voor hun aanvallen ruim gebruik van kanonnen en schoten vele tientallen boerderijen en het grootste deel van Den Burg plat. Ondanks hevige tegenstand, werden de opstandelingen steeds verder teruggedrongen tot aan de uiterste noordpunt van het eiland. Sommigen van hen zagen kans om door de Duitse linies heen te komen en zetten elders op het eiland een soort partizanenstrijd voort.

75 opstandelingen moesten zich op 21 april, na dagenlange felle gevechten bij de inmiddels zwaarbeschadigde vuurtoren, overgeven. Ze moesten ter plaatse hun eigen graf graven en werden doodgeschoten. Anderen werden zelfs levend begraven. De Duitsers probeerden hierna het hele eiland grondig uit kammen. 250 Georgiërs werden door de lokale bevolking opgenomen en verborgen gehouden. De guerrilla-achtige strijd van sommige Georgiërs en verzetsmannen, ging zelfs ná de capitulatie nog even door. Pas op 20 mei, toen een konvooi Canadezen arriveerde dat de Duitsers ontwapende, kwam er een volledig einde aan de labiele situatie. Bij deze dramatische opstand kwamen meer dan 110 Nederlanders en ruim 550 Georgiërs om het leven. De verliezen aan Duitse zijde zijn niet exact bekend maar lagen aan doden en zwaargewonden, volgens schattingen in de orde van meer dan duizend man.

In het veelgeplaagde en nog steeds bezette gebied van 'Vesting Holland', hadden ruim 4 miljoen Nederlanders op afstand de bevrijding van de provincies boven de rivieren gevolgd. De oorlog zou waarschijnlijk gauw afgelopen zijn, maar hoe en wanneer? De paar schepen met voedsel uit Zweden, hadden een beetje de hoogste nood kunnen lenigen, maar het was uiteindelijk alleen maar een druppel op een gloeiende plaat. Door de honger en extreme koude in de wintermaanden, waren tot eind maart ondertussen al bijna zestienduizend mensen omgekomen. Vele tienduizenden anderen, zweefden door verregaande ondervoeding en de langdurige koude, tegen de dood aan. Toen de geallieerde troepen eind april de Grebbelinie en de Afsluitdijk bereikten, was West-Nederland hermetisch afgesloten van alle brandstof en voedselaanvoer van elders. De nog aanwezige voorraden waren ondertussen nagenoeg geheel uitgeput. Door brandstofgebrek moesten ook de gaarkeukens hun activiteiten stoppen. Mede daardoor ging het dagelijks voedselrantsoen omlaag naar beneden de zeshonderd calorieën per persoon per dag. Ondanks deze ramptoestand vonden Eisenhower en Montgomery het ook nu niet verantwoordt om hun troepen opdracht te geven met militaire macht het westen te veroveren. Hun mening was nog steeds, dat de mogelijke schade door verdere inundaties door de Duitsers en eventuele gevechten, de bevolking nog meer zou kunnen schaden dan de hongersnood en koude ondertussen hadden bewerkstelligd.

Iedereen was er wel van overtuigd dat er iets moest gebeuren om de massale sterfte te stoppen. Diverse hulpplannen werden bekeken, waaronder hulp onder de vlag van het Internationale Rode Kruis en eventuele voedseldroppings vanuit de lucht met bommenwerpers. In feite zou voor alle geopperde plannen, de medewerking van het Duitse bestuur in het westen nodig zijn. Minister Gerbrandy had inmiddels contact gehad met mannen van het College van Vertrouwensmannen. Sommige groeperingen van het verzet wilden op *geen enkele manier* met de bezetter onderhandelen. Ze baseerden hun mening op de onbetrouwbaarheid van de Duitsers. Die hadden medio april nog ruim dertig mensen geëxecuteerd en de Wieringermeerpolder onder water gezet. Er was het nodige interne geharrewar bij de diverse topfiguren van het verzet, over wel of niet onderhandelen.

Er kwam nu een aanbod van Seyss-Inquart tot stand, dat min of meer een onofficiële wapenstilstand inhield. Seyss-Inquart had recentelijk de Rijksminister voor bewapening en oorlogsproductie gesproken en begrepen dat de oorlog echt verloren

| *Toejuichen vliegtuigen bij operatie* Manna, *1945*.

was. Zonder Hitler te willen afvallen, waren Seyss-Inquart en Speer *niet* van plan Hitlers waanideeën over de totale 'verschroeide aarde' te willen uitvoeren. Door deze houding is waarschijnlijk West-Nederland aan een groot noodlot ontsnapt. Duitse militairen hadden namelijk de dijken van de Haarlemmermeer, de Lekdijk, de sluizen van IJmuiden en talloze andere belangrijke punten, ondermijnd of daar explosieven aangebracht. Wanneer ze dat wensten, konden ze daardoor een groot deel van de 'Vesting Holland' onder water zetten. Gerbrandy vertrouwde de Duitsers niet erg, maar besprak de zaak wel met Churchill. Na de nodige discussies en vraagtekens, ging Churchill met het principeplan akkoord. Op 23 april werd Eisenhower gemachtigd om met de Duitsers over hun aanbod besprekingen te starten. Door wantrouwen over en weer, verliepen de contacten vrij moeizaam. Uiteindelijk werd overeengekomen, dat op vier, door de Duitsers bepaalde terreinen, op vastgestelde tijdstippen voedseldroppings zouden mogen plaatsvinden.

Op 29 april ging de eerste dropping van deze operatie *Manna* van start. De naam van deze reddingsoperatie was symbolisch heel goed gekozen. De naam 'Manna' kwam van het bijbelse verhaal over de Israëlieten. Die zwierven volgens het bijbelse verhaal op hun lange tocht van Egypte naar het beloofde land. Daarbij kwamen ze tijdens die zwerftocht in de Sinaïwoestijn bijna om van de honger. Volgens het verhaal liet toen de Heer een soort brood in de vorm van zoete witte korrels, op hen neerdalen. Dit redde volgens het oudtestamentische verhaal de Israëlieten van de hongerdood.

| *Geen bommen maar voedselpakketten tijdens Operatie* Manna.

Bij de eerste dropping waren de Duitsers nog behoorlijk nerveus. Ze hadden bij de droppingplaatsen luchtdoelgeschut geposteerd en scherpe bewaking ingesteld. Een enkele militair schoot nog met zijn geweer op de vliegtuigen. Gelukkig was die spanning snel voorbij en konden de volgende dagen de droppings ongehinderd doorgaan. Het aantal afwerpplaatsen werd wegens succes en na nieuw overleg, uitgebreid naar tien verschillende plaatsen (Schiphol, Alkmaar, Gouda, Hilversum, Utrecht, Den Haag/Ypenburg/Duindigt en Rotterdam/Waalhaven en Valkenburg ZH). Mensen die de voedselbombardementen met eigen ogen gezien hebben, konden dat de rest van hun hele leven nooit meer vergeten. Er kwamen enorme zwermen Britse en Amerikaanse bommenwerpers, die slechts op circa tweehonderd meter hoogte vliegend boven de afwerpplaatsen, hun grote bomluiken openden. Daaruit kwamen geen bommen, maar een grote zwerm voedselpakketten (zonder parachutes).

Op de grond was het verzamelen van de pakketten in handen van mensen van het Rijksbureau Voedselvoorziening in Oorlogstijd. Een week later werd de gecontroleerde en georganiseerde distributie aan de burgers uitgevoerd. Bij de afwerpplaatsen werd het hongerige, smachtende en uitzinnige publiek, op afstand gehouden. Dat was niet voor niets, want wie een dergelijk zwaar pakket op zijn hoofd kreeg, was op slag dood. Op een enkele plaats is dat helaas gebeurd. Maar niet alleen voor uitgehongerde Hollanders was dit voedsel uit de hemel, iets heel bijzonders. Voor de geallieerde piloten die de 'voedselbombardementen' uitvoerden, was dit een heel speciale en hartverwarmende operatie. Maandenlang hadden ze bombardementsvluchten boven Duitsland uitgevoerd en werden daarbij – zelfs op grote hoogte – belaagd door vaak geconcentreerd en goed gericht Duits luchtdoelgeschut en jachtvliegtuigen. Veel kameraden hadden ze boven vijandelijk gebied in aangeschoten of brandende vliegtuigen, omlaag zien gaan, de dood of het krijgsgevangenschap tegemoet. Nu vlogen ze laag, zonder bommen en afweergeschut, over het bezette westen. Ze zagen daar overal op de wegen, in de tuinen, in de velden en op de daken, zwaaiende en juichende enthousiaste mensen staan. Ze zagen de Hollanders zwaaien met beddenlakens, vlaggen, tafellakens, overhemden en zelfs nonnen die met hun grote kappen zwaaiden. Gedurende de negen dagen van de voedselvluchten, namen hieraan vijfhonderd RAF Lancaster- en driehonderd USAF B-17 bommenwerpers deel. In totaal werd bijna 120 duizend ton aan voedselpakketten afgeworpen.

Deze hoeveelheid voedsel was in materiële zin lang niet genoeg om de hongersnood echt te lenigen. Het psychologische effect was in feite nog veel belangrijker dan het materiële. Het was de op de rand van de ondergang levende bevolking nu zonneklaar, dat de Duitse bezetter hiermee akkoord was gegaan en dat het einde van de oorlog zeer nabij moest zijn. De hoop laaide terecht hoog op. De bevrijding zou nu geen ettelijke weken, maar waarschijnlijk nog slechts een paar dagen op zich laten wachten!

6-7 Capitulatie

Behalve de bevrijding van Nederland boven de rivieren (exclusief het westen) en de Manna uit de hemel, waren er in die maand april nog veel meer tekenen dat het einde zeer nabij was en dat nazi-Duitsland op instorten stond. In het oosten waren de Russen aan de Oder-Neisse linie, medio april – na zware en bloedige gevechten – opgerukt tot de rand van Berlijn. Op 25 april hadden de oprukkende Amerikaanse troepen bij Torgau aan de rivier de Elbe, fysiek contact gemaakt met de Russische troepen. Hierdoor was de regio Berlijn in het zuiden volledig afgesneden van zuidoost Duitsland.

Toen de Canadese legers oprukten om Midden-, Oost- en Noord-Nederland te veroveren en zuiveren van Duitse tegenstand, was het 2de Canadese legerkorps en het 2de Britse leger rap naar het oosten afgezwenkt. Begin mei waren die troepen opgerukt tot nabij Wilhelmshafen en Oldenburg in Noordwest-Duitsland. Het Britse leger bereikte de omgeving van Hamburg eind april. Een deel van deze troepen zette hun opmars voort richting Lübeck, Flensburg en Denemarken. Een ander deel van dit leger bereikte begin mei de Oostzee bij de stad Wismar aan de rivier de Elbe.

Na doorbraak over de Rijn, was er aan het westelijk front in Noordwest-Duitsland *geen georganiseerde* verdedigingslinie van enige betekenis overgebleven. Dat betekende zeker niet dat er niet gevochten werd. Op sommige plaatsen boden Duitse troepeneenheden ondanks het nabije einde, toch nog felle tegenstand. Iedere tegenaanval en weerstand met de nodige verliezen aan mensenlevens, was op zich een kleine tragedie. In dit stadium van de oorlog had deze strijd geen enkele zin meer.

Dit instorten van georganiseerde verdediging in het westen, was totaal anders dan het beeld van wat zich de voorjaarsmaanden van 1945 aan het oostelijk front afspeelde. Aangezien in de nazi-ideologie het sovjetbolsjewisme minstens even gevaarlijk geacht werd als het 'Wereldjodendom', was de houding van de nazi's tegenover de Russen, meestal vrij barbaars geweest. Bij de strijd in Rusland was – overigens over en weer – de tactiek van de verschroeide aarde regelmatig toegepast. Door deze achtergronden was men toen de Russen op Duits grondgebied opereerden – om goede redenen – uitermate bevreesd voor de wraak van de vijand. Daardoor probeerden de Duitsers aan het oostelijke front zich tot vaak het uiterste verbeten te verdedigen. Bij de *Wehrmacht* waren de militairen bijzonder angstig om door de Russen krijgsgevangen genomen te worden. Bij gevangenneming door de westerse geallieerden, waren ze daarentegen nagenoeg verzekerd van een normale behandeling als krijgsgevangene volgens de Internationale Conventies van Genève.

De hectiek voorafgaand aan de capitulatie, was wel heel bijzonder in de directe omgeving van de grondlegger van het Duizendjarige Rijk, de *Führer* aller Germanen, Rijkskanselier en Opperbevelhebber van de Strijdkrachten Adolf Hitler-Schickelgruber. Door al zijn nederlagen en mislukkingen sinds eind 1942, was hij in april 1945 lichamelijk en psychisch een menselijk wrak. Van zijn vroegere zelfverzekerdheid en zelfgenoegzaamheid was niet veel meer over. Hij had nu een vale gelaatskleur, trillende handen, een bevende stem en droeg een verwaarloosd uniform vol met etensvlekken. De laatste maanden was hij steeds verder van de werkelijkheid komen te staan en schold hij zijn generaals uit dat ze niet konden vechten of zelfs dat ze verraders waren. Even vlamde Hitlers hoop op een wonder dat de ineenstorting van zijn Rijk zou voorkomen op, toe hij hoorde dat president Roosevelt op 12 april was overleden. Daarna viel hij weer terug in zijn wereld van apathie en illusies.

Met zijn directe persoonlijke staf en entourage, had hij zich in april teruggetrokken in de gigantische *Führer*-bunker. Dit bunkercomplex lag diep onder de grond in de tuin van de Rijkskanselarij in het centrum van Berlijn. Met de Russen inmiddels in de voorsteden van Berlijn, vierde hij op 26 april met een beperkt gezelschap van 'intimi' zijn 56ste verjaardag. Zowel Göring als Himmler, vielen bij hem op het laatste moment in ongenade en werden door hem als verraders gebrandmerkt. Toen Hitler eindelijk doorkreeg dat de Russen zijn bunker zeer snel zouden veroveren, besloot hij zijn eerdere plan uit te voeren en zelfmoord te plegen. Op 30 april pleegde hij samen met zijn vrouw Eva Braun (waarmee hij in de bunker een paar dagen daarvoor getrouwd was) zelfmoord. Beide lijken werden in de tuin van Rijkskanselarij door enige vertrouwelingen van zijn persoonlijke staf met benzine overgoten en direct verbrand. In zijn politieke testament had hij admiraal Dönitz als zijn opvolger aangewezen.

Het einde van de strijd kwam toch nog vrij onverwacht. Op 3 mei hadden de sovjets de verbitterde huis- en straatgevechten in Berlijn gewonnen en viel er een beklemmende stilte in de grotendeels in puin liggende rijkshoofdstad. In de chaos van het ineenstortende nazi-regime, was ook de capitulatie nog een vrij ingewikkeld gebeuren. Op 4 mei aanvaardde Montgomery in zijn veldhoofdkwartier op de Lüneburger Heide de capitulatie van alle Duitse troepen in Noordwest-Duitsland,

Nederland en Denemarken. Deze capitulatie werd aangeboden door admiraal Friedeburg, die daartoe door admiraal Dönitz gemachtigd was. Op 5 mei om 08.00 uur zou die wapenstilstand ingaan. Dezelfde admiraal Friedeburg, tekende tezamen met veldmaarschalk Jodl op 7 mei in Reims, de onvoorwaardelijke overgave van *alle* Duitse troepen in aanwezigheid van een ijzig kijkende generaal Eisenhower. Om de ronde compleet te maken, tekenden Friedeburg en veldmaarschalk Keitel ten overstaan van maarschalk Zjoekov, op 8 mei in Berlijn de onvoorwaardelijke overgave.

Voor de bevolking binnen 'Vesting Holland', was de ondertekening van de capitulatiedocumenten in Nederland een belangrijk moment. Al op 4 mei was het bericht van de capitulatie op de Lüneburger Heide tot West-Nederland doorgedrongen. Bij het vernemen van dit bericht, gingen veel burgers de straat op om de bevrijding te vieren. Officieel gold de wapenstilstand voor West-Nederland pas op 5 mei om 08.00 uur. Toch besloot de Canadese legerkorpscommandant generaal Foulkes, om voor alle zekerheid de Duitse commandant van het 25ste leger en tevens commandant van 'Vesting Holland' generaal Blaskowitz, een apart capitulatiedocument te laten ondertekenen. Dit document was een stuk gedetailleerder dan de capitulatievoorwaarden die op de Lüneburger Heide waren ondertekend. Op 5 mei werd het document in Hotel de Wereld in Wageningen besproken en voorgelegd. Daarbij was ook prins Bernhard aanwezig. Blaskowitz wilde het officiële document nog niet tekenen, maar moest wel het ontvangstbewijs voor de capitulatievoorwaarden tekenen. Daardoor was *de facto* de capitulatie een stuk realiteit.

Blaskowitz vroeg en kreeg één dag bedenktijd om het document en al zijn consequenties, te bestuderen. Belangrijke aangelegenheid hierbij waren de voedseltransporten voor de hongerende Hollanders. Die waren bij eerdere besprekingen op 30 april in Achterveld in het bijzijn van Seyss-Inquart, de chef-staf van Eisenhower generaal Bedell Smith en prins Bernhard, al aan de orde was geweest. Als gevolg van die eerdere afspraken, vervoerden reeds op 2 mei een konvooi vrachtwagens via het ondertussen geneutraliseerde Rhenen, de eerste levensmiddelen naar het bezette gebied. Een dag later draaiden de Britse en Canadese aanvoer op volle toeren en rolde ieder halfuur een voedselcolonne van dertig vrachtwagens het westen binnen, om de Hollanders alsnog van de hongerdood te redden. Dit kwam neer op een aanvoer van een miljoen kilo voedsel per 24 uur. Drie dagen later liepen de eerste zeeschepen met voedsel de beschadigde haven van Rotterdam binnen.

Seyss-Inquart was inmiddels al verdwenen. Hij had zich op 1 mei per *Schnellboot* naar Flensburg laten brengen, om daar met Dönitz te overleggen over de capitulatie. Het officiële capitulatiedocument werd nu op 6 mei in de aula van de Landbouwhogeschool door Blaskowitz ondertekend. Ook *de jure* was de capitulatie in Nederland daardoor een feit. Ook Holland en Utrecht, waren na acht maanden hongerlijden en vijf jaar onderdrukking, eindelijk echt vrij! Toen op 5 mei in de namiddag minister Gerbrandy via Radio Oranje bevestigde dat de Duitsers binnen 'Vesting Holland' hadden gecapituleerd, kende de vreugde in het hele land geen grenzen meer. Het valt met geen pen te beschrijven hoe vooral in het westen van het land, dit bericht werd ontvangen.

Toch werd de feestvreugde her en der in de Randstad getemperd door de situatie dat de Duitse militairen en politie, al hun wapens nog steeds bezaten en soms er ook er niet voor terugdeinsden die wapens te gebruiken. Daar kwam nog bij dat de BS mannen, door hun commandant prins Bernhard dringend verzocht was om *niet* gewapend de straat op te gaan. Veel BS'ers popelden van ongeduld om in actie te komen en gingen dus *wel* gewapend de straat op. De nerveuze Duitse militairen beschouwden de BS'ers als partizanen en niet als militairen.

De Canadezen waren direct na de capitulatie nog niet gereed om 'Vesting Holland' met troepen binnen te trekken om de Duitsers te ontwapenen. In dit vacuüm van een paar dagen, deden zich daardoor – vooral in de steden – uiterst gevaarlijke schietpartijen voor, die aan tientallen mensen alsnog het leven kostten. Zo voelde in Leersum een aantal SS'ers zich bedreigd door de BS. Zij openden het vuur en schoten negen mensen dood. Om botsingen te voorkomen, moesten op ettelijke plaatsen niet-NSB-burgemeesters, de feestvierende burgers krachtig toespreken en tot kalmte manen. In Rotterdam botsten BS'ers die NSB'ers probeerden te arresteren, met Duitse militairen. Bij die botsing vielen er door de schietpartij die volgde, over en weer doden.

In Amsterdam ging het in die 'vacuüm'-periode goed mis en liep de zaak volledig uit de hand. Op 7 mei was de Dam vol met meer dan duizend vrolijke mensen, die in een hoerastemming verkeerden. In de Grote Club op de hoek van de Kalverstraat was een Duits marinedetachement geconsigneerd. Er vielen een paar schoten. In de feestvreugde reageerden de burgers niet, maar de Duitse marinemannen wel. Ze openden het vuur met geweren en mitrailleurs op menigte. BS'ers beantwoordden onmiddellijk het vuur en in korte tijd was de Dam bezaaid met in paniek gillende vluchtende mensen, stokken, hoeden, kinderwagens, paraplu's et cetera. Negentien burgers werden bij dit treffen gedood en ruim 110 gewonden lagen kreunend op de grond. Dankzij snel en moedig optreden van majoor Overhoff van de BS en een kapitein van de Amsterdamse *Ortskommandantur*, werd erger voorkomen en het vuurgevecht gestopt. Dit tweetal, wist even later bij het Victoriahotel op de hoek van het Rokin en bij het Centraal Station, escalerende botsingen tussen Duitse militairen en BS-mannen te beperken. Ook uit onder meer Alkmaar, Utrecht, Leiden en Gouda kwamen berichten over gevaarlijke botsingen met de nog steeds volledig bewapende Duitsers.

Gelukkig kwam aan deze gevaarlijke situaties een einde toen op 8 mei de eerste Canadese troepeneenheid van hun 1ste leger, met 250 voertuigen vanaf Rhenen het westen in trok. Aan de Prinses Irene Brigade werd de eer gegund om als eerste geallieerde eenheid Den Haag te mogen binnentrekken. Deze brigade had na hun eerdere beschreven inzet bij Tilburg, op 23 april bij een bruggenhoofd te Hedel, de zwaarste gevechten sinds hun bestaan meegemaakt. Daarbij waren zo kort voor de bevrijding, helaas nog twaalf man gesneuveld.

De glorieuze intocht in Den Haag werd omlijst met een met vlaggen en bloemen zwaaiende dolenthousiaste bevolking. Dit maakte voor hen iets goed van de ondergane beproevingen in de afgelopen jaren. Ook op veel andere plaatsen, barstte nu de Canadezen en Britten binnentrokken en de Duitsers ontwapend werden, de feestvreugde onbelemmerd en uitzinnig los. Eindelijk konden de Hollanders zich nu helemaal vrij voelen en uitten dat met zwaaien, dansen, zingen, lachen, huilen

| *Geallieerde intocht in Amsterdam 1945.*

| *Bevrijders bedolven onder dolzinnige burgers.*

en nog veel meer opgekropte emoties. De geallieerde militairen werden overal bedolven onder de bloemen, zoenen en omhelzingen. De militairen gooiden sigaretten, repen chocola en kauwgom naar het niet tot bedaren te brengen publiek. Vele geallieerde militairen bekenden later dat ze veel enthousiaste ontvangsten hadden meegemaakt in Frankrijk en België. Hun ontvangst door de bevolking van Holland, overtrof echter alles. Overal waren zeeën van nationale vlaggen, oranje strikken en versieringen zichtbaar en luidden de kerkklokken. Het was overal een dermate uitgelaten feeststemming, dat men zoiets maar éénmaal in een mensenleven meemaakt. Daartussendoor waren op veel plaatsen arrestaties van NSB'ers, het kaalscheren van 'moffenmeiden' en verbrandingen van portretten van Mussert en Duitse prominente nazi's te zien.

Dit soort activiteiten riep overal gejuich, grote hilariteit en vreugde op. Gelukkig werd de opgekropte woede en haat tegenover 'verraders' en 'moffenvrienden', op de meeste plaatsen in het land zodanig in de hand gehouden, dat een beruchte 'Bijltjesdag' met allerlei mishandelingen, doodslag en andersoortige wraakuitoefening, grotendeels uitbleef. Men voelde zich vrij. Vrij van terreur, honger, onzekerheid, marteling, verduistering, bombardementen, inundaties, roof, censuur, spertijd, koude, willekeur, vernedering, schaarste en allerlei andere beproevingen die men de afgelopen vijf jaar had moeten ondergaan.

Op 5 mei, had koningin Wilhelmina voor radio Herrijzend Nederland in Eindhoven, haar eerste toespraak op Nederlandse bodem uitgesproken. Haar toespraak moest de bevrijde en geteisterde landgenoten een hart onder de riem steken en oproepen tot eenheid. Een deel van haar toespraak luidde:

> *'Onder druk van de overweldiger hebben wij onszelf teruggevonden, is onze volkskracht opnieuw ontwaakt. Laten wij allen thans de handen ineenslaan, gedreven door onze innerlijke kracht, onze plicht verstaan en niet achterblijven op de weg die zij met hoge ere houden (mensen van het verzet en de illegaliteit), ons voorgingen, de weg die zij met het hartebloed ons hebben gewezen.'*

De bezetting was voorbij! In Europa hadden de Duitsers en hun nazi-regime zich ten lange leste onvoorwaardelijk moeten overgeven. Het was voor de meeste Nederlanders iets onwezenlijks, om weer te kunnen ademen en te bestaan in een vrij land. Iedereen beleefde dit op een andere manier. Zich een voorstelling maken hoe de toekomst er zou gaan uitzien, was nog zo moeilijk en onvoorstelbaar, dat men direct na de capitulatie als het ware leefde en handelde bij de dag. Men maakte zich nog niet druk over morgen en overmorgen.

Een zekere schaduw bleef nog overeind. Die schaduw werd veroorzaakt, doordat in Zuidoost-Azië Japan nog steeds niet was verslagen en verbitterd bleef vechten tegen de steeds dichterbij komende geallieerde (vooral Amerikaanse) troepen. Vele duizenden landgenoten hadden familie in dat gebied. Die dierbaren werden in mei 1945 nog steeds vastgehouden in de Japanse interneringsen slavenarbeidkampen. Na de Duitse overgave, moest in het grootste deel van Europa en dus ook in

Nederland de vrede worden gewonnen, moest gerechtigheid worden hersteld en de vernielde landen weer worden opgebouwd. Dat zou bepaald niet meevallen en nog ettelijke jaren duren.

HOOFDSTUK 7

Epiloog 1945-1950

7-1 Het opmaken van de balans

De eerste dagen na de capitulatie leefden de mensen in het westen in een complete roes. Men vierde uitbundig feest met elkaar en met de bevrijders. Men lachte, huilde, vrijde, hoste en danste, tot de vaak ondervoede mensen er bijna bij neervielen. Men kwam nauwelijks toe aan slapen. Alle opgekropte angsten, onzekerheid, beklemming en vreugde, moest er eerst uit. Na enkele dagen kwam de bezinning en een terugkeer naar de werkelijkheid van alle dag. Die werkelijkheid was ontnuchterend en weinig opwekkend.

Het is bijzonder moeilijk om in het huidige, overwegend welvarende Europa, zich een beeld voor te stellen van het verwoeste Europa van ruim vijftig jaar geleden. Weinig landen waren aan de verschrikkingen van vijf jaren oorlog ontsnapt. Het was dan ook geen opbeurend beeld dat in mei 1945 zichtbaar werd. Geleidelijk aan konden alle verliezen en schade, wat meer systematisch worden geregistreerd en op een rij worden gezet. We zullen ons voornamelijk bij deze droevige balans beperken tot Nederland. Getallen en cijfers kunnen aan de ene kant veel, maar na vele jaren afstand na zo een grote wereldbrand, toch ook weer weinig zeggen.

Van de Franse staatsman Clemenceau, die in de Eerste Wereldoorlog enige tijd premier van Frankrijk was, schijnt de wat cynische opmerking afkomstig te zijn: 'De dood van één mens is een tragedie, maar die van vele duizenden is "slechts" een cijfer van de statistiek.' Daarbij moet in aanmerking worden genomen dat in de Tweede Wereldoorlog het totaal aantal burger en militaire slachtoffers, ruim een *vijfvoud* was van de toch al grote verschrikkingen tijdens de wereldbrand in 1914-1918. In de Eerste Wereldoorlog beperkte de materiële schade zich voor een vrij groot deel tot de slagvelden en directe omgeving in België, Frankrijk, Polen en Rusland. In de Tweede Wereldoorlog strekten de verwoestingen zich uit over grote delen van *geheel* Europa. Nederland deelde in 1940-1945 het lot van de vele landen die geteisterd werden door grote vernielingen en verwoestingen. Ons land heeft nog het betrekkelijke 'geluk' gehad. Dat geluk schuilde in het feit, dat het vergeleken met ettelijke andere Europese landen, relatief maar kortere tijd 'frontlijngebied' was geweest. Vrij veel van de materiële schade in ons vaderland, werd dan ook veroorzaakt door roof en vernielingen door de bezetter.

De verliezen aan mensenlevens kunnen als volgt worden gespecificeerd: militairen (inclusief meer dan drieduizend man van de Koninklijke Marine) ruim 4500 gesneuvelden; koopvaardij ruim zestienhonderd doden; geallieerde bombardementen en gevechten in het frontgebied omstreeks 22 duizend burgerdoden; executies en terechtstellingen circa tweeduizend doden; daling van de volksgezondheid circa zestigduizend overledenen; jodenvervolging en uitroeiing 104 duizend doden. Uit de vernietigingskampen keerden slechts ruim vijfduizend levenden terug. De aantallen slachtoffers van dwangarbeid (*Arbeitseinsatz*) waren circa 8500 doden. Van deze grote groep dwangarbeiders keerden in de weken, soms maanden na de capitulatie, ruim 250 duizend op allerlei manieren zoals lopend, liftend, met treinen et cetera. berooid, uitgeput en vaak ondervoed, in het vaderland terug. De terreur koste ruim vijfduizend politieke gevangenen (exclusief joodse mensen) het leven.

Militaire krijgsgevangenen in Duitsland, betaalden de droeve tol van omstreeks 350 doden; de hongersnood in West-Nederland veroorzaakte circa achttienduizend overledenen. Bij deze trieste opsomming moet vermeld worden, dat diverse bronnen dikwijls verschillen in aantallen te zien geven. Deze verschillen komen grotendeels voort uit het feit dat door oorlogshandelingen ettelijke bevolkingsregistratiegegevens verloren gingen, families uiteengerukt werden en door gevechtshandelingen soms stoffelijke overschotten geheel verdwenen waren. Bij militaire verliezen werden vaak mannen 'vermist' zonder dat men geruime tijd (of zelfs nooit) wist of ze wel of niet gesneuveld waren.

Helaas is een van de meest zuivere getallen, dat van de omgekomen joodse landgenoten. Dit werd grotendeels veroorzaakt doordat de nazi's bij hun beulswerk in de kampen, een nauwkeurige administratie bijhielden. Ze zagen aan het einde van de oorlog dikwijls geen kans meer die administraties ijlings te vernietigen. Bij bovengenoemde getallen zijn de Nederlanders die in Duitse krijgsdienst meevochten en tijdens gevechten het leven verloren, niet inbegrepen. Het totaal aantal gesneuvelden bij de Nederlandse Waffen SS was in voorjaar 1944 ruim 1100 man. Daar zijn in het laatste oorlogsjaar nog velen bijgekomen. Een voorzichtige schatting van het aantal gesneuvelden en vermisten in Duitse krijgsdienst, komt neer op ruim 2500 man.

Het totale aantal slachtoffers door de oorlog, komt ongeveer uit op bijna een kwart miljoen Nederlanders van de toenmalige bevolking van ruim 8,8 miljoen. Dat komt ongeveer neer op de huidige totale bevolking van de stad Utrecht! Getallen zeggen ook niets van de zeeën van ellende en leed van de nabestaanden van deze omgekomen mensen. Zij bleven voor de rest van hun leven achter met een verlies van één of meer van hun dierbaren. Daarnaast waren omstreeks vierhonderdduizend landgenoten, door inundaties, evacuaties, bombardementen en gevechten aan het front, van huis en haard verdreven en ergens in het land tijdelijk ondergebracht. Behalve de onpeilbare hoeveelheid verdriet door de vele doden, was er ook de enorme materiële schade. Nederland bleef na de capitulatie achter als een compleet leeggeroofd en in flinke mate vernield land. De cijfers en getallen getuigen van een enormiteit, die zelfs nu nauwelijks te bevatten zijn. Het is een droeve opsomming die we zullen beperken tot de hoofdzaken.

Er waren omstreeks 120 duizend huizen, dertienduizend boerderijen en ruim negenhonderd grote en kleine bruggen vernield of zwaar beschadigd. Aan grote en kleine bedrijfsgebouwen, waren er meer dan 25 duizend vernield. Ruim negenhonderd kerken en kerkelijke gebouwen en omstreeks vijftienhonderd scholen gingen te gronde en circa 250 ziekenhuizen werden vernield of onbruikbaar. Behalve deze grote verliezen aan huizen, gebouwen en boerderijen, waren in de oorlogsjaren slechts omstreeks zestigduizend nieuwbouwhuizen gebouwd. Vóór 1940 was de *jaarlijkse* behoefte aan nieuwbouw circa veertigduizend woningen. De behoefte aan woonruimte was na die vijf jaren daardoor gigantisch opgelopen. Het zou nog tot de jaren zeventig duren, voor de achterstand in de behoefte aan woonhuizen, was ingelopen.

Eén van de grootste verliezers was de koopvaardij. Meer dan 480 schepen met een totaaltonnage van circa 1 640 000 bruto register ton, ging verloren. Van de totale tonnage van de koopvaardijvloot in 1940, ging omstreeks 50 procent door de oorlogshandelingen te gronde. Een andere bedrijfstak met grote verliezen, was de Nederlandse Spoorwegen. Het aantal locomotieven was van bijna negenhonderd, teruggelopen naar circa 170. Het aantal spoorwagons was van omstreeks dertigduizend teruggelopen naar iets meer dan duizend stuks. Van de circa driehonderd elektrische treinstellen, waren er nog maar vijf bruikbare over. Na de spoorwegstaking, voelden de bezetters zich vanaf september 1944 geroepen om ook nog negentigduizend stukken rails en omstreeks 1,5 miljoen spoorbielsdwarsliggers af te voeren naar Duitsland. Daardoor was circa achthonderd van de omstreeks 3500 kilometer spoorlijn vernield of verdwenen.

De systematische plundering en roof, die vooral in het laatste oorlogsjaar een hoogtepunt bereikten, laten ook getallen en hoeveelheden zien, die thans amper zijn voor te stellen. Zo werden omstreeks vijftigduizend stuks kapitaalgoederen in de vorm van metaal- en houtbewerkingmachines, machines voor de textielindustrie, elektromotoren en drukpersen, afgevoerd naar Duitsland. Grote ondernemingen, zo als de olieraffinaderijen in Pernis en de hoogovens in IJmuiden, werden grotendeels ontmanteld en naar Duitsland afgevoerd. Een flink deel van de haven- en scheepswerfinstallaties in de regio van Rotterdam en Amsterdam, waren óf vernield of over de oostgrens verdwenen. Het totale verlies van de industrie, kwam neer op circa 40 procent. Bij Nederlanders horen fietsen. Daar wisten de bezetters wel raad mee en via vordering (een mooi woord voor diefstal) gingen naar schatting bijna 2 miljoen fietsen over in Duitse handen. Het zal daarom niemand verbazen dat Nederlandse supporters bij een interland voetbalwedstrijd Duitsland-Nederland vele jaren na de oorlog, luidkeels riepen of ze hun fiets terug konden krijgen!

Ook het nationale wagenpark wekte de hebzucht van de bezetter op. Van de circa honderdduizend personenauto's in 1940, waren na vijf jaar er niet veel meer dan 35 duizend over. Het aantal vrachtwagens daalde van ruim vijftigduizend tot minder dan vijftienduizend. Van de ruim vierduizend autobussen bleef een schamel restant over van minder dan duizend stuks. Het aantal motorfietsen van ruim zestigduizend was het restant van circa 25 duizend stuks. Van deze voertuigen werd niet alles gevorderd (gestolen). Slechts een klein deel van al die voertuigen, ging door oorlogshandelingen verloren. Als totaalsom, verloor het transportwezen door de oorlog

| *Restanten spoorweginfrastructuur na de systematische roof.*

meer dan 50 procent van zijn voertuigen. Ook de binnenscheepvaart ontkwam niet aan de roofzucht. Van de omstreeks negentienduizend binnenvaartschepen, gingen er circa achtduizend oostwaarts, evenals ruim vierhonderd grotere en kleinere schepen en ruim dertig baggermolens.

In vorige hoofdstukken werden de inleveringen van koper, zilver, radio's en nog vele andere artikelen genoemd. Aan fijngoud ging ruim 150 duizend kilo over de grens. De inlevering van de pasmunten en het zilvergeld werd een fiasco. Slechts 5 procent van het muntgeld kwam in Duitse handen. De rest werd verborgen. Toch betekende dit, dat vele duizenden kilo's zilver eveneens oostwaarts verdwenen. Door allerlei verplichte leveringen, voorraaduitverkoop en roof, trad een gigantische vermogensdaling van de handel op. De geschatte totaalsom hiervan kwam neer op 1 300 miljoen gulden (omgerekend naar koopkracht van heden, dus minstens ettelijke miljarden euro's).

Een extra triest verhaal is de systematische roof van onze joodse landgenoten. Helaas hebben zij door het racistische karakter van het nazi-regime, niet alleen door moord op ruim honderdduizend mensen, maar ook door georganiseerde diefstal van al hun bezittingen, het meest geleden. In hoofdstuk 4 is uitgebreid beschreven hoe de joodse bevolking opgejaagd en beroofd werd. De wetenschappelijke medewerker van het NIOD de heer Aalders, heeft in zijn vrij recente boek *Roof* in veel details aangegeven, hoe de joodse mensen tot op het bot van alles beroofd werden.

De totaalcijfers spreken voor zichzelf. Bij de Lirobank werd voor ruim 425 miljoen gulden (192 miljoen euro) 'ingeleverd'. De totale roof van joods bezit in de periode 1940-1945, was ruim 880 miljoen gulden (400 miljoen euro). Op grond van de beschikbare gegevens komt de totale schatting er op neer dat de Nederlandse joden voor meer dan een half miljard euro door de Duitsers beroofd zijn. Wanneer de getallen van schade vergeleken worden, leed de gemiddelde Nederlander door de oorlog een schade van 8.100 gulden (3.700 euro) aan bezittingen. Voor de joodse medeburgers kwam de gemiddelde oorlogsschade aan bezittingen daarentegen uit op een gemiddelde van 74.000 gulden (33.600 euro)! Het grote verschil zit in het gegeven dat de joden letterlijk *alles* moesten inleveren, terwijl de doorsnee Nederlander doorgaans 'alleen maar' zijn pasmunten, fiets, radio, koper et cetera. moest inleveren en meer mogelijkheden had die inleveringen te ontduiken. Vergelijkenderwijs komt het er dus op neer dat 1,6 procent (het joodse) deel van de bevolking, circa 33 procent van de geleden totale schade droeg.

De joodse overlevende slachtoffers hadden bij terugkeer regelmatig moeite om hun spullen terug te krijgen van sommige Nederlanders die goederen voor hun joodse landgenoten hadden bewaard. Zo ontstond in 1945 de kreet '*bewarie-ers*'. Het kwam zelfs voor dat bij het terugvragen van goederen door joodse Nederlanders, door de bewaarders het antwoord werd gegeven 'we hadden gedacht dat jullie niet meer terug zouden komen'! Via een lange, vele tientallen jaren durende, slepende procedure, heeft uiteindelijk de Nederlandse regering via de stichting 'Maror gelden Overheid' in het jaar 2001 de weinige overlevende joodse slachtoffers óf hun nog wél levende familieleden, een schadevergoeding uitgekeerd van ruim achtduizend gulden per persoon.

Kunstschatten waren ook een geliefd object voor de nazi's. Göring had al in 1940 het initiatief genomen, door kort na de capitulatie in Amsterdam bij een bekende kunsthandelaar, voor zachte prijzen bekende meesters te kopen. Later in de oorlog ging het wat ruwer toe en stalen de Duitsers omstreeks 350 zeventiende-eeuwse meesterwerken van Rembrandt, Frans Hals, Jan Steen en Rubens.

De sector die *relatief gezien* er nog het beste afkwam, was de landbouwsector. Dat betekende niet dat die sector geheel aan de roofzucht en vernieling ontkwam. Integendeel! Vele duizenden boerderijen werden tijdens gevechten vernield of kwamen door inundaties onder water te staan. Van het totale bebouwde cultuurareaal, stond in 1945 8,5 procent door inundaties onder water. Het meest gemakkelijk voor de Duitsers was om de hand te leggen op vee en pluimvee. Omstreeks 320 duizend koeien (20 procent), meer dan 450 duizend varkens (67 procent) en ruim 110 duizend paarden kwamen in Duitse handen. Van de pluimveestapel werd zelfs ruim 85 procent door hen geconfisqueerd. Al met al was de schatting dat in 1945 de productiviteit in de landbouw met omstreeks 35 procent was gedaald.

Aan 'bezettingskosten' moest Nederland naar schatting bijna 6,6 miljard gulden

(3 miljard euro – prijspeil 1944) betalen. Deze inningen waren voor de nazi's een goede manier om hun kostbare oorlog te financieren. Daarbovenop kwam nog een bedrag van ruim 4,4 miljard gulden (2 miljard euro) aan oninbare vorderingen in *Reichsmarken*, door de Nederlandse Bank. Het zal duidelijk zijn, dat door dit soort maatregelen, de nationale staatsschuld in de oorlogsjaren ongeveer vervijfvoudigde. De rechtstreeks oorlogsschade door gevechten en bombardementen aan huizen, gebouwen en infrastructuur van circa 242 miljoen gulden (110 miljoen euro), lijkt ten opzichte van deze grote getallen, zelfs nog gering. Deze korte opsomming probeert zeker niet uitputtend te zijn. Er zouden nog vele cijfers en getallen aan toegevoegd kunnen worden, maar dat zou alleen maar eentonig worden.

Het gaat er hier alleen om, enig beeld te geven hoe het land ruimschoots leeggeplunderd, vernield en beroofd werd. Bij de Herstelbetalingconferentie te Parijs ná 1945, diende de Nederlandse regering toentertijd, de milde claim in van bijna 2,6 miljard gulden (1,18 miljard euro) voor de totale roofschade door de Duitsers. Bij al die bedragen, moet in aanmerking worden genomen, dat deze nu zouden moeten worden vertaald naar het prijspeil van heden. Dat houdt in, dat de genoemde miljoenen en miljardenbedragen (volgens de opgave van het Centraal Bureau van de Statistiek) *minstens met omstreeks een factor tien vermenigvuldigd zouden moeten worden,* om een idee te krijgen hoe groot de schade reëel is geweest. Wie in 2003 in het welvarende Nederland met zijn uitgebreide en fraaie infrastructuur rondreist en rondkijkt, kan zich afvragen wat men zich al in de jaren zeventig had afgevraagd.

Het klinkt ongerijmd, maar het komt neer op het bekende thema 'ieder nadeel heeft ook zo zijn voordeel'. De gigantische schade in 1945 aan industrie en totale infrastructuur, betekende gelukkig ook, dat we noodgedwongen de gelegenheid kregen alles nieuw en modern op te bouwen en niet te veel last hadden van verouderde gebouwen, machinerieën, kranen et cetera. Daarvan was veel, zo niet alles, verdwenen of vernield. Wederopbouw kon geschieden met moderne 'spullen' en dat gebeurde ook. Zelfs nu nog moeten we bedenken, dat die wederopbouw plaatsvond met de bagage in de rugzak van het bloed, zweet en verdriet, van wat thans onze (overleden) ouders en grootouders zijn.

Veel moeilijker is te beschrijven, maar ook thans te begrijpen, hoeveel psychische schade, leed en ontbering, vele, vele honderdduizenden hadden opgelopen en hadden moeten ondergaan. De ontreddering was groot. Bij veel gezinnen, waren er familieleden, vrienden of bekenden overleden, gewond of invalide geraakt. Veel mensen hadden al hun have en goed verloren. Vergeleken met thans, waren er in 1945 nauwelijks instanties om psychische problemen te bespreken of op te lossen. De meeste mensen moesten hun problemen in eigen kring maar zelf aanpakken. Daardoor kon het gebeuren, dat de vele tienduizenden dwangarbeiders, de politieke- en krijgsgevangenen en de weinige joodse landgenoten die in de weken en maanden na de bevrijding levend terugkeerden in hun vaderland, vaak bijzonder bureaucratisch en soms meer dan koel werden ontvangen. Veel Nederlanders waren intensief bezig hun eigen oorlogsellende en verdriet te verwerken. Daardoor was er weinig interesse in de meer dan honderdduizend landgenoten van buiten Nederland, die vaak nog veel meer ellende en ontberingen hadden meegemaakt. Deze slachtoffers vonden dikwijls nauwelijks ergens een luisterend oor toen ze berooid, vermagerd en uitgeput in eigen land terugkwamen. Het gezegde 'de tijd heelt alle wonden' gaat helaas niet helemaal op. In deze eeuw zijn er zelfs nog ettelijke landgenoten die met post-oorlogtrauma's rondlopen.

Voor de grote groep dwangarbeiders, besloot uiteindelijk het Duitse parlement pas in 1999 in het kader van de *Wiedergutmachung*, 10 miljard mark beschikbaar te stellen. Van de Nederlandse dwangarbeiders dienden 20 364 van hen een aanvraag in. Tot op heden hebben van de nog levenden, daadwerkelijk slechts omstreeks *420 man* hun geld (circa vijfduizend mark) ontvangen.

Met al dit persoonlijke en materiële verlies en de grote schade moest men, toen iedereen uitgevierd was met de bevrijding, verder met de problemen van alledag. In feite viel formeel het land nog steeds onder het geallieerde bestuur van SHAEF. Als schakel tussen de Londense regering, die spoedig na mei 1945 naar Nederland terugkeerde, functioneerde het eerdergenoemde Militair Gezag onder leiding van generaal Kruls. In de praktijk kwam het er op neer, dat Nederland enige tijd bestuurd werd door een gemilitariseerd burgerlijk bestuursapparaat met grote bevoegdheden. De bijzondere Staat van Beleg werd pas in maart 1946 opgeheven. Daardoor kwam toen het einde aan het Militair Gezag. Het MG had door de eerdere bevrijding van het zuiden gelukkig al vóór mei 1945, ruimschoots ervaring opgedaan en kon daardoor met zijn verstrekkende bevoegdheden voorkomen dat zich na de capitulatie een bestuursvacuüm voordeed.

Na de bevrijding van Nederland boven de rivieren, namen hun toch al uitgebreide taken, enorm toe. In feite bestuurde het MG het gehele beschadigde en berooide land. Logischerwijs moest het MG, bij tijdelijk gebrek aan een normaal democratisch bestuur met departementen, provinciale en gemeentebesturen, meer personeel hebben. Het groeide dan ook in bijna een jaar uit tot een bestuursapparaat met in de toptijd van zijn bestaan, circa twaalfduizend man/vrouw aan militair personeel en 21 duizend man/vrouw burgerpersoneel. Het burgerpersoneel had geen militaire taken, maar was wel gemilitariseerd. Het personeel in dienst van het MG had een, ergens begrijpelijke, bevoorrechte positie. Ze kregen een gewoon salaris uitbetaald en hadden daarnaast extra voedingfaciliteiten, een extra sigarettenrantsoen en veel mogelijkheden om zich per voertuig te verplaatsen. Het zal niemand verbazen, dat in het land waar ook nog geruime tijd na de bevrijding schaarste en gebrek aan letterlijk van alles en distributie voor iedere burger in het vaandel stond, dit de nodige afgunst opwekte.

Er was ook veel kritiek op het dikwijls eigenmachtige optreden van het MG. Dit leek inderdaad zo, maar bedacht moet worden dat het 'normale' bestuursapparaat eerst nog gezuiverd moest worden van degenen die actief met de vijand hadden gecollaboreerd. Daardoor moest het MG zich in het ontredderde land bemoeien met *nagenoeg alle* bestuurlijke aspecten die behoren bij een normale samenleving. Dat het daarbij her en der 'bureaucratisch-achtig' toeging, zal niemand verbazen en oogstte dus ook de nodige kritiek. Daar kwam nog bij, dat de soms eigengereide Kruls, niet goed overweg kon met de toenmalige minister-president en sommigen van zijn socialistische ministers. Een in februari 1945 gewijzigd kabinet Gerbrandy, kon al weer wat beter met Kruls samenwerken. De samenwerking tussen het MG en het in juni 1945 aangetreden brede kabinet met aan het hoofd de socialist Schermerhorn, verliep vrij goed. In dit eerste kabinet na de bevrijding, was het grootste deel van de 'oude' politieke partijen vertegenwoordigd. Naast het op gang helpen van het normale leven en het lenigen van de ergste nood, was een acute en bijzonder moeilijke taak en verantwoordelijkheid van het MG, de zogenaamde 'zuivering' van het land.

In hoofdstuk 5 is onder 'collaboratie' geschetst, dat het niet zo simpel was om precies te bepalen wie 'fout' was geweest. Het oppakken van de meest notoire beulen en verraders, was nog het eenvoudigst. Als prominenten vielen daaronder mannen zoals Rauter, Mussert, Rost van Tonningen, Geelkerken, Feldmeijer et cetera. Het uitgebreide gebied van definiëring en daarna arrestatie, van de heel vele meer 'grijzige' collaborateurs, was veel moeilijker. Bij de bevrijding in het zuiden was het probleem van de arrestatiebevoegdheid van de politieke delinquenten al keihard naar voren gekomen.

Volgens een Koninklijk Besluit uit 1943 van de Londense regering, kwam die bevoegdheid in de bevrijde gebieden alleen toe aan het MG. In het zuiden van Nederland waren het al gauw de verzetsmensen (die inmiddels officieel vielen onder de BS) die de arrestaties verrichtten. Door gebrek aan een deugdelijk arrestatieapparaat (ook bij de politie waren nogal wat mannen die zich dubieus hadden gedragen in de oorlogsjaren), stond het MG hier vrij machteloos tegenover. Noodgedwongen voerde Kruls daardoor een beleid, dat neerkwam op acceptatie van deze status-quo. Bij de bevrijding van het noorden, herhaalden deze problemen zich. Kruls kreeg over de vrij chaotische arrestaties veel kritiek. Die kritiek richtte zich er vooral op, dat BS'ers regelmatig zonder voldoende kennis van zaken, massaal arrestaties verrichtten. Daardoor kwamen regelmatig volstrekt onschuldigen vast te zitten. Ondanks deze ontsporingen, is het een geluk dat het er uiteindelijk niet van is gekomen, dat de volkswoede zich ongebreideld op verraders en collaborateurs heeft kunnen botvieren. Een zekere mate van volkswoede werd soms wel gekoeld in de vorm van onder meer mishandelingen en pesterijen (in het bijzonder tegen de omstreeks twintigduizend 'moffenmeiden').Gelukkig kwam het niet tot vormen van doodslag, die een herstelde rechtsstaat onwaardig zou zijn.

In de eerste golven van arrestaties, kwam het regelmatig voor dat vermeende en echte collaborateurs werden aangebracht door buurtbewoners. De arrestaties liepen in de volgende maanden op tot omstreeks 150 duizend mannen en vrouwen, die in circa 130 deels provisorische, deels echte gevangenkampen, werden vastgehouden. Die kampen waren dikwijls vrij slecht geoutilleerd en veel 'verdachten' hadden door onder meer gebrek aan voedsel en een abominabel beroerde behuizing, een slechte tijd. Voor de bewaking van die vele kampen, waren circa 25 duizend man nodig. Die mannen werden voor een groot deel betrokken uit de kern van oude BS'ers. Dat was niet genoeg mankracht, waardoor ook een deel van de bewakers werd betrokken uit mensen die ná de bevrijding waren toegetreden tot de uitgedijde 'nieuwe en vergrote BS'. In de kampen werden vooral in de beginperiode, de op zich begrijpelijke wraakgevoelens soms de vrije loop gelaten. Daarbij kwamen regelmatig mishandelingen, kwellingen en plagerijen voor ten opzichte van de 'verdachten' (die wel beschuldigd, maar nog lang niet veroordeeld waren!). Alle verdachten vielen onder bepalingen, die eigenlijk beschouwd moesten worden als 'voorlopige hechtenis'.

Het was al met al een gigantisch karwei om dit soort aantallen mensen te 'zuiveren' of te veroordelen en op hen een redelijke rechtspleging los te laten. Voor deze berechting was de grondslag een gewijzigd Tribunaalbesluit van mei 1945. Op grond daarvan, werden negentien tribunalen ingesteld, vijf bijzondere gerechtshoven en een bijzondere raad van cassatie. Het hele proces van zuiveringen en berechtingen, duurde onder de vlag van de 'Bijzondere Rechtspleging' uiteindelijk jaren en duurde voort tot de formele opheffing van de bijzondere raad van cassatie per eind 1951. Na enige tijd bleek dat er zowel onschuldigen, als flink wat 'lichte gevallen' waren opgepakt. Het duurde tot begin 1946 voordat door de minister van Justitie scherper werd gedefinieerd wat 'lichtere gevallen' waren. Op grond van een besluit werden uiteindelijk totaal bijna negentigduizend geïnterneerden zonder proces *al dan niet voorwaardelijk* buiten vervolging gesteld. Die mensen hadden inmiddels dus vele maanden in 'voorlopige hechtenis' gezeten.

Het proces van berechtingen genereerde bij zware gevallen 141 keren een uitspraak voor de doodstraf. Van dit aantal werd in 41 gevallen de doodstraf daadwerkelijk uitgevoerd. Bij de anderen, werd de doodstraf in veel gevallen omgezet in levenslange gevangenisstraf. De tribunalen namen tot juni 1948 omstreeks 47 duizend beslissingen. In meer dan 28 duizend gevallen werd internering gelast van één tot vijf jaar. In ruim dertienhonderd gevallen een internering van vijf tot tien jaar en bij circa 530 gevallen een nog langere straf. Daarnaast vonden door middel van zuiveringscommissies, zuiveringen plaats onder burgerambtenaren, politiemensen en militairen. Waar geen redenen waren voor strafrechtelijke vervolging, werden bij die categorieën ettelijken tijdelijk geschorst en/of administratief ontslagen. Net als bij de bijzondere rechtspleging, wekte ook deze gang van zaken her en der kritiek. Die kritiek kwam voor een deel voort uit de kringen van het verzet. Zij vonden vaak de straffen van de zuiveringscommissies te licht. Achteraf bezien is de conclusie juist, dat bij de berechtingen en zuiveringen fouten zijn gemaakt. Deze kwamen vooral kort na bevrijding meestal voort uit *te* emotionele betrokkenheid.

Naarmate de tijd vorderde, werd het aantal fouten in de rechtsgang en zuiveringen minder, tot ze uiteindelijk nagenoeg nihil werden. In ditzelfde patroon werd de enigszins wraakzuchtige houding van een flink deel van de Nederlanders minder, toen de oorlogsjaren verder achter zich werden gelaten. Tot degenen tegen wie na lange en vrij uitgebreide processen de doodstraf werd uitgesproken en daarna uitgevoerd, behoorden onder meer Rauter en Mussert. Seyss-Inquart werd door het Internationaal Tribunaal te Neurenberg ter dood veroordeeld en daarna opgehangen. Uit recente gegevens van een onderzoek, blijkt achteraf dat aanvankelijk totaal circa driehonderdduizend Nederlanders werden verdacht van actieve collaboratie. Dit aantal mensen is voor onderzoek in handen gevallen van de naoorlogse justitionele bijzondere rechtspleging.

7-2 Wederopbouw en Marshall-plan

De wederopbouw van het land behelsde niet alleen de materiële schade, maar in feite ook de vele immateriële aspecten van een nationale samenleving. Vijf bezettingsjaren onder een racistisch terreurregime, hadden op veel terreinen ontwrichting, destabilisatie, desorganisatie en aantasting van normale normen en waarden behorend bij een democratische rechtsstaat, veroorzaakt. We schetsten hiervoor al hoe een grondige zuivering en rechtspleging nodig was om weer te kunnen beschikken over een betrouwbare landelijke, provinciale en gemeentelijke overheid.

In bestuurlijke zin was er ook het een en ander te herzien of weer op te bouwen. Koningin Wilhelmina had in Londen nogal uitgesproken ideeën over een bestuur, waar de monarch meer en ministers en parlement wat minder, te zeggen zouden hebben. Ze zag daarbij een grotere rol weggelegd voor de mannen en vrouwen die in het actieve verzet hadden gezeten. Daarnaast leefden bij ettelijke prominente politieke leiders die in gijzeling of krijgsgevangenschap hadden gezeten, diverse ideeën over een nieuw politiek bestel. Dit zou minder op wereldbeschouwing en religie en meer op progressieve vernieuwing gebaseerd moeten zijn. In die kringen hoopten sommigen op een doorbraak en het achter zich laten van de vooroorlogse scheidingen tussen de confessionele en wereldbeschouwelijke politieke grondslagen. Ondanks diverse pogingen, kwam dit soort vernieuwing uiteindelijk niet van de grond. In verband met de deplorabele toestand van het land, kwam in juni een breed opgezette regering aan het roer. Die regering noemde zich het 'kabinet van herstel en vernieuwing' en het 'kabinet van nationale eenheid'. Alle oude politieke partijen, behalve de antirevolutionaire en de communistische partij, waren in dit eerste naoorlogse en niet via verkiezingen samengestelde kabinet, vertegenwoordigd.

Juni 1945 werd het kabinet beëdigd. Voorlopig regeerde deze regering onder leiding van de socialisten Schermerhorn en Drees, door middel van koninklijke besluiten. Deze vorm van regeren berustte op het Staatsnoodrecht. De eerste vrije verkiezingen werden gehouden in mei 1946. Bij de uitslag bleek dat de politieke vernieuwing *niet* had plaatsgevonden. In feite wees de uitslag van deze eerste landelijke verkiezing er op, dat het grootste deel van de 'oude' politieke partijen (gedeeltelijk onder nieuwe namen) gewoon weer terug waren in het politieke bestel. Achteraf bezien had de bezettingstijd in politieke zin, geen breuk opgeleverd met het verleden. De 'verzuiling' in het politieke bestel, bleek een taai leven te hebben. Ondanks de geleidelijke deconfessionalisering in het laatste deel van vorige eeuw, is in algemene zin de structuur van het politieke bestel, zelfs in deze eeuw, nog grotendeels gevestigd langs de meeste oude lijnen van ruim vijftig jaar geleden.

Gelukkig ging het met het herstel van een normale voedselvoorziening wél voorspoedig. Op het dieptepunt van de 'hongerwinter', was de dagelijkse officiële voedselvoorziening in het westen per persoon per dag, slechts omstreeks 350 calorieën! Dit was voor velen simpelweg 'te veel om van te sterven, te weinig om nog van te leven'. Dankzij vooral de kerkelijke en gemeentelijke inspanningen en de hongertochten van naar schatting meer dan vijftigduizend mensen, kon hier en daar dit stervensrantsoen een beetje aangevuld worden. Na de operatie 'Manna' en de bevrijding, werd door zorg van de geallieerde troepen, het MG en via de nationale hulpactie Rode Kruis, een grote stroom voedselaanvoer op gang gebracht. In de eerste week van de bevrijding, werd los van de aanvoer van bijna dertienduizend ton voedsel uit Engeland door de lucht, per schip en over de weg 46 duizend ton aangevoerd.

In de tweede week na de bevrijding, kon in de steden per inwoner een rantsoentje met brood, biscuits, vet, boter, vlees, kaas, peulvruchten, suiker, aardappelen, melk en bacon of kaas, verstrekt worden. Daarmee kon in de eerste en ergste nood worden voorzien. Door aanvoer van kolen uit de Limburgse mijnen konden vrij spoedig de centrale keukens weer draaien. Daardoor was het mogelijk dat in de eerste maanden na de bevrijding, het dagelijks voedselrantsoen weer op een peil van ruim tweeduizend calorieën per persoon per dag kon worden gebracht. Toch kon niet worden voorkomen, dat ondanks deze snelle aanvoer mensen alsnog stierven. Voor een deel werd dit veroorzaakt doordat sommigen zover uitgehongerd waren dat de voedselaanvoer gewoon te laat kwam óf doordat het voedsel door de uitgehongerden niet meer verdragen kon worden. Exacte aantallen van direct na de bevrijding overledenen, zijn niet precies bekend. Door al die acties, werd vanuit Zuid-Nederland, België, Engeland en de Verenigde Staten, in korte tijd en grotendeels per schip via Rotterdam, omstreeks tweehonderdduizend ton levensmiddelen aangevoerd. Zeker mag niet onvermeld blijven, dat de Canadese troepen in het bijzonder in de eerste weken, uit hun militaire rantsoenen ruimhartig voedsel aan de hongerige burgers beschikbaar stelden. Via internationale hulpacties werd eveneens kleding, schoeisel, huisraad en dergelijke, in het buitenland ingezameld. Dit werd verstrekt aan de bijna achthonderdduizend mensen, die slechts de kleren bezaten die ze aan het lichaam hadden en niet meer over enig behoorlijk schoeisel beschikten.

Hoewel de distributie van een basislevensmiddelenpakket vlot en goed op gang kwam, bleven distributiebonnen nog geruime tijd noodzakelijk. De schaarste aan veel artikelen, zou nog diverse jaren aanhouden. Pas in 1952 verdwenen de laatste distributiebonnen voor het artikel koffie. Door de grote schaarste floreerde ook na de bevrijding nog enige jaren de zwarte handel in zowel niet-basisvoeding als vele andere artikelen. Medio 1945 kostte in de zwarte handel en omgerekend naar het huidige prijspeil, een nieuwe fiets nog 20.000 gulden (bijna tienduizend euro) en een pakje sigaretten tweehonderd gulden (90 euro)!

Voor de wederopbouw was ontzettend veel geld nodig. We schetsten reeds hoeveel productiemiddelen en kapitaalgoederen vernield en geroofd waren. Bovendien was onder het Duitse bestuur de staatsschuld vervijfvoudigd en de hoeveelheid geld in omloop zodanig toegenomen, dat er geen enkele reële relatie meer bestond met de sterk gekrompen economie. Het in omloop zijnde muntgeld was bovendien van zink en dat was niet een soort metaal dat veel vertrouwen gaf. Daarnaast was door de grote schaarste, veel geld door zwarte handel in de handen van profiteurs gekomen. Een zuivering van het geldsysteem was daarom minstens zo acuut als de politieke zuivering.

De toenmalige minister van Financiën Lieftinck, voerde daarom al in september 1945 een knap bedachte en harde geldzuivering door. Hiertoe werd tijdelijk het bankgeheim opgeheven en werd het de burgers in eerste instantie toegestaan, om

| *Opruiming van tankversperring in Den Haag.*

slechts tien gulden (4,54 euro) oud geld direct om te ruilen voor tien gulden nieuw geld (vergelijkbaar met ruim 454 euro heden). Het nieuwe papiergeld was voor een deel in Nederland en voor een groot deel in Engeland gedrukt. Banktegoeden werden voor enige tijd geblokkeerd en zeer geleidelijk, na stevige controles, weer gedeblokkeerd. Uiteindelijk lukte deze gigantische operatie. Er werd bereikt dat de geldomloop kromp en weer in overeenstemming kwam met de grootte van economie. De burgers kregen weer meer vertrouwen in het geld dat ze in hun portemonnee hadden, het zinkgeld verdween uit de circulatie. Bovendien verloren veel grote zwarthandelaren en 'bunkerbouwers' door deze sanering, een flink deel van hun grove oorlogswinsten. De geldzuivering in 1945 door minister Lieftinck, is al met al een nog ingrijpender en grotere operatie geweest, dan de recente overgang van de gulden naar de euro.

Voor de gigantische wederopbouw was heel veel geld nodig. Doordat het herstel slechts kon geschieden door aankoop van productiemiddelen in het buitenland, was er een brandende behoefte aan kredieten en leningen in buitenlandse (vooral US dollar) valuta. De Nederlandse goudvoorraad en buitenlandse valutasaldi, waren in eerste instantie hard nodig voor de enorme voedselaankopen. De Nederlandse overheid kreeg via, vooral Amerikaanse en Canadese banken, in 1945 en 1946 dollarkredieten en leningen ter waarde van omstreeks 600 miljoen US dollar. Ondanks een verstandig beleid, waren eind 1946 de kredieten en leningen nagenoeg uitgegeven. Gelukkig kwam er net op tijd enige verlichting van de financiële nood in de vorm van de Marshall-hulp.

Niet alleen Nederland had ernstige oorlogsschade opgelopen. Ook veel andere Europese landen gingen zwaar gebukt onder de oorlogsschade en hadden enorme bedragen nodig voor hun wederopbouw. Bij de conferentie van Potsdam in juli 1945, hadden de regeringsleiders van Engeland, de Sovjet-Unie en de Verenigde Staten in moeizame besprekingen besloten dat Oost-Pruisen voorlopig onder sovjetbestuur zou komen. Verder werd besloten dat de Oder en de Neisserivier de westgrens tussen Duitsland en Polen zou gaan worden. Na de Duitse capitulatie veranderden steeds meer de politieke inzichten tussen het westen en de Sovjet-Unie. De verhoudingen in Europa tussen de voormalige geallieerden verscherpten. Bondgenoot de Sovjet-Unie keerde zich stap voor stap tegen de westerse geallieerden en had in Oost-Duitsland, Polen, Hongarije, Roemenië en Bulgarije, al vrij gauw communistische regimes in het zadel geholpen. De Baltische staten werden ingelijfd bij Rusland. Tsjechoslowakije werd via een communistische putsch in begin 1948 tot een vazalstaat gemaakt.

In Frankrijk en Italië hadden de communistische partijen in vrij korte tijd grote aanhang verworven. Vooral de Verenigde Staten en Engeland waren hierdoor hevig verontrust. Het gevaar bestond dat door de schaarste, het langzame herstel en de wederopbouw in de diverse West-Europese landen, zou stokken. Door de dan mogelijk ontstane grote ontevredenheid bij de bevolking, zou een vruchtbare voedingsbodem ontstaan voor grote communistische partijen. Minister Marshall kwam daarom met een constructief plan. Hij stelde voor dat via het '*European Recovery Program*', 15 miljard dollar ter beschikking gesteld zou worden voor de verdere wederopbouw in Europa. De miljarden dollars zouden grotendeels bestaan uit een gift en voor een kleiner deel als een lening. In april 1948 werd dit plan door het Amerikaanse Congres goedgekeurd. Eerlijkheidhalve moet worden opgemerkt dat naast het politieke belang, ook een stuk Amerikaans industrieel eigenbelang meespeelde. En groot deel van het geld zou terugvloeien naar de Verenigde Staten in de vorm van bestellingen van machinerieën, transportmiddelen en vele andere industriële goederen '*made in USA*'.

Nederland kreeg aan Marshall-hulp bijna een miljard dollar, waarvan 84 procent als gift en 16 procent als lening. Deze hulp kwam juist op tijd, om de al stevig op gang zijnde Nederlandse wederopbouw, een extra en noodzakelijke impuls te geven. Die hulp heeft het herstel in ons land behoorlijk bevorderd. Achteraf cijfermatige bezien, was de Marshall-hulp psychologisch van veel groter belang dan substantieel. De nationale bestedingen in Nederland waren in de periode 1948-1952 circa 40,4 miljard euro. De Marshall-hulp van omstreeks 1,6 miljard euro, was dus *nog geen 4 procent* van de bestedingen in die periode. Gelukkig kwam die hulp wel op het juiste moment.

Wanneer we, naast deze financiële perikelen, kijken hoe de wederopbouw verliep, kan geconstateerd worden dat het herstel redelijk vlot ging. In het geschonden land met veel honderden grote en kleinere vernielde bruggen, ondergelopen gebieden, her en der duizenden mijnen en achtergelaten munitie, kapotte spoorverbindingen, grote open plekken door vernielde huizen, fabrieken, gebouwen, havens en industriële complexen et cetera. werd enthousiast de handen uit de mouwen gestoken. Toen de ergste voedselnood gelenigd was, kwam er een energieke sfeer van flink aanpakken, keihard werken en opbouwen, over de mensen. Al gauw werden veel noodbruggen (meestal van het type bailey) aangelegd. Hierdoor werden normale verbindingen over de weg en spoorweg, op de meest vitale plaatsen binnen een paar maanden weer mogelijk.

Uiterst belangrijk voor de aanvoer van voedsel, maar ook voor vele andere goederen, was het goed bereikbaar maken van de grote havens. Direct na de bevrijding werd begonnen met het vegen van mijnen en het opruimen van tot zinken gebrachte schepen in de toegangen naar de havens van Rotterdam en Amsterdam. Al in juni was een smalle vaargeul gemaakt, waardoor in beide havens kleinere schepen konden binnenvaren. In 1946 konden zesduizend zeeschepen de havens binnenlopen, in 1950 waren het er negentienduizend. Het wegvervoer kwam maar langzaam op gang. Het grootste euvel was een gebrek aan personenauto's, vrachtwagens en autobussen. In 1946 waren er totaal maar circa honderdduizend voertuigen beschikbaar, in 1950 was dit aantal gestegen tot circa 220 duizend.

Hoge prioriteit kregen ook de droogmakingen van de meer dan vijfhonderd vierkante kilometer geïnundeerde gebieden. De kleinere polders konden door gebruikmaking van windmolens en gemalen, bijna allemaal reeds binnen twee maanden drooggelegd worden. Na het herstel van de dijken, kon de Wieringermeer in december 1945 droogvallen. Het langste en moeilijke karwei, was de droogmaking van het eiland Walcheren. Daar waren gigantische gaten in de gebombardeerde dijken uitgesleept. Begin 1945 was al begonnen aan dit grote karwei. Door gebrek aan materialen, duurde het nog tot begin 1946 voor het laatste gat in de dijk bij fort Rammekens

| Victorie. *Overzicht inundaties en beschadigingen na de capitulatie.*

gedicht was en de definitieve drooglegging voltooid kon worden.

Uit het puin van de duizenden vernielde huizen en gebouwen, werden de nog bruikbare bakstenen afgebikt voor hergebruik. Voor het goed op gang brengen van de bouw van woningen, waren hout, staal, metselstenen, kalk, glas, beton et cetera nodig. De meeste van deze materialen waren in 1945 uiterst schaars. Allereerst werd begonnen met het herstel van omstreeks 390 duizend licht beschadigde huizen. Met veel kunst en vliegwerk lukte het binnen een paar maanden driekwart van dit aantal huizen weer bewoonbaar te krijgen. Pas in 1946 konden tweeduizend noodwoningen worden opgeleverd en betrokken. Door de schaarste aan materialen en vaklui, konden in de periode 1946 tot 1950 totaal maar ruim 135 duizend woningen worden opgeleverd! Vergeleken bij de grote hoeveelheid vernielde huizen, de stagnatie in de bouw in de oorlogsjaren en de grote behoefte aan woningen door bevolkingsgroei, was dit maar een schijntje. Het was voor vele Nederlanders die hun huizen in de oorlog kwijt waren geraakt, jarenlang behelpen in bijzonder krappe behuizingen. De woningnood zou dan ook nog vorige eeuw tot dik in de tweede helft van de jaren zestig voortduren.

Bijzonder snel herstelden zich de fruitteelt en tuinbouw. De fruitaanvoer was binnen vier jaar ruim verdubbeld, de groenteaanvoer had binnen vier jaar anderhalf maal het peil van 1939 bereikt. Landbouw, veeteelt en visserij hadden langer nodig om zich te herstellen van de grote verliezen en roof. Het duurde in die sectoren tot 1950, voordat het vooroorlogse productiepeil bereikt of overschreden werd.

Handel en industrie kwamen helaas maar langzaam op gang. Voor productie waren machinerieën, grondstoffen, energie en arbeidskrachten nodig. In de eerste jaren na de bevrijding, waren de meeste van deze componenten nog schaars. Doordat bij productie al deze componenten nodig waren, duurde het herstel ettelijke jaren. Zo bereikte de belangrijke energieleverancier, de Limburgse kolenmijnen, pas in 1950 het productieniveau van 1939. Door kredieten en de Marshall-hulp, konden de vele noodzakelijke productiemiddelen uiteindelijk geleidelijk aan in het buitenland worden aangekocht en in bedrijf gesteld. Door het vrij trage groeien van de productie, kon de handel slechts langzaam van de grond komen. Markt was er genoeg, want jarenlang was er aan van alles behoefte.

Mede door de coöperatieve houding van de werknemersorganisaties, bleven looneisen zeer gematigd en grote stakingen kwamen weinig voor. Net als bij sommige andere sectoren, kwamen vanaf 1950 handel en industrie pas goed op gang. Tijdens de wederopbouw en het herstel, kreeg Nederland triest genoeg nog te maken met een zware hypotheek. Die hypotheek was de zogenaamde 'Indische kwestie'.

7-3 De Indische kwestie

Toen Duitsland in mei 1945 zich onvoorwaardelijk overgaf, vocht Japan nog steeds door. In felle en bloedige gevechten, veroverden vooral de Amerikanen steeds meer eilanden in de Stille Oceaan en naderden de Japanse eilanden. Volgens de Japanse cultuur en erecode, gaf een militair zich niet over. Men vocht zich dood of pleegde zelfmoord. De Amerikaanse president Truman vreesde dat bij de verovering van Japan, vele tienduizenden, misschien wel honderdduizenden Amerikaanse militairen zouden sneuvelen. Eind juli 1945 kreeg Japan een ultimatum, waarin een onvoorwaardelijke overgave werd geëist. De Japanse regering ging daar niet op in. Teneinde Amerikaanse militaire mensenlevens te sparen, wierp begin augustus de Amerikaanse luchtmacht een atoombom op eerst Hirosjima en een paar dagen later op Nagasaki. De verwoestingen waren verschrikkelijk en in beide steden werden respectievelijk circa zestigduizend en 35 duizend mensen gedood en respectievelijk honderdduizend en zestigduizend gewond en verminkt. Beide steden waren voor omstreeks de helft van de aardbodem weggevaagd. Mede onder deze druk, zwichtten eindelijk de Japanners en capituleerde het Japanse leger op 15 augustus. Op 2 september 1945 werd de onvoorwaardelijke overgave aan boord van het Amerikaanse slagschip *Missouri* in de baai van Tokio, officieel ondertekend. De Tweede Wereldoorlog was nu wereldwijd eindelijk helemaal voorbij.

In hoofdstuk 4 schetsten we hoe in 1942-1943 Nederlands-Indië door de Japanners onder de voet werd gelopen. Tienduizenden Nederlandse militairen verdwenen als krijgsgevangenen in kampen in Indië. Ze werden meestal ingezet als dwangarbeiders. Later werden ze als zodanig ook tewerkgesteld op vele plaatsen in Zuidoost-Azië, vooral in Thailand. Zo werden aan de beruchte Birma-spoorweg achttienduizend Nederlanders ingezet, waarvan circa drieduizend man omkwamen. Circa achtduizend van deze krijgsgevangenen kwamen als dwangarbeiders uiteindelijk in Japan terecht. Aangezien de Japanse cultuur 'zich overgeven' verachtelijk vond en ze de pest hadden aan 'blanken', hadden de ruim 41 duizend krijgsgevangenen het doorgaans zeer zwaar. Japan had geen boodschap aan de Conventies van Genève over de behandeling van krijgsgevangenen en dat bewuste verdrag ook nooit ondertekend. Ondervoeding, mishandelingen, zware lichamelijke arbeid, slechte hygiëne en gebrek aan medisch verzorging eisten een zware tol en kostte totaal ruim achtduizend krijgsgevangenen het leven.

De niet militaire circa honderdduizend Nederlandse en Indisch-Nederlandse mannen, vrouwen en kinderen, verging het na hun (naar geslacht gescheiden) internering, nauwelijks veel beter. Overvolle kampen, slechte en onvoldoende voeding, gebrekkige medische faciliteiten, weinig hygiëne, onzekerheid van de mannen over het lot van hun vrouwen en kinderen en de vrouwen over hun mannen, vernederingen et cetera, maakten het leven van al deze mannen en vrouwen vaak tot een hel. Ook hier sloeg de sterfte onder degenen die deze fysieke en psychische druk moeilijk aankonden, flink toe. Omstreeks dertienduizend van de geïnterneerden, overleden in de kampen ten gevolge van mishandeling, ondervoeding en ziektes.

Ook de Indonesische bevolking had het onder het Japanse regime verre van gemakkelijk. Hoewel de Japanners hen beschouwden als Aziatische 'broeders', werden omstreeks *10 miljoen* Indonesische mannen gebruikt voor zware arbeid. Dat kwam meestal neer op dwangarbeid. Bij deze groepen zijn naar ruwe schattingen circa *3 miljoen* Indonesiërs bezweken, vaak onder erbarmelijke omstandigheden en ver van huis. Indonesische leiders, zoals Soekarno, Hatta en Sjahrir, hadden al vóór 1942 zich onder het Nederlandse koloniale bewind sterk gemaakt voor meer zelfbestuur en op langere termijn zelfs voor onafhankelijkheid. Zij zagen onder het Japanse bestuur mogelijkheden om hun onafhankelijkheidsstreven meer kansen te geven. De Japanners hielden hen ten aanzien van dit onafhankelijkheidsstreven, voortdurend aan het lijntje. Ze hadden onder hun leiding wel een commissie ingesteld ter voorbereiding van de onafhankelijkheid. Op of omstreeks 8 augustus 1945 besprak de Japanse militaire opperbevelhebber van Zuidoost-Azië maarschalk Terauchi, in Saigon met Soekarno en Hatta de modaliteiten voor de Indonesische onafhankelijkheid.

Direct na de Japanse capitulatie kwamen de gematigde en radicale leiders voor onafhankelijkheid, met medewerking van een Japanse vice-admiraal, bijeen. Mede onder druk van de radicale leiders, besloot Soekarno de gok te wagen en verklaarde op 17 augustus 1945 Indonesië officieel onafhankelijk. Er brak een uiterst gevaarlijke en instabiele tijd aan. Voor een deel gaven de Japanners stiekem een groot deel van hun wapens aan de Indonesische radicalen. Voor een ander deel vielen Indonesische nationalisten de Japanners aan om die wapens te veroveren. Er ontstonden bloedige treffen, waarbij veel burgerslachtoffers vielen. Het hele gebied van wat vóór 1942 Nederlands-Indië was, stond volgens afspraken met de Amerikanen onder militaire controle van de Engelsen. Die hadden direct na de Japanse capitulatie niet genoeg mankracht om de Japanners te ontwapenen, de geïnterneerden te bevrijden uit de kampen, laat staan in te grijpen tegen de Indonesische ongeregelde troepen en bendes. Indonesische radicalen vielen ook op enige plaatsen de kampen met burgergeïnterneerden aan en richtten daar soms bloedbaden aan.

De Britten stonden de Nederlandse regering in dit stadium *niet* toe eigen militairen naar de Indonesische archipel te zenden. Slechts kleine groepen militairen en civiele gezagsdragers, werden toegelaten. Her en der deed zich nu de merkwaardige situatie voor, dat de Japanners de geïnterneerden in de kampen beschermden tegen de vaak wraakzuchtige Indonesische nationalistische bendes. Deze absoluut chaotische en uiterst gevaarlijke toestand, die de 'Bersiap-periode' werd genoemd, duurde bijna een jaar. In die periode hadden de nationalisten al bezit genomen van een groot deel van het uitgestrekte eilandenrijk. Toen de Britten meer troepen stuurden naar vooral de grote steden op Java, leden ze bij gewapende botsingen met de nationalisten (onder andere in Soerabaja) zelf ook de nodige verliezen.

Op 7 december 1942 had koningin Wilhelmina in een radiorede in Londen – mede onder druk van de Amerikaanse regering en de publieke antikolonialistische houding van veel Amerikanen – enige toezeggingen gedaan. Na de oorlog zou binnen het koninkrijk, Indonesië intern zelfbestuur krijgen. De Nederlandse regering in 1945 werd helemaal overvallen door de Indonesische onafhankelijkheidsverklaring. De regering had helaas geen oog voor het door de Japanse tijd krachtig versterkte nationalisme en het streven naar onafhankelijkheid. Mede daardoor vielen in hun denkwereld voor hen Soekarno en Hatta onder dezelfde noemer als Mussert in Nederland! Zij hadden naar de mening van de Nederlandse regering met de vijand gecollaboreerd. Men wilde eerst gezag en orde herstellen in de oude kolonie, voordat over onafhankelijk of zelfbestuur zou kunnen worden gesproken. Daarbij speelde duidelijk mee, dat Nederland grote economische belangen had in het aan grondstoffen rijke Oost-Indië. In die tijd hoorde men het gezegde 'Indië verloren, rampspoed geboren'. Het geeft aan hoe toen – zowel bij de socialistische regering, het parlement en de publieke opinie – de ideeën waren.

In Nederland, maar ook in Engeland, België, Frankrijk en Portugal, waren in 1945 de geesten nog lang niet rijp voor het begrip dekolonisatie. Tragisch genoeg begrepen ook de Amerikanen, die al tijdens de Tweede Wereldoorlog sterk tegen herstel van de koloniale verhoudingen gekant waren, veel later niet het verschil tussen het krachtige streven naar onafhankelijkheid van gekoloniseerde volkeren (nationalisme) en communisme. Hierdoor stapten ze in 1964 met open ogen en met veel meer dan honderdduizend militairen, in dc Franse kolonie Indo-China in het Vietnam-conflict. Die Vietnamese onafhankelijkheidoorlog zou zich nog tot 1975 voortslepen. Dit gebrek aan inzicht tussen het verschil van nationalisme en communisme, kostte de Amerikanen in het Vietnam-conflict omstreeks vijftigduizend gesneuvelden. Het was voor hen bovendien de eerste militaire nederlaag in hun ruim tweehonderdjarige geschiedenis. Het heeft hen vele jaren opgezadeld met een Vietnam-trauma!

In het nog lang niet van de bezetting bekomen Nederland, werd in de periode 1945-1946 zo snel mogelijk de krijgsmacht uitgebouwd. Dit was nodig om zo gauw de Engelsen dat toestonden, Nederlandse militairen in te zetten voor herstel van gezag en orde in Oost-Indië. De allereerste militairen die na de Japanse capitulatie grotendeels buiten Java en Sumatra ingezet konden worden, werden geformeerd uit ex-KNIL krijgsgevangenen. Nieuwe Nederlandse troepen die voor een flink deel bemand werden uit oorlogsvrijwilligers en bestemd waren voor debarkatie op Java, moesten van de Britten in de 'wachtkamer' in kampen op Malakka. Daar moesten ze (evenals een Nederlandse mariniersbrigade) maandenlang wachten voor de Britten toestemming gaven om ze op Java aan land te laten gaan. Door gebruikmaking van dienstplichtigen, groeide in ruim een jaar tijd de Nederlandse troepenmacht uit tot meer dan honderdduizend man. Uit de in het begin volledig ongeorganiseerde bendes, zagen de Indonesische nationalisten kans een soort 'leger' (TNI = Tentara National Indonesia) te organiseren van omstreeks dezelfde sterkte. De eerste grote Nederlandse landmacht troepeneenheden van de 7 decemberdivisie die in Java en Sumatra van de Britten bepaalde enclaves overnamen, arriveerden pas tweede helft 1946. In mei 1946 had de in de Verenigde Staten opgeleide en uitgeruste Nederlandse mariniersbrigade, inmiddels het gebied bij Soerabaja van de Britten overgenomen. In het kader van deze historische schets over Nederland in de Tweede Wereldoorlog, zou het te ver voeren om uitgebreid in te gaan op de woelige periode 1946-1950 in de toenmalige kolonie Nederlands Oost-Indië. Voor de Indonesiërs was het hun onafhankelijkheidstrijd. Voor de Nederlanders was de doelstelling in de eerste plaats terugkeer naar orde en vrede, om wellicht daarna over zelfbestuur te onderhandelen. Bovendien wilde Nederland zo snel mogelijk zijn economische belangen veiligstellen. Het werden heel turbulente jaren, waarbij Nederland door de bemoeienissen van vooral de Amerikanen en de meerderheid van de leden van Veiligheidsraad van de Verenigde Naties, steeds verder in het defensief werd gedrongen. Er woedde in het bijzonder op Java, een complete guerrilla en antiguerrilla oorlog. Op Java, hadden de nationalisten de grootste steun van de bevolking, evenals op sommige delen van Sumatra. Onder vaak hoogoplopende emoties, kwamen aan beide zijden soms her en der trieste wreedheden voor.

De Indonesiërs hadden in die oorlog doorgaans het grootste deel van het gebied buiten de grotere steden in hun greep. De Nederlandse troepen breidden vanuit de stedenregio's steeds meer gebieden uit die gepacificeerd werden. Onder grote buitenlandse pressie werd de Nederlandse regering gedwongen tot onderhandelingen met Hatta en Soekarno. Met moeizame onderhandelingen kwam in maart 1947 te Linggadjati een overeenkomst tot stand. Daarin stond dat Nederland en Indonesië een unie zouden gaan vormen. Daarbij werd *de facto* het gezag van de Indonesische regering op Java en Sumatra wél erkend. Dit akkoord viel eigenlijk bij beide partijen niet erg in goede aarde. Vijandelijke acties gingen continu door. Omstreeks vier maanden na het Linggadjati-akkoord, volgde een grootschalig Nederlands militair optreden, dat naar de buitenwereld 'politionele actie' werd genoemd. De Nederlandse troepen boekten enorme terreinwinst, maar werden door een Veiligheidsraadmotie gedwongen om begin augustus de succesvolle aanvallen te stoppen. Onder de Nederlandse troepen veroorzaakte dit bevel grote verslagenheid en bitterheid. Ondanks afspraken en overeenkomsten, bleef het onrustig. De Nederlandse troepen werden voortdurend geconfronteerd met guerrilla-activiteiten. Op veel plaatsen in de nieuw veroverde gebieden was er een overwegend vijandige Indonesische bevolking.

Ondanks de diverse overeenkomsten en onderhandelingen, besloot de Nederlandse regering de knoop militair door te hakken en de leiders van de Republiek Indonesië in handen te krijgen. Daarom startte medio december 1948 de tweede politionele actie met onder meer een aanval op Djokjakarta. Soekarno en een groot deel van zijn regering werden gearresteerd en kregen huisarrest. Nederland had vooral op Java (viermaal zo groot als Nederland) nagenoeg het grootste deel van het grondgebied in handen. Door de uitgestrektheid van dit grondgebied, werd het steeds moeilijker om met de relatief weinig troepen de zaak goed onder controle te houden. De nog niet verslagen TNI-troepen stortten zich wederom vakkundig op de guerrilla en maakten het leven van de Nederlandse militairen daardoor bijzonder moeilijk. Ook deze maal kreeg Nederland politiek geen steun en dwong de Veiligheidsraad van de Verenigde Naties (VN), de partijen weer naar de onderhandelingstafel. Vooral de Amerikanen oefenden grote druk uit op de Nederlandse regering. Die druk ging zelfs zo ver dat de Verenigde Staten dreigden de Marshall-hulp aan Nederland te bevriezen of stop te zetten.

De regering was door al deze internationale druk gedwongen om de gearresteerde Indonesische leiders vrij te laten en Djokjakarta terug te geven aan de Indonesiërs. De militaire zuiveringsacties en guerrilla gingen continu door, waardoor aan beide zijden voortdurend weer slachtoffers vielen. Na veel politiek getouwtrek, begon eind augustus 1949 in Den Haag een Ronde Tafel Conferentie (RTC). Het duurde geruime tijd voor men tot resultaten kwam. Eind december vond hierna de soevereiniteitsoverdracht plaats. De nieuwe staatsvorm zou een Nederlands-Indonesische Unie zijn. Het volgende jaar al werd door Soekarno, die duidelijk vanaf het allereerste begin geen enkele sympathie had gehad voor een unie, de eenheidsstaat Republiek Indonesië uitgeroepen. Om velerlei – achteraf weinig steekhoudende redenen – werd bij de soevereiniteitsoverdracht Nieuw Guinea *niet* aan Indonesië overgedragen. Over dit gebied zou helaas in 1961-1962 nog een (kleine) oorlog gevoerd worden. Wederom onder grote druk van de Amerikanen en met bemoeienis van de Verenigde Naties, kwam uiteindelijk ook dit laatste deel van de Oost-Indische koloniën langs een omweg van tijdelijke VN-supervisie, in Indonesische handen.

De turbulente periode 1945-1950, kostte aan vele burgers en militairen het leven. Gedurende de jaren van gevechten, verloren in het verre Indië (inclusief het KNIL) ruim 4700 Nederlandse en Nederlands-Indische militairen het leven. Onder die talrijke slachtoffers waren veel Nederlandse dienstplichtige militairen. Aan Indonesische zijde was het aantal gesneuvelde militairen van de TNI een veelvoud, evenals bij de Indonesische burgers.

Met en door deze troebelen, vertrokken in de periode 1945 en 1951 omstreeks 250 duizend mensen uit het voormalige Nederlands-Indië naar Nederland. Voor de in Europa geboren Nederlanders, was dat een terugkeer. Voor de meerderheid van de in Indië geboren Nederlanders en Indische Nederlanders, was het vaak de eerste maal dat ze voet zette in het voor hen koude Nederland. Voor de laatste categorie was Indië hun vaderland, maar door de soevereiniteitsoverdracht en hun Nederlandse paspoort, waren ze min of meer gedwongen om naar Nederland te gaan. In het van de oorlog herstellende Nederland, wachtte hen doorgaans geen hartelijk welkom. Door hun dikwijls donkerder huidskleur en doordat de Nederlanders meestal te druk bezig waren om hun eigen oorlogservaringen nog te verwerken, werden deze mensen dikwijls weinig vriendelijk bejegend. In de afgelopen decennia, zijn al die 'Indische' mensen redelijk geluidloos geabsorbeerd in onze maatschappij. Toch blijft ook na zoveel jaren, de dekolonisatie van de Indische koloniën met zijn vele doden en gewonden en het leed dat daardoor werd veroorzaakt, niet een historische periode waarop we met enige vreugde of trots kunnen terugkijken.

Er is nog een andere trieste constatering. Door het West-Duitsland van na 1945 werd de verantwoordelijkheid voor het leed en de schade door het nazi-regime in de bezette landen de mensen aangedaan, erkend. Zoveel mogelijk werd in de loop der tijden door middel van diverse financiële regelingen aan de slachtoffers getracht iets terug te doen. Al dit soort financiële vergoedingen gingen onder de naam *Wiedergutmachung*. Japan daarentegen heeft nauwelijks ooit serieus getracht met hun aanvechtbare verleden in het reine te komen, laat staan schuld te erkennen, voor het vele leed dat ze hebben uitgestort over de veroverde gebieden en de daar wonenden.

7-4 Einde van de neutraliteit

Nederland nam kort na de capitulatie van Duitsland deel aan de oprichtingsconferentie van de Verenigde Naties. Ons land was één van de vijftig landen die in juni

1945 het Handvest van de VN, in San Francisco ondertekenden. Op zich was dit nog geen directe breuk met de vooroorlogse neutraliteitspolitiek. Ons land was immers in 1920, na de nodige interne discussies of dit niet in strijd zou zijn met onze neutraliteitspolitiek, toegetreden tot de toenmalige Volkenbond. De Volkenbond was aan besluiteloosheid ten onder gegaan en had geen wereldoorlog kunnen voorkomen. De Nederlandse regering had door de grondig veranderde buitenlandspolitieke staalkaart van de wereld, enige hoop dat de VN een beter perspectief zou bieden om in de toekomst de vrede te handhaven. In en tijdens de oorlog, was men wel tot inzicht gekomen, dat de reeds bestaande goede betrekkingen met buurland België, door een overeenkomst bevestigd moest worden. Daarom sloten in 1944 de beide regeringen in ballingschap een voorlopige douaneovereenkomst. Ook Luxemburg werd bij de verdere besprekingen betrokken en zo ging begin 1948 de tariefgemeenschap van de Benelux douane-unie van start. In de loop van de volgende jaren, waren er de nodige *ups* en *downs* in die nieuwe economische relaties.

De feitelijke politieke toestand in Europa had deze ontwikkeling eigenlijk al achterhaald. Door de militante houding van de Sovjet-Unie onder Stalin, was zoals Churchill tijdens een indrukwekkende toespraak in maart 1946 te Fulton in de Verenigde Staten het noemde 'een ijzeren gordijn neergelaten tussen Stettin (Oost-Duitsland) en Triëst aan de Adriatische Zee'. De Koude Oorlog was eigenlijk al kort na 1945 begonnen! In een andere toespraak te Zürich, brak Churchill in september 1946 een lans voor een Verenigd Europa en een definitieve verzoening tussen Frankrijk en Duitsland.

Bij de Nederlandse regering was door de gebeurtenissen in de verloren oorlog in 1940, ruimschoots het besef doorgedrongen dat uitgebreide inundaties en forten rondom 'Vesting Holland', in een moderne oorlog geen afdoende bescherming meer konden bieden tegen agressie. De rauwe werkelijkheid van het door Russische druk en invloed verdwijnen van de aanvankelijk min of meer democratische regeringen in Polen, Hongarije, Roemenië, Bulgarije en Tsjechoslowakije, deed ook in Nederland de vrees ontstaan voor expansie van het Stalinistische communisme. In een dergelijk Europa was voor ons land nauwelijks meer een mogelijkheid voor neutraliteit. De politieke ontwikkelingen gingen in die bewogen jaren snel. Door de onmogelijkheid van continuering van neutraliteit, bleef alleen de optie van nieuwe bondgenootschappen overeind. In het verdrag van Brussel in maart 1948, verbonden de Benelux-partners zich met Groot-Brittannië en Frankrijk, om bij een aanval op een van hen in Europa, elkaar automatisch hulp te bieden.

Dit was nu het definitieve keerpunt. In een Europese oorlog, waarbij Frankrijk en Engeland betrokken zouden raken, konden de Benelux-landen niet langer neutraal blijven. De spanningen liepen verder op door de Russische blokkade van West-Berlijn in juni 1948. Die crisis zou uiteindelijk bijna een jaar duren. Door de vastberaden houding en de gigantische luchtbrug die de westerse geallieerden organiseerden, haalden, na 323 dagen weg- en binnenvaartblokkade van Berlijn, de Russen bakzeil. Onder de druk van de Koude Oorlog, werden West-Europa en de Verenigde Staten nog meer naar elkaar gedreven. Een jaar na het verdrag van Brussel, sloten de landen van dit pact een verdrag van wederzijdse militaire bijstand met de Verenigde Staten en Canada. Een aanval op een van hen, zou beschouwd worden als een aanval op hen allen. Ook Denemarken, IJsland, Noorwegen, Italië en Portugal werden uitgenodigd toe te treden tot dit verdrag. In april 1949 werd het militaire verdrag van de twaalf landen onder de naam Noord Atlantische Verdrags Organisatie (NAVO), officieel in een plechtige bijeenkomst ondertekend te Washington. In feite was voor alle kleine landen in Europa nu het adagium 'neutraliteit is uit, bondgenootschap is in'.

Toen de oude schijnveiligheid van de neutraliteit was afgeschud, volgde snel nog meer. In hetzelfde jaar als de oprichting van de NAVO, trad Nederland toe tot de Raad van Europa. In 1951 volgde toetreding tot de Europese Gemeenschap voor Kolen en Staal (EGKS). Hieruit groeide later (1957) verdere economische samenwerking in de vorm van de Europese Economische Gemeenschap (EEG). Uiteindelijk leidde dit tot de huidige Europese Unie (EU). Door de bittere ervaringen in de Tweede Wereldoorlog en de daaropvolgende Koude Oorlog, waren in de jaren veertig van vorige eeuw in Nederland de luiken naar de wereld voorgoed opengegaan. Het legde ons land geen windeieren. Als kleiner West-Europees land zonder Zuidoost-Aziatische koloniën, vonden we onze eigen weg naar de huidige welvaart. Dit geschiedde door diverse bondgenootschappelijke en economische verbanden en internationale verdragen.

Thans na ruim vijftig jaren, is veel uit dat verre verleden *vergeven en vergeten*. Nog maar weinigen van onze bevolking, hebben die tijd als kind of volwassene persoonlijk meegemaakt. Levende geschiedenis is niet het sterkste punt van 'Jan de Hollander'. Daarin steken we ongunstig af bij buurlanden als Duitsland, België, Frankrijk en Engeland. Deze korte geschiedkundige beschrijving van die jaren, kan wellicht bijdragen aan het 'niet vergeten'. Nog veel belangrijker is, dat ook na zoveel jaren, we de herdenking van de gevallenen op 4 mei en de bevrijding op 5 mei in ere houden. Al die gevallenen en in het bijzonder de mensen van het verzet, de illegaliteit, de militairen en de koopvaardijmensen, betaalden met het offer van hun leven. Hierdoor kunnen wij in het heden, in een zo vanzelfsprekend lijkende democratische rechtsstaat leven.

Als besluit is het daarom passend, om het sobere gedicht uit 2001 van de toen zestien jarige scholiere Leonie Beks uit Emmeloord, weer te geven. Dit gedicht werd op 4 mei 2001 door Leonie voorgelezen tijdens de herdenkingsplechtigheid op de Dam in Amsterdam:

'LEVEND VERLEDEN

Het speelt niet meer in onze harten,
tijd en afstand, grote brug.
Te ver, te gruwelijk, iemand anders,
Ergens anders, lang terug.

Maar in twee minuten stilte
schreeuwen stemmen uit 't verleden,
klinken kreten uit de toekomst,
spreken stemmen van het heden.
Twee lange minuten stilte
als zout in open wonden.
Wordt eventjes teruggedacht,
Wordt eindelijk rust gevonden.

Die twee minuten stilte,
men zwijgt in alle talen.
Komt even het gevoel terug,
dan leven de verhalen.

In die twee minuten stilte,
Dan komt het verleden vrij.
Tijd en afstand overwonnen
Dus toch heel even dichtbij.'

OOGGETUIGEN 1

Bron: BIJLAGE 8.5 De Grebbeberg en Scherpenzeel Mei 1940
Sectie Militaire Geschiedenis Koninklijke Landmacht

EX.Mo.2.

verhoor op 28 Juni 1940.
Kapitein J.W. Hakkert C.3 - II - 8 R.I.
Maastrichtschestraat 90 Scheveningen.

Ik had met mijn comp. een opstelling, doch voerde nog het co. over twee secties en de Co.groep. De andere secties waren ingedeeld bij M.C. II resp.16 M.C. (Res.kap.Vestdijk Bankastraat 64 den Haag) Mijn re. vleugel was aangeleund aan kaz. 13a. Mijn opstelling laat ik U schematisch zien op bijgaande schetsteekening.

Donderdagavond was de geheele comp.geconsigneerd. Om 23.00 ging graad strijdvaardigheid "3" in. Om ± 5.00 kreeg ik bericht dat graad "4" bereikt moest zijn er dat ik binnen twee uur in mijn stelling moest zijn. Deze was om 6.30 bezet: den sergt.Dijkman heb ik toen ingedeeld bij M.C.II, den vdg. Claassen bij 16 M.C.

Vrijdag is gewerkt aan verbetering van de stelling, aan depot munitie v.h.bat. enz.

In den nacht begon de inleidende beschieting.

Zaterdag 11.00 uur heb ik, toen het vuur heviger werd 1 man verloren, het vuur nam steeds toe. Na de verstrekking van de morgensoep begon de fourage te haperen. Water moest bijv. aan de Reg.co. gehaald worden. Ik beschouw dit als een gevolg van misplaatste zuinigheid, evenals het gemis aan opruimingen. In het schootsveld van een mitr. stond bijv. een complete barak van 3-I-3 R.A. In den nacht van Zaterdag op Zondag plm 2.00 begon onze artie te vuren.

Zondag onafgebroken vuur van artillerie. 's middags

2.00- 2.30 telef. opdracht van maj.Jacometti om 1 sectie af te staan voor een tegenstoot op de Greb. Ik heb daarvoor lt.Rentjes aangewezen. Spoedig daarop kwam echter maj. Jaccometti zelf met de opdracht: "neem dichtstbijzijnde groepen en Co.groep. "Vdg Elzas had 2 groepen in de buurt (1 groep was gedetacheerd bij lt.Rentjes). Ik ben persoonlijk met Co groep vdg Elzas + ca.35 à 40 man met maj.Jacometti langs M.C.-II (waar we tegen prikkeldraad liepen) langs een omweg naar de Heimersteinschelaan gegaan. Toen langs het prikkeldraad van kap.Maas (2-III). De maj. Jacometti heeft voortdurend luid geroepen "Hollanders" en het woord van dien dag (mijngas), zoodat we geen vuur van eigen troepen hebben gehad, totdat we door het prikkeldraad waren. We zijn toen het open terrein ingegaan voor de stoplijn. Daar ontvingen we avu. verder werden we beschoten door inf.vuur van den grond en vanuit de boomen. Voorts werden we van achter beschoten door de sectie van kap.Maas. Maj.Jacometti voerde de rechtervleugel aan, ik het centrum, vdg Elzas de li.vleugel. We verloren vrij veel menschen, ik zelf 5 menschen gedood of gewond, terwijl enkele soldaten teruggevloeid zijn (misschien zelfs al voordat we door de stelling Maas waren). De majoor Jacometti sneuvelde toen ook. Met vdg Elzas heb ik afgesproken dat we terug zouden gaan er was geen doorkomen aan, kruipende is dit gelukt tot achter het prikkeldraad (we waren gekomen tot ca 20 m van den kunstweg waar ik 2 duitsche paw. heb waargenomen). We kwamen in de stelling waar we kap.v. Alewijk en twee andere officieren vonden (19 R.I.). Ik heb den ordonnans C.H.Hotsen om 18.00 met bericht via majoor Landzaat naar Reg.Cp gezonden en bevel ontvangen zoo spoedig mogelijk terug te gaan naar eigen cp. Het was toen ± 19.30 geworden.

Er was bericht ontvangen (lt.Gazendam weet hier meer van), dat van 19.45 - 22.15 niet mocht gevuurd worden, omdat nog een tegenstoot zou worden gedaan. Bovendien is bericht ontvangen, dat om 24.00 niet gevuurd mocht worden omdat een tegenstoot zou worden gedaan door II-19 R.I.

Ik ben omdat ik er niet door kon in de stelling gebleven. Deze was levensgevaarlijk: het gaas verhinderde het gooien van hgr, de gangen waren te nauw, de hoeken te scherp, zoodat gewondenverzorging en passage nagenoeg onmogelijk waren. Drinkwater was er niet: de menschen die er waren, hadden niets te eten gehad, maar niemand had honger. Den heelen nacht is er gevuurd: patr. zijn niet uitgezonden: de kap.v. Alewijk had 't commando over het geheel (kap. Maas was gewond en niet in zijn cp.) De stelling liep in een vierkant en was zoo groot, dat de verdediging goed mogelijk was, maar de commandovoering zeer bezwaarlijk.

We hebben gevuurd, tot de laatste munitie: de trommels zijn nog gevuld met geweermunitie. De kapt.v.Alewijk raakte Maandag omstreeks 12.00 uur gewond en ik heb het commando overgenomen. We hebben getracht verbinding te krijgen met de batterijcommandant maar dat is niet gelukt. De ordonnans Hotsen heeft zich daarbij zeer onderscheiden: hij is herhaaldelijk door het vuur van den vijand en van eigen mitrs. zijn berichten gaan overbrengen. De vijandelijke handgranaten sloegen toen in de borstwering. Bij gebrek aan munitie zijn we toen uitgebroken naar achteren: de eenige aanwezige trap was ondeugdelijk. Achter langs Ouwehands Dierenpark ben ik toen met het grootste gedeelte van mijn troep weer in mijn cp. gekomen.

Maandag omstreeks 13.00 uur kwam ik daar aan. Ik heb telefonisch verbinding gehad met de bat.cp. (Lt.v. Duijn), die geen nieuws had. In mijn cp. vond ik den kapt.Bückert van 24 R.I., res. kapt.Stroomberg , res.lt.Lingen en mijn eigen 2e lt.Rentjes. Het was mudvol (pl.m.20 man) Elzas en Rentjes zijn naar hun eigen opstelling gegaan. Lt.Rentjes kwam gewond terug. Naar schatting ± 14.00 uur waren we geheel omsingeld, ook het voorterrein was stikvol Duitschers.

De kap.Bückert had het commando: hij heeft besloten de witte vlag uit te steken. Een oogenblik later stond een Duitscher met handgranaat vóór de ingang van de cp. Ik heb het vuren laten staken, want we werden gesommeerd dit te doen en werden daarvoor persoonlijk garant gesteld. Er bleek toen een compagnie Duitschers voor ons te zijn, die achter kaz.18a gekomen was, door het bosch, toen de tusschenverdediging genomen was (Zuid van de Venendaal sche weg).

We zijn uit de stelling gehaald: "Heraus Schwein Hunde". We moesten onze jassen uit doen en moesten verzamelen met de handen omhoog, Achter ons liepen Duitschers met een mitrailleur. De Duitschers hebben nog gevuurd in de richting Cuneraweg, waarbij wij moesten gaan liggen. Er werd van onze zijde met zware mitrs. gevuurd waardoor eigen soldaten gewond zijn. We mochten toen opstaan en onze jassen zoo goed mogelijk gaan opzoeken. De Kpl.Smeraldi was gewond. Ik ben bij hem gebleven met de andere gewonden.

Het vuur van weerszijden ging door. De niet gewonden zijn afgevoerd.

We zijn toen in handen gekomen van Reichswehr, die ons behoorlijk heeft behandeld; alleen moesten we af en toe de handen opsteken. Afgevoerd via Wageningsche berg naar Arnhem per bus. Toen gelopen naar Zevenaar, per trein naar Bocholt, waar we alles moesten afgeven (ook geld). In Soest zijn we met de officieren in een kazerne ondergebracht en in Weinsberg ondergebracht in een zeer behoorlijk kamp. De behandeling was daar zeer goed. Het voedsel was dragelijk, gebrek aan vet en groenten.

Voorgelezen,volhard en geteekend,
w.g, J.W.Hakkert.

OOGGETUIGEN 2

Ton Loontjens, Kapitein der mariniers b.d.

Engelandvaarder

Ik kwam op zeventienjarige leeftijd in februari 1940 in dienst bij het Korps Mariniers. De belangrijkste motivatie voor mij was, dat ik wat van de wereld wilde zien en anders wilde zijn dan anderen. Ik was nog maar net drie maanden in dienst, toen de Tweede Wereldoorlog uitbrak. Rotterdam lag zwaar onder vuur. Ik werd ingedeeld bij de eenheid die een tegenaanval moest uitvoeren bij de Maasbruggen. Op een gegeven moment konden we niet verder, want alle straten lagen onder vuur en wij konden geen kant meer op. Na het bombardement van Rotterdam en de capitulatie van Nederland, kwam er een einde aan de strijd. Na die vijf dagen was alles afgelopen en moesten we met tranen in onze ogen alle wapens op een hoop gooien en werden we krijgsgevangen gemaakt en ondergebracht in een school op het Noordereiland.

Niet voor lang, want de mariniers die de strijd bij de Maasbruggen hadden overleefd, werden overgebracht naar het toenmalige hoofdkantoorgebouw van Unilever in het centrum van de stad. We kregen hier een compleet nieuwe (mariniers-)uitrusting, maar natuurlijk geen wapen. We hadden niets meer, want al onze uitrusting was verloren gegaan bij het bombardement op de Marinierskazerne aan het Oostplein. Overdag moesten we het puin dat was veroorzaakt door het bombardement, gaan ruimen en 's avonds mochten we (in uniform) de stad in. Dat kon toen nog en de Rotterdamse bevolking was ons goed gezind. We werden een beetje gezien als helden. We voelden dat zelf helemaal niet zo. Nog geen twee maanden later werden we met 25 mariniers overgeplaatst naar de militaire detentie-inrichting in Nieuwersluis. We werden daar bewakers van militairen die waren gestraft met straf- en tuchtklasse. Later werden we in Utrecht tewerkgesteld bij de brandweer in de hoofdgebouwen van de Nederlandse Spoorwegen.

Bij ons groeide het idee om weg te komen, maar hoe? We waren jong en onervaren en waren bijna in een val gelopen omdat men ons een adres had opgegeven dat *fout* was. Gelukkig werden we tijdig gewaarschuwd. Ons enige verzet na de capitulatie was dat, wanneer er Duitse militairen aankwamen we met onze rug naar hen toe gingen staan of het Wilhelmus begonnen te fluiten wanneer er NSB'ers in de buurt waren. Door een gelukkige omstandigheid kwam ik in november 1941 in contact met ene Jansen. Hij was een verzetsman en door de Ordedienst (OD) verzocht te proberen naar Engeland te komen om verloren gegane contacten te herstellen. Hij zocht naar mensen die hem daarbij van dienst konden zijn en vroeg ons naar zijn huis te komen. Samen met twee lichtmatrozen van de marine, gingen we naar het opgegeven adres.

We hadden van tevoren afspraken gemaakt wat we zouden doen als het een val was. Bij binnenkomst werd ons voorbehoud snel weggenomen, omdat we een grote foto van koningin Wilhelmina zagen hangen en er een joods echtpaar in dat huis aanwezig was. De heer Jansen had een goed ontvluchtingsplan, dat met behulp van een andere verzetsman tot stand was gekomen.

Hij had een verkenningstocht naar Hoek van Holland gemaakt. Daar wemelde het van de Duitse militairen. Hij had in de Berghaven een kleine motorvlet van de KZHRM ontdekt. Doordat die verzetsman zich nogal langdurig ophield en enige vragen stelde, kregen de Duitsers de nodige argwaan, waardoor de vlet met een extra ketting werd vastgelegd. Tijdens zijn verkenning had hij in de Berghaven ook een Rijnaak ontdekt met een ons goed gezind echtpaar aan boord. Dat gezin wilde ons voor de ontsnapping wel opvangen. Ze namen daarmee erg veel persoonlijk risico.

Het vletje was in 1928 gebouwd en later voorzien van een 20 pk-benzinemotortje. De Duitsers hadden het vletje in september 1940 wit geschilderd en van rode kruizen voorzien. Er werd nog een leerling-stuurman bereid gevonden om mee te gaan. Hierdoor kwam de gehele ploeg te bestaan uit: drie verzetsmannen, een joods echtpaar, een leerling-stuurman, twee lichtmatrozen en een marinier. Er werd ons gevraagd hoe het stond met onze nautische kennis. Ik kende het woord navigeren nauwelijks, laat staan dat ik er verstand van had moet ik nu bekennen, maar ik heb dat toen niet laten merken.

Op 20 november vertrokken we in paren per trein naar Hoek van Holland. Bij loting was ik aangewezen om de riemen, verpakt in papier, mee te nemen. Ik maakte me daar nogal zorgen over, omdat het pak veel overeenkomst vertoonde met een geweer dat verpakt was, maar niemand vroeg er naar. Die avond rond acht uur, het was aardedonker, gingen we via een stalen trap aan boord van de vlet. Eenmaal aan boord, verbraken de matrozen met een ijzeren stang de ketting en peddelden we met de meegebrachte riemen voorzichtig de haven uit. Eenmaal op de Waterweg, lieten we ons door de stroming naar buiten drijven. Omdat we geen voorstuwing hadden, lagen we soms overdwars in het vaarwater. Ik stond doodsangsten uit. Het was een wonder dat de ons passerende schepen of de zoeklichten op de havenhoofden, ons niet ontdekt hebben.

Eenmaal buitengaats, begon de bemanning weer voorzichtig te roeien. Enkele uren later werd een poging gedaan de motor te starten. Het lukte niet. Het bleek dat de Duitsers uit voorzorg de bougies er hadden uitgedraaid. Gelukkig vonden we die in de vlet en kregen we de motor aan de praat. De bemanning beschikte niet over een goede zeekaart en het kompas was ook niet alles. We hadden afgesproken ruwweg west te varen, dan zouden we wel in Engeland komen, hoopten we!

Enkele uren later begaf het motortje het vanwege koelproblemen. Goede raad was duur. Het peddelen werd langzamerhand een vermoeiende bezigheid. Eén van de matrozen had zich als bescherming tegen de kou in een stuk zeil gewikkeld. We besloten daarmee zeilend verder te gaan. Dat was altijd nog beter dan roeien. De volgende dag werden geen schepen of vliegtuigen waargenomen. Het weer was slecht, met een zware bewolking en we hadden vanwege de stroming geen idee welke kant we uitgingen. Op zaterdag 22 november begon de vermoeidheid toe te slaan. Het gemis aan vocht begon ook parten te spelen, omdat we stom genoeg er niet aan gedacht hadden water mee te nemen. Ook de meegebrachte scheepsbeschuiten konden we vanwege zeeziekte en overgeven, niet meer door onze keel krijgen. Ondanks waarschuwingen, begon een van de bemanningsleden zeewater te drinken. Het gevolg was dat hij nog beroerder werd en zijn mond vol zat met witte korsten en schuim. We kregen ook waanideeën, want wolken aan de horizon werden voor bergen aangezien. Angst om door de Duitsers te worden ontdekt en te worden opgepikt, sloeg langzamerhand om in het idee 'alles is beter dan dit'.

Op zondag 23 november was het weer peddelen en zeilen geblazen en zelfs de motor deed het weer voor een uurtje. Rond de middag zagen we de kust, maar welke? Op een kilometer daarvoor, zagen we een visserbootje en we besloten in onze ellende er naar toe te varen met als grote vraag welke taal de visser zou spreken. We dreven naar hem toe en vroegen: 'Are you English?' Tot onze grote vreugde antwoordde hij met: 'Yes.' Dat is nog steeds het mooiste 'yes' wat ik in mijn hele leven ooit gehoord heb. Juichend roeiden we naar de kust. Die middag rond vier uur, 68 uur nadat we waren vertrokken uit Hoek van Holland, arriveerde het bootje in Zuidoost-Engeland bij het plaatsje Reculver in het graafschap Kent. De toegestroomde mensen ontvingen ons allerhartelijkst. De aanwezige inspecteur van politie bracht ons naar Herne Bay Rest Centre, waar we weer op krachten kwamen met thee en wittebrood.

De volgende dag werd de gehele groep overgebracht naar Londen en ondergebracht in de *Patriotic School*. Hier werden we flink ondervraagd door onder andere de bekende overste Pinto. Mijn probleem was dat ik niet kon bewijzen wie ik was, want ik had al mijn papieren achtergelaten in Nederland. De argwaan bij de ondervragers was daardoor groot, omdat ook spionnen probeerden op deze manier Engeland binnen te komen. Na veertien dagen doorgezaagd te zijn, werd ik eindelijk als betrouwbaar genoeg geaccepteerd en kreeg ik twee weken vrij en geld om kleding te kopen. Zoals bijna alle Engelandvaarders, werd ik ook nog persoonlijk ontvangen door koningin Wilhelmina. Aan die ontvangst bij de koningin, heb ik de beste herinneringen bewaard. Daarna werd ik in Wales op een depotschip een jaar ingezet om krijgsraadarrestanten in voorarrest te bewaken. Via een commando-opleiding in Schotland, een paar maanden indeling bij 10 (*Interallied*) Commando en een kernkaderopleiding voor de mariniers in Amerika, kwam ik in 1944 met honderd andere mariniers bij de Prinses Irene Brigade terecht.

We landden na D-day bij Arromanche in Frankrijk en moesten bij Breville in '*Hellfire corner*' een Amerikaanse luchtlandingseenheid aflossen. We lagen daar regelmatig onder Duits artillerievuur en hadden in de eerste week al acht gewonden. Na deelname aan de opmars bij operatie *Market Garden*', waarbij een aanval nabij Tilburg een aantal doden en gewonden bij de Irene Brigade vielen, werden we ten slotte voor een paar maanden ingezet voor kustbewaking in Walcheren. Al met al waren het heel wat moeilijke en gevaarlijke omzwervingen, die me vanaf 1940 tot de bevrijding in Nederland hadden teruggebracht.

NB: Van de 110 vluchtpogingen overzee naar Engeland door Nederlanders, zijn er tachtig mislukt. In totaal waren hierbij 450 mensen betrokken en waren er slechts 139 die het per vaartuig lukte om Engeland te bereiken.

OOGGETUIGEN 3

Adriaan Hakkert

Herinneringen

1 Meidagen 1940

Op 9 mei speelden we zoals gebruikelijk na school, in de middag op straat met kinderen uit de buurt. We woonden toen in Scheveningen, vlak bij de duinen en het strand. Het was prachtig weer. Toch hing er iets drukkends in de lucht. We voelden ons niet erg op ons gemak. De spanning in de buurt was bijna tastbaar. Mijn vader was de laatste paar maanden zelden met verlof thuis geweest. Zoals zovelen, was hij al een jaar gemobiliseerd. Hij verbleef bij zijn compagnie van een van de infanterieregimenten en was gelegerd in het plaatsje Rhenen, bij het riviertje de Grebbe. De laatste weken was het voor de meeste militairen bijna niet mogelijk geweest om zoiets als gewoon verlof te krijgen. Wat extra alarmerend was, waren de kranten en radioberichten. Op 7 mei riep de radio om, dat alle verloven waren ingetrokken. Er kwamen berichten over troepenbewegingen aan de Duitse grens. De luchtbeschermingsdienst had instructies gegeven, dat het beter was om de ramen van de huizen te beplakken met tape. Wij hadden dat in ons huis ook gedaan. Het was een raar gezicht, al die ramen in de straat die beplakt waren. Dat beplakken was nodig, om bij explosies te voorkomen dat glasscherven in de kamers zouden rondvliegen.

In onze huiskamer hadden we in een hoek een soort schuilkeldertje gemaakt van een stevige eettafel met een paar matrassen er bovenop. Als de oorlog uitbrak, moesten we daaronder slapen. Mijn broer en ik vonden het allemaal wat angstig, maar ook wel een beetje spannend. Ik had, zoals alle mensen en kinderen om ons heen, weinig idee wat 'oorlog' eigenlijk betekende. Ik begreep wel dat het gevaarlijk was en dat er mensen dood bij konden gaan. In de nacht van 10 mei werden we bij het eerste daglicht al wakker door het geluid van laagvliegende vliegtuigen. We hoorden in de verte doffe explosies. De volgende dag vertelden ze ons dat er bommen waren gevallen op de nieuwe kazerne, ruim een kilometer verderop. Daarbij waren er een aantal soldaten en veel paarden gedood. Van slapen kwam die ochtend niets meer. We zetten in die heel vroege morgen de radio aan. Daar hoorde ik het schokkende nieuws dat de Duitsers ons land waren binnengevallen. Het was nu echt oorlog en in het oosten van Nederland, werd er aan de grenzen gevochten. Maar niet alleen daar werd gevochten. De radioberichten meldden ook, dat in de omgeving van Rotterdam en rond Den Haag, bij de militaire vliegvelden Duitse parachutisten waren geland. Er waren hevige gevechten aan de gang. De oorlog was dus vlakbij en dat maakte ons nog angstiger. De volgende dagen waren erg verwarrend. Tussen het herhaaldelijke luchtalarm door, speelde ik soms nog even op straat. Ik zag veel vliegtuigen en af en toe hoorde ik luchtafweergeschut. Het ergste van alles was de stroom van wilde en alarmerende geruchten. Het leek er soms op dat iedereen van alles had gezien. Maar bijna niemand had *echt* iets gezien, maar wel wat gehoord van anderen. Je hoorde over arrestaties van verraders en spionnen in burgerkleding. Je hoorde over sabotage. Je hoorde over Duitse soldaten die gekleed zouden zijn in Nederlandse militaire of politie uniformen. Het radionieuws meldde soms dit soort berichten en wekte daardoor ook de indruk dat de vijand overal opdook. Die indruk werd extra versterkt, omdat de parachutisten bij de grote steden langs de kust waren neergekomen. Het was een griezelig idee dat ze misschien in de duinen vlak bij ons konden zijn. De radio berichtte later, dat zware gevechten met parachutisten plaatsvonden rondom Den Haag en bij Rotterdam. Dat bleek waar te zijn. Je kreeg steeds meer de indruk dat bijna niemand te vertrouwen was.

Het meest vreemde wat ik die oorlogsdagen aan het einde van onze straat zag, was het in elkaar schieten van een gerangeerde passagierstrein. Die stond ongeveer tweehonderd meter van ons huis tegen de duinen aan, op een rangeerspoor. Er arriveerde aan het eind van onze straat een vrachtwagen met zes soldaten en een pantserafweerkanon. Het kanon werd afgehaakt en midden op straat opgesteld. Het kleine kanon werd gericht op de tweehonderd meter verder gerangeerde trein. Op hun dooie gemak stelden de soldaten alles op, laadden het kanon en schoten met scherp een stuk of acht granaten op de trein. De trein werd goed geraakt en vloog in brand. Uiterst rustig werd daarna alles weer ingeladen en aangekoppeld. Daarna reden de soldaten met hun spullen weg. Niemand van de soldaten was naar de trein gegaan om te zien of daar werkelijk parachutisten aanwezig waren. De trein brandde de hele dag en later beweerden jongens dat ze Duitse helmen hadden gezien. Niemand heeft dat gerucht ooit ontkend of bevestigd. Ik wist niet veel van militaire zaken, maar ik heb dat geschiet van dichtbij op die trein altijd wel vreemd gevonden.

Veel beangstigender was het summiere radionieuws in die paar dagen. We hoorden dat diverse verdedigingslinies in het oosten en zuiden door de Duitse troepen doorbroken waren en dat bij de gevechten veel doden en gewonden waren gevallen. Hevige gevechten waren nog steeds gaande bij de Afsluitdijk, bij de vliegvelden rondom Den Haag en Rotterdam, bij de bruggen in Dordrecht en Rotterdam. Ook bij de Grebbe werd hard gevochten. De angst kreeg ons steeds meer te pakken. Ik was erg verontrust over het lot van mijn vader in dat frontgebied. De vierde oorlogsdag werd het radionieuws nog somberder. We hoorden dat de Grebbelinie op instorten stond. De Duitsers dreigden Rotterdam en Utrecht te bombarderen, wanneer Nederland niet onmiddellijk capituleerde. We hoorden ook dat prinses Juliana met haar kinderen vertrokken was. De hoop die we bij ons in de buurt nog hadden, dat ons leger de Duitsers zou kunnen tegenhouden, zakte steeds meer weg. De volgende dag werd omgeroepen dat de koningin en ministers Nederland hadden verlaten.

Een dag later kwam het bericht over het verschrikkelijke bombardement van Rotterdam. Kort daarna kwam het droeve nieuws dat generaal Winkelman had besloten om verdere bombardementen en verder bloedvergieten te voorkomen, te capituleren. We voelden ons vreselijk verslagen en ontredderd. 15 mei kwam het officiële bulletin dat we gecapituleerd hadden en het Nederlandse leger zich had overgegeven. Ondanks deze slag, was ik toch opgelucht dat de angst voor nieuwe bombardementen en meer doden, nu voorbij was. Misschien had mijn vader deze oorlogsdagen overleefd.

Een van onze vriendjes uit de straat kwam die dag aangehold en vroeg me mee te gaan naar de boulevard aan het strand. Daar was wat schokkends te zien. Bevrijd van het luchtalarm en de angst van de oorlogsdagen, ging ik direct mee naar de een kilometer van ons huis gelegen boulevard. Daar zag ik inderdaad een toonbeeld van grootschalige vernieling en chaos. Het was nog steeds mooi en warm weer. Op de drukke boulevard in de vroege avond, ontrolde zich voor mijn ogen beelden die ik nooit zal vergeten. Duizenden burgers en militairen liepen en slenterden wat rond. Soldaten in uniform huilden of keken strak of wezenloos voor zich uit. Velen van hen hadden nog steeds hun wapens bij zich en schoten soms doelloos in de lucht. Het strand was bezaaid met uitgebrande wrakken van militaire motorfietsen en vrachtwagens. Ze waren in brand gestoken, om niet in Duitse handen te vallen. Het strand lag ook vol met geweer- en mitrailleurmunitie en veel hulzen. Verderop, bij de vloedlijn in de richting Wassenaar, stond een vastgelopen Duits transportvliegtuig. Het hele strand leek wel één grote sloperij. Waar het normaal langs de boulevard een vrolijke boel was, keken de meeste mensen nu somber en bijna niemand lachte.

Ik ging terneergeslagen naar huis. De oorlog was over, maar wat wachtte ons nu? Ruim een week later kwam over de post een brief binnen van het Rode Kruis. Mijn moeder maakte met de schrik om het hart de brief open en las hem voor. Er stond het droeve bericht in, dat na de gevechten op de Grebbeberg, mijn vader als 'vermist' was opgegeven. Groot was de vreugde thuis, toen een paar weken later een ansichtkaart uit Weinsberg in Duitsland arriveerde. Mijn vader leefde nog en zat in een Duits krijgsgevangenkamp. Hij was ongedeerd! Een paar weken later kwam hij vermagerd, maar gezond uit Duitsland terug van krijgsgevangenschap.

2 Jaren 1940 1943

In 1940 waren we vrij gauw gewend om op straat in Scheveningen en Den Haag, veel Duitsers in uniform te zien. De Duitse militairen gedroegen zich normaal en deden vrij vriendelijk. Het leek er op dat er in ons dagelijkse leven niet veel veranderd was. Ik ging weer gewoon naar school. Toen mijn vader uit krijgsgevangenschap terugkeerde vertelde hij heel weinig over de oorlogsdagen en het gevangenkamp. Het leven ging gewoon door, maar het was wel vervelend dat we voortdurend op de verduisteringsvoorschriften moesten letten. Het angstige idee om bezet te zijn, was er gauw van af.

Mijn moeder had direct in mei een vooruitziende visie. Ze maakte onze spaarpot leeg en kocht voor dat geld gloednieuwe (grote kindermaat) fietsen met een stel reservebanden voor mijn broer en mij. We waren daar erg blij mee. Ze kocht ook nog gauw wat extra kleren. We hadden er geen idee van hoe belangrijk dit later bleek te zijn. Al gauw merkten we dat het radio- en krantennieuws alleen maar

'Duits-gekleurd' was. Naar andere zenders mochten we niet luisteren. Er kwamen voortdurend meer dingen op de bon, maar verder veranderde dat eerste jaar niet veel ingrijpends in ons dagelijks leven. Ik schrok dan ook heel erg, toen twee Nederlandse politie-inspecteurs (naar later bleek de pro-nazi-mannen Poos en Slagter) in oktober 1941 aanbelden, het hele huis grondig doorzochten, mijn vader arresteerden en hem meenamen. Waarom hij gearresteerd werd, vertelden ze niet. Al gauw hoorde ik dat hij opgesloten zat in de Scheveningse gevangenis, die op ongeveer vierhonderd meter van ons huis lag. We mochten hem niet bezoeken. Voor de oorlog zaten in die gevangenis veroordeelde misdadigers, maar nu zaten er ook veel wat de Duitsers 'politieke gevangenen' noemden.

Mijn moeder was een kordate vrouw die zich niet gauw van de wijs liet brengen. Ze pikte het niet dat mijn vader zomaar gearresteerd was. Twee keer per maand stapte ze naar het Binnenhof in Den Haag, waar de SD-kantoren had. Ze probeerde de Duitse SD-officieren duidelijk te maken dat mijn vader niets op zijn kerfstok had en dat ze hem moesten vrijlaten. Groot was onze verbazing en vreugde, toen hij ruim twee maanden na zijn arrestatie zonder enige uitleg werd vrijgelaten en thuiskwam. Over zijn tijd in die gevangenis vertelde ook hij niet veel. Pas na de bevrijding, kwam ik er achter wat de reden van zijn arrestatie was geweest. Hij was met nog een aantal andere officieren bij een aantal besprekingen geweest van mensen die de groep 'De Oranjewacht' wilden oprichten. Deze bijeenkomst was door iemand verraden en daarom werd hij met nog een stel anderen opgepakt. Bij zijn arrestatie, opsluiting en vrijlating, was er geen reden opgegeven en er kwam geen advocaat te pas. Waarschijnlijk was zijn vrijlating een gevolg van het kordate optreden van mijn moeder en het feit dat het verzet in die vroege periode van de bezetting nog niet erg actief was. Tijdens zijn opsluiting was hij vele malen ondervraagd, maar zover hij losliet niet gemarteld. Deze arrestatie van mijn vader maakte ons nog voorzichtiger dan voorheen met wie je omging en wat je aan anderen kon vertellen.

Behalve de eindeloze stroom van decreten in de vorm van 'Bekendmaking' (*Bekantmachung*) en meer en meer zaken die schaarser werden en op de bon gingen, kabbelde het dagelijkse leven gewoon verder. Het viel in het krantennieuws op, dat nogal wat decreten joodse mensen in hun leven beperkingen oplegde. We schrokken allemaal erg, toen we lazen en hoorden wat er in Amsterdam gebeurde tijdens de staking in februari 1941 en hoe joodse mensen toen daar behandeld werden.

In 1942 werd ik hard met de neus op de Duitse aanwezigheid gedrukt, toen onze lagere school door de Duitsers gevorderd werd. We moesten inschuiven in een andere school vlak in de buurt en de klaslokalen werden daardoor erg vol. Een paar maanden later, werd ook die school gevorderd en moesten we weer inschuiven bij een andere school, die nu een paar kilometer verderop lag. Het werd iedere dag een lange tocht om op school te komen en de klaslokalen waren nu nog voller.

Ik was niet zo erg geïnteresseerd in de nieuwsberichten, want die meldden alleen maar Duitse successen op alle fronten. Tweede helft 1942 werd dat anders en merkten we dat de toon van de nieuwsberichten veranderd was. Door de minder succesvolle berichten over de oorlog in Rusland, gingen we landkaarten kopen, waar ik met punaises bijhield waar de frontlijn in dat verre land lag. Ik merkte ook, dat regelmatig grote bommenwerpers hoog overvlogen richting Duitsland. Via de illegale berichten hoorde je dan wat later, welke steden de bommenwerpers 'te grazen' hadden genomen.

Voorjaar 1942 begon het ongerief dichtbij, ons als kinderen nog meer te raken. Tot dan kon je in de zomer nog lekker naar het strand. Dat lag maar tien minuten lopen van ons huis. In mei werd het strand afgesloten voor burgers en konden we daar niet meer naartoe. Het volgende jaar werd het nog beroerder. Er kwam een bekendmaking, dat de meeste mensen in Scheveningen, binnen twee maanden hun huizen moesten verlaten en naar elders moesten vertrekken. Het hele gebied waar we woonden, zou omgetoverd worden in een verdedigingebied. Deze bekendmaking veroorzaakte de nodige beroering onder de mensen. We moesten zien ergens een ander onderdak te vinden. Bovendien zou ik mijn vriendjes verliezen en een gedwongen verhuizing was geen plezierig vooruitzicht.

Wij hadden met ons gezin geluk en kregen een benedenhuis in Amsterdam-West. Het was wel kleiner dan ons vorige huis. Ondanks dat ik in een zo grote stad moesten wennen en weer naar een andere school ging, was het huis best wel knus en hadden we gelukkig een kleine tuin. Een paar maanden na de verhuizing naar Amsterdam, kreeg ik met mijn broer de gelegenheid om nog een keer naar onze buurt in Scheveningen te reizen. Toen we daar aankwamen en zagen hoe het er daar uitzag, kregen we een grote schok. Het hele gebied was duidelijk een soort fort geworden. We zagen veel lege huizen, waarvan de deuren klapperden in de wind, gebroken ruiten her en der en gordijnen die in de wind wapperden. Het was een troosteloos en een beetje luguber gezicht met al die verlaten straten. Aan de zeezijde waren veel ramen op de benedenverdiepingen dichtgemetseld en vervangen door stenen metselwerk, waarin schietsleuven zichtbaar waren. Wat verder landinwaarts waren in een brede strook, bomen omgekapt en huizen en gebouwen afgebroken. In dat gebied werden door hele hordes burgers graafwerkzaamheden uitgevoerd voor een brede gracht, die tanks zou moeten tegenhouden. Die gracht liep parallel aan de kust en was kilometers lang. Her en der waren versperringen en betonnen muren opgericht. Helemaal gedeprimeerd reisden mijn broer en ik terug naar Amsterdam. Al die verdedigingswerken die we gezien hadden, gaf ons wel een beetje hoop dat de Engelsen in de toekomst ergens langs de kust zouden gaan landen.

3 Jaren 1943-1945

Het was voor mijn broer en mij wennen in Amsterdam. Ander huis, nieuwe buren, nieuwe school, nieuwe vrienden proberen te maken. De weg zoeken in een veel grotere stad. In die eerste maanden voelde ik me een beetje als een kat in een vreemd pakhuis. De stad was best interessant, maar ergens miste ik toch het strand en de zee. In Amsterdam zag je nog duidelijker dan in Den Haag, dat allerlei zaken in het dagelijkse leven voortdurend achteruitgingen.

Ons gezinsleven kwam al spoedig na de verhuizing zwaar onder druk te staan. Dit kwam, doordat iemand van het verzet aan mijn ouders vroeg of voor kortere tijd (een paar weken) een joodse onderduiker bij ons ondergebracht kon worden. Dat was tijdelijk, omdat hij daarna overgebracht zou worden naar een nieuw adres buiten de stad. Mijn ouders stemden na enige overreding toe en het huis werd in orde gebracht om iemand extra te herbergen. Ik kreeg ook vele instructies, hoe ik moest omgaan met een 'illegale' gast. We konden de buren boven en naast ons niet vertrouwen en moesten voortdurend voorzichtig zijn als er aan de deur gebeld werd. Bovendien moesten we voor noodgevallen een geheime schuilplaats onder de vloer inrichten, Dat was voor het geval dat de politie huiszoeking zou doen. De onderduiker mocht, als er bij ons niemand thuis was, de wc niet doortrekken, de kraan niet laten lopen, niet in de tuin komen, geen licht aansteken en hij moest bij de ramen wegblijven. Wanneer in de avond na spertijd voetstappen op straat bij de buitendeur stopten, kromp je hard ineen en werd er meteen alarm geslagen. Het was een zenuwachtige tijd, waar ik continu op m'n qui-vive moest zijn omdat je alle mensen in het huizenblok niet kon vertrouwen. De kans op verraad lag steeds op de loer. Het was dan ook een enorme opluchting, toen een paar weken later een man kwam, de onderduiker van nieuwe vervalste identiteitspapieren voorzag en hem meenam naar een ander onderduikadres buiten de stad. Die paar weken maakten mij heel duidelijk, hoe zenuwslopend het was om een onderduiker te verbergen in een grote stad.

Het leven werd in 1943-1944 met de maand moeizamer. Steeds meer voorzieningen begonnen te stagneren of verdwenen. Op weg naar school werd ik regelmatig geconfronteerd met fietsrazzia's. Als de Duitsers mijn fiets vorderden, verkneuterde ik me nadat een razzia mij de eerste keer was overkomen. Wanneer een soldaat op mijn gevorderde fiets stapte, kwamen hij meteen met zijn knieën tegen het fietsstuur, omdat de fiets een grote kindermaat had. Hij keek dan met een wat schaapachtig gezicht en daarna kreeg ik mijn fiets weer terug.

Op wat later Dolle Dinsdag genoemd werd, gingen mijn broer en ik met vele honderden anderen staan wachten bij de Berlagebrug. We stonden daar met massa's mensen om de Engelsen te verwelkomen. Via geruchten wist iedereen dat de Engelsen vanaf Breda naar het noorden oprukten. Na vele uren wachten, waren de Engelsen er tegen de avond nog steeds niet en gingen we – net zo als al die mensen – diep teleurgesteld het hele lange stuk terug naar huis. Ongeveer twee weken later was het gedurende een paar dagen luchtalarm en moesten we allemaal het grootste deel van de dag binnenshuis blijven. Ik zag of hoorde helemaal geen vliegtuigen, maar wel hoorden we die dagen voortdurend doffe explosies. Vrij gauw hoorde ik dat die dagen de havens waren opgeblazen.

Toen de gas- en elektriciteitsvoorziening ophield, verdwenen al snel alle bomen uit onze straat. We hadden zelf bijna geen hout meer voor koken en stoken en werden getipt dat er op het Duitse militaire vliegveld Schiphol, hout te 'versieren' was. Het was maar een paar kilometer fietsen en het hele vliegveld was omgeven door een vrij laag hek met prikkeldraad. Langs dat hek liep in de verte een schildwacht. Meer in het midden van het vliegveld waren ruim twee meter hoge schuilplaatsen voor vliegtuigen geconstrueerd. Die schuilplaatsen bestonden uit houten kisten, die gevuld waren met kleinere stenen. Het was niet te moeilijk om onder het prikkeldraad te kruipen en zo slopen mijn broer en ik naar die vliegtuigschuilplaatsen toe. Het was gemakkelijk de kisten te legen en plat te slaan. Met die kostbare buit van kistjeshout, gingen we zo snel mogelijk weer naar de prikkeldraadomheining. Helaas zag de schildwacht ons op die terugweg en brulde uit de verte dat we stil moesten staan. Aangezien we harder renden dan die Duitse soldaat, bereikten we het hek veel eerder. Gelukkig schoot de schildwacht niet op ons en konden we als een haas met onze fiets (en het hout) er vandoor gaan. Met dit gestolen hout konden we weer een paar weken ons kleine noodkacheltje stoken.

Mijn vader was toentertijd bijna vijftig jaar, maar werd met velen van zijn leeftijdgenoten, opgeroepen voor gedwongen arbeid. Hij moest in de buurt van Amstelveen graafwerk verrichten in wat nu het Amsterdamse bos is. Gelukkig mocht hij de nachten wel thuis doorbrengen. Hij vond het erg zwaar werk en dat viel niet mee met die kleine hoeveelheid voedselrantsoenen die we toen op de distributiebonnen kregen.

Ik zat na de zomervakantie in 1944, inmiddels in het eerste jaar van de hbs (vwo). De lessen gingen dat najaar, ondanks de kou en de honger waar iedereen last van had, gewoon door. In december zag je het aantal kinderen in de klas voortdurend minder worden. Er waren kennelijk een hoop klasgenoten die door de honger niet meer genoeg energie hadden het lange stuk naar school te lopen. Er waren er ook nogal wat, die de lessen verzuimden omdat ze op hongertocht waren gegaan. Ik had wel een beetje medelijden en bewondering voor de leraren die in de koude onverwarmde leslokalen bibberend toch probeerden je 'bij de les te houden'.

Rond de koude en schrale Kerstmis was bij ons thuis de honger ook nijpend geworden. We moesten van ellende maar eens proberen wat extra voedsel te bemachtigen om de winter door te komen. Mijn moeder was te zwak voor zo'n tocht en mijn vader mocht niet weg vanwege de *Arbeitseinsatz*. Daarom had mijn een paar jaar oudere broer in zijn eentje inmiddels enkele kleinere voedseltochten gemaakt in Noord-Holland. Daar had hij bij boeren een beetje eten kunnen bemachtigen. Het was lang niet genoeg en we waren daar snel doorheen. Met de nodige moeite gaven mijn ouders uiteindelijk toestemming, dat mijn broer en ik deze keer samen veel verder weg, op pad zouden gaan om eten te bemachtigen. De bedoeling was om naar Overijssel of Friesland te fietsen, omdat daar een grotere kans lag om aan voedsel te komen.

Mijn moeder had, zoals in de jaren vóór de oorlog vaak gebruikelijk was, een goedgevulde linnenkast met de nodige nog nooit gebruikte lakens, kussenslopen, handdoeken en theedoeken. Dat was onze koopwaar voor ruilhandel bij de boeren. Begin januari gingen we in de ijzige kou van circa min tien graden, op de fiets op pad, voor die lange reis van minstens honderd kilometer. Het was een barre tocht waar mij menigmaal van de honger, de kou en de vermoeidheid, het huilen vaak nader stond dan het lachen. Als ik dacht dat ik niet meer verder kon, zweepte mijn broer me op met: 'Flink zijn, niet huilen maar doortrappen.' Uiteindelijk slaagden we bij een boer in de buurt van Steenwijk. Na vele malen tevergeefs aankloppen bij boerderijen om ons linnengoed te ruilen, kregen we van een boer een tip dat verderop een boerderij was die extra handjes kon gebruiken voor het dorsen. We gingen naar die boerderij en werden aangenomen als 'werkkrachten'. Het was heel hard werken. We mochten slapen in een hooischuur, kregen nog een stevige maaltijd en werden betaald met een paar kilo rogge, een paar grote worsten en ruim een kilo roomboter en braadvet.

Op de terugtocht naar Amsterdam, zag ik tijdens het fietsen regelmatig heel tragische tonelen. Er waren mensen die langs de weg niet meer verder konden door de honger en de kou. Er waren mensen die op een handkar een beetje voedsel hadden liggen, maar ook een familielid dat onderweg ziek was geworden. Er waren mensen die in die bittere koude nog amper schoenen aan hun voeten hadden en moeizaam zich voortsleepten. De enige remedie tegen de ellende die ik zag was – ondanks de vaak ontzettende vermoeidheid – stevig doortrappen om na meer dan 110 kilometer fietsen met de kostbare lading voedsel weer veilig thuis te komen.

Het meest angstige stuk van de reis, was tussen Amersfoort en Amsterdam-Oost. We hadden gehoord dat bij Diemen vaak controle werd gehouden door de CCD. Het was officieel wel toegestaan om een beetje extra eten te mogen vervoeren, maar de controleurs van de CCD namen regelmatig het bij zo'n hongertocht moeizaam verworven voedsel, in beslag. Gespannen fietsten mijn broer en ik door. We hadden geluk dat we in de buurt van Diemen die dag geen controleurs tegenkwamen. We werden thuis met gejuich binnengehaald en konden met dit eten ons hongerrantsoenen wat aanvullen. Mijn moeder maakte van de rogge, iedere dag een klein brood en of wat pap en dat smaakte heerlijk. Daarmee konden we ons distributiebonnenrantsoen van ongeveer zeshonderd calorieën een beetje aanvullen. Mijn moeder was zuinig met het extra voedsel, omdat je niet wist hoe lang we op die voorraad moesten teren. Op de distributiebonnen was bijna iedere week minder eten te krijgen. Je had het grootste deel van de dag een hongergevoel in je maag.

Aangezien de extra voorraad slonk, wist mijn broer mijn ouders te overreden om nog zo'n verre tocht te maken. Eind januari gingen we samen voor de tweede maal op pad en was het weer slechter geworden. Het was nog kouder, alles lag onder een dikke laag sneeuw en er viel regelmatig verse sneeuw. Een ijskoude, harde oostenwind maakte het fietsen erg moeilijk. Ik had van ellende vaak de neiging om te huilen. In de buurt van Harderwijk rustten we even uit in de luwte van een bos. Tot mijn schrik waren er jachtvliegtuigen van de RAF, die voortdurend omlaag doken en schoten op iets in de buurt. Toen die vliegtuigen verdwenen waren en wij waren uitgerust, gingen we weer op pad. We zagen toen pas dat we gestopt hadden vlakbij een Duits militaire autocolonne. Die colonne had zich kennelijk in het bos schuilgehouden en was het doel van de Engelse vliegtuigen geweest!

Diezelfde dag probeerden we tijdens een felle sneeuwstorm even te schuilen in de luwte van een boerderij. Toen de daar wonende boer ons in de gaten kreeg, werden we alsof we dieven waren, van zijn erf weggejaagd. Uit arren moede gingen we in die sneeuwstorm op de fiets verder. De dichte sneeuw maakte mij bijna sneeuwblind, want alles was wit, wit, wit. Gelukkig hield het na ruim een uur eindelijk op met sneeuwen. Toen we bij deze tweede tocht eindelijk moe, hongerig en verkleumd bij de westelijke oprit van de IJsselbrug bij Zwolle aankwamen, was het schrikken geblazen. Langs de brugoprit stonden honderden kleumende vrouwen, kinderen en oude mensen bij een uitspanning te stampvoeten en te wachten. Toen ik aan iemand vroegen wat er aan de hand was, vertelden ze ons dat je zonder speciale papieren niet meer over de brug mocht.

Ondanks zijn leeftijd van vijftien jaar, was mijn broer niet voor één gat te vangen.

Hij zei toen we een tijdje hadden staan kleumen bij die menigte, plotseling tegen mij: 'Kom mee, stap op je fiets.' Helemaal verbouwereerd deed ik dat. We fietsten de brug op en werden halverwege de brug tegengehouden door een Duitse schildwacht. Mijn broer blufte brutaalweg, maar wel erg beleefd, dat we naar de andere kant wilden. Kennelijk vond die schildwacht ons een beetje zielig en daardoor mochten we zonder de vereiste papieren toch over de brug. We konden nu onze weg naar Zwolle vervolgen. Toen we voorbij Zwolle verder naar het noorden fietsten, klaarde het weer verder op. Aan één kant waren we daar blij mee, maar door de helderder lucht, dreigde er een ander gevaar. Ook op dit traject patrouilleerden bij goed zicht de RAF-jachtvliegtuigen. Ze schoten in principe alles wat reed, van de weg af. Daarom waren er langs de hele route mangaten gegraven, waar je in kon wegduiken. We hadden geluk en moesten maar één keer vanwege een beschieting, vluchten in die mangaten.

Die dag bereikten we de omgeving van Wolvega. Aangezien het vrij vroeg donker werd, moesten we ergens overnachten. Gelukkig mochten wij bij een vriendelijke boer overnachten op zijn erf in de open hooiberg. We wilden proberen de volgende dag onze lakens en handdoeken bij de boeren te ruilen voor eten. Na die fietstocht van ongeveer 120 kilometer was ik zó doodmoe, dat ik ondanks de lage temperatuur van omstreeks min twaalf graden, als een blok sliep in die hooiberg.

De volgende ochtend mochten we van die boer in zijn keuken wat warmer worden en kregen we een stevig ontbijt. Tijdens dit ontbijt kwam er een heer uit de omgeving binnen. Die bleek daar regelmatig tegen een redelijke prijs een extra rantsoentje verse melk te kopen. We raakten met hem in gesprek. Het was een leraar aan een middelbare school in Wolvega. Toen hij hoorde van de honger in Amsterdam en de redenen van onze lange reis, bood de heer Wijnstra ons beiden voor langere tijd onderdak aan in zijn woning. Mijn broer aarzelde, maar uiteindelijk gingen we in op zijn genereuze aanbod. Via het Rode Kruis werden onze ouders in Amsterdam ingelicht. Later begreep ik, dat onder auspiciën van het Rode Kruis er een soort hulpprogramma was om kinderen van de grote steden uit Holland, op te nemen bij gezinnen in Friesland en Groningen.

We werden gastvrij opgenomen in het gezin Wijnstra. Zij hadden zelf drie dochters in onze leeftijd. De heer Wijnstra regelde ook, dat ik bij hem op school gewoon de lessen kon volgen. Daardoor hoefde ik met het onderwijs niet te veel achterop te raken. Ik was hier een stuk beter af dan in het hongerende Amsterdam. Dat was vooral omdat daar in het Friese platteland de meeste mensen hun schamele rantsoen van de distributiebonnen, vrij makkelijk konden aanvullen met extra voedsel dat ze bij de plaatselijke boeren konden kopen.

Na enige weken een meer normaal leven te hebben ervaren, werd mijn broer wat rusteloos. Gedreven door zijn avontuurlijke aard, wilde hij terug naar Amsterdam. Hij vertelde zijn plan niet aan mij en onze gastouders. Op een avond na spertijd, was hij geruisloos verdwenen. Pas na de bevrijding hoorde ik van hem, dat hij in het donker tersluiks op een Duitse trein was gekropen. Op die manier was hij 'liftend' van de ene trein op de andere, naar Amsterdam gereisd. Op zijn laatste trein, vervoerden ze kolen en zo kwam hij thuis in Amsterdam aanzetten met een kostbaar zakje, gevuld met 'gestolen' Duitse kolen.

De laatste maanden van de oorlog had ik bij het gastgezin in Friesland een normaal leven. Je zag gelukkig de langverwachte bevrijding dichterbij komen. Het meest schokkende dat ik nog meemaakte, was het aangevallen worden door een grote Duitse herdershond van de Gestapo. Toen ik namelijk hollend langs de lokale 'vestiging' van de Gestapo passeerde, schoot die hond door de heg van het terrein en zette zijn tanden stevig in mijn bovenbeen. Dat soort honden werd door de Gestapo gebruikt om onderduikers te vangen. De Gestapo-officier die dit zag gebeuren, haalde de hond van mij af. Toen hij zag dat ik een kind was, bood hij wat beschaamd en stamelend zijn excuses aan. De bijtwond genas vrij snel, maar ik hield er jarenlang wel een schrik voor herdershonden aan over.

De geallieerde troepen rukten in het oosten voortdurend noordelijker op. In de maand april kwamen ze in onze omgeving. We hoorden in de buurt van Heerenveen doffe explosies van wat vermoedelijk kanonvuur was. De leraar en ik stapten op de fiets en we gingen oostelijk van Wolvega kijken wat er aan de hand was. Op die 16de april ontmoetten we toen op een landweg tussen Heerenveen en Wolvega, een Canadese brengun carrier van een gemotoriseerde verkenningseenheid. We waren nu echt bevrijd!

De volgende dag werd Wolvega overspoeld met Canadese troepen. De enkele Duitsers die niet gevlucht waren, werden zonder tegenstand krijgsgevangen gemaakt. Vrij spoedig na de algemene capitulatie op 5 mei, kocht mijn gastfamilie een kaartje voor de stoomboot die inmiddels weer tussen Lemmer en Amsterdam was gaan varen. Met een boerenkar en verder lopend, bereikte ik Lemmer en kon ik diezelfde dag op de boot stappen. In Amsterdam liep ik door de ontredderde stad vanaf de kade bij het Centraal Station naar huis.

Het was een uitbundig weerzien. Mijn vader en moeder bleken flink vermagerd, maar redelijk gezond te zijn. Ze zagen er allemaal wat bleekjes uit. We hadden elkaar na de noodgedwongen scheiding van een paar maanden, natuurlijk een hoop te vertellen. Mijn moeder had een gewicht van slechts 45 kilo. Door de honger en de grote zorgen, was zij – na later bleek – toch in een vrij slechte lichamelijke conditie geraakt. Ze had nog maar weinig weerstandsvermogen over gehouden. Triest genoeg overleed ze daardoor een paar jaar na de bevrijding, na een korte ziekte, op de vrij jonge leeftijd van 54 jaar. Mijn vader bleek op de bevrijdingsdag geluk te hebben gehad. Hij kwam op de dag van de capitulatie op de Dam terecht in de schietpartij tussen de Duitse marinemilitairen en mensen van de BS. Ondanks dat hij snel kon wegduiken tegen de zijkant van het Paleis op de Dam, kreeg hij tijdens het vuurgevecht toch een schampschot in zijn zij. Hoe dan ook, deze mei 1945 waren we met de hele familie weer levend en wel bij elkaar. We waren bevrijd en de bezetting was na die vijf onzekere en bange jaren, eindelijk voorbij. We hadden het gelukkig met ons vieren heelhuids overleefd!

OOGGETUIGEN 4

Ben Wilders

Keesje

Er zullen in de Indische buurt in Amsterdam-Oost beslist nog enkele oude mensen zijn, die de Tweede Wereldoorlog nog hebben meegemaakt en Kees Brijde uit hun eigen herinnering kennen. De familie Brijde woonde indertijd op de hoek van de Javastraat en de Benkoelenstraat, in de Indische buurt (nabij de Zeeburgerdijk). Vader Jacob Brijde was in die jaren magazijnknecht. Kees was de zevende van dertien kinderen. Hij werd geboren op 1 september 1931 en was dus dertien toen de hongerwinter begon.

In de Indische buurt kende men een plek waar veel kolen gevonden konden worden, namelijk de (Stads)Rietlanden, een spoorweggebied/rangeerterrein bij de IJ-haven. Daar waren opslagplaatsen voor locomotieven en wagons van de NS. Regelmatig werden de wagons geplunderd, niet alleen door kinderen, maar door iedereen die kans zag iets mee te nemen. Uit de mogelijkheid tot plunderen bleek weer, dat er wel degelijk treintransporten naar het westen plaatsvonden. Van verdeling voor de bevolking was geen sprake. De aanvoer was alleen voor de Duitsers en hun vrienden.

Afgezien van de spullen die er op de Rietlanden te bemachtigen waren, was dat gebied altijd al een geliefd speelterrein voor de kinderen uit de omliggende buurten geweest. Treinen zijn tenslotte altijd machtig interessant en ook de loodsen en het gebied zelf maakten het bij uitstek geschikt om allerlei spelletjes te doen. Vandaar dat regelmatig kinderen naar de Rietlanden trokken. In december 1944 werd het echter door de bezetter tot *Sperrgebiet* verklaard. Niet dat dit iedereen tegenhield er naartoe te gaan, het bleef een plaats die trok. In tijden van armoede en ellende is er meer nodig dan een verbod, om mensen ergens weg te houden van de dingen die zij zo goed kunnen gebruiken.

Zodoende ging ook Keesje op 13 december naar de Rietlanden. Broer Piet, die altijd naast zijn jongere broertje sliep, had hem nog gewaarschuwd dat het verboden terrein was. Maar Keesje wist dat er nog kolen te halen waren en die had zijn moeder hard nodig. Over wat er toen gebeurde, lopen de meningen uiteen. Er wordt gezegd dat Keesje een andere kant opging dan de anderen en toen door een Duitser werd neergeschoten. Toen op de mensen geschoten werd, lieten zij zich meteen plat op de grond vallen. Keesje richtte zich net een beetje op, toen er weer geschoten werd en hij dodelijk werd getroffen.

Het was in die dagen in Amsterdam bijna onmogelijk om alle overleden inwoners meteen een begrafenis naar behoren te geven. Men had geen vervoer, mankracht en kisten genoeg. Alle vervoermiddelen die men maar kon vinden, werden gebruikt voor teraardebestellingen. Het Gemeentelijk Bureau voor Lijkbezorging, zorgde de laatste maanden voor de begrafenissen. De kisten bestonden soms uit bordpapier. Het hout was immers al voor andere doeleinden gebruikt. In de hongerwinter alleen stierven in totaal zo'n vijftienduizend Amsterdammers. Velen werden tijdelijk opgebaard in de Zuiderkerk.

Ook Keesje werd niet meteen begraven. Hij lag echter niet in de Zuiderkerk en heeft, in verhouding, ook niet lang opgebaard gelegen. Na een dag in het Onze Lieve Vrouwe Gasthuis, werd hij ter aarde besteld op de Oosterbegraafplaats. Zijn graf is daar niet meer te vinden. Het is reeds lang geleden geruimd. Op het terrein van de vroegere Rietlanden, worden thans in snel tempo nieuwe wegen, gebouwen en huizen aangelegd en opgetrokken.

De plotselinge dood

Om de sfeer en de omstandigheden te Amsterdam in die periode weer te geven, is hierbij een verhaal over de achtergrond en omstandigheden, zoals die laatste dag van Keesje Brijde mogelijkerwijs is geweest:

Keesje wordt langzaam wakker. Zachte keukengeluiden, gefilterd licht dringen tot zijn nog doezelende zintuigen door. Langzaam doet hij zijn ogen open. Hij hoeft zich niet te haasten, het is weekeinde en hij hoeft dus niet naar school. Aan de binnenkant van het raam ziet hij de ijsbloemen die met de dag dikker worden. Hij hoort zijn moeder, die in de keuken bezig is met het ontbijt. Keesje voelt het gat in zijn maag. Ontbijt denkt hij, nou ja, wat daarvoor door moet gaan. Zijn vader is al de hele week weg en van het beetje eten dat er aan het begin van de week nog was, is niet veel meer over. Zin om op te staan heeft hij eigenlijk niet. Het huis is zo koud, zijn kleren zijn te dun, te klein en ook nog met gaten. Al meer dan een halfjaar heeft hij geen nieuwe kleren gekregen. Niet dat zijn ouders het hem niet gunnen, nee, heus niet. Gewoon omdat er geen kleding te koop is, zeggen ze.

Keesje weet wel beter. Soms zijn er best kleren, laatst nog op school. Daar was een soort markt waar van alles, ook kleding, te koop lag. Vader zei dat hij daar geen geld voor had. Het was te duur, zei hij. Keesje wist wel dat zijn ouders met dertien kinderen het niet erg ruim hadden. Alle mooie tafelkleden, het mooie bestek en moeder haar sieraden, waren al verkocht. Verkocht voor eten. Toch wilde hij zo graag weer gewoon hele en warme kleren. Hij wist niet of hij het ermee eens was, maar hij begreep wel dat zijn ouders het heel erg moeilijk hadden.

Wie had dat een paar maanden geleden nog gedacht. Na vier jaar oorlog stonden de geallieerden aan de Rijn en leek de bevrijding heel nabij. Bij Arnhem werd dat leger echter verslagen door de Duitsers en bleef het noorden van Nederland bezet. Hij hoort nog het gesprek tussen zijn ouders, dat hij stiekem afluisterde: 'Die stomme Duitsers, waarom vechten zij nog door?' 'Al twee jaar worden zij teruggedreven, niet alleen hier maar ook in Rusland en Italië.' 'Zij zouden toch kunnen weten dat het verloren is.' Ja, Keesje herinnert zich nog de hoop en vreugde van afgelopen zomer en ook de teleurstelling en wanhoop in de herfst, toen bleek dat de Duitsers nog lang niet verslagen waren.

Maar de honger en kou houden hem en zijn broers en zusters de hele dag bezig. Ja, houden hem zó erg bezig, dat hij bijna nergens anders meer aan denkt. Leren op school gaat slecht, buiten spelen kan hij maar kort, want hij wordt snel moe en altijd heeft hij het koud. De Duitsers hebben van iedereen het gas en de elektriciteit afgesloten. Koken en verwarming moet op kleine kacheltjes, die met hout en kolen gestookt worden. Kolen zijn er niet meer te koop en iedereen in de stad heeft hout nodig.

Bij Keesje in de straat, en in de hele buurt, zijn alle bomen al omgezaagd. Omgezaagd door zijn vader, de buren, tja, door wie eigenlijk niet. Iedereen heeft hout nodig. Zelfs uit de huizen die leegstonden zijn de deuren, de kozijnen, zelfs de vloeren weggehaald. Als de Duitsers je daarbij betrappen, dan ben je nog niet jarig. Dat is de vader van een vriendje overkomen. Hij werd opgepakt en naar Duitsland gestuurd om daar te werken en dat terwijl hij werk, een vrouw en drie kinderen heeft. Zijn vriendje heeft het nog slechter dan hij. Hij komt niet meer op school omdat hij te zwak is.

Langzaam slaat hij de deken weg en staat op. Snel doet hij zijn kleren aan en gaat naar de keuken. 'Goedemorgen Kees, hier een boterham met bietenstroop en een kop cichorei.' 'Namaakkoffie en bietensmurrie,' denkt Keesje ontevreden. Hij ziet dat zijn moeder verder niets meer te eten heeft. Zou het eten op zijn? 'Hier ma, neem de helft van mijn boterham dan neem ik wel een extra kop koffie, dat is in ieder geval warm.' 'Dank je Kees,' zegt moeder. 'Het was het laatste eten en ik heb best honger.' Hoewel Keesje een honger heeft waar een olifant nog niet tegenop kan, hoort hij zichzelf zeggen: 'Is goed, bij mij valt het wel mee.'

'Zeg ma, wanneer komt pa weer terug?' Moeder kijkt verschrikt op. 'Ik hoop vandaag of morgen,' zegt ze. 'Hij is naar de Veluwe, dat duurt een dag of drie, dan moet hij ook nog eten kopen en weer terug. Als het allemaal goed is gegaan, dan komt hij vandaag weer.'

'De Veluwe, dat is hartstikke ver, waarom is hij zo ver gegaan?' Zijn moeder glimlacht en antwoordt: 'Wij wonen in een grote stad. Heel veel mensen zijn op zoek naar extra eten. Al die mensen moeten steeds verder gaan, omdat dichter bij huis de boeren niks meer verkopen. Er zijn al mensen die helemaal naar Friesland gaan, maar die hebben nog een fiets. En als de Duitsers die mensen aanhouden, is er een goede kans dat ze die fiets ook nog kwijt zijn.'

Als moeder zo aan het woord is, begint er een plan bij Keesje op te komen. Zijn vader op reis om eten te kopen, moeder zorgt voor hem en al zijn broers en zussen. Vorige week heeft zij nog vier uur in de rij gestaan, om met de voedselbonnen nog wat eten te krijgen. Misschien kan hij ook nog iets doen. Het is voor het eerst dat zijn vader zo lang weg is. De voorraad hout is ook bijna op. Hij gaat hout zoeken. Nee, nog beter, hij gaat kolen zoeken. Kolen zijn beter dan hout. Het brandt langer en geeft meer warmte. Oh, warmte! Hij gaat kolen zoeken! Van grote kinderen op school en zijn oudere broers, weet hij waar je kolen kan vinden. Het is gevaarlijk, maar als je geluk hebt, dan vind je genoeg voor één maand stoken. Het hout houd je dan over, want dat hoef je alleen te gebruiken voor aanmaakhout. Hij gaat kolen zoeken, hij gaat helpen!

'Hé Kees, waar zit jij aan te denken? Hoorde je wat ik zei?' vraagt moeder. 'Pardon ma, ik zat even aan pa te denken,' antwoordt Keesje. Beneden in het huis klinkt gestommel, zware stappen komen over de trap naar boven. Keesje kijkt naar moeder, moeder naar Keesje.

Zou het...? Nee, het is nog veel te vroeg. Als het vader is dan was hij er gisterenavond al geweest. De voetstappen stoppen voor de deur, een doffe plof van iets dat op de grond neergezet wordt. Zou het...?

De deur gaat open en daar staat een oude vermoeide man. Keesje kijkt nog even goed. Ja, het is vader. Moeder staat op, Keesje staat op. Beiden vallen ze vader om de hals. 'Hoe is het gegaan..., wat ben je vroeg terug?' vraagt moeder. 'Het was echt moeilijk,' antwoordt vader. 'Ik ben tot Ede gekomen en alle boeren schamen zich. Er is veel te weinig, bij elke boerderij staan rijen mensen. De prijzen zijn ontzettend hoog, waarom, waarom?'

'Gisterenavond kon ik niet verder. Ik was dichtbij, het was spertijd, het beetje wat ik heb kunnen kopen wilde ik niet verliezen, dus heb ik bij Weesp in het riet geslapen.'

Nu weet Keesje het zeker, hij gaat helpen. Stiekem glijdt hij van zijn stoel. 'Ik ga buiten spelen.' Hij pakt zijn vader even vast en verlaat het huis.

Het rangeerterrein bij de Rietlanden is in het oostelijk havengebied. Keesje weet precies waar het is. Dat heeft hij van zijn broers en vriendjes gehoord. Hij loopt de straat uit, rechtsaf over het bruggetje. Hij kan het in de verte zien liggen, daar voorbij de weilanden. Het lijkt dat er al mensen zijn, ja, hij kan er iets van zien. Om niet te laat te komen steekt hij rechtdoor het weiland over, omlopen kost zeker tien minuten. Daar aangekomen ziet hij dat hij bij lange na niet de enige is. Keesje begint wat sintels met kolen, die uit de stoomtreinen gevallen zijn, op te pakken. Hij is een emmer in de haast vergeten. Na een kwartier puilen zijn zakken uit. Gejaagd – iedereen is gejaagd – kijkt hij rond. Hij heeft veel kooltjes gevonden, misschien wel genoeg voor een week. Volgende week neemt hij een emmer mee. Opeens rennen mensen weg, gegil, geschreeuw. 'Een Duitser!!!' De grote mensen en kinderen laten zich op de grond vallen. Ook Keesje valt neer, plat op de grond. Er klinken schoten.

Hij richt zich even op om te zien wat er gebeurt. Een harde knal, een klap en een messcherpe steek in zijn nek. Hij kan zijn benen niet meer bewegen. Hij valt terug op de grond en voelt in zijn nek wat warms en nats... Het wordt plotseling zwart voor zijn ogen. Heel, heel even wist hij nog één ding, vader, moeder en zijn broers en zusters, hebben nu een beetje eten en niks om mee te stoken. Hijzelf zou nooit meer kou en honger hebben.

OOGGETUIGEN 5

Wil Groen

Van Westerbork via Bergen-Belsen naar bevrijding

Ik was elf jaar in 1942 en kan me sommige dingen van die tijd nog herinneren. We woonden toen in Amsterdam aan de Amstelkade. Mijn vader werd in juli 1942 opgepakt. We kregen kort daarna van hem nog een kaart uit het kamp Westerbork. Daarna hoorden we nooit meer iets van hem. Na de oorlog bleek dat hij al in augustus 1942 in Auschwitz vermoord was. In 1942 verslechterden de levensomstandigheden in de stad door de Duitse decreten steeds meer. Voortdurend verdwenen er mensen die je kende en ook familieleden. Dat was heel beklemmend en heel angstig. Het betekende dat er constant een onuitgesproken spanning heerste. Mijn moeder zag kans voor veel geld een bijzonder stempel (*Sperre*) te verkrijgen, waardoor we tijdelijk buiten schot bleven van de voortdurende razzia's. We moesten in de stad tijdens de zomer van 1943 gedwongen verhuizen naar een veel kleiner huis aan de Tugelaweg in Oost. Op school moest ik van de 'gewone' school (gelukkig in hetzelfde gebouw) naar de joodse school. Daar zag je in je klas het aantal leerlingen voortdurend minder worden. Je wist niet of die klasgenoten ondergedoken of opgepakt waren. Van de ene op de andere dag verdwenen ze gewoon in het niet.

In september 1943 sloeg het noodlot toch toe. De *Sperre* beschermde ons niet langer en de SD pakte ook mijn moeder en mij op. Dat moment kwam niet geheel onverwacht. We hadden ons 'reiskoffertje' met de belangrijkste spullen al steeds klaar staan. Met de trein werden we afgevoerd naar kamp Westerbork. Daar probeerde iedereen zo 'normaal' mogelijk door te leven. Je moest je zo snel mogelijk aanpassen aan het kampleven en proberen een baantje te krijgen. Mijn moeder regelde voor zichzelf een baantje bij de ziekenhuiskeuken en ik kreeg een baantje bij de postverzorging. De grootste angst werd veroorzaakt door de wekelijkse treinen die met mensen van Westerbork naar het oosten vertrokken. Iedereen probeerde langs allerlei wegen niet op de wekelijkse transportlijst te komen. Ieder maand dat je langer in Westerbork kon blijven, gaf weer een sprankje hoop dat je het noodlot van afgevoerd worden, kon ontlopen.

Op de laatste dag van januari 1944 sloeg het noodlot toch weer voor ons toe. We werden ingedeeld op een transportlijst en moesten in de wekelijkse beruchte trein instappen. Waarschijnlijk door onze *Sperre*, was het een trein met personenwagons en dat gaf enige hoop dat de reis niet in Polen zou eindigen. Van de treinreis oostwaarts kan ik me nog maar weinig herinneren. Toen de trein na een dag stopte bij het eindpunt van de reis en we onder toezicht van de SS'ers met honden moesten uitstappen, bleek dat we in het 'gewone' concentratiekamp Bergen-Belsen (noordelijk van Zelle) waren terechtgekomen. In dit kamp bleek een bepaald apart gedeelte voor joodse mensen met bijzondere stempels te zijn en dat heette *Vorzuglager*. We mochten onze eigen kleren houden, maar wel natuurlijk met de beruchte gele jodenster er op. Dit kamp had toen bij onze aankomst al slechtere leefomstandigheden dan kamp Westerbork. Ook hier probeerde je weer een of ander baantje te bemachtigen dat je betere kansen voor overleven gaf. Ik werd gehuisvest in een volle mannenbarak met houten stapelbritsen. Mijn moeder kwam terecht in een vrouwenbarak niet zo ver daar vandaan, zodat we dagelijks contact konden houden. Mijn moeder zag ook nu kans een baantje te bemachtigen en wel bij de keuken. In de eerste maanden waren onze voedselrantsoenen nog redelijk en kregen we zelfs echt brood. Geleidelijk aan, kregen we steeds minder te eten en werden de rantsoenen voor de gevangenen nauwelijks genoeg om in leven te blijven. Ik herinner me dat we toen heel vaak iets te eten kregen met koolraap. Voorheen kende ik dat soort raap nauwelijks, maar nu was je al blij als je iets te eten kreeg, hoewel dat vaak naar niets smaakte. In ons deel van het kamp werd eind 1944-begin 1945 voor iedereen de honger en kou je dagelijkse metgezel. We hoorden van anderen dat in andere delen van het enorm grote kamp het dikwijls nog slechter was.

Toen we in Amsterdam opgepakt werden, had mijn moeder de vooruitziende blik om in onze 'reisbagage' een groot blik te stoppen met allerlei vitaminepillen. In Westerbork kreeg ik van daar dagelijks een pil uit dat blik. Ook in Bergen-Belsen kreeg ik dagelijks een vitaminepil uit dat grote blik. Echt weten doe je het nooit, maar ik heb wel een vermoeden dat die vitaminepillen onze uiteindelijke redding zijn geweest bij het overleven. Het hebben van enige weerstand tegen de vele rondwarende ziektes en de intense koude was des te belangrijker, omdat Bergen-Belsen eind 1944 en begin 1945 steeds voller werd. Uit allerlei bezette landen kwamen er steeds meer joodse mensen bij. De rantsoenen werden voortdurend kleiner, de hygiëne werd voortdurend slechter en behalve de last die we hadden van kleerluizen, sloegen ook de vlektyfus, de vorst en de buikloop hard toe. De gevangenen stierven als vliegen en in al die ellende en viezigheid, proberen we het hoofd boven water te houden. Daar was extra reden voor, omdat we door de vrij frequent overvliegende geallieerde bommenwerpers en de vele geruchten die circuleerden, wisten dat het einde spoedig in zicht was. Enigszins verrast waren we daarom, dat we begin april 1945 te horen kregen dat mijn moeder en ik plus ruim 160 anderen uit ons deel van het kamp, per trein op transport gingen. We werden in een niet al te lange personentrein gestouwd en mijn moeder en ik kwamen in een treindeel terecht waar ook de familie Asscher zat. Die hadden in die wagon zich omringd met de nodige vrienden. Ze vonden het niet zo leuk dat door onze komst de wagon nog voller werd. Niemand wist of begreep waar de trein naar toe ging en wat onze eindbestemming kon zijn. Pas lang na de bevrijding heb ik gehoord dat het lugubere plan van de nazi's was om de hele trein met al zijn inzittenden, in de rivier de Elbe te laten rijden.

We hoorden af en toe in de verte gebulder wat niet van een vliegtuigbombardement kon zijn, maar vermoedelijk van kanonnen. Dat kon betekenen dat de geallieerde bevrijders al vrij dichtbij zouden zijn. De trein reed door onbekende, vaak bosachtige gebieden en stopte tijdens de ettelijke dagen durende reis vele malen. We konden dan even de benen strekken en de steeds meer stinkende trein tijdelijk ontvluchten. Bovendien probeerden velen of er in de buurt van de spoorweg iets aan eten te bemachtigen was of vers water was te krijgen. Aan ontvluchten dachten we niet. We waren allemaal erg verzwakt en zaten ergens midden in Duitsland. De bevolking of de politie, zou ons dan waarschijnlijk weer meteen oppakken. Na ruim een week, stopte de trein in een bosgebied, voor de zoveelste maal. Het oponthoud duurde deze keer erg lang en de mannen die waren gaan kijken wat er aan de hand was, ontdekten dat zowel de oudere soldaten van de *Wehrmacht* die ons bewaakten, als ook de machinist en zijn helpers verdwenen waren.

Kort daarna kwam er een verkenningspatrouille van militairen aan en dat bleken Amerikaanse soldaten te zijn. We waren bevrijd!!! Van toen af leek het wel een roes. De Amerikaanse militairen brachten onze groep onder in een niet daar ver vandaan liggend soort officierskamp van de Duitsers. Daar kregen we gemeubileerde kamers, en konden we ons eindelijk eens behoorlijk wassen en baden. We konden gebruik maken van alle comfort van dit kampachtige dorpje en de medische verzorging van de Amerikaanse troepen. We kregen weer normaal te eten en omdat het voorjaar doorzette, was de ellendige kou inmiddels ook voorbij. Het was een overgang van de hel naar de hemel. Het kamp was in Hillersleben en dat dorp lag westelijk van en nabij Maagdenburg aan de Elbe.

Toen we weer een beetje bijgekomen waren, regelden de Amerikanen transport om naar Nederland terug te keren. Het eerste stuk van die lange reis ging met een vrachtwagen. De Amerikaanse chauffeur reed zo hard en roekeloos door de nauwe straten van de kleine Duitse dorpjes, dat we bang waren om na alle doorstane ellende in de kampen, alsnog het leven te verliezen door een auto die ergens tegen een muur zou belanden. Na deze beproeving, werden we met vele andere honderden op een trein gezet, die naar het westen vertrok. Onderweg hadden we tijdens de lange reis door het kapotgeschoten Duitse land, enige verzorging. Kort na de bevrijding bereikte de trein de Nederlande grens. We waren weer thuis in het vaderland. Mijn moeder en ik hadden de lange, uitzichtloze, bange maanden vanaf 1943 doorstaan en het er levend en heelhuids afgebracht. Onze vreugde werd zwaar getemperd door de wetenschap dat mijn vader waarschijnlijk nooit meer zou terugkeren.

OVERZICHT 1

Chronologisch overzicht 1938-1949

1938

Maart

13	Duitse troepen trekken Oostenrijk binnen. Oostenrijk sluit zich aan bij Duitsland. Hitler wordt in Wenen met groot enthousiasme door de Oostenrijkers toegejuicht.

November

9-10	Kristallnacht in Duitsland. Synagogen en joodse winkels worden vernield en in brand gestoken. Omstreeks honderd joodse mensen worden gedood en duizenden van hen, worden door nazi's afgeranseld.

1939

Maart

15	Duitse troepen bezetten Tsjechië, dat voortaan het protectoraat Bohemen en Moravië heet.

April

7	Italiaanse troepen vallen Albanië binnen.

Augustus

23	De Sovjet-Unie en Duitsland en Duitsland tekenen in Moskou het Molotov-Ribbentrop non-agressie Pact.
26	Hitler garandeert de neutraliteit van België, Nederland en Luxemburg
28	Algehele mobilisatie in Nederland. Generaal Reynders benoemd tot opperbevelhebber.

September

1	Duitsland valt zonder oorlogsverklaring Polen binnen.
3	Officiële oorlogsverklaring van Engeland en Frankrijk aan Duitsland. Stoomschip *Athenia* wordt door de Duitse onderzeeboot *U-30* getorpedeerd.
6	Tweede kabinet De Geer komt voor de eerste maal officieel bijeen.
17	De Sovjet-Unie valt het oostelijk deel van Polen binnen.

Oktober

3	Eerste Engelse troepen van de BEF, arriveren in Frankrijk.
14	*HMS Royal Oak* bij Scapa Flow tot zinken gebracht door Duitse onderzeeboot *U-47*

19 Hitlers eerste aanvalsplan voor het westen (*Fall Gelb*) gereed.
29 Tweede versie van Plan Geel gereed.

November

2 Uniformsmokkel bij grenspost Denekamp.
9 Venlo incident.
30 Sovjettroepen vallen Finland binnen. Aanvang van de Winteroorlog Finland-Rusland.

December

13 Na zeeslag met de *Royal Navy*, volgt ondergang van Duitse vestzakslagschip *Admiral Graf von Spee* bij de Rio de la Plata voor de kust van Argentinië.

1940

Januari

6 Nederlands motorschip *Arendskerk* onderweg naar Zuid-Amerika, door Duitse U-boot getorpedeerd
10 Noodlanding van Duits vliegtuig in België. Officieren hebben geheime gegevens van Plan Geel bij zich.
20 Oproep van Winston Churchill aan de neutrale landen, om zich bij de geallieerden aan te sluiten.
27
- Aanvang Duitse planning voor operatie *Weserübung* ten behoeve van de aanval op Denemarken en Noorwegen
- Wijziging in Plan Geel. Hitler besluit dat geheel Nederland zal worden veroverd.

Februari

6 Generaal Reynders neemt ontslag. Generaal Winkelman wordt benoemd tot opperbevelhebber. Enige wijzigingen in het Nederlandse verdedigingsplan worden in gang gezet.
24 Nieuwste en definitieve versie van Plan Geel gereed.

April

7 Brits expeditiekorps voor militaire hulp aan Noorwegen, scheept zich in.
9 Duitse troepen vallen zonder oorlogsverklaring Noorwegen en Denemarken binnen.
15 Britse troepen landen in Narvik (Noorwegen) en binden de strijd aan met de oprukkende Duitse troepen.
19 Minister-president De Geer deelt in een radiorede mede, dat de Staat van Beleg nu voor geheel Nederland geldt.

Mei

9 Laatste waarschuwing van militair attaché majoor Sas vanuit Berlijn, in verband met de Duitse aanval op Nederland op 10 mei.
10
- Inval Duitse troepen in Nederland, België, Luxemburg en Frankrijk.
- Duitse luchtlandingstroepen vallen de vliegvelden Waalhaven, Ypenburg, Ockenburg en Valkenburg aan. Duitse grondtroepen veroveren Groningen, Friesland, Overijssel, Limburg en delen van Gelderland en Noord-Brabant.

- Winston Churchill volgt Chamberlain op en wordt minister-president van het Engelse oorlogskabinet.
- Duitse troepen veroveren het onneembaar geachte Belgische fort Eben Emael. Voorhoedes Duitse troepen bereiken Wageningen en de Afsluitdijk.
- De BEF en het 1ste Franse leger snellen de Belgen te hulp.
- Behalve vliegveld Waalhaven, worden de vliegvelden rondom Den Haag heroverd.

11
- Franse troepenversterkingen arriveren in Noord-Brabant en Zeeland.
- Bij Kornwerderzand en de Maasbruggen in Rotterdam, worden Duitse aanvallen afgeslagen. Artilleriebeschietingen en eerste Duitse aanvallen op het voorpostengebied van de Grebbelinie bij Rhenen.

12
- In de avond vertrekken prinses Juliana en prins Bernhard met hun kinderen per Britse torpedobootjager vanuit IJmuiden naar Engeland. Prins Bernhard keert terug naar Zeeland.
- Hevige gevechten aan de Grebbelinie bij Rhenen en bij Kornwerderzand.
- Duitse pantserdivisie rukt door Noord-Brabant op naar de Moerdijkbruggen.

13
Koningin Wilhelmina wijkt vanaf Hoek van Holland per Brits oorlogsschip uit naar Engeland. De Grebbelinie wordt na felle gevechten door Duitse troepen bij Rhenen doorbroken.

14
- Bombardement op Rotterdam. In de namiddag capituleert Rotterdam.
- De ministers van het kabinet vertrekken in de avond per Brits oorlogsschip vanuit Hoek van Holland naar Engeland. Duitse troepen dreigen met een bombardement van de stad Utrecht.
- Generaal Winkelman kondigt om 19.00 uur per radiorede de capitulatie van het Nederlandse leger aan.

15
- Officiële capitulatie van de Nederlandse krijgsmacht (met uitzondering van de troepen in Zeeland) in Rijsoord (bij Ridderkerk). Nederlandse troepen verlaten de Zanddijkstelling in Zuid-Beveland.
- Duitse troepen breken door de Franse verdediging bij Sedan.
- Gelijkschakeling van het ANP.

17
- Omroepverenigingen aanvaarden Duitse supervisie.
- Duitse aanval op de Sloedam verdediging. Middelburg door de *Luftwaffe* gebombardeerd. Nederlandse troepen op Walcheren, Noord-Beveland en Schouwen-Duiveland capituleren.

18
- Hitler benoemt Seyss-Inquart tot *Reichskommissar für die Niederlände.*
- 'Bericht no. 2' van Bernard IJzerdraats 'Geuzenactie'.

19
- Laatste Nederlandse troepen verlaten het grondgebied van Zeeuws-Vlaanderen.

24
- Departement van Sociale Zaken gelast de plaatsing van werklozen in Duitsland te bevorderen. Seyss-Inquart schakelt de Staten-Generaal uit.

26
Aanvang operatie Dynamo ten behoeve van de evacuatie van Britse en Franse troepen vanaf de stranden bij Duinkerken.

27	Generaal Winkelman verbiedt schriftelijk aan bedrijven militaire productie voor de Duitsers. Duitse troepen bezetten Zeeuws-Vlaanderen.
28	Capitulatie van België.
29	Officiële gezagsoverdracht in de Ridderzaal van het Binnenhof te Den Haag aan Seyss-Inquart en *Wehrmachtbefehlhaber* generaal Christiansen.
30	Hitler beslist dat Nederlands krijgsgevangenen in Duitsland naar hun vaderland mogen terugkeren.
Juni	
1	Distributie van schoenen ingesteld. Ook koffie en thee komen op de bon.
3	Seyss-Inquart gelast dat generaal Winkelman zich alleen met de demobilisatie van de militairen mag bezighouden.
4	Einde operatie Dynamo. Beroemde toespraak van Churchill 'We shall fight on the beaches...'
5	Eerste gesprek tussen Seyss-Inquart en Mussert.
9/11	Terugkeer Nederlandse krijgsgevangenen uit Duitsland.
10	Mussolini verklaart de oorlog aan Frankrijk en Engeland.
15	Aanstelling van Rauter, Fischböck en Schmidt tot *Generalkommissar* bij het Duitse bestuur over Nederland.
22	Ondertekening van Frans-Duitse wapenstilstandovereenkomst nabij Compiègne.
23	Vliegveld Schiphol door de RAF gebombardeerd.
25/25	Rijkswerf te Den Helder door RAF gebombardeerd.
29	Anjerdag. Openlijke grootschalige sympathiebetuiging van de bevolking voor de koninklijke familie, tijdens de verjaardag van Prins Bernhard
Juli	
1	Franse regering vestigt zich in Vichy. Joodse mensen moeten de luchtbeschermingsdienst verlaten.
2	Generaal Winkelman wordt gearresteerd en overgebracht naar een krijgsgevangenkamp in Duitsland
4	Verbod om naar buitenlandse (Engelse) radio-uitzendingen te luisteren.
14	Afleggen erewoordverklaring voor beroepsmilitairen.
15	Opbouwdienst wordt opgericht. Hitler geeft opdracht voor de planning van de invasie in Engeland (*Operation Seelöwe*).
19	- Hitler doet een 'vredesaanbod' aan de Engelsen. - In Londen wordt door de Nederlandse regering in ballingschap de CID opgericht
19/20	Arrestatie eerste Indische verlofgangers. Zij worden gebruikt als gijzelaars en naar Duitse concentratiekampen afgevoerd.
20	De Communistische Partij Nederland, wordt door Seyss-Inquart verboden.
22	Engeland verwerpt Hitlers vredesaanbod.
25	RAF bombardeert voor de eerste keer Berlijn.
27	Programma van de Nederlandse Unie gepubliceerd.
28	Eerste toespraak in Londen van koningin Wilhelmina voor Radio Oranje.
30	Eerste bespreking van Himmler met Mussert.

31	Hitlers principebeslissing voor de aanval op de Sovjet-Unie in voorjaar 1941. Honderden rijnaken worden gevorderd voor ombouw tot landingsschepen ten behoeve van de invasie in Engeland.
Augustus	
±	Ordedienst ontstaat uit militaire kringen.
4/5	Synagoge in Zandvoort wordt door onbekende daders opgeblazen.
6	Eerste bestuursvergadering van de Nederlandse Unie in Den Haag
27	Premier de Geer neemt ontslag en wordt opgevolgd door minister Gerbrandy.
28	Commissaris-generaal Wimmer decreteert dat voortaan joodse mensen geen aanstelling als ambtenaar kunnen krijgen.
September	
3	Opheffing door het Duits bestuur van de vrijmetselarij, de Rotary en het rozenkruisergenootschap. Hun gebouwen worden bezet.
4	Hitler kondigt in Berlijn de invasie van Engeland aan.
7	Eerste grote luchtbombardement van de *Luftwaffe* op Londen.
9	In de kustgebieden geldt voortaan een spertijd van 22.00 tot 04.00 uur.
15	Luchtslag om Engeland bereikt zijn hoogtepunt.
23	Mussert, Van Geelkerken en Rost van Tonningen hebben een ontmoeting met Hitler.
27	Duitsland, Italië en Japan ondertekenen in Berlijn het Driemogendheden Pact.
Oktober	
1	Invoering van een algehele identificatieplicht.
5	Rondzending van zogenaamde ariërverklaring ter invulling door alle ambtenaren.
7	Arrestatie van tweede groep Indische gijzelaars, die eveneens naar Duits concentratiekamp worden afgevoerd.
12	Alle voorbereidingen voor de invasie van Engeland worden door Hitler afgelast.
22	Seyss-Inquart beveelt dat joodse ondernemingen zich moeten aanmelden bij de *Wirtschaftprüfstelle*.
25	Adres van de protestantse kerkgenootschappen aan Seyss-Inquart over de discriminatie van de joodse landgenoten.
28	Italië valt vanuit Albanië Griekenland aan.
November	
21	Joodse ambtenaren wordt medegedeeld dat zij 'uit hun functie ontheven worden'.
23	Studentenstaking te Delft wordt afgekondigd in verband met ontslag joodse hoogleraren. SD sluit de Delftse Technische Hogeschool.
26	Toespraak door professor Cleveringa voor Leidse studenten. Ook Leidse studenten gaan in staking in verband met het gedwongen ontslag van vooraanstaande joodse hoogleraar.

December	
9	Aanvang Engels offensief tegen de Italiaanse troepen in Noord-Afrika.
18	Hitler geeft directief uit voor de aanval op de Sovjet-Unie (operatie Barbarossa) in mei 1941.
1941	
Januari	
10	Afkondiging registratieplicht voor alle mensen van 'joodse bloede'.
26	Bisschoppelijk mandement tegen het NSB-lidmaatschap.
Februari	
Begin	Joodse mensen mogen geen bloeddonor meer zijn bij de bloedtransfusiedienst van het Rode Kruis.
11	Bij vechtpartijen met de WA in het centrum van Amsterdam in de joodse wijk, wordt een WA man zwaar gewond.
12	Generaal Rommel en Duitse troepversterkingen arriveren in Tripoli (huidige Libië).
13	In opdracht van Duitse bestuur, vorming en installatie van de Joodse Raad te Amsterdam.
14	Mussert roept op tot dienstneming bij de Waffen SS.
17	Metaalarbeiders te Amsterdam-Noord en werklozen, staken voor een loon- en uitkeringsverhoging.
22/23	Brute razzia's door de Duitse politie in de joodse wijk te Amsterdam, waarbij honderden joodse jongemannen worden gearresteerd en mishandeld.
23-26	Februaristaking in Amsterdam, Zaandam en diverse andere plaatsen in het westen.
27	Staking is gebroken door bruut Duits geweld, dreigementen en vele arrestaties.
Maart	
2	Duitse troepen rukken vanuit Bulgarije op naar de Griekse grens.
3	Eerste Duits doodvonnis wordt uitgevoerd door middel van een vuurpeloton op de joodse immigrant Cahn die eigenaar was van een ijssalon in Amsterdam.
7	Arrestaties van aantal leden van de Ordedienst. Britse troepenversterkingen arriveren in Griekenland.
11	In de Verenigde Staten wordt de 'Leen- en Pacht'-wet aangenomen.
12	Oprichting Rijksradio-omroep. Opheffing van alle omroepverenigingen.
15	Fusillering van vijftien 'Geuzen' en drie Februaristakers ('achttien doden') op de Waalsdorpervlakte bij Den Haag.
23	Volgens nieuw decreet, kunnen Nederlanders door de arbeidsbureaus worden gedwongen om in Duitsland te gaan werken.
26	De NSB'er Rost van Tonningen, wordt benoemd tot president van de Nederlandse Bank.
April	
1	- Colportageverbod voor weekblad *De Unie*. - Bordjes 'voor joden verboden' moeten verplicht worden opgehangen in alle cafés.

6	Duitse invasie van Joegoslavië en Griekenland. Deze landen capituleren respectievelijk op 17 en 21 April.
15	Joodse mensen moeten hun radio's 'onbeschadigd' inleveren
26	Nadat eerder veel andere artikelen onder de distributie zijn komen te vallen, wordt nu ook de distributie voor aardappelen ingevoerd. Deze distributie leidt in ettelijke steden tot kleine relletjes.
30	Laatste Britse troepen verlaten Griekenland.
Mei	
1	Beroepsuitoefening door joden in vrije beroepen beperkt.
2	Het wordt joodse journalisten verboden verder hun beroep uit te oefenen.
10	Rudolf Hess vliegt naar Engeland en wordt daar gevangen genomen.
15	'Voljoden' mogen geen deel meer uitmaken van orkesten en orkestbesturen.
30	Eiland Kreta is geheel door Duitse luchtlandingstroepen veroverd.
31	Joden mogen geen 'actief lid' meer zijn van de Nederlandse Unie en worden geweerd uit zwembaden en parken.
Juni	
4	Toegang tot de stranden en badplaatsen voor alle joodse mensen beperkt. Voormalig Duitse keizer Wilhelm, overlijdt in huize Doorn.
11	Jodenrazzia's in Amsterdam. Een paar honderd joden worden opgepakt. Een deel van hen wordt tewerkgesteld in de Wieringermeer, een ander deel wordt afgevoerd naar het vernietigingskamp Mauthausen.
18	Koperen, nikkelen, tinnen en loden voorwerpen, moeten per 10 augustus worden ingeleverd. Ook vele kerkklokken zullen in de toekomst onder deze inleveringplicht gaan vallen.
22	- Aanvang operatie Barbarossa, waarbij Duitse troepen onverhoeds de Sovjet-Unie binnenvallen. - In de Baltische staten Litouwen, Letland en Estland worden de Duitse troepen als bevrijders binnengehaald. Duitse *Einsatzcommando's* en mensen van de plaatselijke bevolking, vermoorden binnen enige maanden bij deze jodenvervolgingen ruim driehonderdduizend joodse mensen.
30	Opheffing door het Duits bestuur van alle politieke partijen (behalve de NSB). Landelijke politieke partijbureaus worden door de Duitse politie bezet.
Juli	
3	Leiding Nederlandse Unie verklaart niet aan de Duitse zijde te staan in de strijd tegen de Sovjet-Unie. Rauter geeft opdracht dat alle persoonsbewijzen voor joden voorzien moeten zijn van een stempel met een 'J'.
26	President Roosevelt kondigt olie-embargo tegen Japan af. De Nederlandse regering sluit zich hierbij aan.
29	In N.O. Indië wordt de olieovereenkomst met Japan opgezegd en Japanse tegoeden worden geblokkeerd.
31	Göring geeft aan alle belanghebbende Duitse autoriteiten in Nederland opdracht om in organisatorische, zakelijke en materiële zin, alle voorbereidingen te treffen voor 'de totale oplossing van het joodse vraagstuk' binnen de Duitse invloedsfeer.

Augustus	
8	Duits decreet verplicht alle 'voljoden' hun vermogen van honderdduizend gulden en meer en hun effecten over te brengen naar de bank Lippmann & Rosenthal.
12	- Ontmoeting van en besprekingen tussen Roosevelt en Churchill aan boord van de USN kruiser *Augusta*. Atlantisch Handvest wordt gepubliceerd. - Per decreet heft Seyss-Inquart de Provinciale Staten en gemeenteraden op.
18	Doorgangskamp te Amersfoort wordt in bedrijf genomen.
26	In Engeland wordt de Prinses Irene Brigade opgericht.
September	
1	- Joodse kinderen moeten naar aparte scholen. - Werkzaamheden van gemeenteraden en provinciale staten, worden door het Duitse bestuur verboden.
2	Duitse pantsertroepen naderen Leningrad.
8	Nationale mobilisatie in Japan.
14	Razzia's op joden in Twente. Eerste vergadering van de illegale artsenorganisatie Medisch Contact.
15	Verdere aanzienlijke beperking bewegingsvrijheid voor joodse mensen.
16	Bezittingen van het Koninklijk Huis in Nederland, worden door de Duitsers verbeurd verklaard.
Oktober	
3	Westen van Rotterdam (havengebied) door de RAF gebombardeerd. Meer dan honderd doden te betreuren onder de burgerij.
7/8	Razzia's op joden in de Achterhoek, Arnhem, Apeldoorn en Zwolle. Omstreeks tweehonderd gearresteerden worden afgevoerd naar Mauthausen.
31	Dansverbod wordt afgekondigd door het Duitse bestuur. Tussen 24.00 en 04.00 uur, mag niemand meer op straat zijn zonder speciale vergunning.
November	
1	Joodse mensen moeten verenigingen, waar ook niet-joden lid van zijn, verlaten.
6	Geheime agenten Lauwers en Taconis, worden door de SOE in Overijssel gedropt.
7	Joodse mensen mogen zonder speciale vergunning niet meer met treinen reizen.
16	Duits legeroffensief loop vast vóór de steden Leningrad en Moskou.
18	Brits offensief wordt ingezet in Noord-Afrika
23	Groep Hazelhoff-Roelfzema, zet geheim agent Tazelaar in Scheveningen aan land.
29	Japanse kabinet besluit tot oorlog.
30	Vooruitgeschoven Duitse motorpatrouille nadert Moskou tot op acht kilometer.

December	
3	Japanse troepen landen in Thailand.
5	Via een verzamelprotestbrief van het Medisch Contact, protesteert 70 procent van Nederlandse artsen tegen de eventuele oprichting van de 'Artsenkamer'.
7	Japanners overvallen onverhoeds de Amerikaanse Pacific-vloot in Pearl Harbour en vernietigen een deel van die vloot.
8	Nederland verklaart aan Japan de oorlog.
10	Britse slagschepen *Prince of Wales* en *Repulse*, worden oostelijk van Malakka door Japanse vliegtuigen tot zinken gebracht.
11	Duitsland en Italië verklaren de oorlog aan de Verenigde Staten.
12	Mussert zweert officieel voor de eerste maal in Berlijn trouw aan Hitler.
13	De Nederlandse Unie wordt ontbonden. De landelijke kantoren worden door de SD gesloten en geplunderd. De partij wordt nu ook verboden.
20	Eerste Japanse troepen landen op de Filippijnen bij Davo op Mindanao.
27	Japanse troepen landen op de Nederlands Oost-Indische Tambalan eilanden ten noordwesten van Borneo.
31	Japanse vliegtuigen beschieten Tarakan aan de oostkust van Borneo en de omgeving Menado op Noord-Celebes.

1942

Januari	
3	Oprichting van 'ABDA Command' in Nederlands Oost-Indië bekendgemaakt
10	Generaal Wavell met zijn staf arriveert in Batavia (Djakarta) en neemt het commando over ABDA op zich.
11	Japanse troepen landen bij Tarakan (Borneo) en Menado (Celebes).
15	Invoering van zinken pasmunten.
17	Aanvang concentratie joodse mensen uit diverse regio's van het land in Amsterdam. Duitse joden worden overgebracht naar kamp Westerbork.
20	Bij de Wannsee-conferentie nabij Berlijn, worden de 'technische' details besproken over de *uitvoering* van de *totale uitroeiing* van de joden, in het kader van de '*Endlösung der Judenfrage*'.

Februari	
3	Eerste Japanse luchtaanvallen op Java.
13	De door de SOE gedropte geheime agenten Van der Reyden en Terlaak, worden door de SD gearresteerd.
14	Japanse parachutisten landen bij de olievelden nabij Palembang op Zuid-Sumatra.
16	Japanse troepen veroveren Singapore. Capitulatie van de Britse troepen.
17	Vertegenwoordigers van diverse kerkgenootschappen, protesteren via een memorandum bij Seyss-Inquart over de jodenvervolgingen en de verplichte arbeidsinzet.
18	Japanse landingen op het eiland Bali.
23	Arbeidsinzet in Duitsland, wordt verplicht gesteld.

25	'ABDA Command' wordt opgeheven en ontbonden.
27/28	Slag in de Javazee. Geallieerde *Combined Striking Fleet* wordt door Japanse vloot verslagen. Schout-bij-nacht Doorman gaat met zijn vlaggenschip en de gehele bemanning ten onder.
Maart	
1	Japanse troepeneenheden landen op diverse plaatsen op het eiland Java.
2	Admiraal Helfrich met zijn staf vertrekt naar Ceylon.
6	Geheim agent Lauwerse (SOE/Dutch) wordt gearresteerd en daarna door de *Abwehr* en SD 'omgedraaid'. Hij wordt gedwongen voor hen te gaan seinen.
9	Officiële capitulatie van het KNIL in Bandoeng. Ruim negentigduizend KNIL militairen worden krijgsgevangenen.
medio	Begin van het *England Spiel.*
19	Nederlandse regering in Londen neemt wet aan, die zeevarenden verplicht te varen bij de Nederlandse koopvaardij.
27	Neurenberger rassenwetten voor de joden, worden ook in Nederland van toepassing verklaard.
eind	Hitler geeft instructies voor de aanleg van de *Atlantik Wall* langs de Nederlandse kust.
April	
1	Invoering van het Arbeidsdienstplichtbesluit.
6	Begin van de internering van Europeanen in Nederlands Oost-Indië op het eiland Sumatra.
14	Dodenmars van circa zeventigduizend Amerikaanse en Filippijnse krijgsgevangenen, vanaf Bataan op de Filippijnen.
19	In katholieke en protestantse kerkdiensten, wordt tegen het beleid van de bezetter geprotesteerd.
20	Toegang tot de stranden wordt voor de bevolking per verordening verboden.
Mei	
3	Executie van ruim zeventig gearresteerde OD'ers.
	Dragen van de jodenster wordt ingevoerd en verplicht gesteld.
4	Enige honderden gijzelaars worden gearresteerd en opgesloten in een seminarie nabij St.-Michielsgestel.
8	Slag in de Koraalzee. Japanse invasievloot bestemd voor landingen bij Port Moresby (Australisch Nieuw Guinea) is gedwongen om terug te keren.
15	Omstreeks tweeduizend beroepsofficieren van de Nederlandse krijgsmacht moeten zich melden en worden in krijgsgevangenschap afgevoerd naar krijgsgevangenkampen in Polen.
17	Vernietigingskamp Sobibor in Polen wordt opgericht.
21	Joden moeten vóór 30 juni collecties van kunstvoorwerpen, voorwerpen van goud, zilver of platina, edelstenen en contant geld boven de 250 gulden (113 euro), effecten en deposito's inleveren bij de Lirobank.
Juni	
5/6	Amerikaanse overwinning op de Japanse invasievloot in de zeeslag bij Midway.

14	Alle Europese mannen op het eiland Java worden geïnterneerd.
21	Generaal Rommel met zijn Afrikakorps, veroverd Tobroek (in huidige Libië) op de geallieerde troepen.
22	Joden moeten hun fietsen met toebehoren verplicht inleveren.
26	De Joodse Raad wordt aangezegd dat alle joden naar (werk)kampen in Duitsland zullen worden overgebracht.
27	Geheim agent Jambroes (SOE/*Dutch*) wordt direct na zijn dropping bij aankomst gearresteerd.
30	Nieuwe verordening verplicht joodse mensen om vanaf 20.00 tot 06.00 uur binnenshuis te blijven. Zij mogen geen gebruik meer maken van vervoermiddelen en openbare telefoons.
Juli	
2	Duitse troepen van het Afrikakorps, worden bij El Alamein door de Britse troepen tot staan gebracht
6	Het gezin Frank duikt onder in het Achterhuis te Amsterdam.
11	Kerken protesteren telegrafisch tegen aangekondigde jodendeportaties.
13	Bijna achthonderd nieuwe gijzelaars (waaronder diverse vooraanstaande Nederlanders), worden gearresteerd en opgesloten in het seminarie te Haaren.
15	Eerste trein met Nederlandse joden uit Amsterdam, vertrekt vanaf Westerbork naar vernietigingskamp Auschwitz.
20	Begin van omvangrijke Duitse fietsenrazzia in de grote steden.
25	Amerikaanse en Britse oorlogsleiders besluiten met een invasiemacht in Frans Noord-Afrika (Marokko en Algerije) te landen (operatie *Torch*).
Augustus	
begin	Generaal Christiansen gelast ontruiming van een groot deel van de kuststrook.
7	Amerikaanse troepen landen op het eiland Guadalcanal.
9	- Opnieuw grootschalige razzia's op joodse mensen in Amsterdam. - Eerste Nederlandse gevangenen komen aan op Birma en worden ingezet voor dwangarbeid aan de Birma spoorweg. In oktober volgen grote groepen Nederlandse krijgsgevangenen vanaf het eiland Java.
10	Begin van evacuaties op het eiland Walcheren.
17	Eerste Amerikaanse bommenwerpers worden ingezet voor bombardementsdoelen in West-Europa (in het bijzonder op Duitsland).
19	Geallieerde 'proeflanding' bij Dieppe. Vele militairen van deze geallieerde troepen sneuvelen, raken gewond of worden krijgsgevangen genomen.
September	
7	Al het zilvergeld wordt uit de roulatie genomen en vervangen door zinken munten. Inlevering van het zilvergeld wordt grootschalig ontdoken.
9	Door speciale acties, worden vele arbeiders geronseld en vertrekken meer dan 35 duizend Nederlandse arbeiders gedwongen naar Duitsland.
13	Duitse troepen starten grootschalig offensief in Rusland om de stad Stalingrad te veroveren.

Oktober	
2/3	De bij vele razzia's opgepakte joden, worden overgebracht naar Westerbork dat daardoor ruim veertienduizend mensen moet herbergen.
14	Eerste succesvolle overval van het verzet op een distributiekantoor te Joure.
16	Executie van vijftien socialistische en communistische gijzelaars, als represaille voor diverse sabotageacties van het verzet.
17	Radiotoespraak van koningin Wilhelmina voor Radio Oranje, waarmee zij protesteert over het nazi-optreden tegen de joodse Nederlanders.
23	Aanvang Brits offensief bij El Alamein.
November	
8	- Onder het bevel van generaal Eisenhower, landen geallieerde troepen in Marokko en Algiers. - Rondschrijven van dr. Harster (commandant van de SD en *Sicherheitspolizei* in Nederland), dat wie joodse onderduikers verbergt of persoonsbewijzen vervalst, minimaal kan rekenen op zes maanden opsluiting in kamp Amersfoort.
11	Duitse troepen bezetten Vichy-Frankrijk.
23	Russische troepen omsingelen bij Stalingrad het Duitse 6de leger onder bevel van generaal Paulus.
25	Eerste bijeenkomst van de Landelijke Organisatie (LO) voor hulp aan onderduikers.
28	Oprichting Bureau Inlichtingen te Londen.
30	Geheim agent Ubbink (SOE/*Dutch*) wordt direct na zijn dropping bij aankomst gearresteerd.
December	
6	Philips-fabrieken te Eindhoven worden gebombardeerd. Er is grote schade aan de fabrieken en door dit bombardement komen circa 150 burgers om het leven.
7	Radiorede in Londen door koningin Wilhelmina, waarbij na de oorlog een grotere mate van zelfbestuur in Nederlands Oost-Indië beloofd wordt.
medio	Gehele Nederlandse politie wordt voortaan centraal geleid door het directoraat-generaal van de politie.
27	Op Java worden de eerste vrouwenkampen in gebruik genomen.
30	Oprichting van het Nationaal Comité van Verzet.
1943	
Januari	
13	Nieuw concentratiekamp te Vught in gebruik genomen.
21	Joodse krankzinnigengesticht Het Apeldoornse Bos, wordt op brute wijze door Duitse politie ontruimd.
28	In Londen wordt het bureau Militair Gezag opgericht.
31	Veldmaarschalk Paulus geeft zich over aan de sovjets in het zuidelijk deel van Stalingrad. Grote delen van het 6de Duitse leger worden krijgsgevangen gemaakt.

Februari	
2	Laatste onderdelen van het Duitse leger geven zich in het noordelijk deel van Stalingrad over. Negentigduizend krijgsgevangenen gaan op weg naar de Goelag.
5	Liquidatie door het verzet van pro-nazi generaal Seyffardt.
18	Propagandaminister Goebbels kondigt de 'totale oorlog' af in Berlijn.
Maart	
10	Geheim agent Dourlein (SOE/*Dutch*) wordt direct na zijn dropping bij aankomst gearresteerd.
15	Begin van de uitbreiding van fondsen voor het reeds operationele Nationaal Steunfonds.
24	Duizenden artsen doen onder regie van het Medisch Contact, afstand van hun bevoegdheid tot het officieel uitoefenen van hun beroep. Zij verwijderen de aanduiding 'arts' op hun naamborden.
27	Amsterdamse bevolkingsregister wordt door de verzetsgroep van Gerrit van der Veen succesvol in brand gestoken.
29	Avondklok wordt vervroegd van 24.00 naar 23.00 uur.
31	Amerikaanse bommenwerpers bombarderen de werf Wilton-Fijenoord en raken delen van westelijk Rotterdam. Daardoor vallen meer dan driehonderd doden en honderden gewonden onder de burgerbevolking.
April	
1	Door infiltratie en verraad, worden vele leden van het Nationaal Comité (van het verzet) opgepakt.
10	Circa 85 procent van de studenten weigert de loyaliteitsverklaring te tekenen.
18	De Japanse admiraal Yamamoto, wordt in zijn vliegtuig onderweg boven de Stille Zuidzee, door de Amerikaanse luchtmacht onderschept. Het vliegtuig wordt neergeschoten. Yamamoto komt daardoor om het leven.
29	Oproep van generaal Christiansen aan alle ex-beroepsmilitairen in Nederland, om zich te melden voor afvoer als krijgsgevangenen naar Duitsland. Spontane algemene staking begint bij de Stork-fabriek in Hengelo en slaat een dag later over naar grote delen van Nederland.
±	Raad van het Verzet wordt deze maand opgericht.
Mei	
1	Afkondiging politiestandrecht in het gehele land. Na veel arrestaties van vooral leidinggevenden, verloopt de staking geleidelijk. Er volgen tientallen executies.
7	Verordening dat mannen tussen achttien en 34 jaar zich bij het arbeidsbureau moeten aanmelden in verband met gedwongen arbeid in Duitsland.
10	Omstreeks 75 duizend Duitse en Italiaanse militairen worden in Tunesië door de geallieerden krijgsgevangen genomen. Capitulatie van de Duitsers en Italianen en einde van de strijd in Noord-Afrika.
13	Verplichte inlevering door de bevolking, van alle radiotoestellen en onderdelen daarvan.

22	Eerste dertigduizend exemplaren van de 'illegale' krant *De Vliegende Hollander* worden boven Nederland door vliegtuigen afgeworpen.
24	Admiraal Dönitz roept Duitse onderzeeboten terug, wegens hoge verliezen tijdens de 'slag om de Atlantische Oceaan'.
Juni	
4	Eerste overval door een Knokploeg (KP). In het gemeentehuis te Langweer, worden duizenden distributiekaarten buitgemaakt ten behoeve van onderduikers.
23	Britse luchtfoto's tonen grote langwerpige voorwerpen die op raketten lijken, op de Duitse luchtmachtbasis te Peenemünde aan de Oostzeekust.
26	Oprichting van het illegale Centraal Distributie Kantoor, dat door de KP's buitgemaakte bonkaarten distribueert t.b.v. onderduikers.
Juli	
1	Dertien opgepakte verzetsmensen die hebben meegewerkt aan de aanslag op het Amsterdamse bevolkingsregister, worden geëxecuteerd.
9	Geallieerde luchtlandingen op Sicilië. Landingstroepen via het strand, landen kort daarna.
12	Groot Duits offensief en tankslag bij Koersk
17	Bij mislukt bombardement door de RAF op de Fokker-fabrieken in Amsterdam-Noord, vallen ruim 150 doden.
21	Krantenbericht over (gefingeerde) aanslag en dood van de verrader (V-man) Anton van der Waals.
25	Afzetting en gevangenname van Mussolini. Duitse troepen trekken op grote schaal Italië binnen.
Augustus	
14	LO-besluit een eigen Knokploeg op te richten. Door meer centralisatie ontstaan hieruit de Landelijke Knokploegen (LKP).
25/28	Kustgebied van Hoek van Holland, Scheveningen, IJmuiden en Den Helder wordt tot verboden gebied verklaard. Omstreeks tweehonderdduizend mensen in deze gebieden moeten hierdoor hun huizen verlaten.
31	De geheime agenten Dourlein en Ubbink ontsnappen met succes uit de Haarense gevangenis.
September	
3	Geallieerde troepen landen op de zuidpunt van Italië.
8	Italië capituleert. Formele einde van de overeenkomst met Duitsland en Japan.
9	Geallieerde landingen bij Salerno.
27	Illegale pers maakt melding van de gaskamers en moord op de joden en Russen in Duitse vernietigingskampen in Polen.
29	Laatste grote razzia op joodse mensen in Amsterdam.
30	In Meppel vindt de eerste *Silbertanne* moord plaats.
Oktober	
1	Als represaille voor de aanslag op generaal Seyffardt, worden negentien burgers gefusilleerd. Britse troepen veroveren Napels.

10 Amerikaanse bommenwerpers bombarderen bij vergissing Enschede. Er vallen omstreeks 150 doden onder de burgerbevolking.

30 Generaal Eisenhower wordt benoemd tot opperbevelhebber van de legers voor de toekomstige invasie in West-Europa.

November

3 RAF-verkenningsvliegtuigen ontdekken via luchtfoto's in Noord-Frankrijk constructies die op lanceerschansen lijkt.

6 Sovjetleger herovert Kiev.

12 Oprichting van de beruchte (NSB) Landwacht.

17 Italiaanse regering onder leiding maarschalk Badoglio, ondertekent de definitieve wapenstilstandsovereenkomst met de geallieerden.

21 De ontsnapte geheime agenten Dourlein en Ubbink bereiken na een gevaarvolle reis, de Nederlandse ambassade in Bern (Zwitserland).

28/30 Conferentie van geallieerde leiders in Teheran. Er wordt onder meer beslist dat Duitsland gedwongen zal worden tot onvoorwaardelijke overgave.

December

8 Minister Gerbrandy deelt in Londen via Radio Oranje mede, dat het Militair Gezag in bevrijd Nederland het gezag zal gaan uitoefenen.

26 Britse marineschepen brengen in de Noordelijke IJszee de Duitse slagkruiser *Scharnhorst* tot zinken.

1944

Januari

1 Veldmaarschalk Rommel wordt benoemd tot bevelhebber van legergroep B. Hij is nu verantwoordelijk voor de gehele kustverdediging van West-Europa.

10 Minister Gerbrandy tekent in Londen de eerste machtiging voor leningen ten behoeve van het Nationaal Steunfonds.

22 Amfibische landing van geallieerde troepen bij Anzio (Italië).

27
- Duitse legers op de terugtocht bij Leningrad. Einde van de belegering van deze stad na een beleg van negenhonderd dagen.
- Ondertekening 'Zuiveringsbesluit' (E 14) bij de Londense regering, voor zuivering van het gehele overheidsapparaat na de bevrijding in Nederland.

Februari

22 Amerikaanse luchtmacht bombardeert bij vergissing Enschede, Arnhem en Nijmegen. Per plaats varieerde het aantal burgerslachtoffers van enige tientallen tot een paar honderd doden. Nieuwe Duitse verordening bepaalt dat op overvallen van distributiekantoren en bevolkingsregisters, de doodstraf staat.

Maart

15 In Londen wordt het Bureau Bijzondere Opdrachten (BBO) opgericht. Dit bureau heeft als taak geheime agenten, wapens en sabotagemiddelen te droppen boven bezet gebied.

April	
1	Einde van het *England Spiel*.
2	Voorhoedes van de Russische legers dringen Roemenië binnen.
11	Succesvol bombardement van het Kleykamp-gebouw in Den Haag. In dat gebouw is de Rijksinspectie van de bevolkingsregisters gehuisvest.
22	Amerikaanse troepen landen bij Hollandia in Nederlands Nieuw-Guinea.
Mei	
1	Mislukte overval van de verzetsgroep onder leiding van Gerrit van der Veen, op het Huis van Bewaring in Amsterdam.
11	Succesvolle bevrijding door de KP van Frits de Zwerver (ds. Slomp) uit de gevangenis in Arnhem.
11/18	Laatste veldslag om het klooster te Monte Cassino. Geallieerde troepen doorbreken de Duitse Gustav-linie.
12	Arrestatie door de SD van de zwaargewonde Gerrit van der Veen.
19	Ruim tweehonderd opgepakte zigeuners worden vanuit Westerbork op transport gesteld naar Auschwitz.
20	Geallieerde vliegtuigen krijgen opdracht elke rijdende locomotief te beschieten. Meer dan zeventig treinen worden beschoten, waarbij ruim vijftig burgers om het leven komen.
24	Circa achthonderd mannelijke gevangenen, worden vanuit kamp Vught overgebracht naar het concentratiekamp Dachau in Duitsland.
Juni	
4	Eerste geallieerde troepen trekken Rome binnen.
6	- D-day. Aanvang operatie *Overlord*. Massale geallieerde troepenmacht landt vanuit de lucht en via de stranden in Normandië. - Omstreeks vijftienhonderd politieke gevangenen worden vanuit de Scheveningse gevangenis overgebracht naar kamp Vught. Ruim vierhonderd van hen worden in september gefusilleerd.
10	Gerrit van der Veen wordt samen met zes andere verzetsmensen in de duinen bij Overveen gefusilleerd.
11	Bij een succesvolle overval door een knokploeg op de gevangenis in Arnhem, worden ruim vijftig gevangenen bevrijd.
15	Lancering van meer dan tweehonderd V-1's op de regio Londen.
21	Begin van grote razzia's op mannen ten behoeve van de arbeidsinzet.
27	Amerikaanse troepen veroveren de haven van Cherbourg.
Juli	
3	Coördinatie bijeenkomst illegaliteit in Amsterdam. Besloten wordt een Contact Commissie in het leven te roepen voor betere coördinatie van de verschillende verzetsgroepen.
9	Na langdurige en hevige gevechten veroveren geallieerde troepen de stad Caen in Frankrijk.
12	Eerste bijeenkomst van de Contact Commissie, onder voorzitterschap van Willem Drees.

16	In de duinen bij Overveen, worden vijftien verzetsmensen gefusilleerd, waaronder twee overvallers van de mislukte overval op het Amsterdamse Huis van Bewaring.
20	Mislukte aanslag op Hitler te Rastenburg door kolonel graaf Von Stauffenberg. Vele bij de samenzwering betrokken generaals, worden door de Gestapo gearresteerd.
23	Amerikaanse troepen veroveren de stad Pisa in Italië.
25	Openbare gelegenheden moeten voortaan om 21.00 uur gesloten zijn. Avondklok wordt vervroegd naar 22.00 uur. Sovjetleger bereikt de rivier de Weichsel in Polen.
31	Omstreeks driehonderd politiefunctionarissen duiken onder, om niet langer misbruikt te worden voor (politieke) arrestaties van landgenoten.
Augustus	
1	In Warschau breekt opstand uit en begint het Poolse verzet de strijd met de Duitsers. Russische troepen schieten *niet* te hulp.
4	Britse troepen bereiken Florence. Inval in het Achterhuis in Amsterdam, waarbij de gehele familie Frank wordt opgepakt en afgevoerd naar een concentratiekamp in Duitsland.
7	Prinses Irene Brigade gaat aan land bij Arromanche en wordt operationeel ingezet bij het Britse leger in Normandië.
8	In Berlijn worden acht bij de samenzwering tegen Hitler betrokken hoge officieren opgehangen.
15	Geallieerde troepen starten met operatie *Anvil* en landen in Zuid-Frankrijk tussen Marseille en Nice.
19	Amerikaanse troepen onder commando van generaal Patton, bereiken de rivier de Seine.
24	College van Vertrouwensmannen komt voor de eerste maal in Utrecht bijeen.
25	Geallieerde troepen trekken Parijs binnen. Generaal Choltitz negeert Hitlers orders om de stad te vernielen en geeft zich over.
31	Sovjettroepen bezetten de hoofdstad van Roemenië, Boekarest.
September	
1	Geallieerde troepen veroveren Dieppe, Rouen en Verdun en rukken verder op naar de Belgisch-Nederlandse grens.
2	Honderden NSB'ers vluchten in paniek richting Duitse grens.
3	Prins Bernhard wordt benoemd tot bevelhebber van de Nederlandse strijdkrachten.
4	- Seyss-Inquart kondigt de uitzonderingstoestand af. - Rauter bepaalt dat iedereen vanaf 20.00 uur in huis moet blijven. Knokploegen starten systematische sabotageacties op de spoorwegen. Antwerpen valt onbeschadigd in handen van een Britse pantserdivisie. Kolonel Kruls wordt bevorderd tot generaal-majoor. Per 11 september wordt hij benoemd tot chef-staf van het Militair Gezag.
5	- Dolle Dinsdag.

- NSB'ers vluchten massaal naar het oosten van Nederland. Vanuit concentratiekamp Vught, worden ruim drieduizend gevangenen ijlings overgebracht naar Duitse concentratiekampen. Oprichting van de Binnenlandse Strijdkrachten (BS). Ondertekening van het Benelux-verdrag in Londen door Nederland, België en Luxemburg.

6 Op bijeenkomst van de diverse illegale groeperingen, wordt voor betere coördinatie van het verzet besloten, dat de topleiders elkaar regelmatig zullen ontmoeten. Vanaf 12 september wordt dit topberaad Delta Centrum genoemd.

8 Eerste lancering van V-2's vanuit Wassenaar naar Engeland. Helft van de bevolking van Wassenaar moet daardoor gedwongen evacueren.

9 Raad van Verzet, de Ordedienst en de Knokploegen, worden gebundeld tot Binnenlandse Strijdkrachten onder leiding van kolonel Koot.

10 Eerste officieren van het Militair Gezag vertrekken naar Brussel als kwartiermakers, om van daaruit hun werk voor bevrijd Nederland te kunnen voorbereiden.

13 Laatste treintransport met joodse mensen vertrekt van Westerbork naar vernietigingskamp Auschwitz. Russische troepen bereiken de Tsjechische grens.

14 Amerikaanse troepeneenheden bevrijden Maastricht en rukken daarna op naar Aken.

17
- Begin van operatie *Market Garden*. Geallieerde luchtlandingstroepen landen bij Arnhem, Groesbeek, Eindhoven, Grave en Veghel. Britse grondtroepen rukken vanaf de Belgisch-Nederlandse grens naar het noorden op richting naar Eindhoven.
- Londense regering geeft via radio BBC opdracht aan Nederlandse Spoorwegen om te gaan staken. De volgende dag begint de spoorwegstaking. Ondertekening in Londen van het Tribunaalbesluit (wetsbesluit E 101) over de berechting van collaborateurs en NSB'ers na de bevrijding van Nederland.

18 Amerikaanse luchtlandingstroepen bevrijden Eindhoven. Britse troepen bereiken Valkenswaard. Perschef van Seyss-Inquart maakt bekend 'geen Nederlandse treinen, dan geen voedselaanvoer'.

19
- De Sovjet-Unie en Finland sluiten een wapenstilstandsovereenkomst.
- In het westen van Nederland wordt de elektriciteitsvoorziening voor burgers door brandstofgebrek met de helft verminderd. Bij Duitse luchtaanval op het bevrijde Eindhoven, vallen onder de bevolking omstreeks tweehonderd doden. In Zeeuws-Vlaanderen worden Axel en Sas van Gent door Poolse troepen bevrijd.

20 Britse luchtlandingstroepen moeten de Rijnbrug in Arnhem opgeven. Waalbruggen bij Nijmegen door Amerikaanse troepen veroverd. Terneuzen door geallieerde troepen bevrijd.

21 Duitse demolitieploegen beginnen met vernielen van de haveninstallaties van Rotterdam en Amsterdam. Kolonel Koot vangt als vertegenwoordi-

	ger van prins Bernhard in bezet gebied aan met zijn werkzaamheden als plaatsvervangend bevelhebber van de BS.
22	Gaslevering aan huishoudens in het westen wordt beperkt van 17.00 tot 19.30 uur.
23	Aankondiging van de gedwongen evacuatie van de bewoners van Arnhem, Oosterbeek, Heelsum, Renkum en Wageningen Omstreeks 180 duizend mensen moeten daardoor op korte termijn huis en goed verlaten.
25	Seyss-Inquart verbiedt alle voedseltransporten voor de bevolking in het westen.
25/26	Restanten van Britse luchtlandingstroepen trekken zich bij Oosterbeek in de nacht over de Rijn terug. Ze moeten hun vele doden en gewonden achterlaten. Arnhem blijkt 'een brug te ver' te zijn. Mook wordt bevrijd.
27	Tilburg, Helmond en Oss wordt door de geallieerde troepen bevrijd.
28	Felle gevechten met de hardnekkig verdedigende Duitse troepen bij Overloon.

Oktober

1	In de nacht van 30 september-1 oktober, overval door het verzet op Duitse militaire auto met inzittenden, nabij Putten. Als represaille wordt de mannelijke bevolking van Putten tussen de achttien en vijftig jaar via kamp Amersfoort naar concentratiekamp Neuengamme afgevoerd. Van de omstreeks 580 gedeporteerden keren na de bevrijding maar 49 mannen terug in Nederland.
2	Poolse opstandelingen in Warschau moeten zich na twee maanden harde gevechten overgeven. In Apeldoorn worden acht verzetslieden geëxecuteerd en ter afschrikking enige tijd op straat 'tentoongesteld'.
3	Luchtbombardement door de RAF op de zeedijk bij Westkapelle op Walcheren. Het eiland loopt onder water. Omstreeks 150 mensen komen om in het wassende water.
9	In Amsterdam wordt de elektriciteitsvoorziening aan particulieren gestopt. Gasvoorziening wordt beperkt tot één uur per dag. Tramverkeer wordt stopgezet.
11	Vanuit kamp Amersfoort worden ruim veertienhonderd gevangenen op transport gesteld naar Duitse concentratiekampen.
14	Veldmaarschalk Rommel pleegt zelfmoord ten gevolge van de samenzwering tegen Hitler. Hij krijgt een staatsbegrafenis. Overloon wordt door de geallieerde troepen veroverd.
17	Felle gevechten van Britse troepen in de omgeving van Venray.
19	Schotse troepen veroveren Aardenburg in Zeeuws-Vlaanderen
23	In Amsterdam worden na de liquidatie van een SD functionaris. 29 gijzelaars in de Apollolaan als represaille geëxecuteerd.
23/25	Zeeslag in de golf van Leyte. Japanse vloot verliest onder meer drie slagkruisers.
24	Canadese troepen rukken op in Zuid-Beveland en veroveren Kreekrakdam.
25	Amsterdamse gasbedrijf stopt door kolengebrek de gasleverantie aan huishoudens.

27	's-Hertogenbosch wordt na hevige gevechten bevrijd. Tilburg, Bergen op Zoom, Yerseke en Kruiningen worden eveneens bevrijd.
29	Goes en Breda worden bevrijd.
November	
1	Britse amfibische landingsoperaties bij Vlissingen en Westkapelle.
2	Vergassingen in vernietigingskamp Auschwitz worden op bevel van Himmler gestopt.
5	Ramp te Heusden, waarbij Duitse demolitieploeg stadhuistoren opblaast en circa 140 burgers omkomen.
6	Middelburg bevrijd. Laatste Duitse troepen op Walcheren geven zich twee dagen later over.
8	Seyss-Inquart heft voedselembargo voor het westen gedeeltelijk op.
10/11	Grootscheepse razzia's in Schiedam en Rotterdam. Vijftigduizend mannen worden opgepakt en afgevoerd voor gedwongen arbeid.
14	Geallieerde troepen starten offensief tegen de Duitse troepen westelijk van de linies bij Venlo en Roermond.
15	Overval door KP op kantoor van de Nederlandse Bank in Almelo. Daarbij wordt ruim 40 miljoen gulden (circa 18 miljoen euro) buitgemaakt.
20	Prins Bernhard vestigt zich met zijn staf in Breda. Bij grote razzia in Den Haag worden omstreeks tienduizend mannen opgepakt en afgevoerd voor dwangarbeid.
26	Precisiebombardement op het gebouw van de SD in de Euterpestraat (Gerrit van der Veenstraat.).
28	Eerste geallieerde transportschepen arriveren in de haven van Antwerpen.
December	
4	Vermindering van het broodrantsoen in Noord-Holland, Zuid-Holland en Utrecht tot duizend gram per persoon per week. Gemiddeld dagrantsoen in westelijk Nederland daalt daardoor tot circa zeshonderd calorieën per week. In de Betuwe worden grote stukken land door de Duitsers geïnundeerd.
5	Britse troepen veroveren Ravenna in Italië. Het bij de Rijksmunt in Utrecht opgeslagen zilvergeld, wordt afgevoerd naar Duitsland.
6	Duitsers vangen aan met de afvoer van elektrisch treinmateriaal van de NS naar Duitsland en de demontage van bovenleidingen van het spoor. IJsselbruggen worden afgesloten voor passage door mannen van zestien tot veertig jaar.
8	Knokploeg pleegt een overval op het huis van bewaring in Leeuwarden en bevrijdt daarmee ruim vijftig politieke gevangenen.
15	Amerikaanse troepen bereiken de Frans-Duitse grens tussen de Vogezen en de Rijn.
16	Aanvang van het Duitse Ardennenoffensief door twintig divisies (circa tweehonderdduizend man), waar bij zeven pantserdivisies.
21	Amerikaanse brigadegeneraal McAuliffe weigert in het omsingelde Bastogne in te gaan op het Duitse aanbod om zich over te geven.

23 Door invallen van strenge vorst, wordt de aanvoer van voedsel per binnenvaartschip naar het westen, extra bemoeilijkt.

25/26 - Belegerde Amerikaanse troepen bij Bastogne, worden ontzet.
- Duitse opmars naar de rivier de Maas wordt in de omgeving van Dinant door Britse troepen en benzinegebrek tot staan gebracht.

± In de loop van deze maand beginnen massale hongertochten vanuit de grote steden in het westen. Stedelingen proberen enig voedsel te bemachtigen ter aanvulling van het hongerrantsoen van circa 550 calorieën per week per persoon.

1945

Januari

9 Door het mislukken van nieuwe pogingen voor aanmelding van arbeiders in het kader van de *Liese Aktion*, vinden opnieuw razzia's plaats waarbij omstreeks 7500 mannen worden opgepakt.

13 Russische troepen starten offensief in Oost-Pruisen. Duitse bevolking vlucht massaal in westelijke richting.

15 Wegens gebrek aan aardappelen worden in Amsterdam nu suikerbieten op de bon verstrekt.

17/18 Omstreeks zestigduizend gevangenen van kamp Auschwitz gaan op transport naar concentratiekampen in Duitsland.

23 Sovjettroepen bereiken rivier de Oder.

27 - Voedseltransporten naar het westen worden door de Duitsers verboden.
- Concentratiekamp Auschwitz wordt door Russen bevrijd. Van de achtergebleven vijfduizend zieken zijn er nog slechts drieduizend in leven.

28 Aankomst van twee Zweedse vrachtschepen met voedsel in de haven van Delfzijl.

30 Avondklok boven de rivieren wordt nu van 20.00 tot 05.00 uur.

Februari

1 Dagrantsoen voedsel in het westen daalt beneden vierhonderd calorieën.

4/11 Conferentie te Jalta op de Krim. Aldaar worden door Roosevelt, Churchill en Stalin, onder meer de toekomst, de invloedssferen en bezettingszones in Duitsland ná de capitulatie besproken.

8 Britse troepen starten operatie *Variabel* ter verovering van het Rijnland westelijk van de Rijn.

12 De drijvende kracht achter het SF, bankier Walraven van Hall, wordt nadat hij is opgepakt, gefusilleerd.

13 - Bombardement van Dresden door geallieerde bommenwerpers. In de vuurstorm die door dit bombardement ontstaat, komen naar schattingen meer dan 35 duizend mensen om het leven. Na een langdurig beleg wordt Boedapest door de Russen veroverd. Bijna 160 duizend Duitse militairen zijn bij de strijd in Hongarije gesneuveld of krijgsgevangen gemaakt.
- Door het grote aantal hongerdoden, wordt in Amsterdam een Gemeentelijk Bureau voor Lijkbezorging ingesteld.

24	Premier Gerbrandy verzoekt de chef-staf van Eisenhower Bedell Smith dringend om een offensief in te zetten voor de bevrijding van het hongerende westen van Nederland.
27	In de grote steden in het westen wordt het eerste Zweedse wittebrood uitgedeeld.
Maart	
1	Roermond en Venlo worden na hevige gevechten bevrijd.
3	'Vergissing'-bombardement van de RAF op het Bezuidenhoutkwartier in Den Haag. Bommen waren bedoeld voor V-2-lanceerinstallaties in Wassenaar. Er vallen ruim vijfhonderd doden onder de burgerbevolking en honderden gewonden.
6	- Amerikaanse troepen veroveren Keulen. - Amerikaanse voorhoede verovert de nog niet opgeblazen spoorbrug over de Rijn bij Remagen. Door doortastend optreden van de voorhoede, kan snel een bruggenhoofd op de oostelijke oever van de Rijn worden opgebouwd. - Overval door verzetsgroep op Duitse auto bij Woeste Hoeve. Hierbij wordt de SS generaal Rauter zwaargewond.
8	Als represaille voor de aanslag op Rauter, worden ruim 260 mannen gefusilleerd, waarvan 117 man bij Woeste Hoeve.
10	Geallieerde troepen veroveren de stad Wesel. Dit is het laatste Duitse bolwerk ten westen van de Rijn. Amerikaanse bommenwerpers voeren een grootschalig bombardement uit op Tokio in Japan. Midden- en Noord-Limburg door geallieerde troepen bevrijd.
12	Als represaille executeren de Duitsers 36 gijzelaars in het Weteringplantsoen in Amsterdam.
13	Koningin Wilhelmina zet in Eede (Zeeuws-Vlaanderen) voor het eerst na vijf jaar weer voet op Nederlands grondgebied.
22	Amerikaanse troepen van Pattons leger, steken bij Oppenheim de Rijn over.
23	Grootschalig offensief (operatie *Plunder*) van de legers van Montgomery. De Rijn wordt bij Wesel en Rees overgestoken.
29	Russische troepen bereiken de Oostenrijkse grens.
30	Begin van de bevrijding van Oost- en Noord-Nederland. Aalten en Varsseveld in Gelderland worden door Canadese troepen bevrijd.
31	Canadese troepen bevrijden Winterswijk, Lichtenvoorde en Groenlo. In Oost- en Noord-Nederland worden ruim honderd politieke gevangen door de SD om het leven gebracht.
April	
1	Duitse legers in het Roergebied worden omsingeld door geallieerde troepen. Grootschalige landingen van Amerikaanse troepen op het eiland Okinawa. MG-personeel begint met verhuizing van Brussel naar Breda.
2	Seyss-Inquart doet een aanbod van een wapenstilstand om hulpacties voor de hongerprovincies mogelijk te maken.

6 Begin van muiterij van het Georgische bataljon op het eiland Texel.

7 In het kader van operatie *Amherst*, worden 46 groepjes Franse paracommando's in het gebied Groningen-Coevorden-Zwolle gedropt ten behoeve van de bevrijding van Noordoost-Nederland.

10 Generaal Blaskowitz wordt benoemd tot bevelhebber van de 'Vesting Holland'.
Deventer wordt door de Canadezen en Emmen door Poolse troepen bevrijd.

11 Concentratiekamp Buchenwald met ruim twintigduizend politieke gevangenen, wordt door geallieerde troepen bevrijd. Amerikaanse troepen bereiken de rivier de Elbe.

12 Kamp Westerbork wordt door geallieerde troepen bevrijd.
Watervoorziening in Noord-Holland begint te stagneren.

14 Grote delen van Drenthe en Groningen worden bevrijd, evenals de steden Zwolle en Arnhem.

15 Gerbrandy overlegt met Churchill over het aanbod voor wapenstilstand van Seyss-Inquart. Grootste deel van Friesland nu in geallieerde handen, evenals de stad Zutphen.

16 Na felle gevechten wordt de stad Groningen door de Canadezen bevrijd.
Sovjetlegers zetten het offensief in voor de verovering van Berlijn.

17 Wieringermeerpolder wordt door de Duitsers onder water gezet.
Apeldoorn en Harlingen worden bevrijd.

18 Broodrantsoen in Amsterdam wordt verlaagd tot vierhonderd gram per persoon per week.

20 De Beemster en Schermerpolder worden onder water gezet.

23 Eisenhower wordt gemachtigd om een wapenstilstand met Seyss-Inquart te sluiten.

24 In Amsterdam komt de voedselvoorziening geheel stil te liggen. Radio Oranje kondigt voedseldroppings in het westen aan.

25
- Britse troepen bereiken de Grebbelinie en houden daar halt. In Torgau aan de Elbe ontmoeten het Amerikaanse en het Russische leger elkaar.
- Aanvang van oprichtingsconferentie van de Verenigde Naties te San Francisco. De conferentie duurde tot 26 juni.

28 Mussolini en zijn maîtresse worden door Italiaanse partizanen gefusilleerd en daarna publiekelijk opgehangen. In Achterberg beginnen eerste besprekingen over voedselaanvoer in het westen tussen Duitse militairen en vertegenwoordigers van het geallieerde leger.

29 Hitler treedt in het huwelijk met Eva Braun en benoemt admiraal Dönitz tot zijn opvolger. Hij draagt zijn opvolger op de strijd voort te zetten. Het concentratiekamp Dachau wordt door de Amerikanen bevrijd.
Eerste voedseldroppingen door de RAF boven het westen, in het kader van operatie '*Manna*'.

30
- Russische troepen planten de sovjetvlag op het gebouw van de Rijksdag in Berlijn. Hitler pleegt in zijn bunker te Berlijn samen met Eva Braun zelfmoord.

	- In Achterveld komen Seyss-Inquart en generaal Bedell Smith in aanwezigheid van prins Bernhard, tot overeenstemming over snelle voedselhulp aan de hongerprovincies.
Mei	
1	Goebbels pleegt in de *Führer*-bunker in Berlijn met zijn hele gezin zelfmoord. Seyss-Inquart vertrekt per *Schnellboot* naar Noordwest-Duitsland.
2	Laatste stad in het noordoosten, Delfzijl, is na felle gevechten door Canadese troepen geheel veroverd. Eerste Canadese voertuigen met voedsel, rijden bij Rhenen door de Grebbelinie op weg naar het hongerende westen.
4	Alle Duitse strijdkrachten in Nederland, Noordwest-Duitsland, Denemarken en Noorwegen, geven zich bij een overeenkomst op de Lüneburger Heide over aan veldmaarschalk Montgomery. Deze capitulatie gaat in op 5 mei 08.00 uur.
5	In Rotterdam komen de eerste schepen met voedsel aan. In hotel De Wereld in Wageningen, worden de capitulatievoorwaarden aan generaal Blaskowitz voorgelezen. Koningin Wilhelmina en minister-president Gerbrandy houden radiotoespraken voor de Nederlandse bevolking.
6	In de aula van de Landbouwhogeschool te Wageningen ondertekent nu officieel generaal Blaskowitz de capitulatievoorwaarden voor alle Duitse troepen in Nederland.
7	Bij een schietpartij op de Dam in Amsterdam tussen Duitse marinemilitairen en de BS, vallen omstreeks twintig doden en vele tientallen gewonden. Mussert en vele honderden NSB'ers worden gearresteerd. In Reims wordt ten overstaan van generaal Eisenhower en vele hoge geallieerde officieren, de onvoorwaardelijke overgave van alle Duitse strijdkrachten ondertekend.
8	Canadese troepen trekken binnen in Amsterdam, Den Haag en Rotterdam.
9	In Berlijn wordt de capitulatieovereenkomst van alle Duitse strijdkrachten met de Sovjet-Unie, ten overstaan van hoge geallieerde officieren ondertekend. Seyss-Inquart wordt in Duitsland gearresteerd.
19	Londense regering geeft wetsbesluit uit met een wijziging van het Tribunaalbesluit van september 1944.
20	Texel door de Canadezen bevrijd.
Juni	
4	Duitsland en Berlijn worden in vier bezettingszones verdeeld.
5	Radio Oranje stopt met zijn uitzendingen, die nu worden overgenomen door Radio Herrijzend Nederland.
14	In Amsterdam en Den Haag worden bijzondere gerechtshoven en een Raad van Cassatie ingesteld, ten behoeve van de berechting van landverraders.
22	Nieuw kabinet onder leiding van de sociaal-democratische minister Schermerhorn, treedt in functie

Juli	
17	Aanvang conferentie van Potsdam met de staatshoofden van Engeland, de Sovjet-Unie en de Verenigde Staten over het naoorlogse Europa. Deze conferentie duurt tot 5 augustus.
Augustus	
6	Eerste Amerikaanse atoombom wordt boven Hirosjima afgeworpen. De stad is voor ruim 60 procent vernield en er zijn omstreeks 150 duizend doden en verminkten.
8	De Japanse maarschalk Terauchi deelt in Saigon aan de Indonesische leiders Soekarno en Hatta mede, dat aan Indonesië op korte termijn onafhankelijkheid zal worden verleend.
9	Boven Nagasaki wordt de tweede atoombom afgeworpen. Ruim eenderde van de stad wordt vernield en er zijn ruim honderdduizend doden en gewonden.
15	Japanse leger capituleert onvoorwaardelijk. Geheel Nederlands-Indië komt onder het militaire bevelsgebied van admiraal Lord Mountbatten
17	Soekarno en Hatta roepen in Djakarta (Batavia) de onafhankelijkheid van Indonesië uit.
September	
2	In de baai van Tokio wordt aan boord van het Amerikaanse slagschip *Missouri*, de onvoorwaardelijke overgave van Japan getekend. Definitieve einde van de Tweede Wereldoorlog.
26	Aanvang geldzuivering van het Nederlandse chartale geld (tientje van Lieftinck).
28	Eerste Britse troepen arriveren in Tandjong Priok (haven van Batavia).
Oktober	
1	- In Soerabaja valt een grote hoeveelheid Japanse wapens in handen van Indonesische strijdgroepen. Begin van de 'Bersiap'periode waarbij naar schattingen duizenden Nederlandse vrouwen, kinderen en mannen in Japanse interneringskampen worden aangevallen en soms vermoord door groepen jonge Indonesische opstandelingen (pemuda's). - Omstreeks 96 duizend gearresteerde verdachte collaborateurs en NSB'ers (mannen, vrouwen en kinderen) bevinden zich in circa zeventig detentieoorden in Nederland.
24	Het Handvest van de Verenigde Naties treedt officieel in werking.
25	Britse troepen arriveren in Soerabaja. Hevige gevechten breken uit met Indonesische ongeregelde troepen. Britse troepenversterkingen zuiveren de stad, waarbij aan Engelse zijde ruim 240 man sneuvelen.
November	
20	Aanvang door het Internationaal Militair Tribunaal met het proces te Neurenberg. Bij dit proces staan de belangrijkste nazi-leiders terecht.
December	
31	Nederlandse troepen (bataljons oorlogsvrijwilligers van de landmacht en mariniersbataljons) die in Batavia zouden debarkeren, worden door Britse bevelhebbers naar Malakka (Ladang Geddes) gestuurd om daar tijdelijk te

	verblijven. Eén bataljon mariniers mag in Tandjong Priok debarkeren. Wieringermeerpolder is weer drooggelegd.
1946	
Januari	
Medio	Minister van Justitie Kolfschoten geeft een circulaire uit, waarbij aangegeven wordt wat onder 'lichte gevallen' van NSB'ers en NSB-sympathisanten moet worden verstaan.
23	Sluiting van het laatste gat in de dijken rond Walcheren. Aanvang van de drooglegging van het eiland.
Maart	
4	Officiële opheffing van de Staat van Beleg. Einde van de bestuurlijke bevoegdheden van het Militair Gezag.
5	Toespraak Churchill over 'het ijzeren gordijn' in Fulton, USA.
April	
14-24	Eerste besprekingen met een Indonesische delegatie op het landgoed De Hoge Veluwe. Er worden geen reële resultaten bereikt.
Mei	
8	Bevelsoverdracht in Soerabaja van Britse aan Nederlandse divisiecommandant. Bij deze divisie is ook de uit Malakka afkomstige mariniersbrigade ingedeeld.
17	Eerste vrije algemene verkiezingen voor de Tweede Kamer.
30	Eerste vrije verkiezingen voor de Provinciale Staten.
Juli	
Begin	Omstreeks 65 duizend gedetineerde NSB'ers (en verdachten) bevinden zich nog in gevangenschap in diverse kampen.
26	Eerste vrije verkiezingen voor nieuwe gemeenteraden.
September	
maand	Toespraak Churchill te Zürich over een Verenigd Europa en verzoening tussen Frankrijk en Duitsland.
Oktober	
1	Uitspraak over de vonnissen van de oorlogsmisdadigers door het Internationaal Militair Gerechtshof te Neurenberg.
16	Terechtstelling (door ophanging) van de in het proces te Neurenberg veroordeelde nazi-leiders.
November	
10/15	Eerste conferentie te Linggadjati, waarbij in principe *de facto* erkenning van de Republiek Indonesia plaats vindt.
30	Einde van de gezagsuitoefening door Lord Mountbatten over het Indonesische grondgebied. Britse troepen verlaten Nederlands Indië.
December	
31	Het afgelopen jaar zijn weer circa zesduizend zeeschepen in de grotendeels herstelde Nederlandse havens binnengelopen.

1947

Maart

12	Toespraak van president Truman, waarbij hij hulp financiële hulp toezegt aan de niet-communistische landen in Europa (Truman doctrine).
25	Ondertekening van het akkoord van Linggadjati.

Juni

5	Minister van Buitenlandse Zaken in de Verenigde Staten George Marshall kondigt in een toespraak in de Harvard universiteit economische hulp aan voor alle Europese landen.

Juli

20	Aanvang eerste politionele actie (operatie Product) op Java en Sumatra. Deze actie wordt beëindigd op 5 augustus.

Augustus

Begin	Publicatie in het *Staatsblad* van de Grondwetswijziging, waardoor Nederlandse dienstplichtigen op wettelijke gronden naar Nederlands Oost-Indië kunnen worden uitgezonden.
2	Aanname met algemene stemmen in de Veiligheidsraad van de VN te New York van een oproep, waarbij Nederland en de Republiek Indonesië worden verzocht het vuren te staken.
24	Aanname met algemene stemmen in de Veiligheidsraad te New York van een besluit, dat een Commissie van Goede Diensten aan het werk zal gaan om tussen Nederland en de Republiek een akkoord te bereiken.

September

	Oprichting door de Sovjet-Unie van het Cominform, als reactie op het Marshall-plan.
medio	Omstreeks negentienduizend gedetineerden (NSB'ers et cetera) bevinden zich nog in zeventien gevangenkampen.

1948

Januari

- Aanvaarding van de 'Renville'-overeenkomst, waarbij onder meer de politieke en militaire status quo tussen Nederland en de Republiek na de eerste politionele actie, grotendeels erkend wordt.
- In het kader van het Beneluxverdrag van 1944, start van de douane-unie tussen Nederland, België en Luxemburg.

Februari

Communistische machtsovername in Tsjechoslowakije.

Maart

17	Defensieverdrag van Brussel tussen de Beneluxlanden, Engeland en Frankrijk (West Europese Unie) wordt ondertekend.

April

3	Goedkeuring door Amerikaanse Congres van het *European Recovery* (Marshall) *Plan* in de vorm van de *European Cooperation Act*.

Juni	
24	Aanvang Russische blokkade van Berlijn. Geallieerde luchtbrug gaat van start om Berlijn door de lucht te bevoorraden met vrachtvliegtuigen.
September	
4	Koningin Wilhelmina doet troonsafstand ten gunste van haar dochter prinses Juliana.
6	Inhuldiging koningin Juliana in Amsterdam.
December	
19	Aanvang tweede politionele actie. Belangrijkste doel op Java is de verovering van Djokjakarta en de arrestatie van de republikeinse regering. De actie wordt onder druk van de Veiligheidsraad van de VN, de volgende maand beëindigd
24	Veiligheidsraad neemt een resolutie aan waarin wordt aanbevolen dat het vuren wordt gestaakt en de republikeinse leiders worden vrijgelaten.
1949	
Januari	
5	Staakt het vuren en einde van de tweede politionele actie in Indonesië.
28	Aanname door de Veiligheidsraad van een resolutie waarin de *United Nations Commission for Indonesia* wordt opgericht en de VN een soort voogdijschap over Indonesië zal gaan uitoefenen.
April	
4	Officiële ondertekening van het NAVO-verdrag te Washington DC, door de twaalf deelnemende landen (waaronder Nederland).
Mei	
9	Einde van Russische blokkade van Berlijn. De geallieerde luchtbrug naar de stad wordt beëindigd.
Juli	
7	Soekarno en Hatta keren terug in Djokjakarta.
Augustus	
23	Aanvang van Ronde Tafel Conferentie te Den Haag in verband met de soevereiniteitsoverdracht aan Indonesië.
Oktober	
31	Einde Ronde Tafel Conferentie over de soevereiniteitsoverdracht. Nieuw-Guinea blijft voorlopig nog een jaar onder Nederlands gezag en bestuur.
December	
27	Soevereiniteitsoverdracht aan Indonesië, tijdens officiële plechtigheid in het Paleis op de Dam te Amsterdam.
31	Het aantal personenauto's in Nederland heeft weer het vooroorlogse aantal van honderdduizend stuks overschreden. Het aantal vrachtauto's heeft het vooroorlogse aantal (51 duizend) inmiddels ver overschreden is omstreeks 75 duizend stuks.

OVERZICHT 2

Afkortingen, militaire eenheden en belangrijkste rangen

Afkortingen

ABDA American British Dutch Australian
AKZO Algemene Kunstzijde en Zout Onderneming
ANP Algemeen Nederlands Persbureau
BBC British Broadcast Corporation
BBO Bureau Bijzondere Opdrachten
BRT Bruto Register Tonnage
BS Binnenlandse Strijdkrachten
CBS Centraal Bureau voor de Statistiek
CCD Crises Controle Dienst
CIC Commander in Chief
CID Centrale Inlichtingen Dienst
CPN Communistische Partij Nederland
EDD Eenheid Door Democratie
EEG Europese Economische Gemeenschap
EGKS Europese Gemeenschap voor Kolen en Staal
EU Europese Unie
Gestapo Geheime Staats Polizei
GRT Gross Register Tonnage
HAL Holland Amerika Lijn
HMS His/Her Majesty Ship
Hr.Ms Hare Majesteits
IBM International Business Machines
KL Koninklijke Landmacht
KM Koninklijke Marine
KMA Koninklijke Militaire Academie
KNIL Koninklijk Nederlands Indisch Leger
KP Knokploeg
KZHRM Koninklijke Zuid Hollandse Reddings Maatschappij
LK Legerkorps
LKP Landelijke Knokploeg
LO Landelijke Organisatie
MC Medisch Contact

MG	Militair Gezag
MI	Military Intelligence
MLD	Marine Luchtvaart Dienst
NATO	North Atlantic Treaty Organisation
NAVO	Noord Atlantische Verdrags Organisatie
Nazi	Nationaal Socialist
NIOD	Nederlands Instituut voor Oorlogs Documentatie
NSB	Nationaal Socialistische Beweging
NS	Nederlandse Spoorwegen
NSDAP	National Socialistische Deutsche Arbeiters Partei
NSF	Nationaal Steun Fonds
NVBG	Nederlandse Vereniging ter Beoefening van de Geneeskunde
NVV	Nederlands Verbond van Vakverenigingen
OD	Orde Dienst
OKW	OberKommando der Wehrmacht
PTT	Post, Telegraaf, Telefoon
RAF	Royal Air Force
RI	Regiment Infanterie
RIS	Republik Indonesia Serikat
RN	Royal Navy
RSHA	Reichs Sicherheits Haupt Amt
RTC	Ronde Tafel Conferentie
RVV	Raad Van Verzet
SA	Sturm Abteilung
SAS	Special Air Service
SD	Sicherheits Dienst
SDAP	Sociaal Democratische Arbeiders Partij
SDP	Studenten Deutsche Partei
SG	Secretaris Generaal
SHAEF	Supreme Headquarters Allied Expeditionary Forces
SIS	Special Intelligence Section
SOE	Special Operations Executive
SS	Schutz Staffeln
TNI	Tentara National Indonesia
UN	United Nations
US	United States
USA	United States of America
USAF	United States Air Force
USN	United States Navy
V-1/2	Vergeltungswaffe
VK	Verenigd Koninkrijk
VN	Verenigde Naties
WA	Weer Afdeling
WEU	West Europese Unie
ZH	Zuid-Holland

Militaire eenheden (op volledige sterkte)

Nederland (1940)		Duitsland	UK/US
Sectie (peleton) inf.	± 35	± 35	± 35
Infanterie compagnie	± 160	± 160	± 160
Infanterie bataljon	± 750	± 800	± 800
Regiment infanterie	± 2.500	± 3.300	± 3.500
Divisie	± 10.000	± 17.000	± 17.000/15.000
Legerkorps	± 25.000	± 50.000	± 60.000
Leger	±120.000	±150.000	±170.000

N.B. Pantser, artillerie, genie en luchtlandingeenheden, hadden doorgaans een geringer aantal officieren, onderofficieren en manschappen bij de eenheid dan de infanterie.

Veel operationele eenheden waren in de loop van de oorlog *niet* op volledige sterkte. In het bijzonder de Duitse eenheden, waren in de jaren 1943- 1945 door grote verliezen ver onder de 'papieren' sterkte.

Belangrijkste militaire rangen

Nederland	Duitsland	UK/US
Korporaal	Obergefreiter (SS-Rottenführer)	Corporal
Sergeant	Unterfeldwebel (SS-Scharführer	Sergeant
Sergeant 1e klas	Feldwebel (SS-Oberscharführer)	Sgt 1st class
Sergeant-majoor	Oberfeldwebel (SS-Hauptscharfurer)	Company sgt.maj. Master sgt
Adjudant,Vaandrig	Stabsfeldwebel (SS-Sturmscharführer)	Regimental sgt.maj. Warrant officer
2e/1e Luitenant	(Ober)Leutnant (SS-Unter/Obersturmführer)	2nd/1st Lieutenant
Kapitein	Hauptmann (SS-Hauptsturmführer)	Captain
Majoor	Major (SS-Sturmbannführer)	Major
Luitenant-kolonel	Oberstleutnant (SS-Obersturmbannführer)	Lieutenant-Colonel
Kolonel	Oberst (SS-Standartenführer)	Colonel
Brigade-generaal	Generalmajor(SS-Brigadeführer)	Brigadier/ Brigade Gen.
Generaal-majoor	Generalleutnant(SS-Gruppenführer)	Major-General
Luitenant-generaal	General (SS-Obergruppenführer)	Lieutenant-Gen.
Generaal	Generaloberst (SS-Oberstgruppenführer)	General
(Veldmaarschalk)	General-feldmarschall(Reichsführer-SS)	Field Marshal General of the Army

OVERZICHT 3

Kaarten en foto's

1. Kaarten

Pagina

2. Foto's

Pagina

LITERATUURLIJST

Bronnen en literatuur

NEDERLANDS

***** = oorspronkelijk in het engels uitgegeven en vertaald in Nederlands**

Aalders, Gerard; *Roof, De ontvreemding van joods bezit tijdens de Tweede Wereldoorlog*, SDU Den Haag 1999.

Aarts, K. & Pols, H.; *De Greb, herinneringen aan de slag om de Grebbeberg*, Veen Utrecht 1990.

Amersfoort, dr. H. & P.H. Kamphuis (redactie); *Mei 1940, de strijd op Nederlands grondgebied*, Militair Historische Sectie KL, SDU Den Haag 1990.

Amstel, G. van; "De zak met vlooien", Bigot & Van Rossum BV Blaricum 1974.

Beus, dr. J.G.; *Morgen bij het aanbreken van de dag*, Ad.Donker Rotterdam 1978.

Bezemer, K.W.L.; *Zij vochten op de zeven zeeën*, W. de Haan NV Zeist 1957.

Bezemer, K.W.L.; *Verdreven doch niet verslagen*, W. de Haan NV Hilversum 1957.

Blom, dr. J.C.H.; *De muiterij op de Zeven Provinciën*, Unieboek BV Bussum 1975.

Blom, dr. J.C.H.; *Crisis, bezetting en herstel*, Universitaire Pers Rotterdam BV Den Haag 1989.

Boolen, J.J. & Does, dr. J.C. van der; *Nederlands verzet tegen Hitler-terreur en nazi-roof*, Geheime pers D.A.V.I.D.

Bosscher, D., Renner H. & Wagenaar R.; *De wereld na 1945*, Aula Uitg. Het Spectrum 3de druk Utrecht 1997.

Bosscher, dr. Ph.M.; *De Koninklijke Marine in de Tweede Wereldoorlog*, deel 1, T. Wever BV Franeker 1984.

Brand, H. & J.; *De Hollandse Waterlinie*, L.J. Veen BV Utrecht 1968.

Brongers, E.H.; *De oorlog in mei 1940*, Hollandia BV Baarn 1963.

Brongers, E.H.; *De slag om de residentie 1940*, Hollandia BV Baarn 1968.

Brongers, E.H.; *Grebbelinie 1940*, Uitg. Aspekt Soesterberg 2002.

Brongers, E.H.; *Afsluitdijk 1940*, Uitg. Hollandia BV, Baarn 1977.

Brongers, E.H.; *Opmars naar Rotterdam*, 3 delen, Uitg. Hollandia BV Baarn 1983.

Brongers, E.H.; *De Nederlandse Cavalerie in de Meidagen van 1940*, Stichting Nederlands Cavalerie Museum, Amersfoort 1998.

Buchheit, Gert; *De Duitse geheime dienst (Der Deutsche Geheimdienst)*, De Boekerij NV Baarn (Paul List Verlag München 1966).

Bultkamp, dr. J.; *Geschiedenis van het verzet 1940-1945*, Fibula/Unieboek Houten 1990.

Churchill, Sir Winston; *Memoires over de Tweede Wereldoorlog* (delen 2, 3, 9, 10), Uitgeverij Elsevier Amsterdam 1953 ***
Collins, Larry and Lapierre, Dominique; *Brandt Parijs?*, J.H. Gottmer Uitg. Haarlem 1965.
Contactgroep Tegoeden WOII; *Roof en Rechtsherstel, Eindrapport*, Amsterdam 2000.
Couvee, D.H.; *De meidagen van '40*, Daamen NV, Den Haag 1960.
Dankers, J & J. Verheul; *Bezet gebied dag in dag uit, Nederland en Ned.Indië in de Tweede Wereldoorlog, een chronologisch overzicht*, Het Spectrum BV 1985.
Dekker, Maurits; *De laars op de nek (Roman 1940/1944)*, A.W. Sijthoff Leiden 1965.
Delarue, Jacques; *Gestapo* (*Histoire de la Gestapo*), Dick Bruna 1965 (Libraire Arthème Fayard 1962).
Demant, Ebbo; *Geen leugens over Auschwitz*, Uitg. In de Toren Baarn 1980 (Anthos boek).
Dogger, G.; *De vierkante maan, een persoonlijk oorlogsrelaas*, Elsevier Nederland BV Amsterdam 1979.
Dokter, H.G. Verhage, F., Binneveld, J.M.W.; *Een onbelicht verleden, de tewerkstelling van medische studenten in nazi-Duitsland 1943-1945*, Kon. Van Gorcum BV Assen 2001.
Doorn, J.A.A. van; *Gevangen in de tijd*, Boom Amsterdam 2002.
Doorn, J.A.A. van & Hendrix, W.J.; *Ontsporing van geweld (Over het Nederlands Indische/ Indonesische conflict)*, Universitaire Pers Rotterdam 1970.
Douw van der Krap, C.L.J.F., *Contra de Swastika* Van Holkema en Warendorf/Unieboek BV Bussum 1981.
Dröge, Philip; *Beroep: meesterspion. Het geheime leven van Prins Bernhard*, Uitg. Vassalucici Amsterdam 2002.
Eisenhower, General Dwight D.; *Kruistocht door Europa* (*Crusade in Europe*), NV Servire Wassenaar ***
Elfferich, Loek; *Eindelijk de waarheid nabij*, Leopold Den Haag 1983.
Elsevier; 'Een bevrijding die maar niet kwam', *Elsevier Magazine* 21 december 1985
Faber, dr. J.A (Editor); *Het spoor, 150 jaar spoorwegen in Nederland*, NV Ned. Spoorwegen Utrecht/Meulenhof Informatief Amsterdam 1989.
Fasseur, Cees; *Wilhelmina, Krijgshaftig in een vormloze jas*, Uitg. Balans Amsterdam 2001.
Fernhout, J.N.; Het verband tussen de Luftwaffe verliezen in mei 1940 en de Duitse invasieplannen voor Engeland, *Militaire Spectator* nr. 8 1992, Den Haag.
Flamand, Roger en Jansen J.H.; *Operatie Amherst* (*Amherst. Les Parachutistes de la France libre 3e et 4e SAS Hollande 1945*), Boom Amsterdam, Nederlandse vertaling 2002.
Freitag Drabbe, Geraldien von; *Kamp Amersfoort*, Mets & Schilt Amsterdam 2003.
Ganier-Raymond, Philipe; *De 48 doden, het drama van het Englandspiel* (*Le réseau étranglé*), Uitg. Westfriesland, Hoorn 1970.
Geus, P.B.R. dr.; *De Nieuw-Guinea kwestie*, Martinus Nijhoff, Leiden 1984.
Geus, P.B.R. dr.; *Staatsbelang en Krijgsmacht*, SDU Den Haag 1998.
Graaff, Bob de; *Dood van een dubbelspion, de laatste dagen van Christiaan Lindemans*, SDU Den Haag 1997.
Haffner, Sebastian; *Kanttekeningen bij Hitler*, Uitg.H.J.W.Becht's BV Amsterdam 1978.
Haffner, Sebastian; *Churchill*, Uitg. H.J.W. Becht's BV Amsterdam 1980.
Hakkert, A.J.; De Nieuw-Guinea affaire, *Defensie magazine Armex*, dec. 1988 nr.12, jan. 1989 nr.1 en feb. 1989 nr.2.

Hakkert, Max; *Het moordhol Bergen-Belsen*, privé geprubliceerd door M. Hakkert Amsterdam 1945.
Hartog, Leo de; *Officieren achter prikkeldraad 1940-1945*, Uitg. Hollandia BV Baarn 1983.
Hasselton, P.W.M.; *Het bombardement van Rotterdam, incident of berekening?*, Uitg. De Bataafse Leeuw Amsterdam 1999.
Have, W. ten; *De Nederlandse Unie, Aanpassing, vernieuwing en confrontatie in bezettingstijd 1940-1941*, Uitg. Prometeus Amsterdam 1999.
Hazelhoff Roelfzema, E.; *Soldaat van Oranje '40-'45*, Ad.M.C. Stok Forum Boekerij Den Haag.
Herzberg, A.J.; *Kroniek der Jodenvervolging 1940-1945*, Querido Uitg. BV Amsterdam 1985.
Heijboer, Pierre; *De politionele acties, De strijd om Indië 1945-1949*, Uitg. Fibula – Van Dishoeck Haarlem 1979.
Heijden, C. van der; *Grijs verleden*, Uitg. Contact Amsterdam 2001.
Hilterman, G.B.J.; *Sesam Geschiedenis van de Tweede Wereldoorlog*, Uitg. Bosch & Keuning NV Baarn 1984, volume 1 & 2.
Hitler, Adolf; *Mijn strijd* (*Mein Kampf*), Uitg. Ridderhof 1982 (1ste druk in Duitsland 1926)
Hoets, Pieter Hans; *England Spiel ontmaskerd*, Uitg. Ad. Donker Rotterdam 1990.
Hofer, Walther; *De ontketening van de Tweede Wereldoorlog* (*Die Entfesslung des zweiten Weltkrieges*, Deutsche Verlaganstalt GmbH Stuttgart), Uitg. Het Spectrum Utrecht 1965
Holst Pelikaan, R.E. van & Regt, I.C. de; *Operaties in de Oost, De Koninklijke Marine in de Indische Archipel 1945-1951*, De Bataafsche Leeuw Amsterdam 2003.
Honselaar, D.; *De zwarte duivels van Rotterdam*, Rotterdam 1948.
Huisman-van Bergen, Annie; *De vervolgden (Jacht op twee Delftse studenten in 1941)*", Uitg. Boom Amsterdam 1999.
Huurman, C.; *Het spoorwegbedrijf in oorlogstijd 1939-1945*, Uitg. Uquilair, Den Bosch 2001
Janssen, dr. H.P.H.; *Kalendrium, Geschiedenis der Lage Landen in jaartallen*, Uitg. Het Spectrum NV Utrecht 1971.
Jong, A.P.; *Vlucht door de tijd, 75 jaar Nederlandse luchtmacht*, Unieboek BV Houten 1988
Jong, dr. L. de; *De bezetting, na vijftig jaar*, deel 1, 2, 3, SDU Uitg., Den Haag 1990.
Jong, dr. L. de; *De Duitse vijfde colonne in de tweede wereldoorlog*, Meulenhoff Amsterdam (herdruk 1977).
Jong, dr. L. de; *Het Koninkrijk der Nederlanden in de Tweede Wereldoorlog* 14 delen SDU Den Haag 1969-1989.
Keizer, Madelon de; *Putten, de razzia en de herinnering*, Uitg. Bert Bakker Amsterdam 1998.
Kieffer, P; *De groene baret* (*Béret vert*), Uitg. Het Spectrum NV Utrecht 1966 (Edition France-Empire Paris).
Kielich, W.; *Het aanzien van vijf jaar (1940-1945)*, Amsterdam Boek BV 1975.
Klep, Christ and Schoenmakers, Ben; *De bevrijding van Nederland 1944-1945, Oorlog op de flank*, SDU Uitg. Den Haag 1995.
Klep, Christ en Gils, R. van; *Van Korea tot Kosovo, De Nederlandse militaire deelname aan vredesoperaties sinds 1945*, SDU Uitg. Den Haag 1999.
Kossmann, Prof. dr. E.H.; *Geschiedenis der Nederlanden, deel 1780-1970*, Elsevier Amsterdam 1977.
Kok, Auke; *De verrader, leven en dood van Anton van der Waals*, Uitg. De Arbeiderspers Amsterdam 1995.

Kroese, A.; *Neerlands Zeemacht in oorlog*, Londen 1944.

Küpfer, C.C.; *Onze vliegers in Indië*, Uitg. Boom-Ruychrok NV Haarlem 1946

Liddel Hart, sir Basil en Pitt, Barrie; *Standaard geschiedenis van de Tweede Wereldoorlog*, 7 delen, (*History of the Second World War*), Standaard Uitg. Utrecht/Antwerpen 1970 (Purnell and Sons Ltd England 1968). ***

Luidinga, F. en Guns.N.; Tjilatjap 1942, *Marineblad* jaargang 112 nummer 7/8 juli/aug 2002 PlantijnCasparie Hilversum.

Luykx P. en Bootsma N.; *De laatste tijd, Geschiedschrijving over Nederland in de 20ste eeuw*, Uitg. Het Spectrum BV Utrecht 1987.

Maalderink, P.G.H.; De open achterpoort van de Vesting Holland, *Militaire Spectator* nr. 5 1981, Den Haag.

Mak, Geert; *De eeuw van mijn vader*, Uitg.Atlas, Amsterdam/Antwerpen 1999.

Mallan, K; *Als de dag van gisteren, Rotterdam 10-14 mei 1940*, De Gooise Uitg./Unieboek BV, Weesp 1985.

Mandere, H.Ch.G.J. van der; *Kleine geschiedenis van den grooten oorlog (1939-1945)*, A.W. Sijthoffs Uitg. maatschappij NV, Leiden 1946.

Maser, Werner; *Hitlers Mein Kampf (Adolf Hitlers Mein Kampf)*, Nederlandse uitgave Aspekt Soesterberg 1998.

Matsier, Nicolaas, Keyzer, Carl de en Schepel, Selma; *De Nieuwe Hollandse Waterlinie*, Waanders Uitg., Zwolle 2001.

Matanle, Ivor; *De Tweede Wereldoorlog*, Rebro Producties Lisse 1989, isbn 90 366 0368 4 ***

McKee, Alexander; *De race naar de Rijnbruggen*, Hollandia BV Baarn 1972.***

Meershoek, Guus; *Dienaren van het gezag (De Amsterdamse politie tijdens de bezetting)*, Van Gennep BV Amsterdam 1999.

Meulenbelt, J.; *De Duitse tijd*, A.W.Bruna & Zoon Utrecht 1960.

Middelkoop, Teo van; *Een soldaat doet zijn plicht*, Europese bibliotheek Zaltbommel 2003.

Miert, dr. Jan van; *Oorlog en bezetting*, Kosmos-Z&K Utrecht 1994.

Militaire Spectator; Veertig jaar na veertig en andere artikelen, Kon. Ver. ter Beoefening van de Krijgswetenschap, Jaargang 149, mei 1980 Den Haag .

Moeyes, Paul; *Buiten schot, Nederland tijdens de Eerste Wereldoorlog 1914-1918*, Arbeiderspers Amsterdam 2001.

Mosley, Leonard; *De spookachtige vrede 1938-1939* (*On borrowed time*); H.J. Paris NV Amsterdam MCMLXX.***

Mulisch, Harry; *De aanslag*, Uitg. De Bezige Bij Amsterdam 1983.

Münching, L.L.von; *De Nederlandse koopvaardijvloot in de Tweede Wereldoorlog*, Uitg. De Boer Maritiem, Unieboek BV Bussum 1978.

Nater, Johan P.; *Koers 300 vaart 25, De slag in de Java Zee*, Uitg. Unieboek BV Bussum 1980.

Onderwater, H; Ruis, D; Blok, R.; Noort, P.van; *Oorlog rond Hoek van Holland 10-20 mei 1940*, Uitg. Foundation Netherlands Coastal Defence Museum Fort Hook of Holland, 2000.

Overy, Richard; *De verhoren, De Nazi elite ondervraagd*, Uitg. De Bezige Bij Amsterdam 2002.***

Paape, drs. A.H. (redactie); *Bericht van de Tweede Wereldoorlog*, 17 delen, Uitg. Amsterdam Boek BV Amsterdam 1970-1975.

Parlementaire Enquête Commissie, Tweede Kamer Staten-Generaal; *Regeringsbeleid 1940-1945, Verslag houdende de uitkomsten van het onderzoek*, 9 delen, Den Haag 1949-1956 .

Peelen, Th. & Vliet, A.L.J. van; *Zwevend naar de dood, Arnhem 1944*, Uitg. Ter Hoeven BV Velp 1976.

Perrault, Gilles; *Die Rote Kapelle* (*L'orchestre rouge*), Uitg. In de Toren Baarn 1973.

Perrault, Gilles; *Het geheim van D-day* (*Le secret de jour J*), Uitg. Het Spectrum NV Utrecht 1967.

Pierik, Perry; *Hitler's Lebensraum, De geestelijke wortels van de veroveringstocht naar het oosten*, Uitg. Aspekt Soesterberg 1999.

Pierik, Perry; *Van Leningrad tot Berlijn, Nederlandse vrijwilligers in dienst van de Duitse Waffen-SS 1941-1945*, Uitg. Aspekt Soesterberg 2000.

Pitt, Barry & Liddel Hart, sir Basil; *Zjoekov, Maarschalk van de Sovjet-Unie*, Uitg. Standaard Antwerpen 1995.***

Poort, W.A. & Hoogvliet, Th.N.J.; *Slagschaduwen over Nederland*, Boom-Ruygrok Haarlem 1945.

Presser, dr. J.; *Ondergang, de vervolging en verdelging van het Nederlandse jodendom 1940-1945*, 2 delen, SDU Uitg. Den Haag 1965.

Quispel, H.V.; *Nederlandsch-Indië in den Tweeden Wereldoorlog*, The Netherlands Publishing Company Ltd, London 1945.

Rep, Jelte; *Englandspiel, Spionagetragedie in bezet Nederland 1942-1944*, Van Holkema & Warendorf Unieboek BV 1977 Bussum.

Rings, Werner: *Leven met de vijand, aanpassing en verzet in Hitlers Europa 1939-1945* (*Leben mit dem Feind, Anpassung und Widerstand in Hitlers Europa 1939-1945*), H.J.W. Becht's Uitg. BV Amsterdam 1981.

Roberts, dr. Stephen H.; *Het huis dat Hitler bouwde*, NV Uitg.'Eigen volk' Haarlem 1937 (*The house that Hitler built*, Sydney Australia 1937).

Romeny, Robertine (eindredacteur); *Een stilte die spreekt*, Anne Frank Stichting /Nationaal Comite 1940-1945/ICODO, Amsterdam/Utrecht, SDU 2000.

Rossum, M. van, Jonkers, E., Kooijmans, L.; *Een tevreden natie, Nederland van 1945 tot nu*, Uitg. Tirion Baarn 1993.

Schoo, H.J. (eindredactie Roodenbeurg S.); De Nederlanders in woord en beeld, *Elsevier weekblad 50 jaar*, Uitg. Bonaventura Amsterdam 1995.

Schoonoord, dr. D.C.L.; *De Mariniersbrigade 1943-1949*, Afdeling Maritieme Historie van de Marinestaf Den Haag 1988.

Schreieder, Joseph; *Het Englandspiel*, Van Holkema & Warendorf NV Amsterdam.

Schulten, dr. C.M.; *Verzet in Nederland*, SDU Uitg. Den Haag 1995.

Schulten, dr. J.W.M.; *De geschiedenis van de Ordedienst*, SDU Uitg. Den Haag 1999.

Schulten, dr. J.W.M.; *De Nederlandse officier en zijn geschiedenis*, Uitg. De Bataafsche Leeuw Amsterdam 2002.

Smedts, M.; *Waarheid en leugen in het verzet*, Uitg. Corrie Zelen, Maasbree 1978.

Somers, Erik & Kok, René; *Het 40-45 boek*, Uitg.Waanders BV, Zwolle 2002.

Spectrum; *De Tweede Wereldoorlog*, Uitg. Het Spectrum BV Utrecht 2000.

Sijes, Ben; *De Februaristaking, 25-26 februari 1941*, Amsterdam 1978 .

Sijes, dr. B.A.; *De razzia van Rotterdam november 1944*, Sijthoff Amsterdam 1984.

Tamse, dr. C.A. (Editor); *Nassau en Oranje in de Nederlandse geschiedenis*; A.W. Sijthoff's Uitg. BV Alphen a\d Rijn 1979.

Toornvliet, H.A.H.; *De staatsinrichting,* Uitg. Het Spectrum BV Utrecht 1992.
Urquart, Major General R.E.; *De slag om Arnhem* (*Arnhem*); A.W. Sijthoff Leiden 1964. ***
Verkijk, Dick; *Die slappe Nederlanders – of viel het toch wel mee in 1940-1945?*; Uitg. Aspekt Soesterberg 2001.
Vidal, Koen (Chief Editor); *De oorlogskranten*; Florence Uitg. NV Amsterdam, 65 expl.
Voolstra, A. and Blankevoort, E. (redacties); *Oorlogsdagboeken over de jodenvervolging,* Uitg. Contact Amsterdam 2001.
Wagenaar, Aad; *Rotterdam-mei '40*; NV Arbeiderspers Amsterdam 1970.
Weber, E.P.; *Gedenkboek van het Oranjehotel*; NV Roman, Boek en Kunsthandel Nelissen Amsterdam 1947.
Weert, J. van de; *Heimwee naar Thule (aantekeningen over de occulte achtergrond van het Nationaal-Socialisme).* Amsterdam 1991 .
Werkman, E.; *Dat kan ons niet gebeuren*; Uitg. De Bezige Bij Amsterdam 1980.
Werth, Alexander; *Rusland in oorlog 1941-1945* (*Russia at War 1940-1945*), Kruseman's Uitg. Den Haag 1967. ***
Wijk, A. van; *Odyssee van een marinier*; Drukkerij Print 81 Doorn 1997.
Winkler Prins; *Encyclopedie van de Tweede Wereldoorlog,* Uitg. Elsevier Argus BV Amsterdam 1980.
Whiting. Ch/Trees. W; *Van Dolle Dinsdag tot Bevrijding,* Unieboek Bussum 1977.
Wilhelmina, H.R.H. Prinses der Nederlanden; *Eenzaam maar niet alleen,* Uitg. Ten Have BV Baarn 1959.
Wiesenthal, Simon; *Moordenaars onder ons,* Elsevier NV Amsterdam 1967. ***
Wolters, Jo; *Dossier Nordpol (Het Englandspiel onder de loep),* Boom Amsterdam 2003.
Wucher, Albert; *Vanaf 5 uur 45 wordt teruggeschoten* (*Seit 5 Uhr 45 wird züruck-geschossen,* Süddeutscher Verlag München), Het Spectrum Uitg. Utrecht 1965.
Zee, Nanda van der; *Om erger te voorkomen,* Uitg. Meulenhoff Amsterdam 1997.
Ziegler, Jean; *Hitler's bankiers* (*Die Schweiz, das Gold und die Toten,* C. Bertelsmann Verlag GmbH München 1997.

ENGELS
**** = vertaald en uitgegeven in het Nederlands**

Angus, Tom; *Men at Arnhem,* Leo Cooper Ltd, Great Britain 1976.
Barker, A.J.; *Pearl Harbor,* Ballantine Books Inc. New York 1969.
Barker, A.J.; *Midway, the turning point,* Ballantine Books Inc. New York 1971.
Bethell, Nicholas; *The War Hitler Won,* Allen Lane The Penguin Press, Great Britain 1972.
Black, Edwin; *IBM and the holocaust,* Crown Publishing., New York 2001.
Blumenson, Martin; *Sicily, whose victory,* Macdonald & Co Ltd, London 1969.
Blumenson, Martin; *Eisenhower,* Pan Books Ltd. London 1973.
Bourke, Joanna; *The Second World War, A People's History,* Oxford University Press, Oxford 2001.
Bourne, John & Liddle, Peter & Whitehead, Ian; *The Great World War 1914-45,* Harper Collins Publish., London 2000.

Calvacoressi, Peter & Wint, Guy; *Total War, volume 1 The War in the West*, Pantheon Books Inc. USA 1972.

Chalfont, Alun; *Montgomery of Alamein*, Weidenfeld & Nicholson Ltd, Great Britain 1976.

Clausewitz, Carl von; *On War (Vom Kriege)"*, Vertaling door: Pelican Books England 1968.

Collier, Richard; *1940 The World in Flames*, Hamish Hamilton Ltd, Great Britain 1979.

Cookridge, E.H.; *Gehlen, spy of the century*, Hodder & Stoughton Ltd, Great Britain 1971.

Crankhaw, Edward; *Gestapo*, Putnam & Co Ltd Great Britain 1956.

Dawidowicz, Lucy S.; *The War against the Jews 1933-1945*, Holt, Rinehart and Winston New York 1975.

Dear, I.C.B en Foot, M.R.D; *The Oxford Companion to World War II*, Oxford University Press 1995 en 2001.

Deighton, Len; *Blitzkrieg, from the rise of Hitler to the fall of Dunkirk*, Jonathan Cape Ltd Great Britain 1979.

Deighton, Len; *Fighter, the True Story of the Battle of Britain*, Jonathan Cape Ltd London 1977.

Denis, W. & Whitaker, Sh.; *The Battle of the Scheldt*, Souvenir Press 1985.

Dixon, Norman F.; *On the Psychology of Military Incompetence*, Futura Publication London 1979.

Durnford-Slater, J.F. Brigadier, DSO; *Commando*, Universal Tandem Co Ltd London 1975.

Earle, Edward Mead; *Makers of Modern Strategy*, Princeton University Press, USA 8th print 1966.

Ellis, John; *The World War II databook*, Aurum Press Ltd, London 1995.

Elstob, Peter; *Bastogne, the road block*, Macdonald & Co Ltd London 1968.

Elstob, Peter; *Battle of the Reichswald*, Ballantine Books Inc. New York 1970.

Essame, Major General H.: *Normandy Bridgehead*, Ballantine Books Inc. New York 1970.

Farrar-Hockley, Anthony, DSO MBE MC; *Airborne Carpet, Operation Market Garden*, Macdonald & Co Ltd (Publ.) London 1970 .

Farrar-Hockley, Anthony, DSO MBE MC; *Student, The Paratrooper General*, Ballantine Books Inc. New York 1970.

Fest, Joachim C.; *The Face of the Third Reich*, Penguin Books Ltd, Harmondsworth Middelesex England 1972.

Fleming, Peter; *Invasion 1940, Operation Sea Lion*, Rupert Hart-Davis Ltd England 1957, Pan Books London 1975.

Foot, M.R.D.; *SOE in the Low Countries*, St. Ermin's Press London 2002.

Ford, Brian; *German secret weapons*, Ballantine Books Ltd London 1972.

Farago, Ladislas: *Patton, ordeal and triumph*, Dell Publishing Company Inc. New York 1965.

Frankland, dr. Noble; *Bomber offensive, the devastation of Europe*, Macmillan and Co Ltd London 1970.

Fuller, Major-General J.F.C.; *The Conduct of War 1789-1961*, Rutgers University Press New Yersey 1961

Fuller, Major-General J.F.C.; *The Second World War 1939-1945*, Eyre & Spottiswood London 1968.

Fuller, Maj. General J.F.C.; *The Decisive Battles of the Western World and their influence upon history, Volume 3 From the American Civil War to the end of the Second World War*, Eyre & Spottiswoode London 1963.

Goldhagen, Daniel J.; *Hitlers's Willing Executioners, Ordinary Germans and the Holocaust,* Alfred A.Knopf New York 1996. **

Goldston, Robert; *The life and death of Nazi Germany,* Bobbs-Merril Company Inc. USA 1967.

Graham, Dominick MC; *Cassino,* Pan/Ballantine Books Ltd. London 1972.

Hackett, Sir John, General GCB CBE DSO MC; *I was a stranger,* Chatto & Windus London 1977

Hastings, Max; *Bomber Command,* Pan Books Ltd. London 1981.

Hastings, Max; *D-day and the battle for Normandy,* Pan Books Ltd. London 1984.

Hawes, Stephen and Ralph White, *Resistance in Europe 1939-1945,* Penguin Books Ltd Middlesex UK/Penguin Books Inc Baltimore Maryland USA 1976.

Heaps, Leo; *The Grey Goose of Arnhem,* Weidenfeld & Nicholson, Great Britain 1976.

Heiferman, Ronald; *World War II,* Octopus Books Ltd, London 1975.

Hibbert, Cristopher MC; *Anzio, the bid for Rome,* Ballantine Books Inc New York 1970.

Hirschfeld, Gerhard; *Nazi Rule and Dutch Collaboration, The Netherlands under German Occupation 1940-1945,* Berg Publ. Ltd Oxford 1988. ***

Holmes, Richard; *Firing Line,* Penquin Books Ltd Harmondsworth Middlesex England 1987.

Horne, Alistair; *To lose a Battle,* Macmillan and Co Ltd London 1969. **

Huff, Darrell; *How to Lie with Statistics,* Victor Gollancz Ltd. London 8ste druk 1964.

Humble, Richard; *Hitlers's high seas fleet,* Ballantine Books Inc. New York 1971.

Humble, Richard; *Hitler's Generals,* Arthur Barker Ltd, Great Britain 1973.

Humble, Richard; *Japanese high seas fleet,* Ballantine Books Inc. New York 1973.

Irving, David; *The Rise and Fall of the Luftwaffe,* Weidenfeld & Nicholson Ltd Great Britain 1974.

Isaacs, Jeremy & Downing, Taylor; *Cold War,* Transworld Publish. Ltd. London 1998.

Janssen, Paul; *The Drama of the Low Countries,* Van Wijnen BV Franeker 1999.

Jarman, T.L.; *The Rise and Fall of Nazi Germany,* New York University Press 1956.

Jones, R.V.; *Most Secret War, British Scientific Intelligence 1939-1945,* Hamish Hamilton Ltd, Great Britain 1978.

Jones, Vincent; *Operation Torch, Anglo-American invasion of North Africa,* Pan/ Ballantine Books Ltd London 1973.

Jong, dr. Louis de; *The Netherlands and Nazi Germany,* Harvard University Press Cambridge USA 1990.

Jukes, Geoffrey; *Stalingrad, the turning point,* Macdonald & Co Ltd London 1968.

Jukes, Geoffrey; *Kursk, the clash of armour',* Macdonald & Co Ltd, London 1969.

Kahn, David; *Hitlers Spies, the story of German Military Intelligence,* Hodder & Stoughton Great Britain 1978.

Keegan, John; *Who is Who in World War II,* Bison Books London 1978. **

Keegan, John; *Barbarossa, invasion of Russia 1941,* Ballantine Books Inc. New York 1970.

Keegan, John; *Waffen SS,* Ballantine Books Inc. New York 1970.

Keegan, John; *Guderian,* Ballantine Books Inc New York 1970 .**

Kennedy, Paul; *Pacific onslaught, 1941-1943,* Ballantine Books Inc. New York 1972

Kershaw, Ian: *The Nazi dictatorship,* Edward Arnold, Hodder Headline Group 3.rd edition London 1993.

Laurens, A.; *The Lindemans Affair,* Allan Wingate Publ. Ltd Great Britain 1971.

Liddel Hart, Capt. B.H.; *History of the Second World War*, Cassel and Company Ltd. London 1970/Pan Books Ltd London 1973.

Liddel Hart, Capt. B.H.; *Strategy*, Praeger Publish. New York, 2nd edition 1975.

Lochner, Louis P.; *The Goebbels Diaries 1942-1943*, Doubleday & Company Inc New York 1948.

Lord Russel of Liverpool, CBE, MC.; *The Scourge of the Swastika*, Cassel and Company Ltd London 1954.

Lund, Paul and Harry Ludlam; *The War of the Landing Craft*, W.Foulsham & Co Ltd Great Britain 1976.

Maass, Walter B.; *The Netherlands at War: 1940-1945*, Abelard-Schuman Ltd New York 1970.

Macdonald, Charles; *Airborne*, Ballantine Books Inc. New York 1970.

Macdonald, Charles; *By air to battle*, Macdonald & Co Ltd London 1970.

Macksey, K.J.; *Panzer Division, the mailed fist*, Macdonald & Co Ltd London 1968.

Macksey, K.J.; *Afrika Korps*, Ballantine Books Inc, New York 1972.

Macksey, Kenneth; *Tank Warfare, A History of Tanks in Battle*, Rupert Hart-Davis Ltd Great Britain 1971.

Macksey, Kenneth, *Military errors of World War Two*, Cassel Plc, Wellington House London 1999 (reprinted).

Manchester, William; *The arms of Krupp, 1587-1968*, Michael Joseph Ltd, London 1969.

Maclear, Michael; *Vietnam, The ten thousand day war*, Eyre Methuen Ltd, London 1982.

Maguire, Eric; *Dieppe, August 19th 1942*, Corgi Book, Transworld Publish. Ltd London 1974.

Manvell, Roger; *SS and Gestapo: rule by terror*, Ballantine Books Inc, New York 1969.

Manvell, Roger; *The conspirators 20th July 1944*, Ballantine Books Inc, New York 1971.

Mason, David; *Salerno, foothold in Europe*, Pan/Ballantine Books Ltd, London 1972.

Mason, David; *U-boat, the secret menace"*, Macdonald & Co Ltd London 1968.

Mason, David; *Churchill*, Pan/Ballantine Books Ltd, London 1973.

Montgomery of Alamein, Viscount, Field Marshal, KG, GCB, DSO; *Montgomery of Alamein, Normandy to the Baltic*, Hutchinson and Co. Ltd, Great Britain 1947.

Maule, Henry; *The Great Battles of World War II*, The Hamlyn Publishing Group Ltd., London 1972.

Moulton, Maj. General J.L. CD DSO OBE; *Battle for Antwerp*, Ian Allan Ltd., Shepperton Surrey 1978.**

North, John; *North-West Europe 1944-5, The achievement of the 21st Army Group*, Unwin Brothers Ltd Gresham Press Surrey 1953.

Powell, Geoffrey; *The Devil's Birthday*, Buchan & Enright 1984.

Price, Alfred; *Luftwaffe*, Ballantine Books Inc., New York 1969.

Ryan, Cornelius; *A Bridge Too Far*, Hamish Hamilton Ltd, London 1974.

Shirer, William L.; *The Rise and Fall of the Third Reich, A History of Nazi Germany, 2 volumes*, Nederlandse versie H.J.W. Becht NV, Amsterdam 1965.**

Shirer, William L.; *The Collapse of the Third Republic, An Inquiry into the Fall of France in 1940*, Simon and Schuster New York 1969.

Shulman, Maj. Milton; *The German Defeat in the West*, Martin Secker & Warburg Ltd London 1947.**

Sibley, R. & Fry, M.; *Rommel, the dessert fox*, Ballantine Books Inc. New York 1974.
Speer, Albert; *Inside the Third Reich*, Weidenfeld & Nicholson Great Britain 1970.
Steenbeek, W.; *Rotterdam, invasion of Holland*, Battle Book No.29, Ballantine Books Inc. New York 1973.
Stock, James W.; *Rhine Crossing*, Ballantine Books Inc., New York 1970.
St. George Saunders, Hilary; *The Red Beret*, Michael Joseph Ltd London 1950.
St. George Saunders, Hilary; *The Green Beret*, Michael Joseph Ltd London 1949.
Taylor, A.J.P. (Editor in Chief); *History of World War II*, Octopus Books Ltd, London 1974.
Sweetman, John; *Schweinfurt, disaster in the skies*, Ballantine Books Inc. New York 1971.
Thompson, R.W.; *D-Day, spearhead of invasion*, Ballantine Books Inc. New York 1968.
Thompson, R.W.; *Montgomery*, Ballantine Illustrated History of World War II Random House Inc 1974.
Thomson, dr. David; *Europe since Napoleon*, Pelican Books England 1966.
Toland, John; *But not in shame, the six months after Pearl Harbour*, Random House New York 1961.
Toland, John; *Adolf Hitler*, P.R. Reynolds Inc. New York 1976. **
Tute, Warren & Costello, John & Hughes, Terry; *D-Day*, Nautic Presentations Ltd London.
Verrier, Anthony; *The Bomber Offensive*, Pan Books Ltd London 1974.
Vien, Jac le & Lord, John; *The valiant years*, George G. Harrap & Co. Ltd London 1963. **
Warmbrunn, Werner; *The Dutch under German occupation 1940-1945*, Stanford University Press USA 1963. **
Wells, H.G.; *A Short History of the World*, Penguin Books Ltd Middlesex England 1965 revised edition.
Wheal, Elizabeth-Anne & Pope, Stephen; *The Macmillan Dictionary of The Second World War*, Macmillan Publish. Ltd London 1989, 1997.
Whiting, Charles; *A Bridge at Arnhem*, Futura Publications Ltd London 1974.
Whiting, Charles; *Battle of the Ruhr pocket*, Pan Books Ltd. London 1972.
Whiting, Charles; *Hunters from the Sky, The History of the German Parachute Regiment 1940-1945*, Leo Cooper Ltd, Corgi Book Great Britain 1975.
Williams, John; *France, Summer 1940*, Ballantine Books Inc. New York 1970.
Wilmot, Chester; *The Struggle for Europe*, Fontana Books/Collins Press London 1974. **
Winterbotham, F.W.; *The Ultra Secret*, Harper & Row, New York 1974.
Wykes, Alan; *Hitler*, Ballantine Books Inc. New York, 1970.
Wykes, Alan; *1942, The Turning Point*, Macdonald and Company Ltd, London 1972.
Wykes, Alan; *Himmler*, Pan Books Ltd. London 1973.
Zee, Henri van der; *The Hungerwinter*, Becht Amsterdam 1979. **

REGISTER